Intersection

Mathématique
Sciences naturelles

2e cycle du secondaire
2e année

Manuel de l'élève A

Claude Boucher
Michel Coupal
Martine Jacques
Lynn Marotte

Avec la collaboration de
Roberto Déraps
Brahim Miloudi

GRAFICOR
CHENELIÈRE ÉDUCATION

Intersection
Mathématique, 2e cycle du secondaire, 2e année
Sciences naturelles

Claude Boucher, Michel Coupal, Martine Jacques, Lynn Marotte

Éditrice : Guylaine Cloutier
Coordination : Geneviève Gagné, Marie-Noëlle Hamar, Carolina Navarrete, Caroline Bouffard, Samuel Rosa, Anne Lavigne
Révision linguistique : Nicole Blanchette, Guy Robert
Correction d'épreuves : Danielle Maire, André Duchemin, François Morin
Conception graphique et couverture : Matteau Parent graphisme et communication inc.
Infographie : Matteau Parent graphisme et communication inc., Linda Szefer, Henry Szefer et Josée Brunelle
Illustrations techniques : Jacques Perrault, Serge Rousseau, Bertrand Lachance
Impression : Imprimeries Transcontinental

Remerciements

Nous tenons à remercier Hassane Squalli, professeur au département de didactique de l'Université de Sherbrooke, et Christian Léger, professeur titulaire au département de mathématiques et de statistique de l'Université de Montréal, qui ont agi à titre de consultants pour la réalisation de cet ouvrage.

Un merci tout spécial à Guillaume Cassou et à Emmanuel Duran pour leur collaboration à la partie Outils technologiques ainsi qu'à Sophie René de Cotret pour ses précieux commentaires.

Pour leur contribution à cet ouvrage, nous tenons également à remercier Roberto Deraps, auteur pour la collection et enseignant, Collège Saint-Sacrement ; Isabelle Major, enseignante, Collège Laval ; Stéfanie Massé, enseignante, C.S. des Patriotes ; Sylvain Richer, enseignant, C.S. des Trois-Lacs ; Mélanie Tremblay, enseignante, C.S. Marie-Victorin.

Pour le soin qu'ils ont porté à leur travail d'évaluation et leurs commentaires avisés sur la collection, nous tenons à remercier Christian Boily, enseignant, C.S. Beauce-Etchemin ; Serge de l'Église, enseignant, C.S. des Affluents ; Pauline Genest, enseignante, C.S. des Rives-du-Saguenay ; Angèle Hébert, enseignante, C.S. de la Vallée-des-Tisserands ; Maxime Laplante, enseignant, C.S. Marguerite-Bourgeoys ; Annie Racine, enseignante, C.S. des Patriotes ; Sara Sfeir, enseignante, C.S. de l'Énergie.

GRAFICOR
CHENELIÈRE ÉDUCATION

7001, boul. Saint-Laurent
Montréal (Québec) Canada H2S 3E3
Téléphone : 514 273-1066
Télécopieur : 450 461-3834 / 1 888 460-3834
info@cheneliere.ca

ISBN 978-2-7652-0787-0

Dépôt légal : 1er trimestre 2009
Bibliothèque et Archives nationales du Québec
Bibliothèque et Archives Canada

Imprimé au Canada

2 3 4 5 ITIB 12 11 10 09

Nous reconnaissons l'aide financière du gouvernement du Canada par l'entremise du Programme d'aide au développement de l'industrie de l'édition (PADIÉ) pour nos activités d'édition.

Gouvernement du Québec – Programme de crédit d'impôt pour l'édition de livres – Gestion SODEC.

Table des matières

Chapitre 3 L'analyse de la fonction quadratique 130

Chapitre 4 Les distributions à deux caractères 184

Organisation du manuel

Le début d'un chapitre

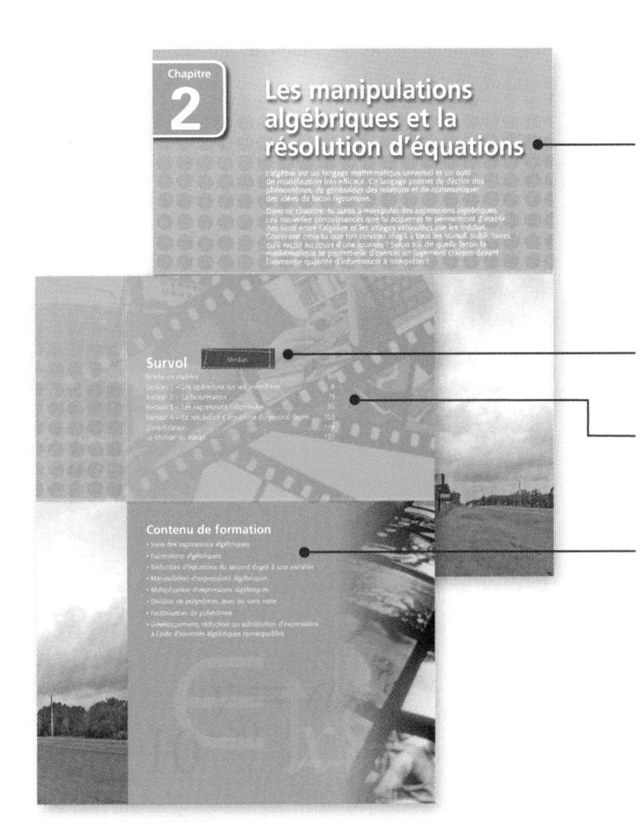

L'ouverture du chapitre te propose un court texte d'introduction qui porte sur le sujet à l'étude du chapitre et qui établit un lien avec un domaine général de formation.

Le domaine général de formation abordé dans le chapitre est précisé dans le survol.

Le survol te présente le contenu du chapitre en un coup d'œil.

L'ouverture du chapitre te présente aussi le contenu de formation à l'étude dans le chapitre.

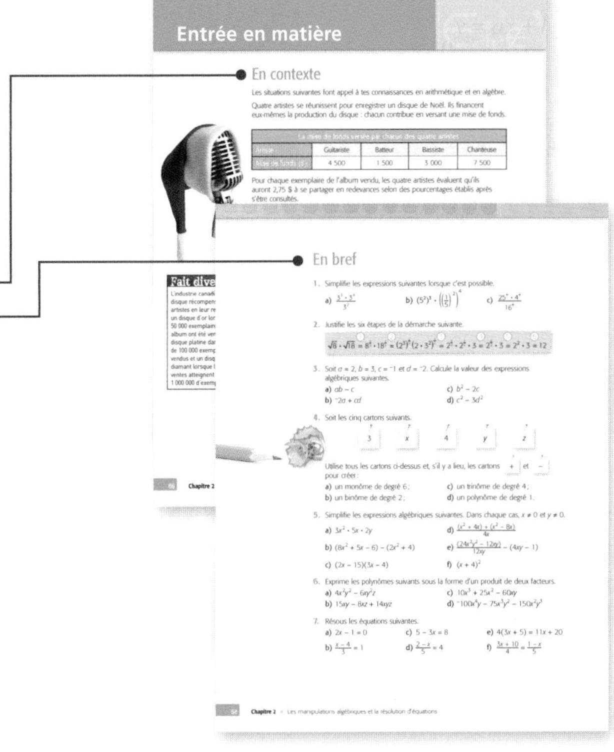

L'*Entrée en matière* fait appel à tes connaissances au moyen des situations et des questions de réactivation des rubriques *En contexte* et *En bref.* Ces connaissances te seront utiles pour aborder les concepts du chapitre.

Les sections

Chaque chapitre est composé de plusieurs sections qui portent sur le sujet à l'étude. L'ensemble des activités d'exploration proposées dans ces sections te permettent de développer tes compétences.

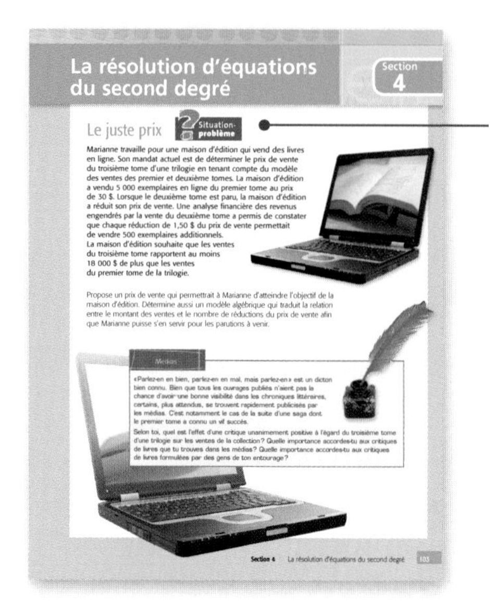

La situation de compétence t'amène à découvrir les concepts et les processus mathématiques qui seront approfondis dans la section, ainsi qu'à développer différentes stratégies de résolution de problèmes.

Les concepts et les processus à l'étude sont inscrits dans un encadré, au début de chaque activité d'exploration.

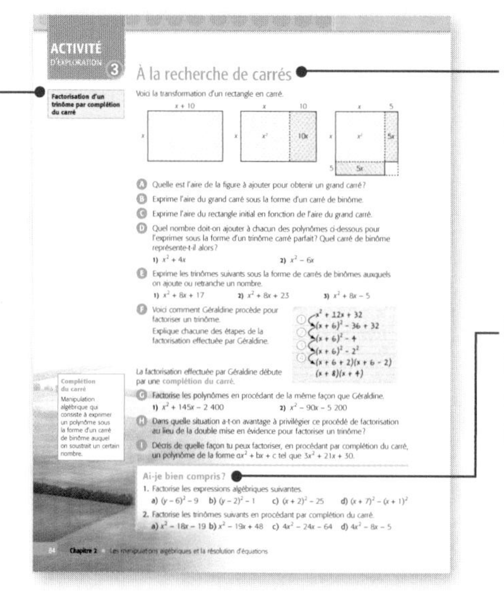

Chaque activité d'exploration te permet d'aborder certains concepts et processus à l'étude.

La rubrique *Ai-je bien compris ?* te donne l'occasion de vérifier ta compréhension des concepts abordés au cours de l'activité d'exploration.

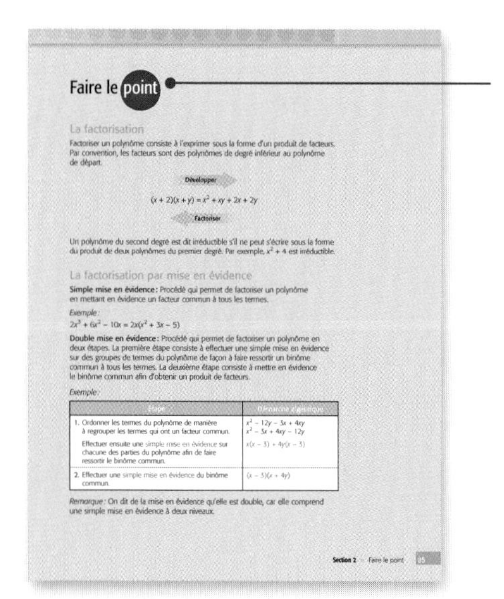

Les pages intitulées *Faire le point* présentent la synthèse des concepts et des processus abordés dans la section, avec des exemples clairs. Facilement repérables, ces pages peuvent t'être utiles lorsque tu veux te rappeler un sujet bien précis.

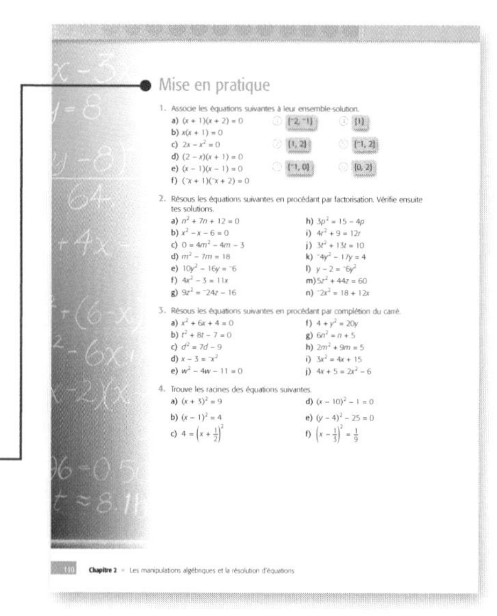

La *Mise en pratique* réunit un grand nombre d'exercices et de problèmes qui te permettent de réinvestir les concepts et les processus abordés dans la section.

La fin d'un chapitre

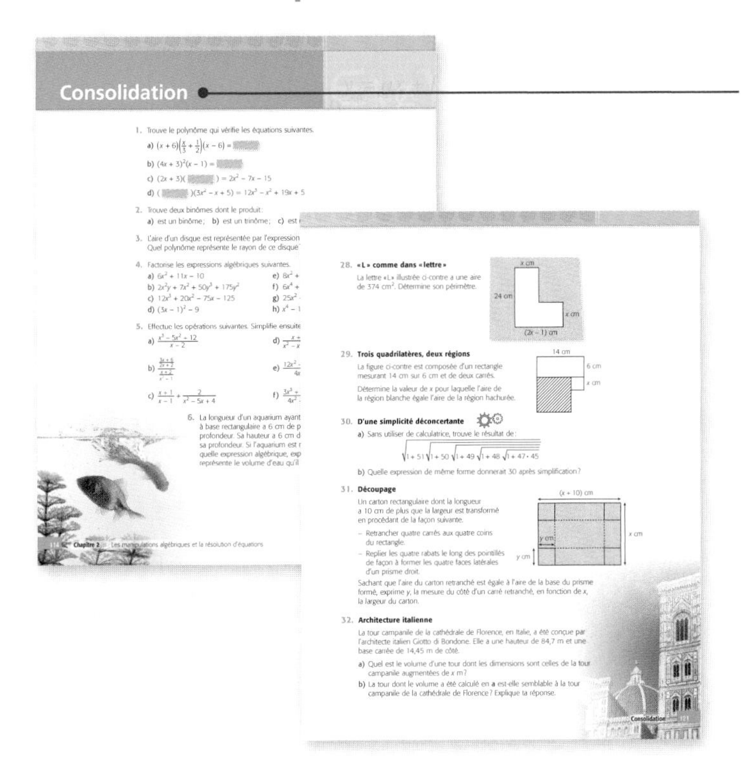

La *Consolidation* te propose une banque d'exercices et de problèmes supplémentaires qui te permettent de réinvestir les concepts et les processus abordés dans l'ensemble des sections du chapitre et de continuer à développer tes compétences.

Le dernier problème de la *Consolidation* met en contexte un métier et permet de développer une compétence liée à un domaine général de formation.

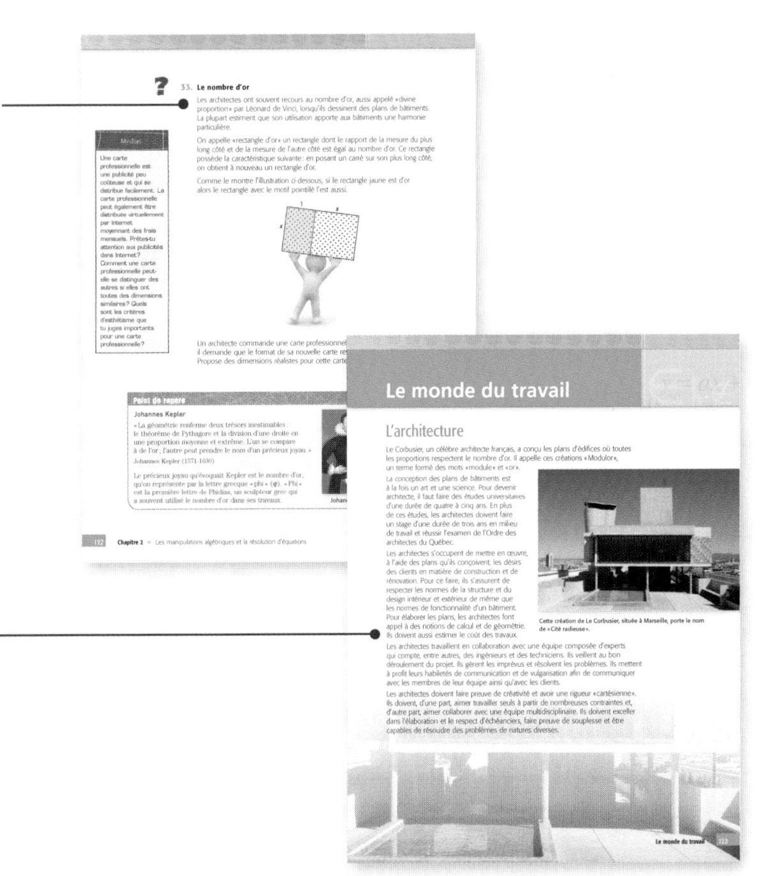

Dans *Le monde du travail*, on trouve une courte description d'un domaine d'emploi qui fait appel aux concepts et aux processus abordés dans le chapitre.

L'*Intersection*

L'*Intersection* te permet de réinvestir les apprentissages des chapitres précédents au moyen de situations riches, qui ciblent plus d'un champ mathématique à la fois.

La situation d'apprentissage et d'évaluation te permet de réinvestir certains concepts et processus abordés au cours des chapitres précédents.

Une banque de problèmes te permet de réinvestir les compétences, les concepts et les processus des chapitres précédents.

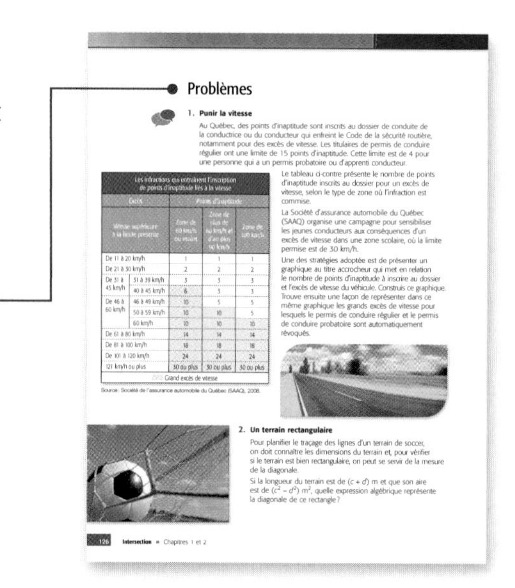

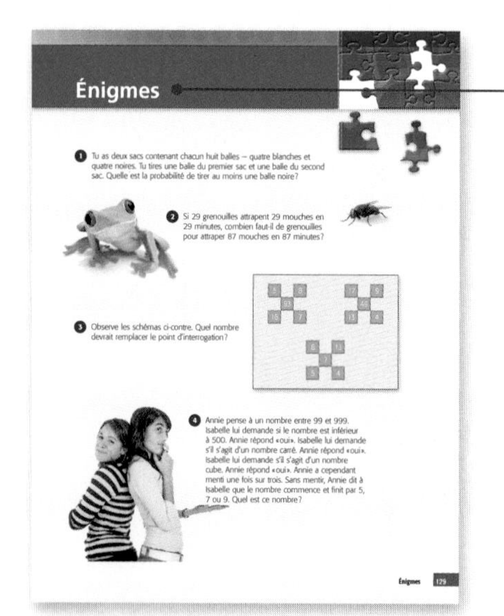

La page *Énigmes* présente des énigmes et des jeux mathématiques pour t'aider à développer ta logique mathématique.

Les *Outils technologiques*

Ces pages te présentent les fonctions de base de certains outils technologiques.

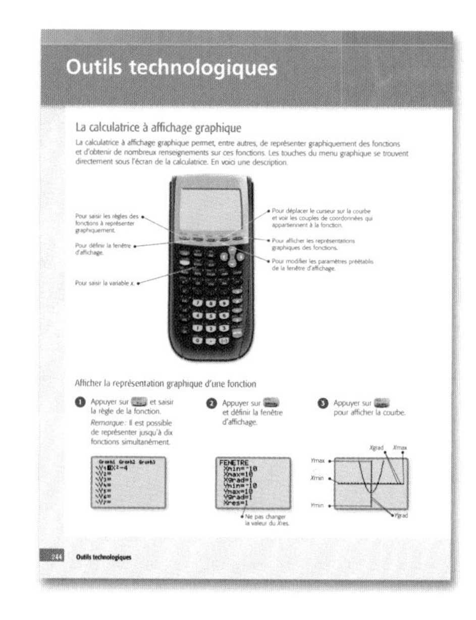

Les rubriques

Pièges et astuces

Pour effectuer une double mise en évidence sur un polynôme à quatre termes, les coefficients des termes doivent être...

Te présente une méthode de travail, des erreurs courantes et des stratégies de résolution de problèmes.

Fait divers

L'industrie canadienne du disque récompense les artistes en leur remettant un disque d'or lorsque 50 000 exemplaires d'un album ont été vendus, un...

Relate un fait intéressant ou une anecdote lié au sujet à l'étude.

Point de repère

Al-Khawarizmi

Au IXe siècle, le mathématicien arabe Al-Khawarizmi faisait déjà réf...

Te présente des personnages et des faits historiques liés à l'étude de la mathématique.

Médias

Autrefois, une personne qui assistait à un événement exceptionnel ne pouvait que rapporter l'événement...

Te propose de l'information et des questions relatives à l'un des domaines généraux de formation suivants : santé et bien-être, orientation et entrepreneuriat, environnement et consommation, médias, vivre-ensemble et citoyenneté.

TIC

La calculatrice à affichage graphique permet, entre autres, de vérifier si deux expressions algébriques sont équivalentes.

Pour en savoir plus sur la calculatrice...

T'invite à mieux connaître l'une des technologies de l'information et de la communication (TIC) ou à l'utiliser dans la résolution d'un problème.

Double mise en évidence

Procédé qui permet de factoriser un polynôme en effectuant, d'abord, une simple mise en évidence sur des groupes de termes du polynôme...

Te donne une définition qui vise à préciser un concept ou à faire un retour sur des savoirs à l'étude dans les années précédentes.
Le mot défini est en bleu dans le texte courant pour en faciliter le repérage.

Les pictogrammes

Résoudre une situation-problème.

Déployer un raisonnement mathématique.

Communiquer à l'aide du langage mathématique.

Au besoin, utiliser la fiche reproductible disponible.

Chapitre

1 L'analyse de fonctions

Aujourd'hui, chacun se sent concerné par la protection de l'environnement. Cependant, malgré cette bonne volonté générale, certaines décisions contribuent encore à polluer la planète.

Les scientifiques mesurent la portée de nos gestes sur l'environnement à l'aide de concepts mathématiques comme la modélisation, l'étude des relations entre les variables et l'analyse de l'effet des paramètres d'une fonction.

Au quotidien, adoptes-tu des comportements écologiques? Nomme quelques mesures mises en place par certaines entreprises pour protéger l'environnement. As-tu des idées originales qui inciteraient les gens à faire quotidiennement des gestes bénéfiques pour la santé de la planète?

Survol

Environnement et consommation

Contenu de formation

- Fonction en escalier (fonction partie entière)
- Paramètre
- Observation, interprétation et description de différentes situations
- Représentation d'une situation à l'aide d'une fonction réelle : verbalement, algébriquement, graphiquement et à l'aide d'une table de valeurs (description des propriétés de la fonction, interprétation des paramètres, recherche de la règle d'une fonction en escalier)

Entrée en matière

Les pages 4 à 6 font appel à tes connaissances sur les fonctions.

En contexte

Les sables bitumineux sont un combustible fossile, donc une source d'énergie non renouvelable. On extrait le bitume des sables bitumineux pour ensuite le transformer en pétrole. C'est au nord de l'Alberta, au Canada, qu'on trouve les principaux gisements de sables bitumineux.

Il faut énormément de sables bitumineux pour produire une petite quantité de pétrole. On extrait un baril de 160 L de pétrole à partir de 2 000 kg de sables bitumineux. Ce sont d'énormes camions, dont la benne a une capacité de 400 000 kg, qui transportent les sables jusqu'à l'usine de transformation.

1. Soit la relation entre le nombre de camions qui arrivent à l'usine et la quantité de pétrole produite.

a) Identifie les variables dépendante et indépendante de cette relation.

b) De quel type sont les variables mises en relation ?

c) Construis un graphique qui représente cette relation.

d) À quoi correspond le taux de variation de cette situation ?

Environnement et consommation

L'exploitation des sables bitumineux a un impact important sur l'activité économique au Canada. Les investissements considérables qu'elle exige ont des retombées positives non seulement dans l'ouest du Canada, mais aussi dans l'ensemble du pays. L'exploitation des sables bitumineux contribue par le fait même à la création d'emplois.

Cependant, cette activité économique comporte aussi des inconvénients. En effet, la grande majorité des sables bitumineux se trouve dans le sol de la forêt boréale qu'on doit raser afin d'accéder aux sables. Ces sables sont ensuite pelletés dans des mines à ciel ouvert, ce qui forme des cratères géants.

Vois-tu d'autres inconvénients possibles liés à l'exploitation des sables bitumineux ?

2. Des géologues pétroliers utilisent la fonction représentée ci-dessous pour estimer ce qu'il reste des réserves mondiales de pétrole depuis 2005.

Selon ce modèle, en quelle année les réserves mondiales de pétrole seront-elles épuisées?

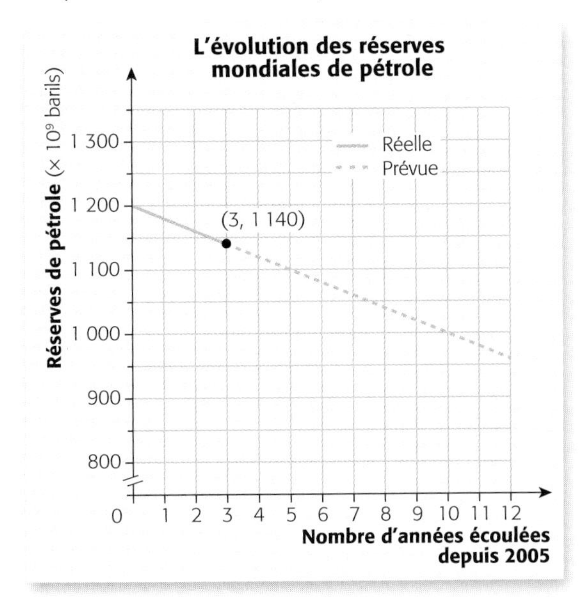

3. La demande en pétrole ne cesse de croître alors que les réserves, elles, s'épuisent. Ces facteurs influent nécessairement sur le prix de l'essence à la pompe.

Soit le graphique suivant.

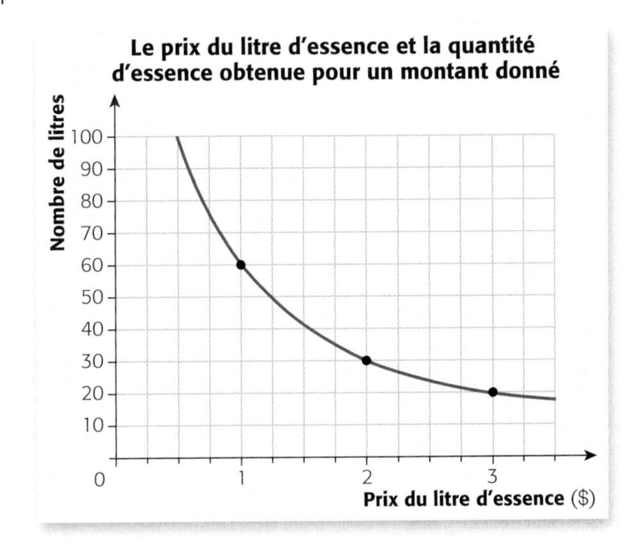

a) De quel type de fonction s'agit-il?

b) Trouve la règle associée à cette fonction.

c) Est-ce que la réciproque de cette fonction est aussi une fonction? Justifie ta réponse.

d) Le réservoir d'une automobile a une capacité de 56 L. À partir de quel prix au litre un montant de 60 $ ne suffira plus pour remplir le réservoir de cette automobile?

En bref

1. Soit les trois fonctions représentées dans le plan cartésien ci-contre.

a) Pour chacune d'elles, détermine le type de fonction et sa règle;

b) Complète les énoncés suivants:

I) $f(6) =$ ______

II) $g(8) =$ ______

III) $h($ ______ $) = 7$

IV) $^-2$ est l'image de 4 par la fonction ______

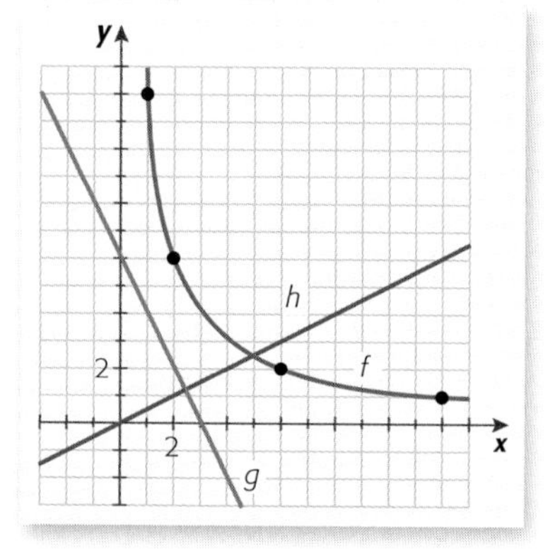

2. On s'intéresse à la relation entre le nombre de côtés d'un polygone régulier et la mesure de l'angle au centre AOB.

a) Définis les variables dépendante et indépendante de cette relation.

b) Détermine le type de chacune des variables.

c) Construis un graphique qui représente cette fonction.

d) Détermine la règle de cette fonction.

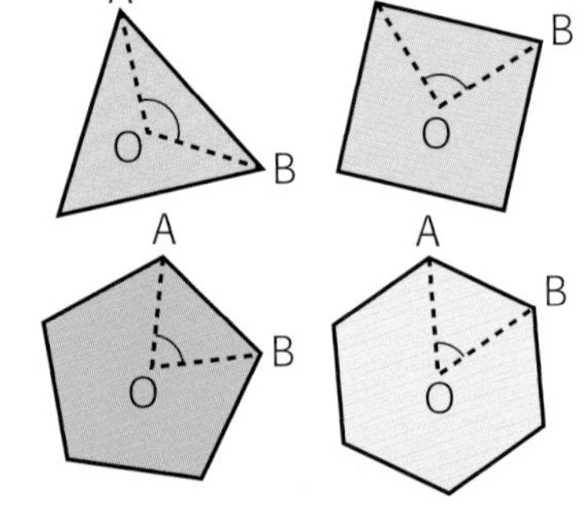

3. Reproduis et remplis le tableau ci-dessous.

Compréhension	Extension ou intervalle	Droite numérique
	$\{^-3, ^-2, ^-1, 0, 1, 2\}$	
	$]-\infty, 8]$	
		$^-4$ $^-3$ $^-2$ $^-1$ 0 1 2 3 4
$\{x \in \mathbb{R} \mid x \leq {^-2} \text{ ou } x > 4\}$		

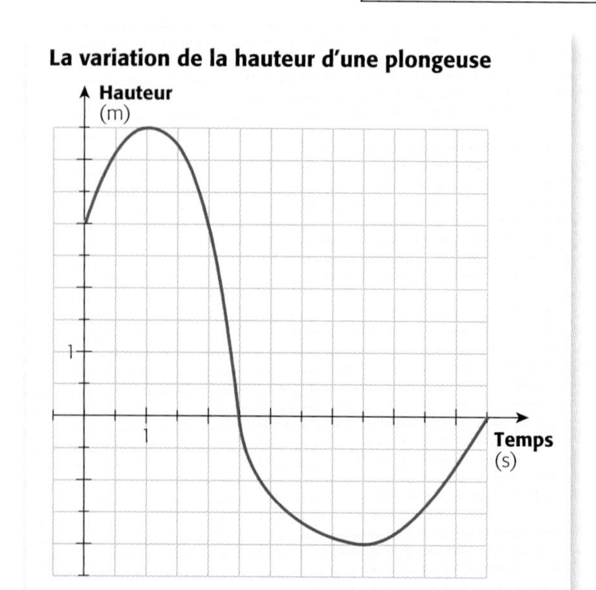

4. Le graphique ci-contre représente la hauteur de la pointe des pieds d'une plongeuse par rapport au niveau de l'eau en fonction du temps écoulé depuis le début de l'exécution de son plongeon.

a) Quelle est la hauteur du tremplin?

b) Quelle est la durée du plongeon?

c) Sur quel intervalle de temps la plongeuse est-elle sous l'eau?

d) Quelle est la hauteur maximale atteinte par la plongeuse?

e) Sur quel intervalle de temps la hauteur de la plongeuse est-elle décroissante?

f) Quels sont le domaine et l'image de cette fonction?

g) La réciproque de cette fonction est-elle une fonction?

Les propriétés des fonctions

Section 1

Pratique, peu coûteux… et très polluant

Voici des renseignements sur la distribution des sacs en plastique dans les commerces du Québec.

Introduit à la fin des années 1980 dans les épiceries en raison de son coût de production moins élevé que celui du sac en papier, le sac en plastique a vu sa popularité s'accroître de façon constante jusqu'au début du XXIe siècle.

Le nombre de sacs en plastique distribués en un an a atteint un maximum d'environ 2,2 milliards en 2002 et il a été à peu près constant chaque année jusqu'en 2005, année où les sacs réutilisables sont apparus au comptoir de certains commerces.

Un sac réutilisable pourrait remplacer en moyenne trois sacs en plastique, trois fois par semaine. Cependant, les propriétaires de sacs réutilisables utilisent ces derniers pour seulement 25 % de leurs emplettes en moyenne.

Adapté de : RECYC-QUÉBEC, 2007.

Le graphique ci-contre présente l'évolution réelle du nombre de sacs réutilisables vendus au Québec depuis le début de l'année 2005 jusqu'en 2008, et l'évolution prévue à partir de 2008.

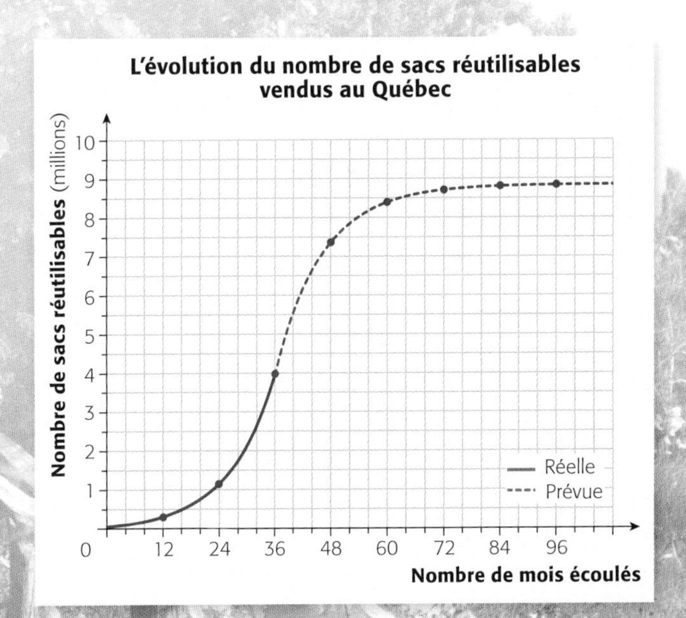

À partir de ces renseignements, trace une représentation graphique de l'évolution du nombre de sacs en plastique distribués au Québec annuellement de 1990 à 2015. Sur cette période de temps, la réduction du nombre de sacs en plastique distribués chaque année sera-t-elle d'au moins 60 %? Si oui, à partir de quelle année? Si non, propose une façon réaliste d'y arriver.

Environnement et consommation

Le 1er janvier 2008, Huntingdon a été la première municipalité au Québec à bannir les sacs en plastique des commerces. Certains croient que pour arriver à un changement véritable des habitudes, il faut l'imposer à la population. Que penses-tu de cette opinion? Propose quelques mesures incitatives qui pourraient motiver les gens à utiliser des sacs réutilisables.

ACTIVITÉ D'EXPLORATION **1**

L'observation des baleines

- **Domaine et image**
- **Notation fonctionnelle**

De mai à octobre, plusieurs ports de l'estuaire et du golfe du Saint-Laurent offrent des excursions qui permettent d'observer jusqu'à 13 espèces de grands mammifères marins. En raison de ses sauts spectaculaires hors de l'eau, la baleine à bosse est un sujet privilégié pour le tourisme d'observation de baleines.

TIC

La calculatrice à affichage graphique facilite la représentation et l'analyse d'une fonction. Pour en savoir plus, consulte les pages 244 et 245 de ce manuel.

Lors du saut d'une baleine à bosse, la hauteur $h(t)$, en mètres, qu'atteint le museau de la baleine par rapport au niveau de l'eau en fonction du temps écoulé t, en secondes, depuis sa sortie de l'eau peut être associée à la règle suivante : $h(t) = {}^{-}5(t - 1)^2 + 5$. Le graphique ci-contre illustre la fonction h définie à partir du début de la projection de la baleine jusqu'à sa plongée complète dans l'eau.

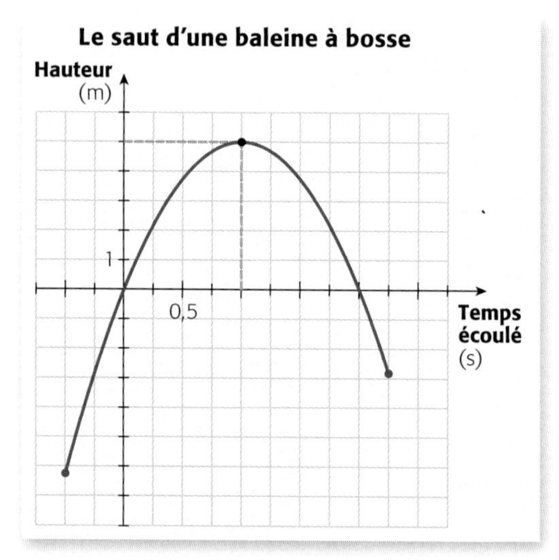

A Pourquoi la hauteur est-elle notée $h(t)$?

B Que représente $h({}^{-}0,5)$? Détermine cette valeur.

C Détermine l'**ensemble de départ** et l'**ensemble d'arrivée** de cette fonction.

Ensemble de départ
Ensemble de nombres ($\mathbb{N}$, $\mathbb{Z}$, $\mathbb{R}_+$, etc.) auquel appartiennent les valeurs que la variable indépendante peut prendre.

Ensemble d'arrivée
Ensemble de nombres ($\mathbb{N}$, $\mathbb{Z}$, $\mathbb{R}_+$, etc.) auquel appartiennent les valeurs que la variable dépendante peut prendre.

On définit une fonction f en notation fonctionnelle en précisant ses ensembles de départ et d'arrivée et sa règle de correspondance. Cette notation se présente comme suit :

$$f: \text{Ensemble de départ} \rightarrow \text{Ensemble d'arrivée}$$
$$x \mapsto f(x) = \ldots$$

D Définis la fonction h à l'aide de cette notation.

E Décris sous forme d'intervalles le domaine et l'image de cette fonction.

F Dans une fonction, qu'est-ce qui distingue le domaine de l'ensemble de départ et l'image de l'ensemble d'arrivée ?

Plusieurs excursions d'observation des baleines se font à bord de canots pneumatiques. Pour satisfaire aux normes de sécurité, on doit limiter le nombre de passagers par embarcation. Le graphique ci-dessous présente le nombre de canots $c(p)$ déployés par la compagnie Cétacé Tours en fonction du nombre de personnes p qui participent à l'excursion. Le nombre de personnes ne peut pas être inférieur à 6.

La règle associée à cette fonction est $c(p) = \left[\frac{p-1}{12}\right] + 1$.

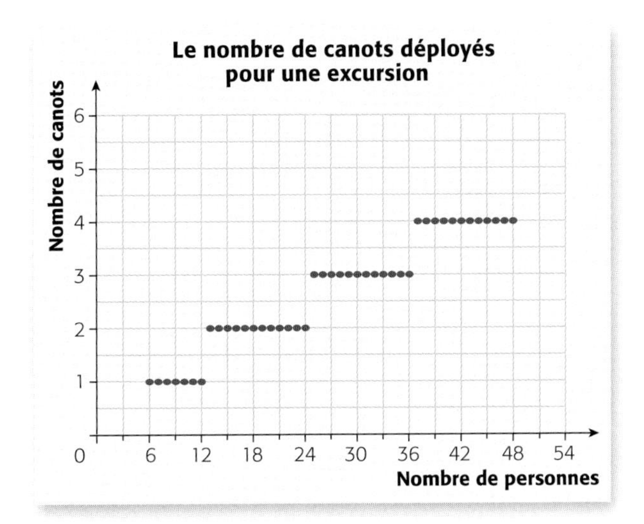

Pièges et astuces

Le recours à des initiales (*t* pour temps, *a* pour âge, etc.) pour désigner les variables dépendante et indépendante d'une situation est un bon moyen d'éviter la confusion entre les variables.

Dans la règle, les crochets signifient «plus grand entier inférieur ou égal à».

G Identifie les variables dépendante et indépendante de cette fonction et indique le type de chacune des variables.

H Définis cette fonction à l'aide de la notation fonctionnelle.

I Décris en extension le domaine et l'image de cette fonction.

Ai-je bien compris?

Voici différentes représentations de trois fonctions.

①

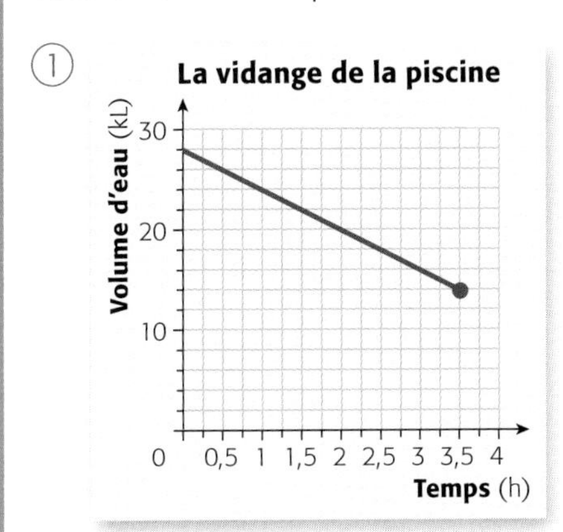

② Le périmètre d'un polygone régulier dont les côtés mesurent 3 cm en fonction de son nombre de côtés.

③

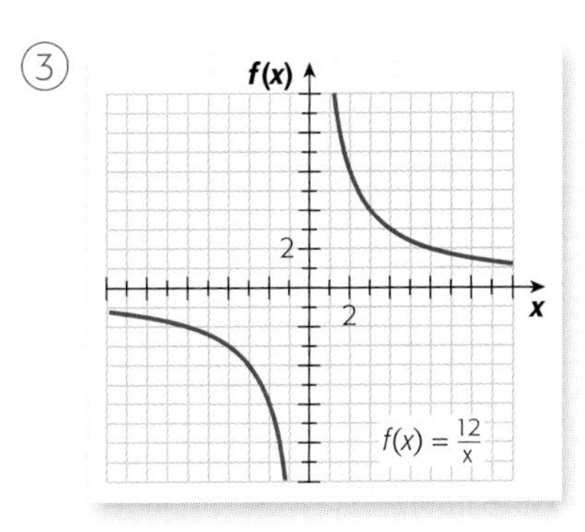

a) Définis chaque fonction à l'aide de la notation fonctionnelle.

b) Utilise un mode de représentation approprié pour décrire le domaine et l'image de chacune d'elles.

ACTIVITÉ
D'EXPLORATION **2**

La facturation inversée

- **Coordonnées à l'origine**
- **Signe**

Les systèmes de production d'énergie photovoltaïque convertissent l'énergie solaire en électricité. Ils constituent une source d'énergie fiable, efficiente et non polluante. Un tel système, installé sur une maison et relié à un réseau électrique, permet de réduire la consommation d'électricité provenant du réseau public. De plus, lorsque l'énergie produite par une résidence excède l'énergie qu'elle consomme, l'excédent est emmagasiné dans le réseau.

Un propriétaire a installé un système photovoltaïque sur sa maison 90 jours avant la fin de l'année. Il s'intéresse à l'excédent d'électricité que produira son système pour la prochaine année.

Le graphique ci-dessous présente l'excédent $e(j)$ de la production d'électricité en kilowattheures (kWh) en fonction du nombre de journées j écoulées depuis le début de l'année.

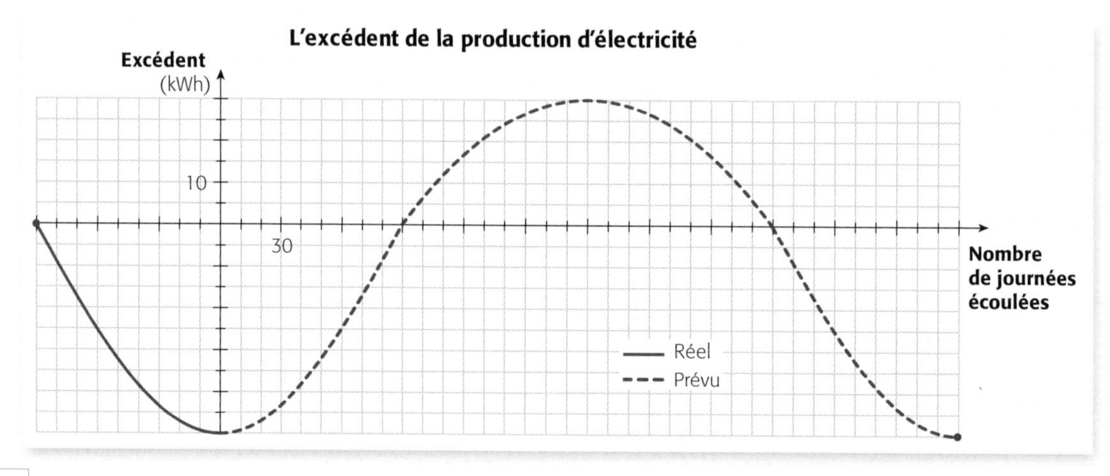

Ordonnée à l'origine (ou valeur initiale)
Valeur de la variable dépendante lorsque la variable indépendante est égale à zéro.

Abscisses à l'origine (ou zéros)
Valeurs de la variable indépendante pour lesquelles la variable dépendante est nulle.

A Décris en mots l'évolution de l'excédent de production prévu pour la prochaine année.

B Détermine l'**ordonnée à l'origine** de cette fonction et explique ce que représente cette valeur dans cette situation.

C Détermine les **abscisses à l'origine** de cette fonction. Que représentent ces valeurs dans ce contexte?

Environnement et consommation

La production individuelle d'électricité est généralement favorable à l'environnement. Nomme divers moyens de production d'énergie. Selon toi, lesquels peut-on qualifier de « propres » ? Lesquels peut-on qualifier de « polluants » ?

D Sous forme d'intervalles, exprime les valeurs de la variable indépendante pour lesquelles la fonction est :

1) positive ; **2)** négative.

E Dans ce contexte, que représentent les intervalles donnés en **D** ?

F Donne une explication pour le titre de cette activité : « La facturation inversée ».

Pièges et astuces

Rappelle-toi que le nombre zéro est considéré à la fois comme positif et négatif.

Ai-je bien compris ?

1. Soit la représentation de la fonction suivante.

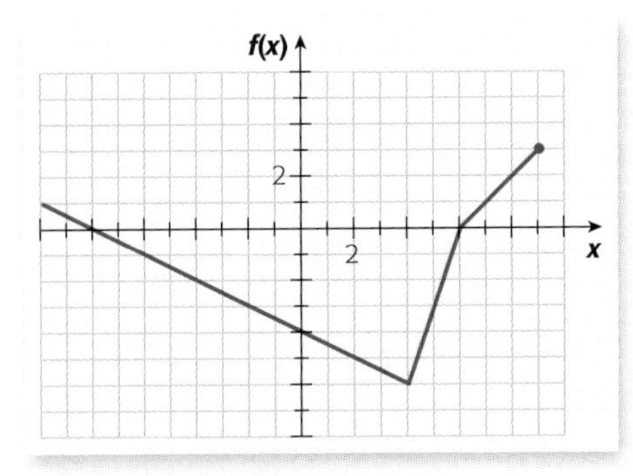

a) Détermine l'ordonnée à l'origine.

b) Détermine les abscisses à l'origine.

c) Fais l'étude du signe.

Faire l'étude du signe d'une fonction, c'est déterminer les intervalles pour lesquels une fonction est positive et les intervalles pour lesquels une fonction est négative.

2. Soit les règles suivantes.

① $f(x) = 5x - 45$ ② $g(x) = {}^{-}8x + 92$

a) Détermine l'ordonnée à l'origine de chaque fonction.

b) Détermine la ou les abscisses à l'origine de chaque fonction.

c) Fais l'étude du signe de chaque fonction.

Pièges et astuces

Une simple esquisse du graphique d'une fonction est souvent suffisante pour en faire l'analyse.

ACTIVITÉ
D'EXPLORATION **3**

Le concours « Gérer mon eau de pluie »

- **Variation**
- **Extremums**

Il y a quelques années, pour réduire le gaspillage de l'eau potable, la ville de Thetford Mines a lancé le concours « Gérer mon eau de pluie ». Ce concours visait à souligner et à récompenser les efforts des citoyens qui récupèrent l'eau de pluie afin de l'utiliser pour divers travaux (lavage de voitures ou de vélos, arrosage de jardins ou de pelouses, etc.).

Le graphique ci-dessous donne un aperçu de l'évolution du volume d'eau dans un récupérateur d'eau de pluie de forme cylindrique sur une période de 24 heures.

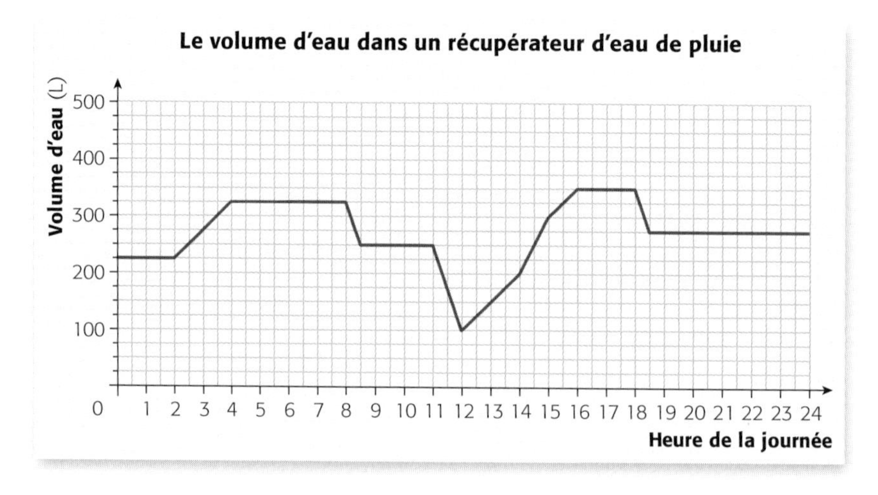

A Décris en mots la variation de cette fonction, c'est-à-dire l'évolution du volume d'eau dans le récupérateur d'eau pour la période représentée.

B Sous forme d'intervalles, exprime les périodes de la journée pour lesquelles cette fonction est :

1) constante ; **2)** croissante ; **3)** décroissante.

C Quels sont les intervalles pour lesquels la fonction est :

1) strictement croissante ? **2)** strictement décroissante ?

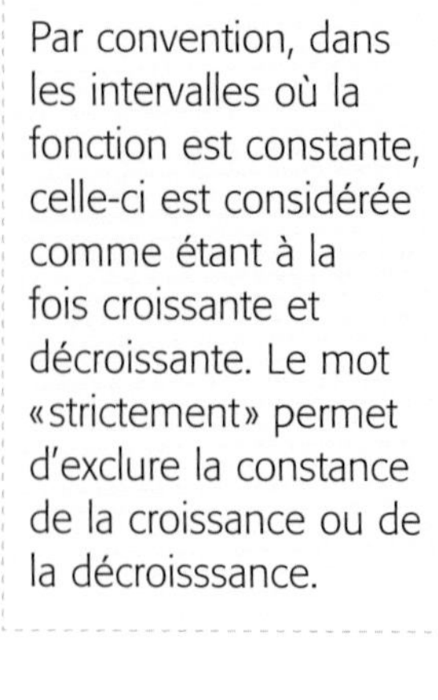

Par convention, dans les intervalles où la fonction est constante, celle-ci est considérée comme étant à la fois croissante et décroissante. Le mot « strictement » permet d'exclure la constance de la croissance ou de la décroisssance.

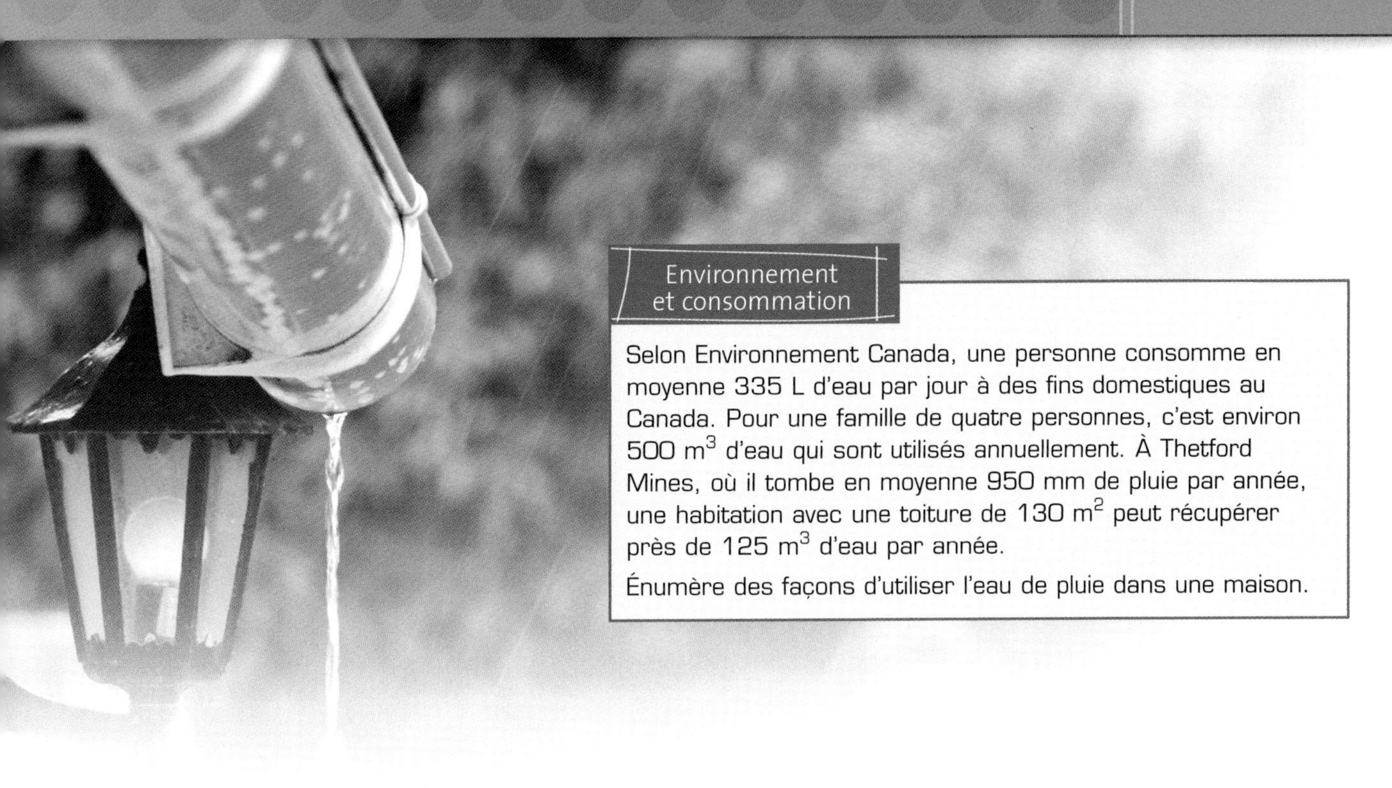

Environnement et consommation

Selon Environnement Canada, une personne consomme en moyenne 335 L d'eau par jour à des fins domestiques au Canada. Pour une famille de quatre personnes, c'est environ 500 m^3 d'eau qui sont utilisés annuellement. À Thetford Mines, où il tombe en moyenne 950 mm de pluie par année, une habitation avec une toiture de 130 m^2 peut récupérer près de 125 m^3 d'eau par année.

Énumère des façons d'utiliser l'eau de pluie dans une maison.

D Quels sont les **extremums** de cette fonction pour la période représentée?

E Quel lien existe-t-il entre la variation d'une fonction et ses extremums?

Extremums d'une fonction

Maximum (plus grande valeur de la variable dépendante) et minimum (plus petite valeur de la variable dépendante) de la fonction.

Ai-je bien compris?

1. Voici les représentations graphiques de deux fonctions. Pour chacune d'elles, détermine, s'il y a lieu:
   a) les extremums;
   b) les intervalles de croissance et de décroissance.

①

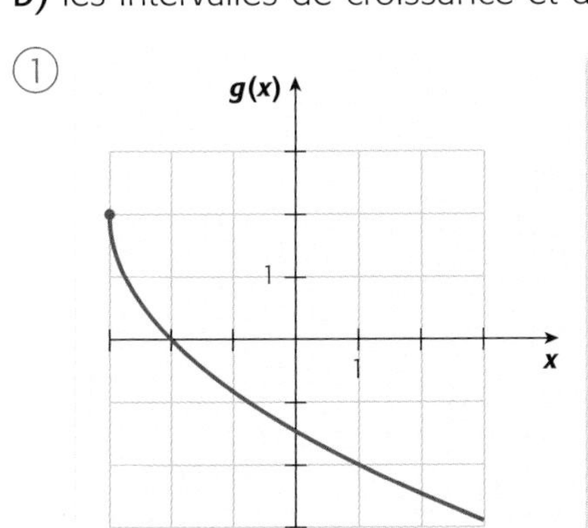

②

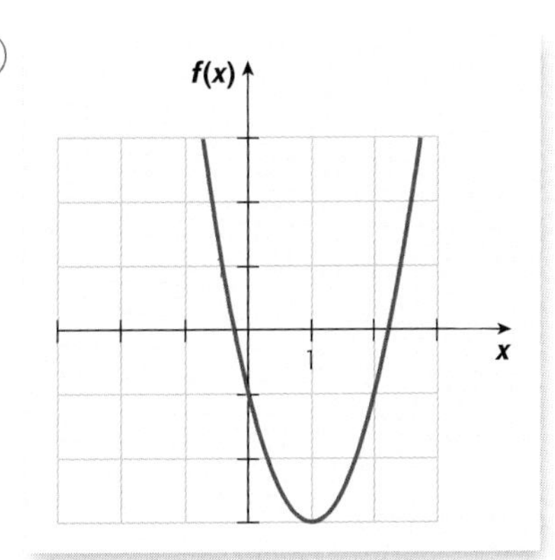

2. Trace le graphique d'une fonction qui a les propriétés suivantes.

	Maximum	Minimum	Croissance	Décroissance
a)	⁻4	Aucun	[⁻5, 6]	[6, + ∞]
b)	8	⁻2	[⁻3, 5] ∪ [7, 9]	[2, 7]

Faire le point

La notation fonctionnelle

Une fonction est une relation pour laquelle tout élément de l'ensemble de départ est associé à au plus un élément de l'ensemble d'arrivée.

Remarques :

- Le type des variables d'une situation détermine les ensembles de départ et d'arrivée de la fonction. Ces ensembles sont généralement des sous-ensembles des nombres réels tels que $\mathbb{N}$, $\mathbb{Z}$, $\mathbb{R}_+$, etc.
- S'il n'y a pas de contexte, on considère généralement que les ensembles de départ et d'arrivée sont $\mathbb{R}$.

La notation fonctionnelle sert à définir une fonction en précisant ses ensembles de départ et d'arrivée ainsi que sa règle de correspondance.

Voici les éléments qu'on trouve dans la notation fonctionnelle.

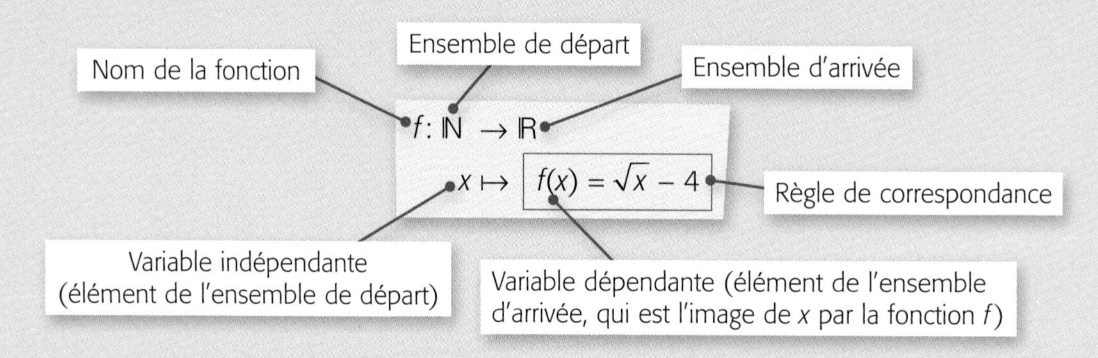

Cette notation se lit ainsi : « Fonction f de $\mathbb{N}$ vers $\mathbb{R}$ qui, à un élément x appartenant à $\mathbb{N}$, fait correspondre un élément appartenant à $\mathbb{R}$ que l'on note $f(x)$. »

Exemple :

Une voiture roule à une vitesse constante de 90 km/h. On peut définir la relation entre la distance parcourue $d(t)$, en kilomètres, et le temps de parcours t, en heures, de la façon suivante.

$$d: \mathbb{R}_+ \rightarrow \mathbb{R}_+$$
$$t \mapsto d(t) = 90t$$

$d(1{,}5) = 90 \cdot 1{,}5 = 135$

$d(1{,}5)$ désigne la distance parcourue en 1,5 h, soit 135 km.

Les propriétés d'une fonction

Faire l'analyse d'une fonction consiste à décrire ses propriétés. Les propriétés en question sont définies dans les tableaux suivants. Chacune d'elles est accompagnée d'un exemple qui réfère à la fonction *f* représentée ci-dessous.

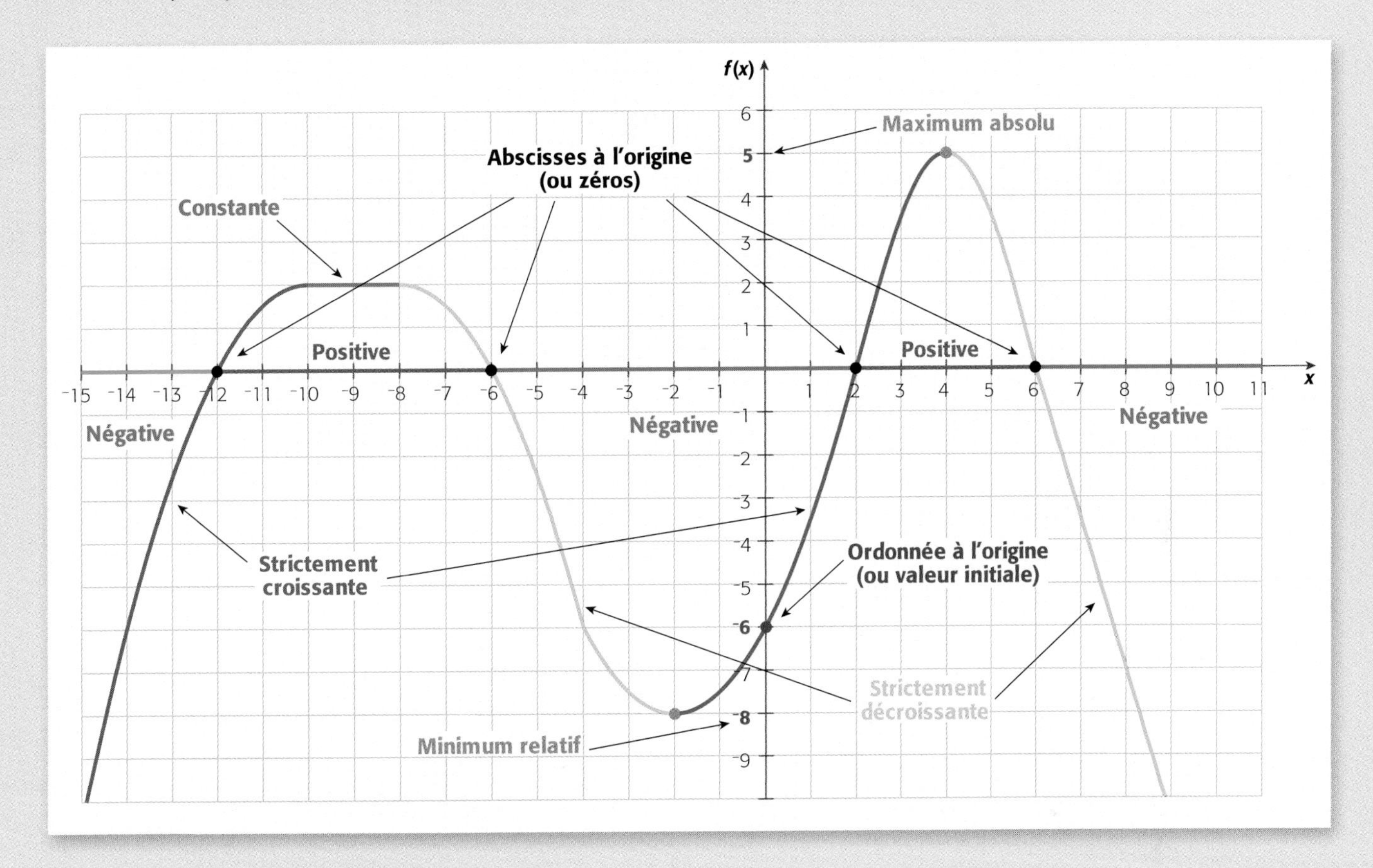

Le domaine et l'image

Propriété	Définition	*Exemple*
Domaine	Ensemble des valeurs que prend la variable indépendante.	Dom $f = \mathbb{R}$
Image	Ensemble des valeurs que prend la variable dépendante.	Ima $f =]-\infty, 5]$

Les coordonnées à l'origine

Propriété	Définition	*Exemple*
Abscisses à l'origine (ou zéros)	Valeurs de la variable indépendante pour lesquelles la variable dépendante est nulle. Une fonction peut n'avoir aucun zéro, en avoir un ou en avoir plusieurs.	Les abscisses à l'origine de la fonction f sont $\{^-12, ^-6, 2, 6\}$.
Ordonnée à l'origine (ou valeur initiale)	Valeur de la variable dépendante lorsque la variable indépendante est nulle.	$f(0) = ^-6$ L'ordonnée à l'origine de la fonction f est $^-6$.

Le signe

Propriété	Définition	*Exemple*
Positive	Sous-ensemble(s) du domaine pour lequel (lesquels) les valeurs de la variable dépendante sont positives.	La fonction f est positive pour $x \in [^-12, ^-6] \cup [2, 6]$.
Négative	Sous-ensemble(s) du domaine pour lequel (lesquels) les valeurs de la variable dépendante sont négatives.	La fonction f est négative pour $x \in]-\infty, ^-12] \cup [^-6, 2] \cup [6, +\infty[$.

Remarque : Par convention, aux zéros, la fonction est considérée comme à la fois positive et négative. Pour exclure les zéros, il faut préciser, selon le cas, que la fonction est strictement positive ou strictement négative.

Exemple : La fonction f est *strictement* positive pour $x \in]^-12, ^-6[\cup]2, 6[$.

La variation

Propriété	Définition	*Exemple*
Croissance	Intervalle(s) du domaine sur lequel (lesquels) la fonction ne diminue jamais.	La fonction f est croissante pour $x \in]-\infty, ^-8] \cup [^-2, 4]$.
Décroissance	Intervalle(s) du domaine sur lequel (lesquels) la fonction n'augmente jamais.	La fonction f est décroissante pour $x \in [^-10, ^-2] \cup [4, +\infty[$.
Constance	Intervalle(s) du domaine sur lequel (lesquels) la fonction ne subit aucune variation (variation nulle).	La fonction f est constante pour $x \in [^-10, ^-8]$.

Remarque : Par convention, sur un intervalle où la fonction est constante, celle-ci est à la fois croissante et décroissante. Pour exclure la constance, il faut préciser selon le cas que la fonction est strictement croissante ou strictement décroissante.

Exemple : La fonction f est *strictement* croissante pour $x \in]-\infty, ^-10] \cup [^-2, 4]$.

Les extremums

Propriété	Définition	*Exemple*
Maximum (absolu)	Valeur la plus élevée de la fonction sur tout son domaine.	Max f = 5
Minimum (absolu)	Valeur la moins élevée de la fonction sur tout son domaine.	La fonction f n'a pas de minimum.

Remarque : On dit qu'une fonction possède un maximum ou un minimum *relatif* en x_1 si, pour tout x de part et d'autre de x_1, on a selon le cas $f(x_1) \geq f(x)$ ou $f(x_1) \leq f(x)$.

Exemple : Pour la fonction f, $^-8$ est un minimum relatif.

Point de repère

La définition du concept de fonction

On attribue la première définition du concept de fonction à l'évêque français Nicolas Oresme (v. 1320-1382). Il décrivait les lois de la nature comme des lois où on trouve un lien de dépendance entre certaines quantités. Reconnu comme un des principaux fondateurs des sciences modernes, ce grand penseur, surnommé « le Einstein du XIVe siècle », était à la fois économiste, mathématicien, physicien, astronome, philosophe, traducteur, psychologue, musicologue, théologien, évêque et conseiller du roi Charles V de France.

Mise en pratique

1. Pour chacune des variables suivantes :

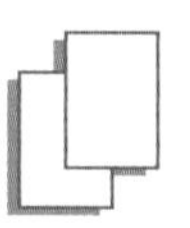

la température extérieure	précise	le type de la variable (discrète ou continue) ;
le nombre de passagers d'un autobus		l'ensemble de nombres auquel appartiennent les valeurs qu'elle peut prendre.
le nombre de téléviseurs dans un foyer		
la durée d'un appel téléphonique		

2. Voici des variables entre lesquelles il existe une relation.

① Le nombre de chaises et le nombre de tables dans un restaurant

② Le nombre de kilomètres parcourus par une voiture et le nombre de changements d'huile effectués

③ Le temps requis pour évacuer les élèves et le personnel d'une école

④ L'âge d'un arbre et son diamètre

Pour chaque relation :

a) détermine la variable indépendante et la variable dépendante ;

b) indique ce que devraient être les ensembles de départ et d'arrivée.

3. Associe chacun des graphiques ci-dessous à la fonction correspondante. Détermine ensuite le domaine et l'image de chacune de ces fonctions.

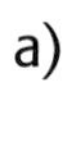

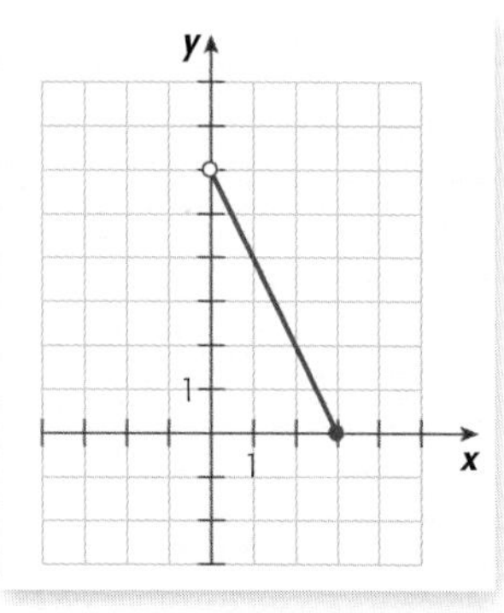

c)

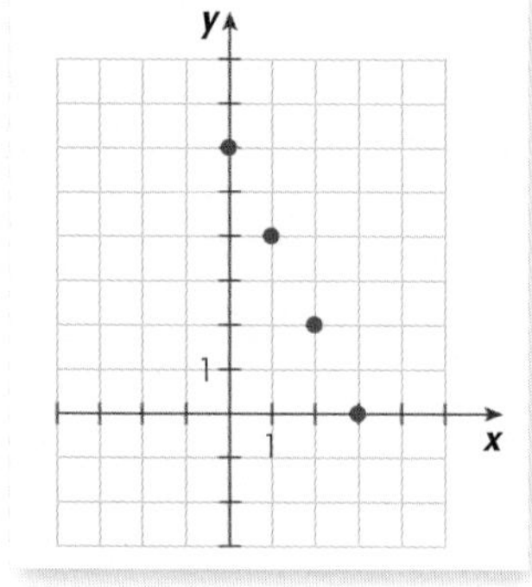

b)

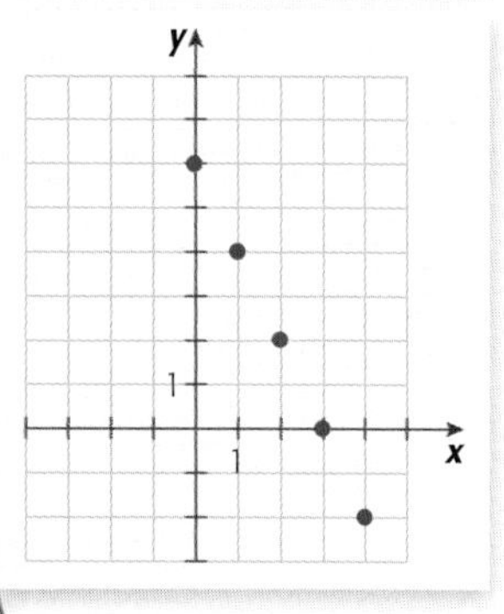

d)

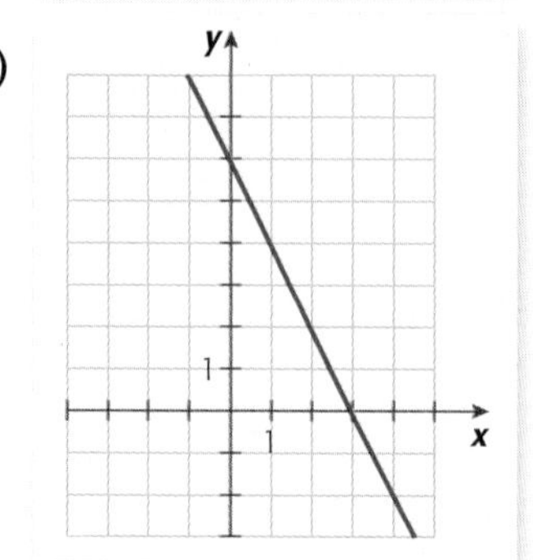

① $f: \mathbb{N} \to \mathbb{Z}$
$x \mapsto f(x) = {}^{-}2x + 6$

② $f: \mathbb{R}^* \to \mathbb{R}_+$
$x \mapsto g(x) = {}^{-}2x + 6$

③ $f: \mathbb{R} \to \mathbb{R}$
$x \mapsto h(x) = {}^{-}2x + 6$

④ $f: \mathbb{N} \to \mathbb{N}$
$x \mapsto i(x) = {}^{-}2x + 6$

4. Jonathan est préposé au stationnement dans un grand hôtel. Il a un salaire de base de 9 $/h et reçoit en moyenne 2 $ de pourboire pour chaque voiture qu'il gare. Il s'intéresse au revenu qu'il obtient pour une heure de travail en fonction du nombre de voitures garées pendant ce temps.

a) Identifie les variables en jeu dans cette fonction.

b) À l'aide de la notation fonctionnelle, définis cette fonction.

c) Détermine le domaine et l'image de cette fonction.

5. Voici les représentations graphiques de deux fonctions.

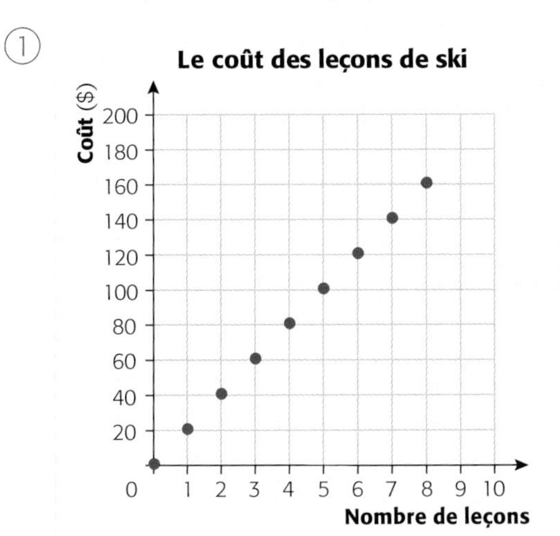

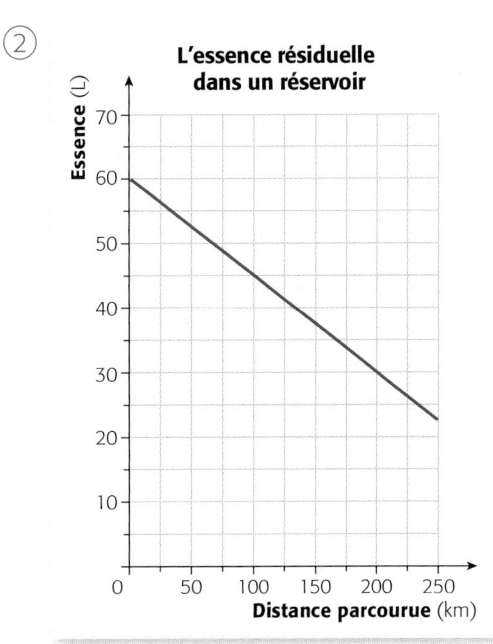

a) Définis chaque fonction en notation fonctionnelle.

b) Détermine le domaine et l'image de chacune de ces fonctions.

6. Le graphique ci-contre représente le temps qu'il faut pour effectuer le trajet de Québec à Longueuil selon la vitesse constante à laquelle roule une voiture.

a) Définis cette fonction à l'aide de la notation fonctionnelle.

b) Détermine le domaine et l'image de cette fonction :

1) sans tenir compte des restrictions de vitesse ;

2) en tenant compte des vitesses permises sur les autoroutes au Québec.

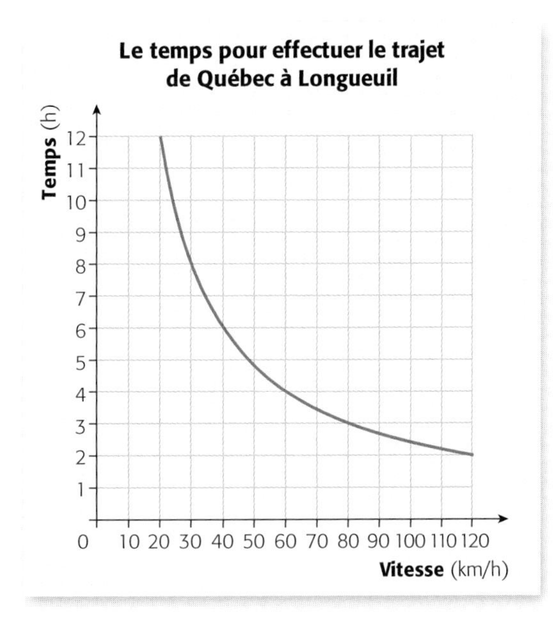

7. Pour chacune des fonctions représentées ci-dessous :

① 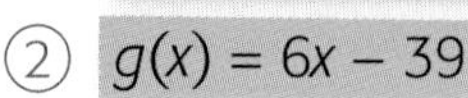

② $g(x) = 6x - 39$

③ 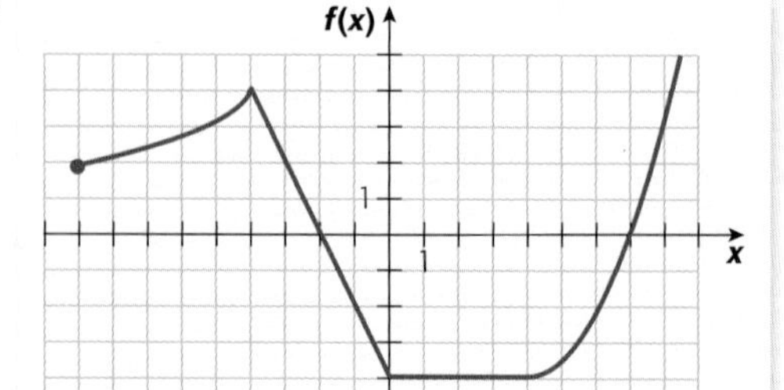

a) détermine l'ordonnée à l'origine ;

b) détermine la ou les abscisses à l'origine ;

c) fais l'étude du signe.

8. L'entreprise Éco-solutions vend des produits ménagers écologiques, faits à partir d'éléments naturels. Le graphique ci-dessous illustre l'évolution des profits de l'entreprise depuis sa mise sur pied il y a trois ans.

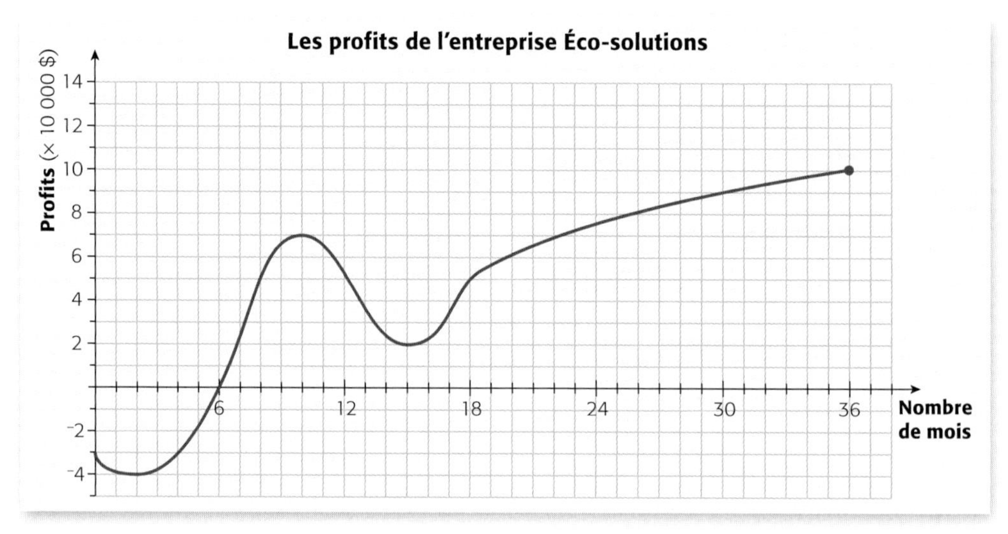

Détermine :

a) le domaine et l'image de cette fonction ;

b) l'ordonnée à l'origine de cette fonction ;

c) la ou les abscisses à l'origine de cette fonction ;

d) les valeurs du domaine pour lesquelles la fonction est :

1) positive ; **2)** négative ;

e) les extremums de la fonction ;

f) les minimum et maximum relatifs ;

g) les intervalles de croissance et de décroissance.

Environnement et consommation

Une famille québécoise moyenne utilise près de 50 L de produits nettoyants par année. Certains composants de ces produits sont nocifs pour la santé et pour l'environnement. Puisque les citoyens sont plus sensibilisés aux répercussions de l'utilisation de ces produits, certains privilégient l'achat de produits biodégradables. Ces produits sont de plus en plus accessibles sur le marché ; on trouve même des produits ménagers « verts » entièrement faits au Québec !

Mis à part l'achat de produits biodégradables, énumère d'autres gestes écologiques qu'on peut poser dans le cadre des tâches ménagères.

9. Trace le graphique d'une fonction qui a les propriétés suivantes.

	Domaine	Image	Abscisses à l'origine	Ordonnée à l'origine	Signe de la fonction	
					positive	négative
a)	[-3, +∞[	[-4, +∞[	-2	3	[-2, +∞[	[-3, -2]
b)	IR	[-7, +∞[	-5, 3	-6	]-∞, -5] ∪ [3, +∞[	[-5, 3]
c)	[-8, +∞[	]-∞, 5]	-8, 4, 7	-3	[4, 7]	[-8, 4] ∪ [7, +∞[

10. Voici plusieurs propriétés de deux fonctions.

	Domaine	Image	Abscisses à l'origine	Ordonnée à l'origine	Maximum absolu	Minimum absolu	Croissance	Décroissance
①	IR	IR	-4	9	Aucun	Aucun	]-∞, 2] ∪ [5, +∞[	[2, 8]
②	[-20, +∞[	[-3, +∞[	[-12, -8] et 6	-3	Aucun	-3	[-12, -8] ∪ [0, +∞[	[-20, 0]

a) Trace une représentation graphique possible pour chacune de ces fonctions.

b) Détermine les intervalles du domaine pour lesquels la fonction est :

1) positive ; **2)** négative.

c) Détermine, s'il y a lieu, les minimum et maximum relatifs.

11. Fais l'analyse complète de la fonction représentée ci-dessous.

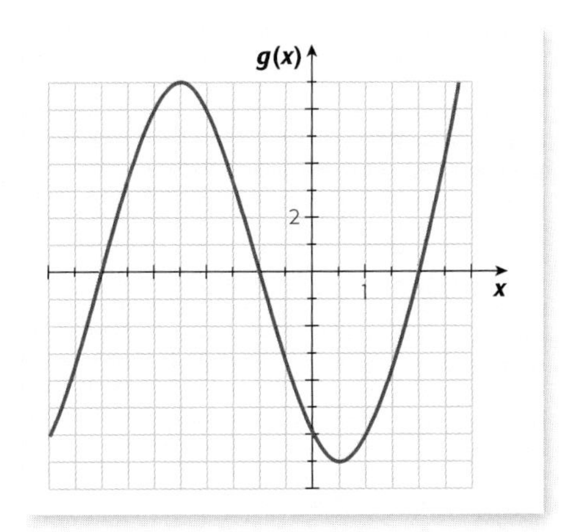

12. Une expérience consiste à chauffer de l'eau à l'état solide et à enregistrer sa température sur une période de 15 minutes. Le graphique ci-contre représente la température de l'eau en fonction du temps écoulé depuis le début de l'expérience.

a) Décris cette fonction en mots.

b) Fais l'analyse complète de cette fonction.

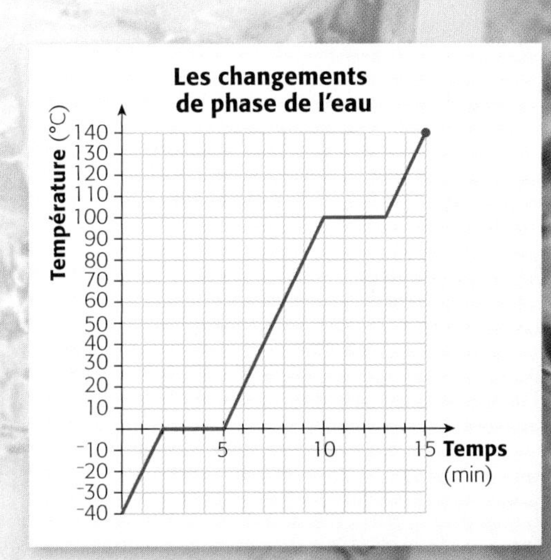

13. En juillet 2007, la huitième étape de la 94e édition du Tour de France s'étendait de Le Grand-Bornand à Tignes. Le graphique ci-dessous présente le profil de cette étape de 165 km.

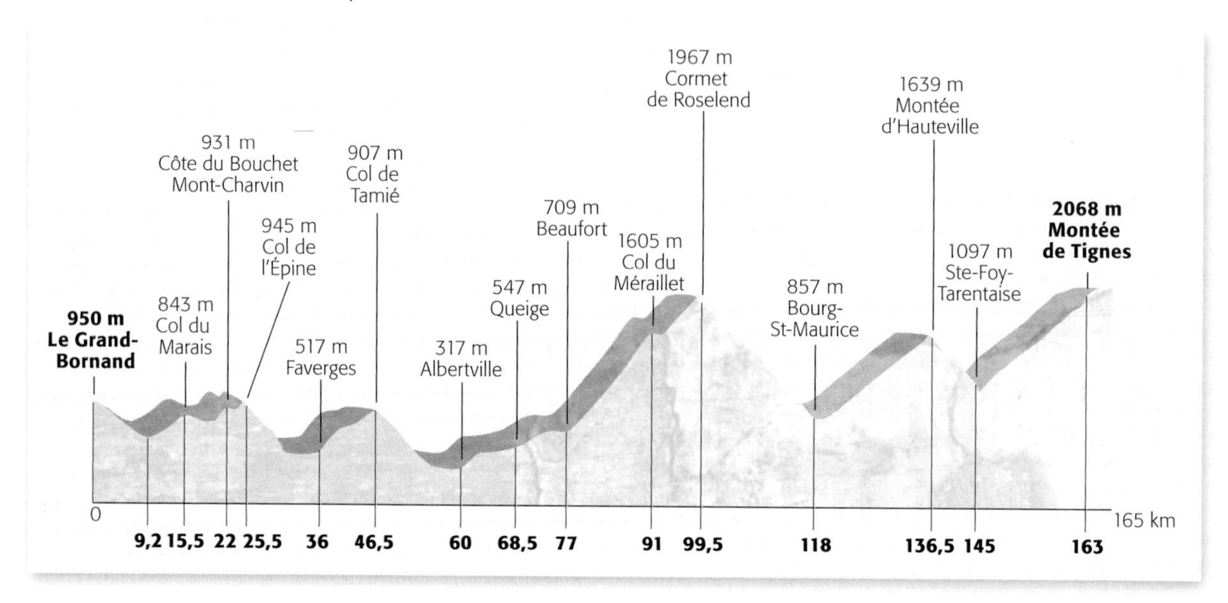

a) Quelle est:

1) l'altitude maximale? **2)** l'altitude minimale?

b) Sur quels intervalles de la piste l'altitude est-elle:

1) croissante? **2)** décroissante?

c) Indique, s'il y a lieu, les minimum et maximum relatifs.

Fait divers

Chaque année, en juillet, a lieu le Tour de France, la plus célèbre course d'endurance de vélo au monde. Cette course se déroule en plusieurs étapes. Bien que les cyclistes fassent la compétition en équipe, des distinctions individuelles sont remises aux coureurs. Après chacune des étapes, on remet le maillot jaune au meneur du classement général de la course, le maillot vert au meilleur sprinteur, le maillot à pois rouges au plus talentueux grimpeur et un maillot blanc au meilleur coureur de 25 ans ou moins.

Les paramètres

Section 2

Les marées

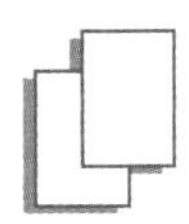

En navigation, l'observation des marées revêt une grande importance. Dans les endroits où les marées sont très fortes, plusieurs quais sont accessibles par bateau seulement à marée haute. Les marées de la baie de Fundy, située entre la Nouvelle-Écosse et le Nouveau-Brunswick, sont les plus fortes au monde. Le débit d'eau peut y atteindre 25 milliards de litres par seconde, soit 2 000 fois le débit moyen du fleuve Saint-Laurent.

Les marées du golfe du Saint-Laurent et celles de la baie de Fundy sont modélisées par les fonctions représentées ci-dessous.

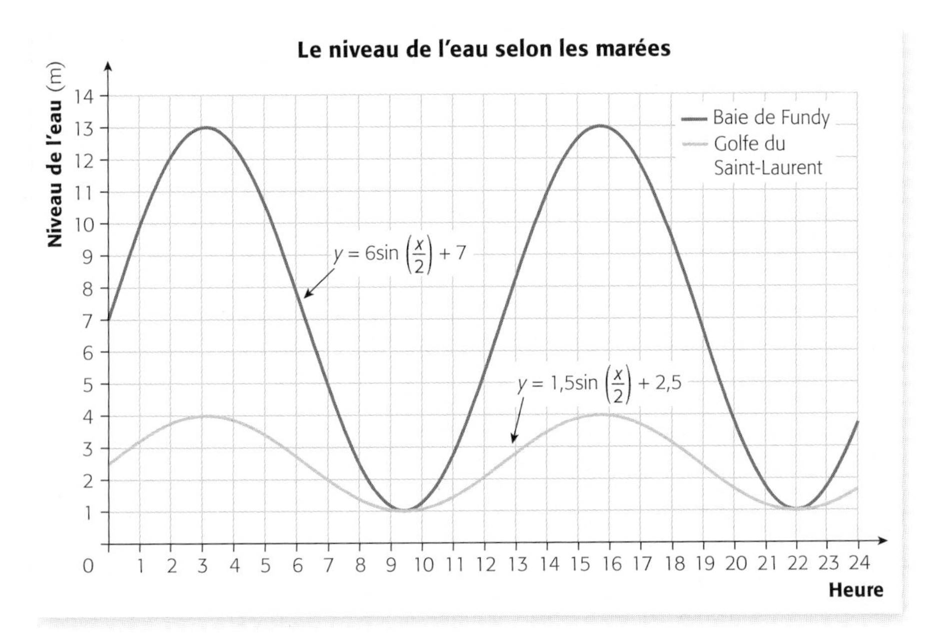

Pendant une journée à St. Andrews, au sud du Nouveau-Brunswick, les marées peuvent être associées à la règle $y = 2{,}5\sin\left(\frac{x}{2}\right) + 3{,}9$.

À partir de tes observations des règles et des courbes des marées de la baie de Fundy et du golfe du Saint-Laurent, trace la courbe des marées de St. Andrews. Explique à une personne qui n'a jamais navigué dans des eaux où il y a des marées comment on peut déterminer les périodes de la journée pendant lesquelles il sera possible pour un bateau d'accoster à un quai de St. Andrews, accessible seulement lorsque le niveau de l'eau excède 5 mètres.

Environnement et consommation

Au Nouveau-Brunswick, la production d'électricité émet quatre fois plus de gaz à effet de serre que la production hydroélectrique du Québec. Afin de réduire cette source de pollution, la province du Nouveau-Brunswick envisage quelques solutions, dont l'exploitation de l'énergie marémotrice (c'est-à-dire la production d'énergie à partir des marées) en amont de la baie de Fundy. Une autre solution serait l'importation d'hydroélectricité en provenance du Québec. Selon toi, quels sont les avantages et les inconvénients liés à chacune de ces solutions ?

ACTIVITÉ
D'EXPLORATION **1**

Un modèle d'entraînement sur mesure

Modèles mathématiques : fonctions de base

De plus en plus d'appareils de conditionnement physique sont munis d'ordinateurs qui permettent de faire un choix parmi plusieurs options d'entraînement. Voici six options d'entraînement qu'offre un tapis roulant pour une séance de 60 minutes.

①
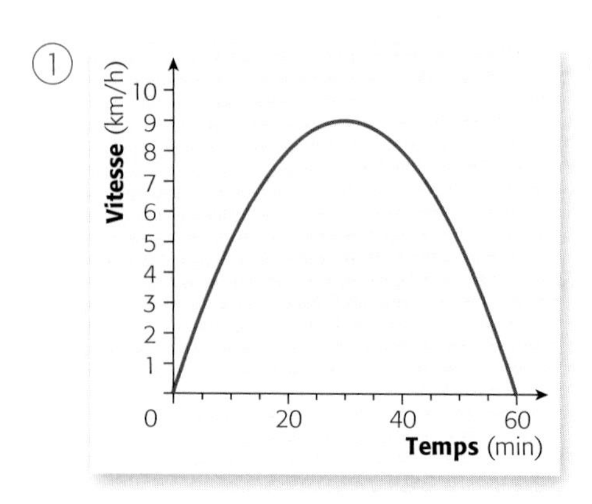

③
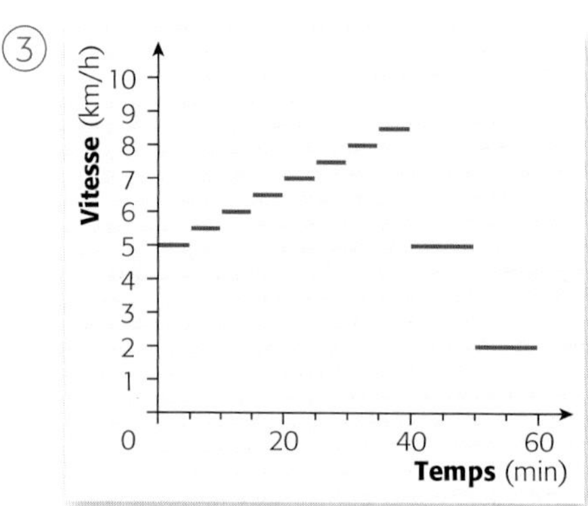

⑤
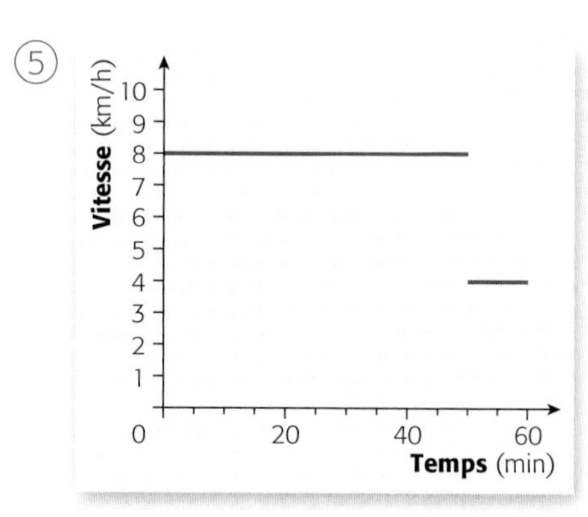

②
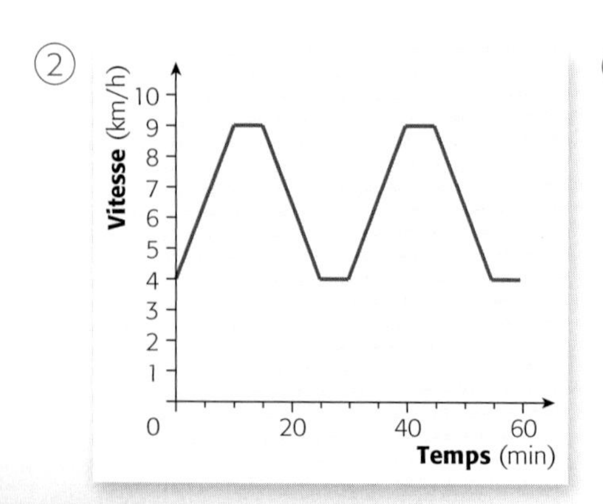

④
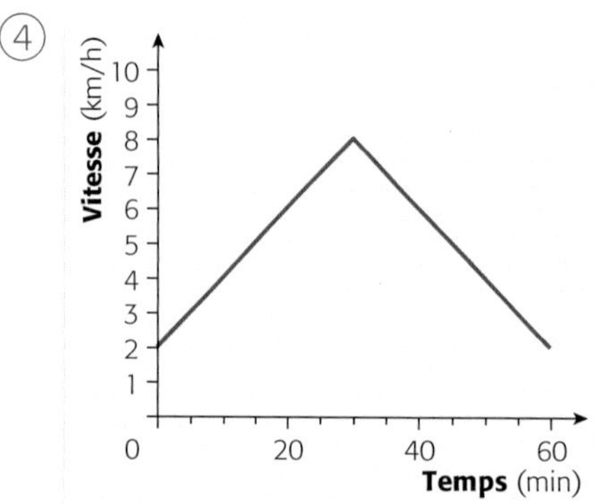

⑥
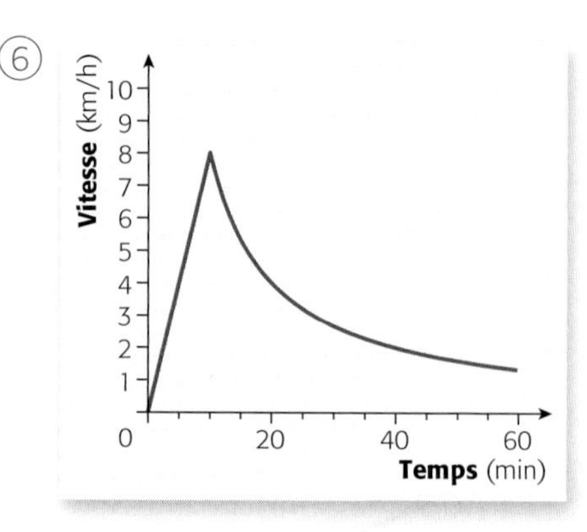

A Décris chacune de ces options d'entraînement.

B Chacune des relations représentées ci-dessus constitue-t-elle une fonction ?

C La réciproque de chacune de ces relations est-elle une fonction ?

De nombreuses situations de la vie courante peuvent être associées à un ou plusieurs modèles mathématiques. Voici quelques modèles mathématiques parmi les plus courants.

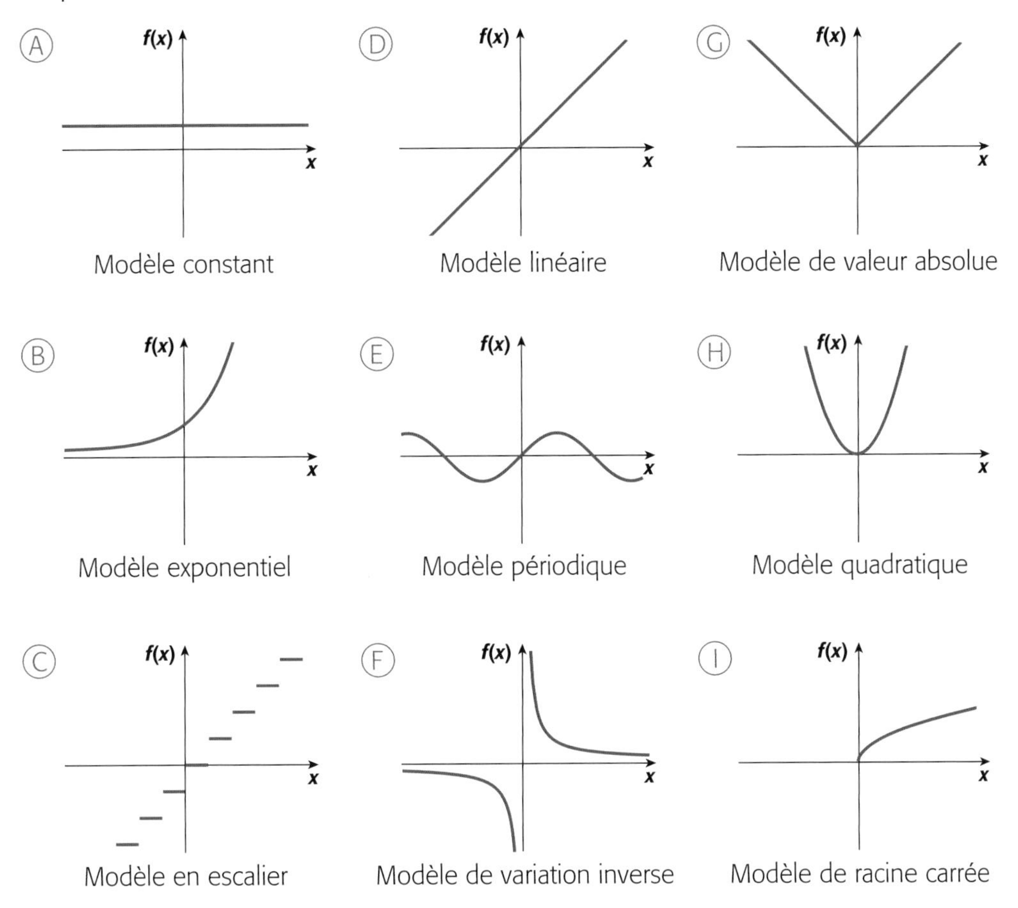

D Associe chacune des options d'entraînement de la page précédente à au moins un de ces modèles.

E Pour chacun de ces modèles, trouve une situation de la vie courante que tu peux y associer en tout ou en partie.

Ai-je bien compris ?

Associe chacune des situations suivantes à un des modèles ci-dessus.

a) Le prix à débourser pour un stationnement en fonction de la durée du stationnement.

b) La hauteur d'une chaise d'un remonte-pente par rapport à la base du mont en fonction du temps écoulé depuis l'ouverture du centre de ski.

c) La hauteur d'un ballon de football en fonction du temps écoulé depuis le moment où il a été botté.

d) Le prix du service de câblodistribution en fonction du nombre d'heures d'écoute de la télévision durant le mois de facturation.

ACTIVITÉ
D'EXPLORATION **2**

Où vont les points ?

Transformations des graphiques

Lorsqu'on applique une transformation dans un plan cartésien, tous les points du plan sont transformés. Du même coup, toute figure ou courbe qui y est représentée est aussi transformée.

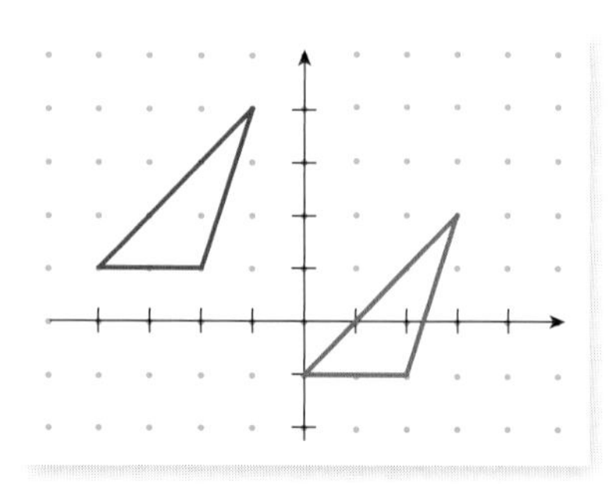

Le plan cartésien ci-contre a été transformé : chaque point (x, y) a été associé au point $(x + 4, y - 2)$ du même plan. Ainsi, le triangle bleu est l'image du triangle rouge par la transformation T, dont la règle est $(x, y) \mapsto (x + 4, y - 2)$.

A Quel type de transformation est représentée dans le plan cartésien ci-dessus ?

Pièges et astuces

De la même manière que trois sommets suffisent pour tracer un triangle et son image, quelques points remarquables d'une fonction suffisent pour en tracer la courbe de base et la courbe transformée.

Voici la représentation graphique de la fonction de base $f(x) = \sqrt{x}$.

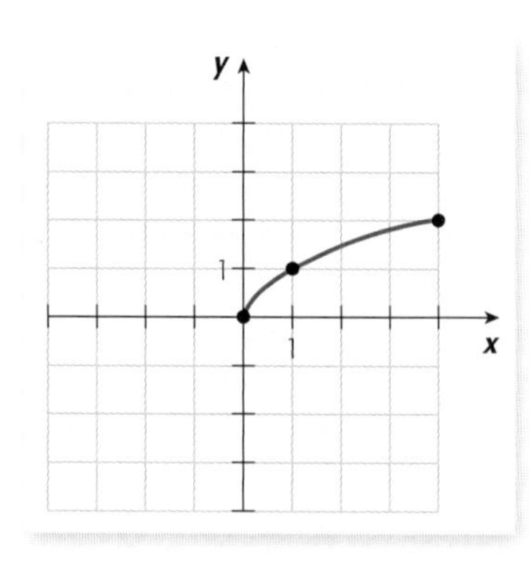

B On a effectué diverses transformations (translations et réflexions) au plan cartésien ci-contre. Associe chacune des courbes ci-dessous à une règle de transformation ainsi qu'à un type de transformation.

1)

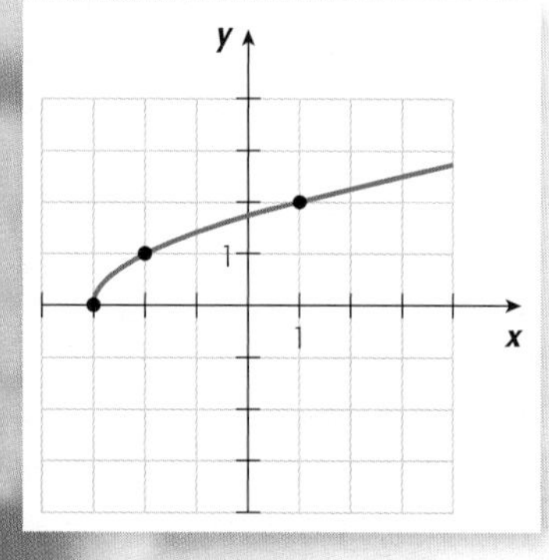

3)

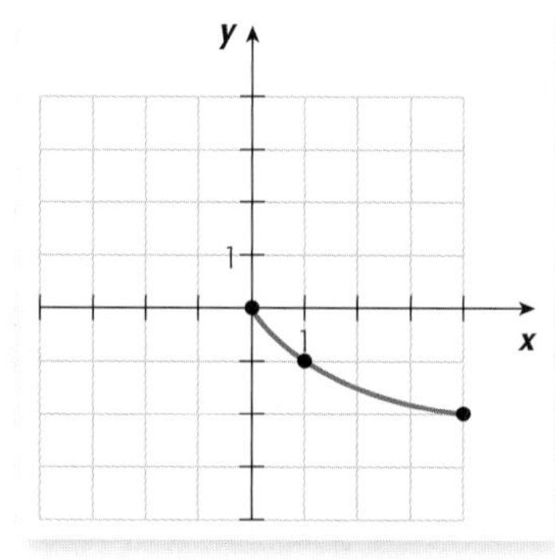

2)

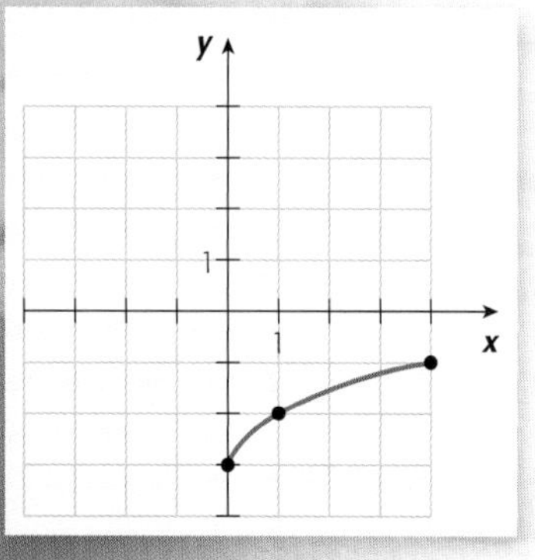

4)

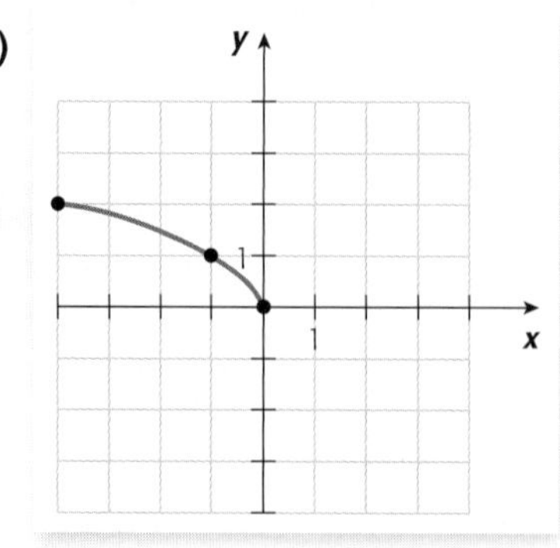

Règle de transformation

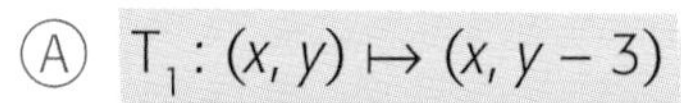

Ⓐ $T_1 : (x, y) \mapsto (x, y - 3)$

Ⓑ $T_2 : (x, y) \mapsto (x - 3, y)$

Ⓒ $T_3 : (x, y) \mapsto (^{-}x, y)$

Ⓓ $T_4 : (x, y) \mapsto (x, ^{-}y)$

Type de transformation

Ⓘ Translation verticale

Ⓘⓘ Réflexion par rapport à l'axe des ordonnées

ⒾⒾⒾ Translation horizontale

ⒾⓋ Réflexion par rapport à l'axe des abscisses

C Voici d'autres transformations du même plan cartésien. Celles-ci correspondent à des changements d'échelle. Associe chacune des courbes à une règle de transformation ainsi qu'à un type de transformation.

1)

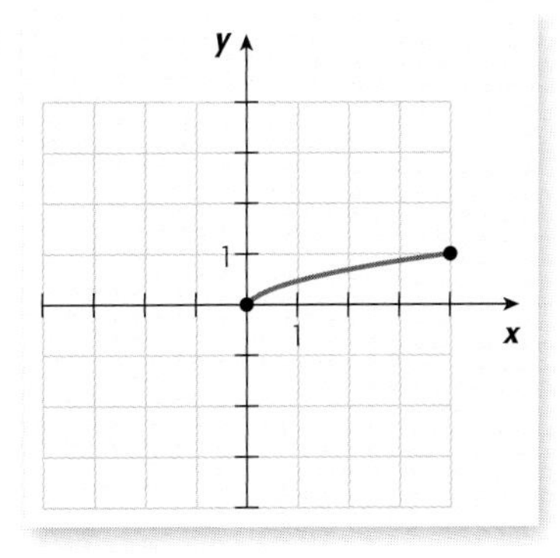

2)

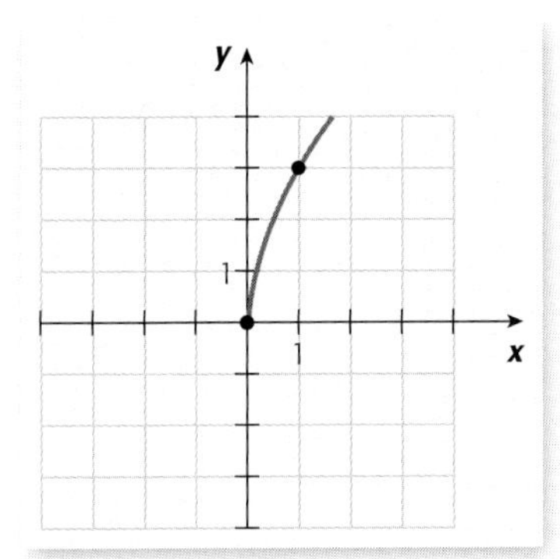

3)

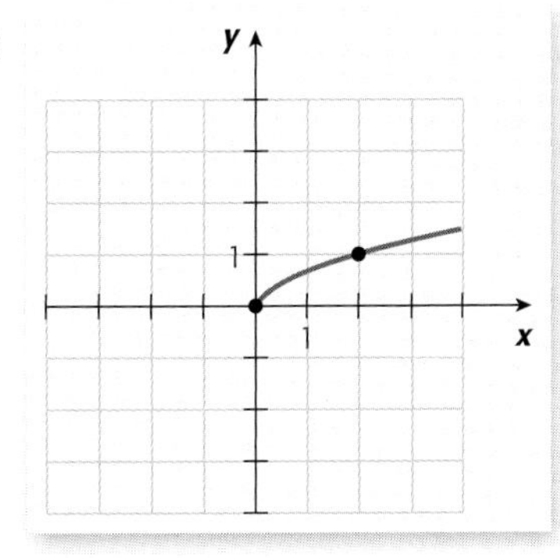

4)

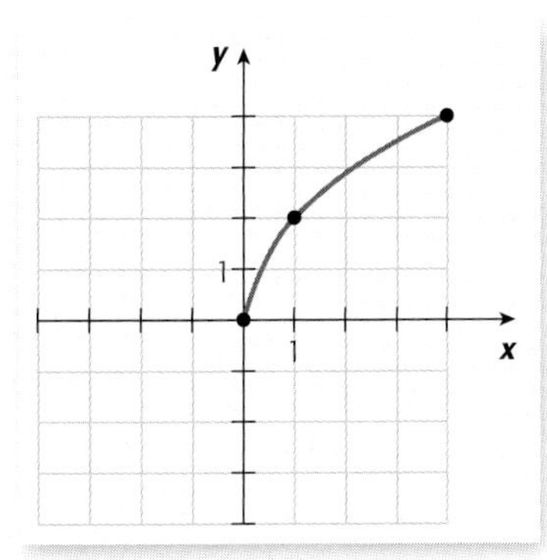

Règle de transformation

Ⓐ $T_5 : (x, y) \mapsto (x, 3y)$

Ⓑ $T_6 : (x, y) \mapsto \left(x, \frac{1}{2}y\right)$

Ⓒ $T_7 : (x, y) \mapsto (2x, y)$

Ⓓ $T_8 : (x, y) \mapsto \left(\frac{1}{4}x, y\right)$

Type de transformation

(I) Rétrécissement horizontal

(II) Allongement vertical

(III) Rétrécissement vertical

(IV) Allongement horizontal

Ai-je bien compris?

Décris les transformations qui permettent d'associer la courbe rouge à la courbe bleue.

a)

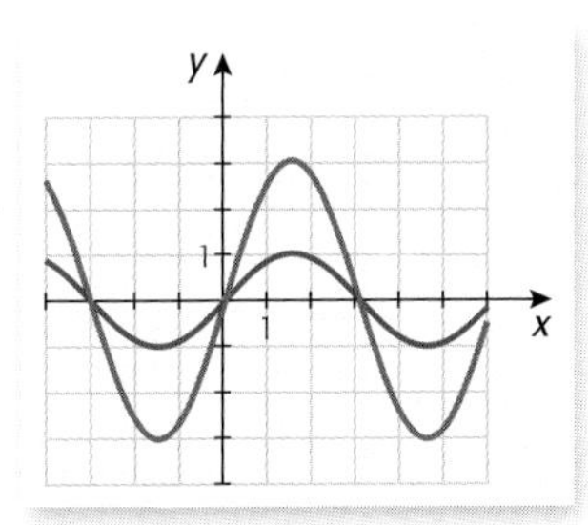

b)

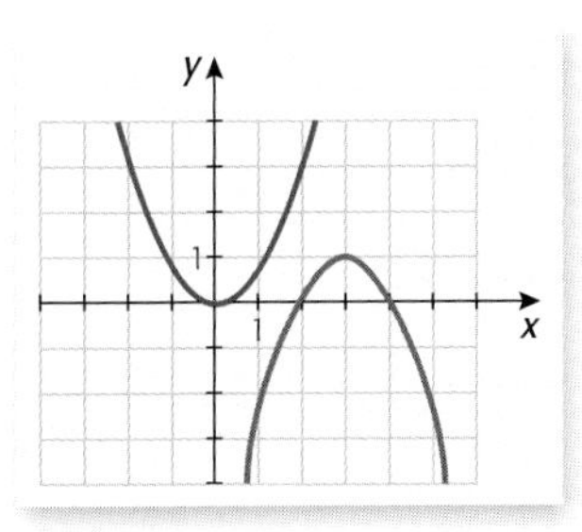

c)

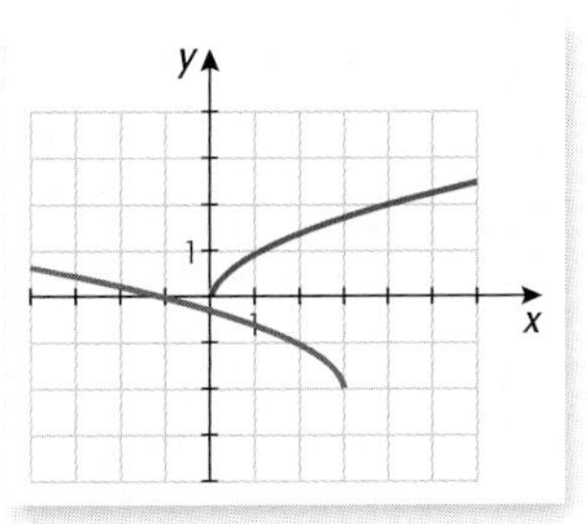

d)

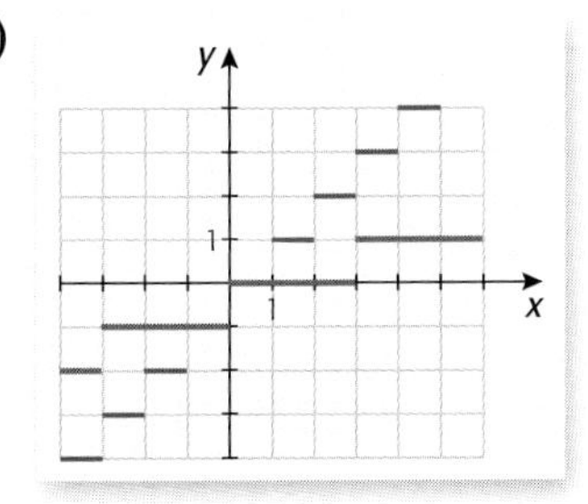

e)

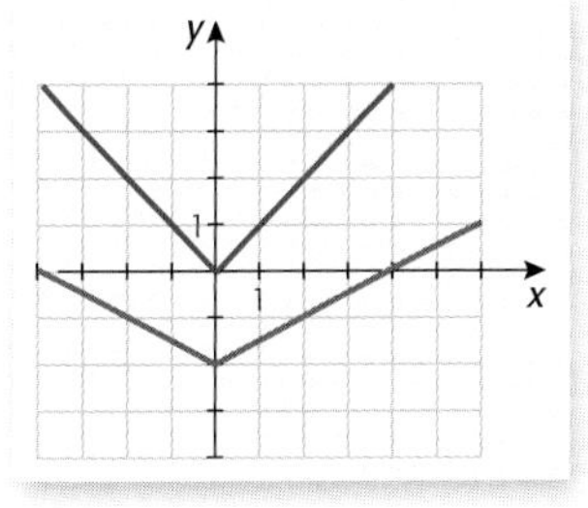

f)

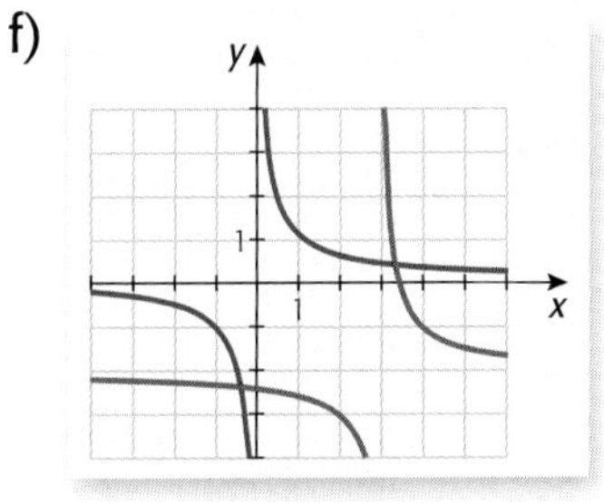

Par convention, dans ce manuel, les fonctions de base sont représentées par des courbes rouges.

ACTIVITÉ D'EXPLORATION **3**

Jeu de rôles

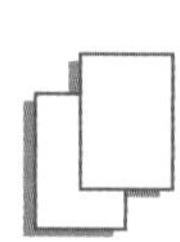

Rôle des paramètres

Fonction transformée

Fonction de la forme $g(x) = af(b(x - h)) + k$ résultant de la transformation d'une fonction de base $f(x)$ par l'introduction des paramètres multiplicatifs (a et b) et additifs (h et k) dans sa règle. Cette façon d'exprimer la règle permet de mettre en évidence ces paramètres et est appelée la «forme canonique».

TIC

La calculatrice à affichage graphique et le traceur de courbes sont deux outils qui permettent d'observer l'influence d'un paramètre sur la représentation graphique d'une fonction. L'exploration des paramètres à l'aide d'un de ces outils facilite l'interprétation du rôle de chacun d'eux. Pour en savoir plus, consulte les pages 246 et 254 de ce manuel.

Pièges et astuces

La position du point remarquable (point noir) de la fonction transformée peut aider à identifier le type de transformation représentée. Il est mieux de valider à l'aide d'un deuxième point.

Voici trois familles de courbes. Pour chacune d'elles, la courbe rouge correspond à la fonction de base, alors que les autres courbes sont celles de **fonctions transformées**.

Fonction quadratique $f(x) = x^2$	Fonction racine carrée $f(x) = \sqrt{x}$	Fonction en escalier $f(x) = [x]$

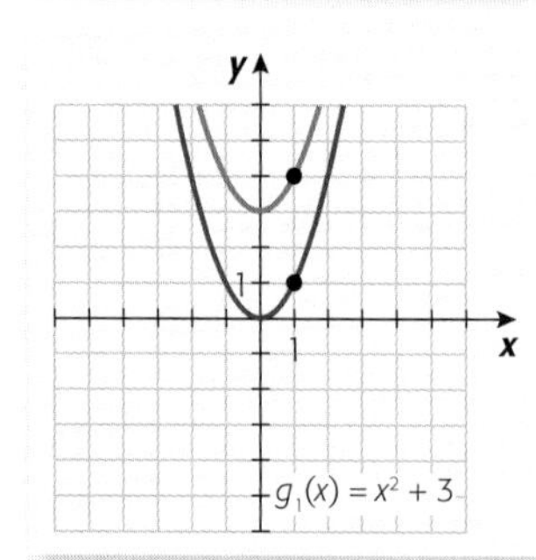

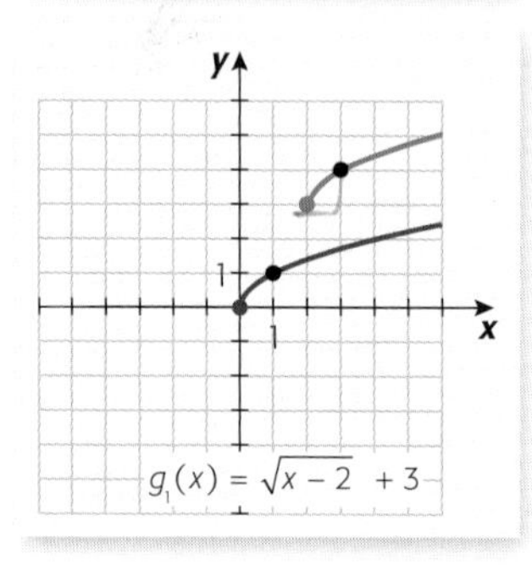

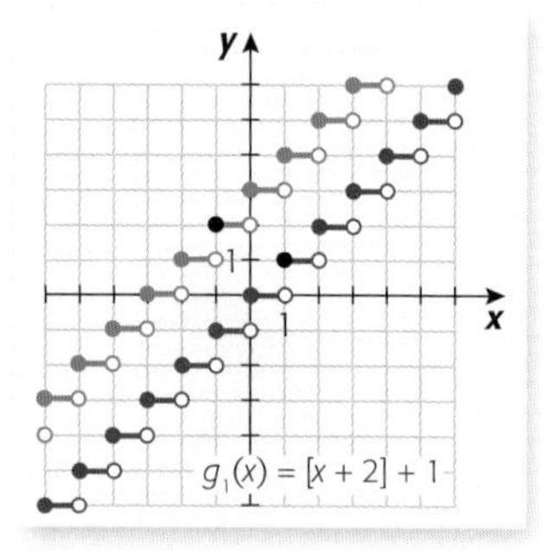

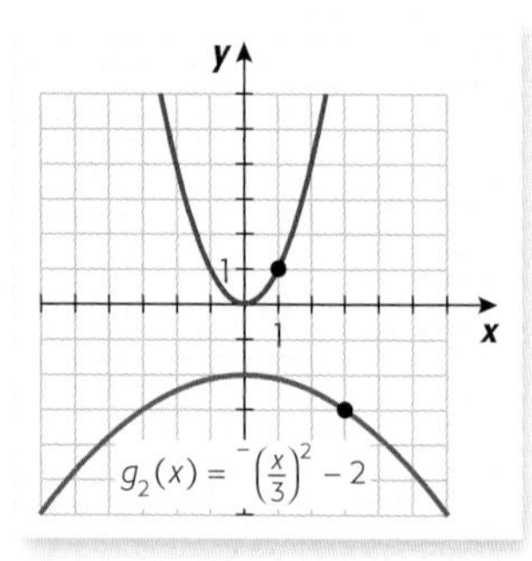

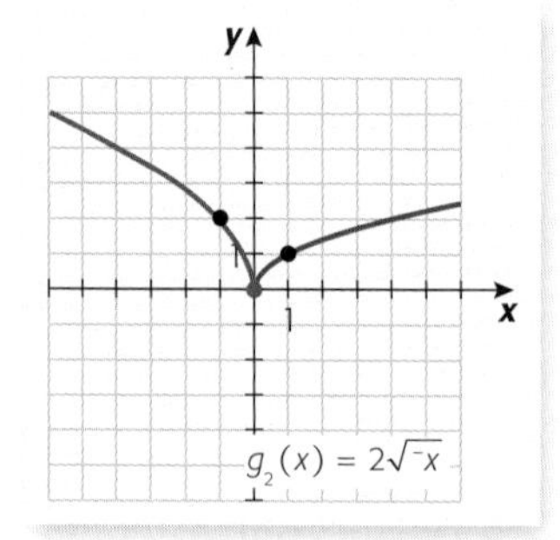

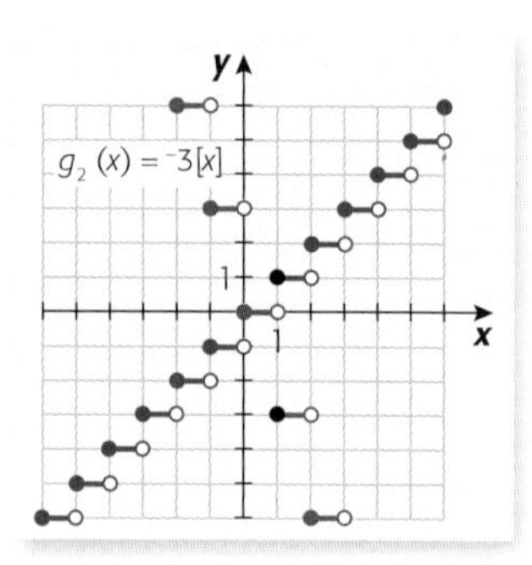

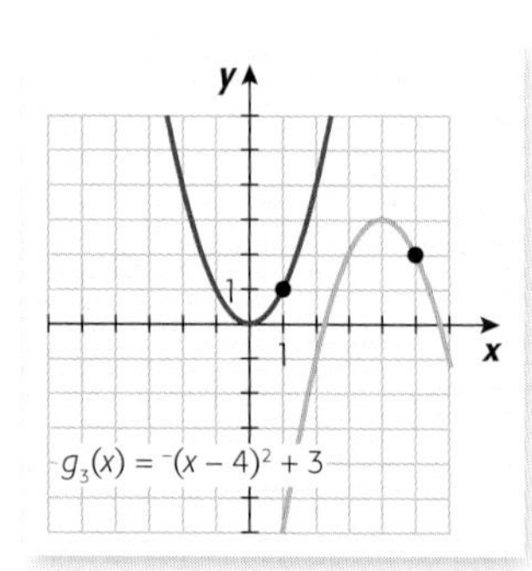

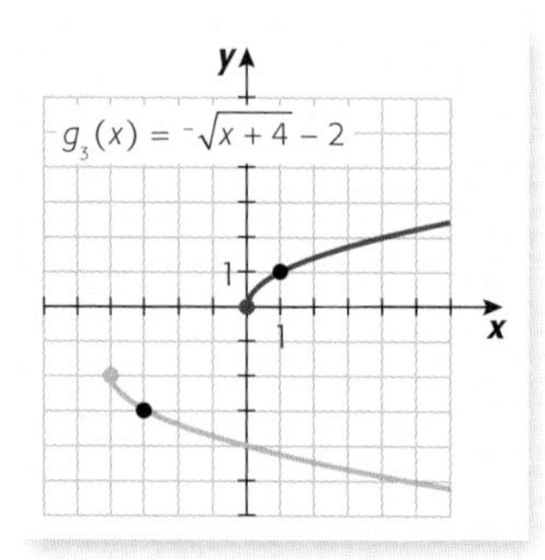

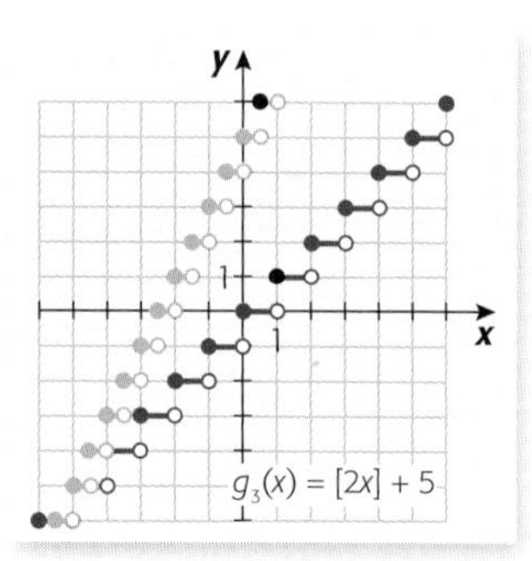

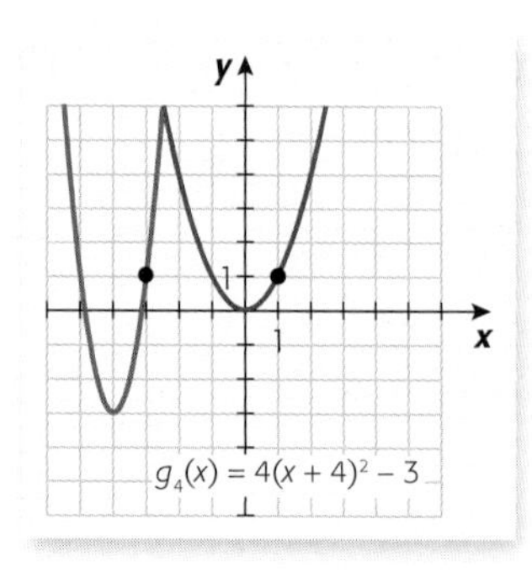

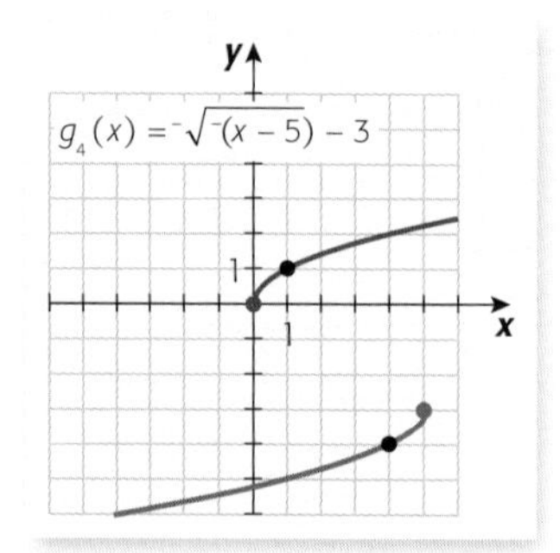

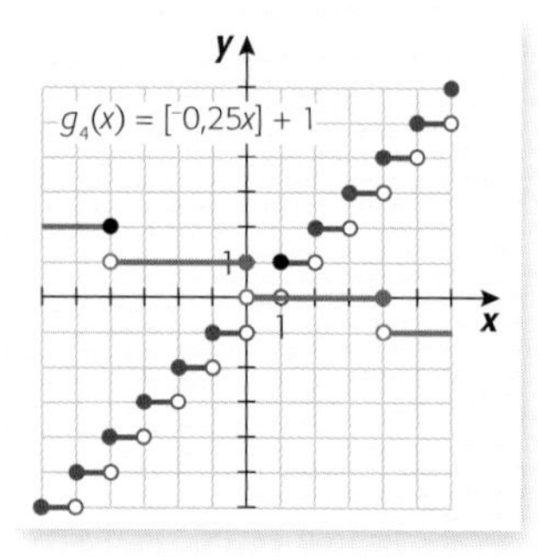

A Reproduis et remplis le tableau ci-dessous à partir de tes observations des règles et des courbes des fonctions transformées.

Fonction de base	Fonction transformée	Valeur des paramètres				Transformation du graphique							
						Changement d'échelle				Réflexion		Translation	
		a	b	h	k	Allongement horizontal	Rétrécissement horizontal	Allongement vertical	Rétrécissement vertical	par rapport à l'axe des abscisses	par rapport à l'axe des ordonnées	horizontale	verticale
$f(x) = x^2$	$g_1(x) = x^2 + 3$												
	$g_2(x) = {}^-\left(\frac{x}{3}\right)^2 - 2$												
	$g_3(x) = {}^-(x - 4)^2 + 3$												
	$g_4(x) = 4(x + 4)^2 - 3$												
$f(x) = \sqrt{x}$	$g_1(x) = \sqrt{x - 2} + 3$												
	$g_2(x) = 2\sqrt{^-x}$												

B Reproduis et remplis le tableau ci-dessous. À partir de tes observations des fonctions transformées en **A**, décris l'influence de la valeur d'un paramètre sur l'allure de la courbe.

Paramètre a	Transformation du graphique	Paramètre b	Transformation du graphique
$\lvert a \rvert > 1$		$\lvert b \rvert > 1$	
$0 < \lvert a \rvert < 1$		$0 < \lvert b \rvert < 1$	
$a < 0$		$b < 0$	
Paramètre h	**Transformation du graphique**	**Paramètre k**	**Transformation du graphique**
$h > 0$		$k > 0$	
$h < 0$		$k < 0$	

L'expression $\lvert a \rvert$ se lit « valeur absolue de a » et désigne la valeur positive de a. Par exemple, la valeur absolue de $^-3$ est 3 et la valeur absolue de 7 est 7.

C Pour chacune des familles de courbes de la page 28, détermine les coordonnées du point remarquable de la fonction de base et du point correspondant dans chacune des fonctions transformées.

D À l'aide des paramètres a, b, h et k, exprime la règle de la transformation du plan qui permet d'associer les points de la courbe d'une fonction de base aux points de la courbe d'une fonction transformée.

Ai-je bien compris?

1. Associe chaque règle de la fonction transformée au graphique approprié.
   a) $g_1(x) = \sin(2x)$
   b) $g_2(x) = \sin x + 2$
   c) $g_3(x) = \sin(x - 2)$
   d) $g_4(x) = 2\sin x$

① 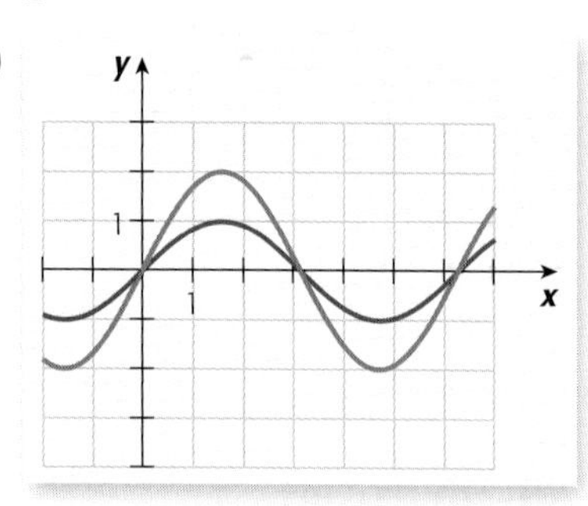

③ 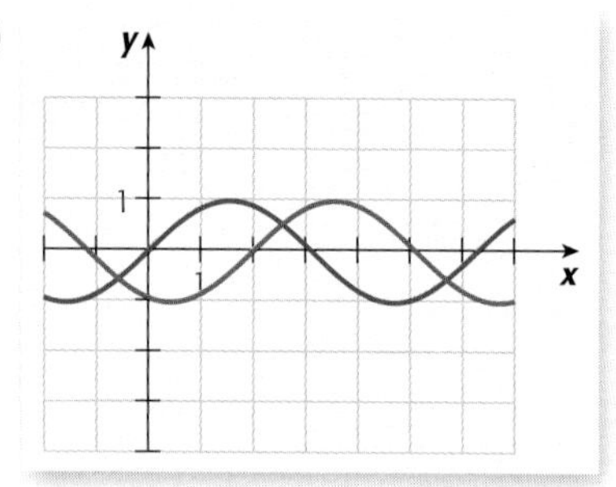

② 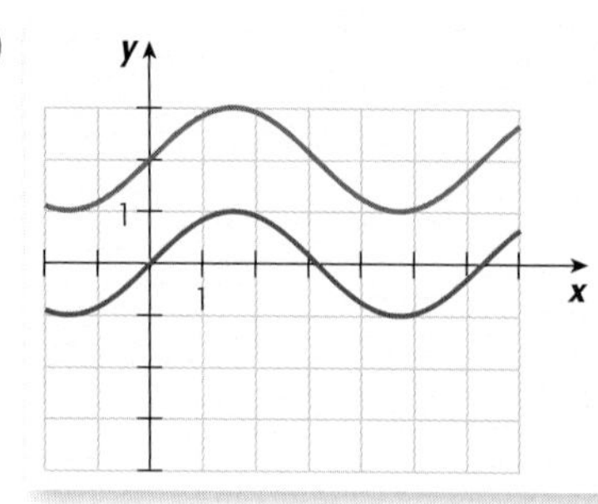

④ 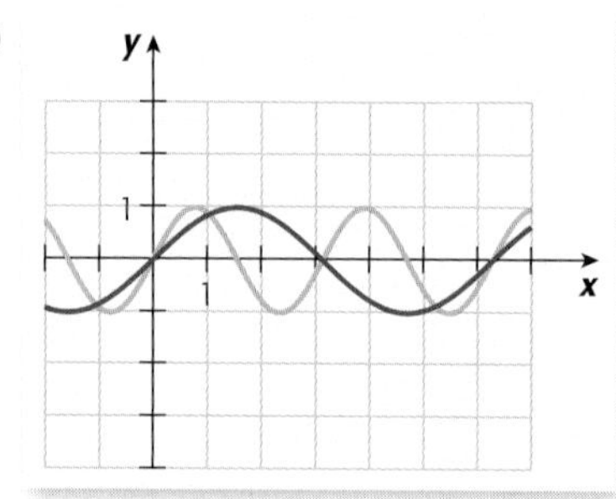

2. Voici la représentation des graphiques de plusieurs fonctions d'une même famille.

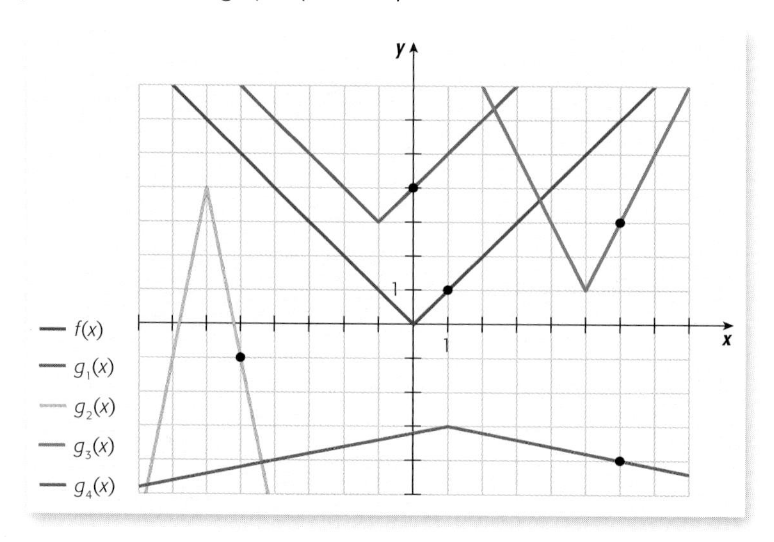

a) Quels types de transformations permettent d'associer les points de la fonction de base à ceux de chacune des fonctions transformées?
b) Sachant que la règle de la fonction de base f est $f(x) = |x|$, détermine la règle de chacune des fonctions transformées.

Des modèles mathématiques : les fonctions de base

Les fonctions mathématiques permettent de modéliser plusieurs situations de la vie courante. Voici quelques-uns des modèles mathématiques les plus courants.

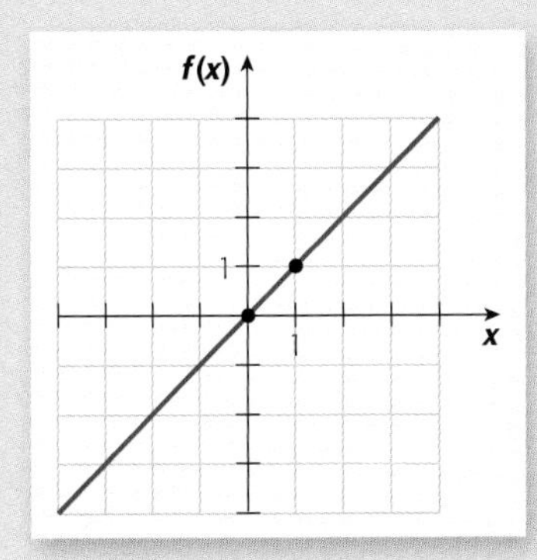

Modèle linéaire
$f(x) = x$

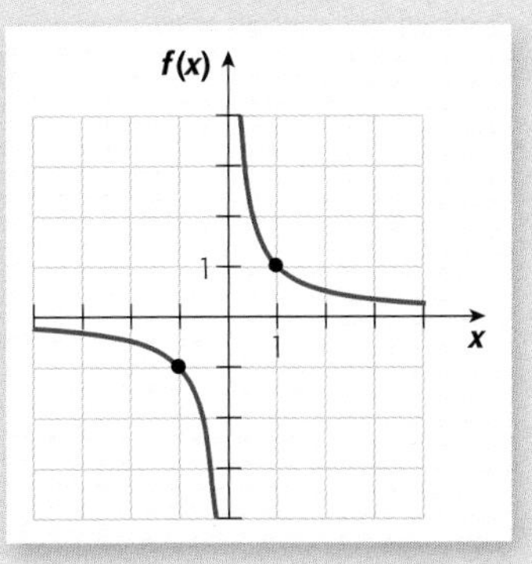

Modèle de variation inverse
$f(x) = \frac{1}{x}, x \neq 0$

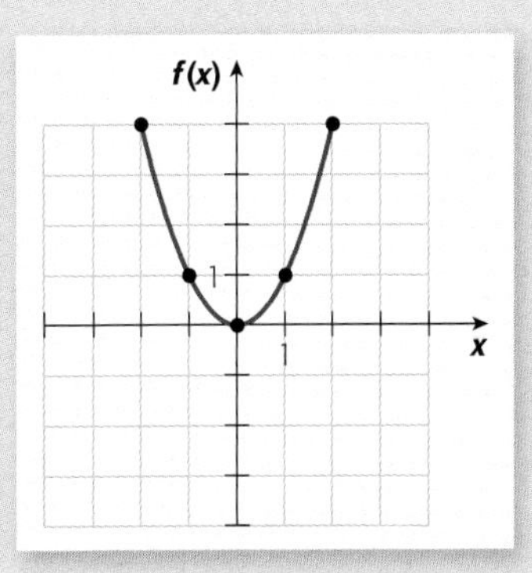

Modèle quadratique
$f(x) = x^2$

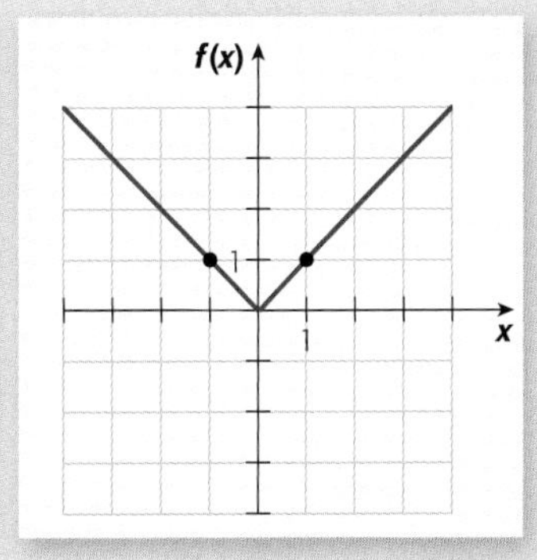

Modèle de valeur absolue
$f(x) = |x|$

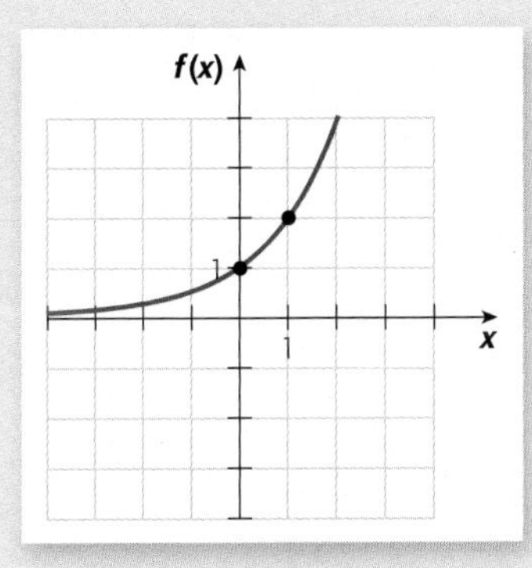

Modèle exponentiel
$f(x) = c^x$

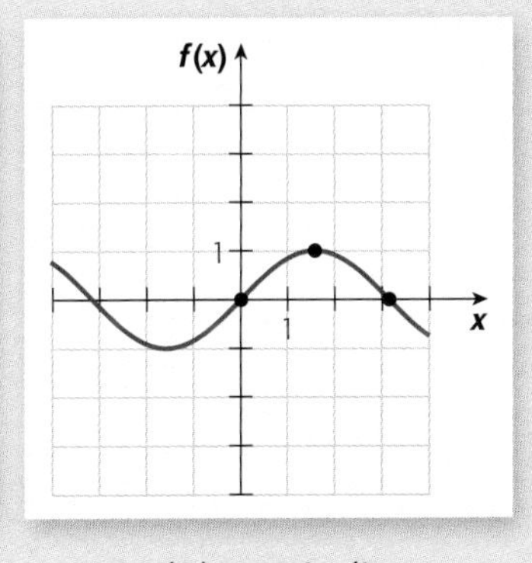

Modèle périodique
$f(x) = \sin x$

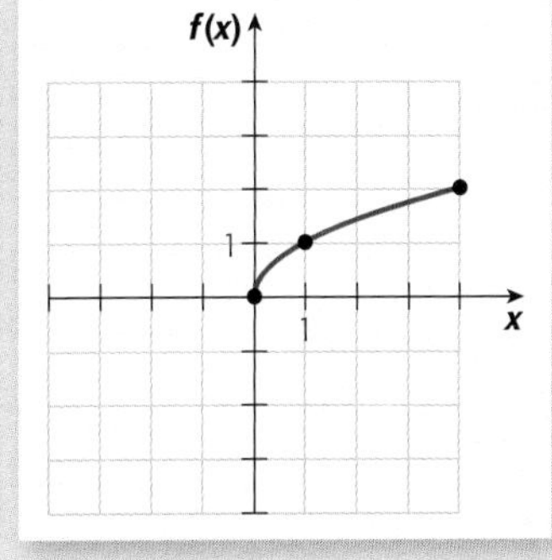

Modèle de racine carrée
$f(x) = \sqrt{x}$

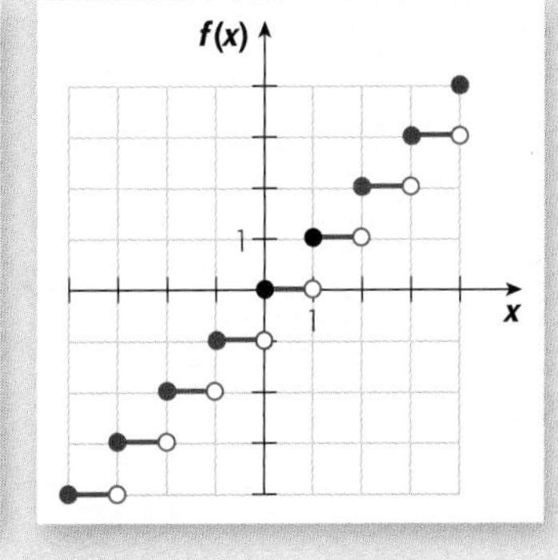

Modèle en escalier
$f(x) = [x]$

Remarques :

- Les courbes et les règles présentées pour chacun des modèles sont celles des **fonctions de base** du modèle, c'est-à-dire les fonctions les plus simples associées aux modèles.
- Pour les modèles exponentiel et périodique, les courbes et les règles présentées correspondent à des cas particuliers du modèle.
- Les points noirs sont des **points remarquables** de la fonction. Ils facilitent le tracé de la courbe de celle-ci.
- Les modèles exponentiel et de variation inverse possèdent des **asymptotes**, c'est-à-dire une droite vers laquelle la courbe tend à l'infini.

Les transformations des graphiques

Le tableau suivant précise le type de transformation que provoque une opération sur les coordonnées des points dans le plan cartésien.

Opération	Transformation
Multiplication de la coordonnée *x* par une constante	– Changement d'échelle horizontal – Réflexion par rapport à l'axe des *y* si la constante est négative
Multiplication de la coordonnée *y* par une constante	– Changement d'échelle vertical – Réflexion par rapport à l'axe des *x* si la constante est négative
Addition d'une constante à la coordonnée *x*	Translation horizontale
Addition d'une constante à la coordonnée *y*	Translation verticale

Le rôle des paramètres

Il existe quatre paramètres (deux multiplicatifs et deux additifs) qui transforment la règle d'une fonction de base *f*. La fonction de base et ses fonctions transformées forment une famille de fonctions ayant une même allure graphique.

La règle d'une fonction transformée peut s'écrire sous la forme :

$$g(x) = af(b(x - h)) + k$$

où a, b, h et k sont les paramètres qui transforment la fonction de base.

La transformation du plan qui associe chacun des points (x, y) de la fonction *f* aux points de la fonction *g* est :

$$(x, y) \mapsto \left(\frac{x}{b} + h, ay + k\right)$$

Les tableaux suivants décrivent l'influence de chacun des paramètres sur l'allure du graphique.

La valeur absolue du **paramètre a** provoque un changement d'échelle vertical. Si le paramètre a est négatif, il provoque aussi une réflexion par rapport à l'axe des *x*.

$\lvert a \rvert > 1$	$0 < \lvert a \rvert < 1$	*Exemple*
Allongement vertical	Rétrécissement vertical	$f(x) = x^2 \qquad g(x) = ax^2$

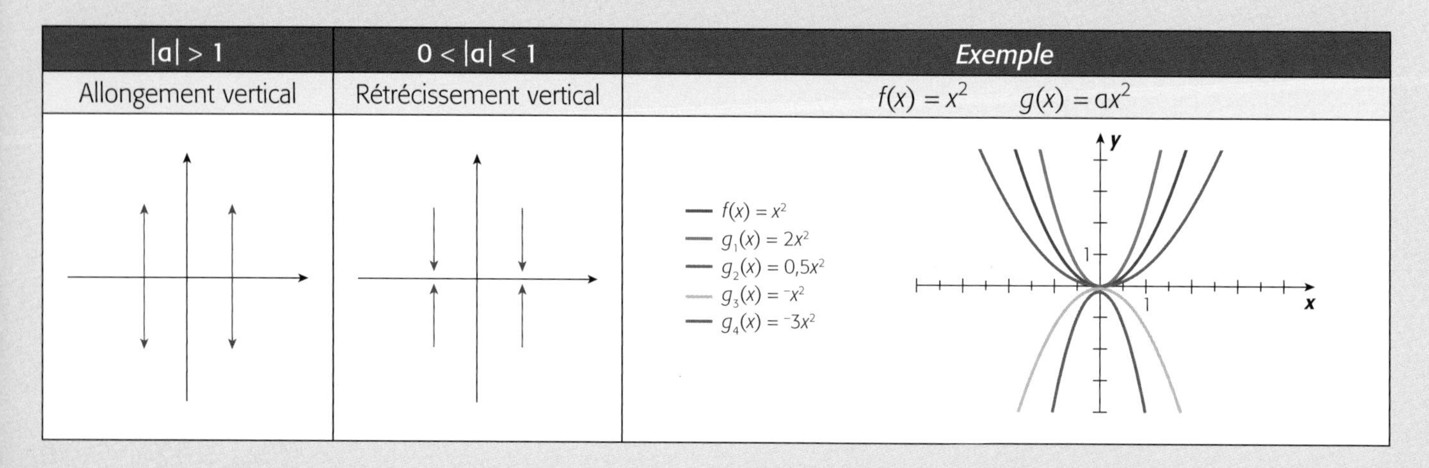

La valeur absolue du **paramètre b** provoque un changement d'échelle horizontal. Si le paramètre b est négatif, il provoque aussi une réflexion par rapport à l'axe des y.

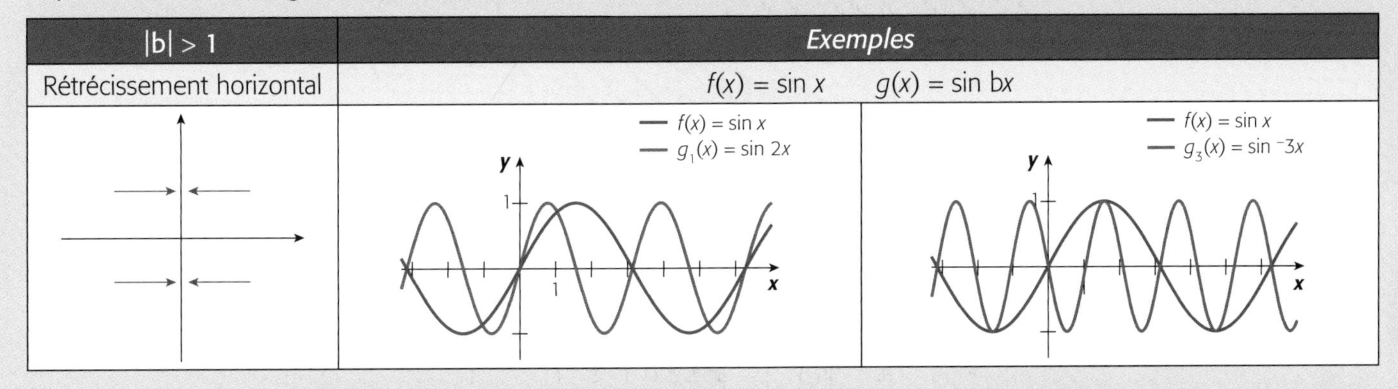

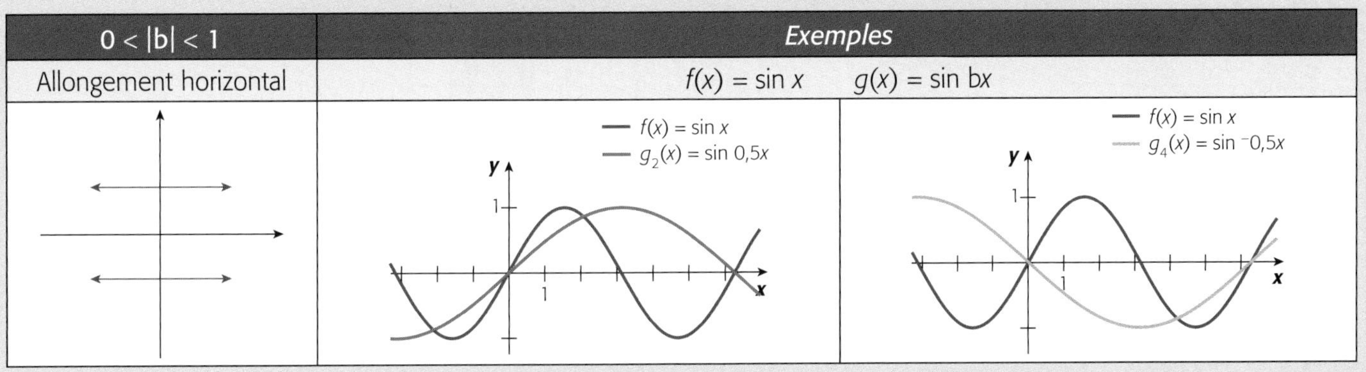

Les **paramètres h et k** provoquent des translations.

h > 0	h < 0
Translation vers la droite	Translation vers la gauche

Exemple

$f(x) = |x| \qquad g(x) = |x - \text{h}|$

- $f(x) = |x|$
- $g_1(x) = |x - 2|$
- $g_2(x) = |x + 3|$

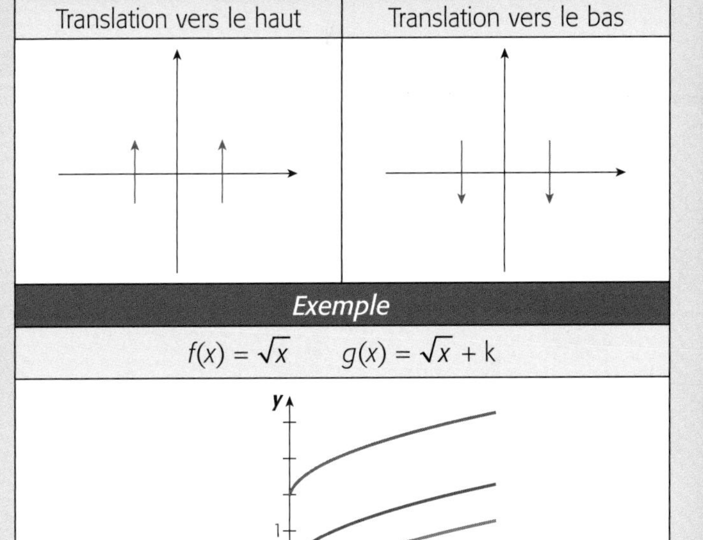

- $f(x) = \sqrt{x}$
- $g_1(x) = \sqrt{x} + 2$
- $g_2(x) = \sqrt{x} - 1$

Remarque : Les courbes transformées $g(x) = f(x - \text{h})$ et $g(x) = f(x) + \text{k}$ sont isométriques aux courbes de base.

Mise en pratique

1. Quel est le nom du modèle mathématique qu'on peut associer à chacune de ces relations entre deux variables?

① La quantité de sable restant dans la partie supérieure d'un sablier en fonction du temps écoulé depuis que le sablier a été retourné

② La hauteur d'une personne assise dans une grande roue d'un parc d'amusement en fonction du temps écoulé depuis le début du tour de manège.

③ Le prix d'un appel outremer en fonction de la durée de l'appel

④ La distance qui sépare une personne de son domicile lorsqu'elle fait l'aller-retour à la boîte aux lettres en fonction du temps écoulé depuis son départ de la maison.

⑤ Le nombre de mots que connaît un enfant en fonction de son âge.

2. Décris une situation de la vie courante qui correspond à chacun des modèles mathématiques suivants.

a)

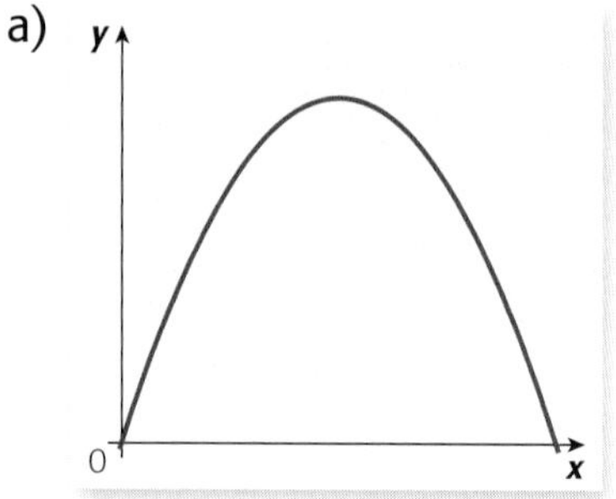

b)

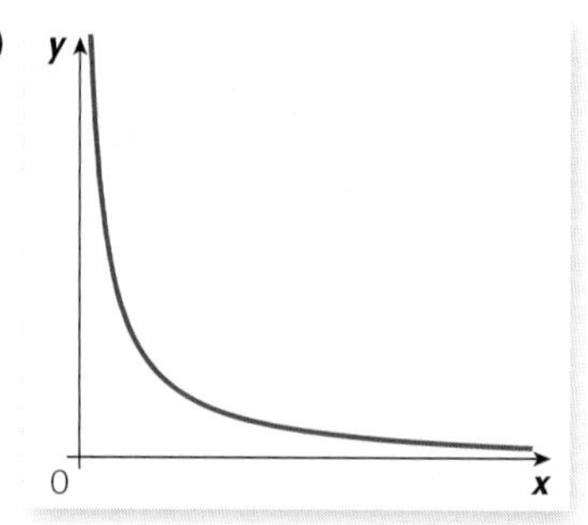

3. Voici la représentation graphique d'une situation.

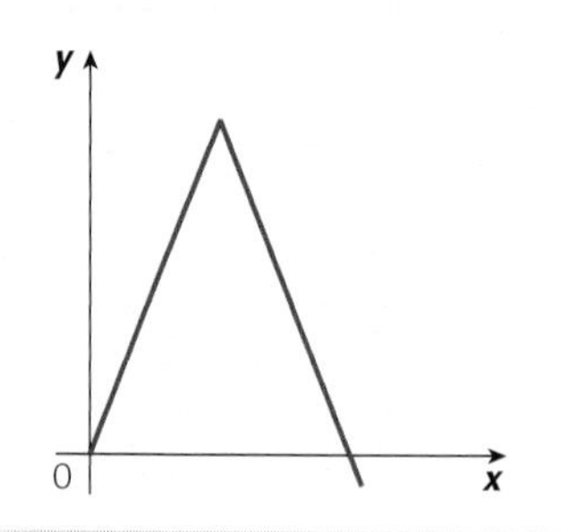

Chloé affirme qu'il s'agit d'un modèle de valeur absolue. Colette lui dit qu'il pourrait aussi s'agir d'un modèle périodique. Sachant que toutes deux peuvent avoir raison, trouve un argument pour appuyer l'affirmation de Chloé et un autre pour appuyer celle de Colette.

4. On remplit d'eau les vases ci-contre de façon constante.

a) Associe chaque vase à la représentation graphique correspondant au niveau de l'eau dans le vase depuis le début du remplissage.

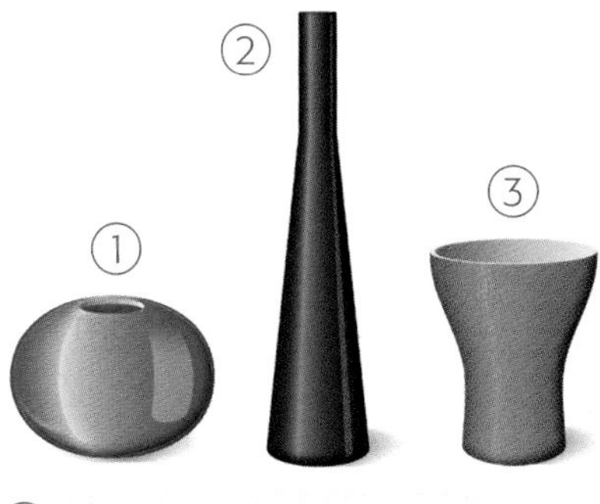

Ⓐ n t

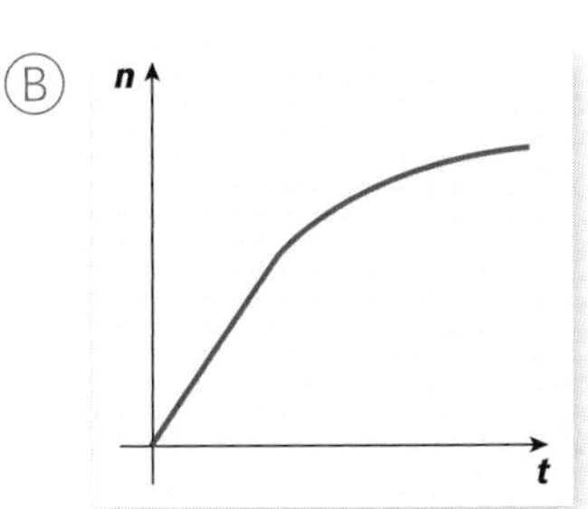

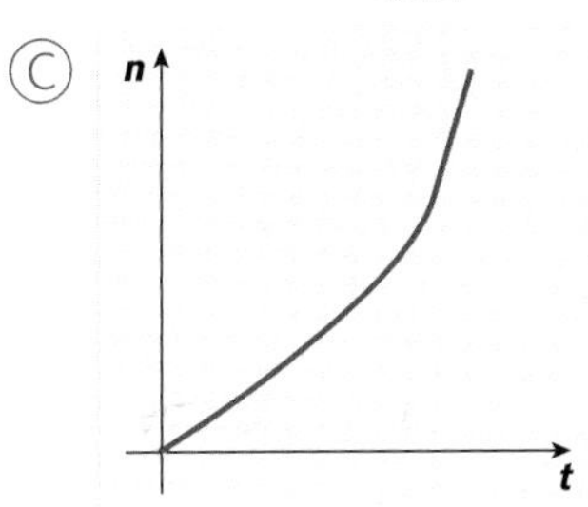

b) Associe chacun des graphiques ci-dessus à au moins un modèle mathématique de la page 31.

c) Parmi les modèles mathématiques de la page 31, lesquels ne peuvent pas être associés à ce contexte?

5. Décris les transformations qui permettent d'associer la courbe rouge à la courbe bleue.

a)

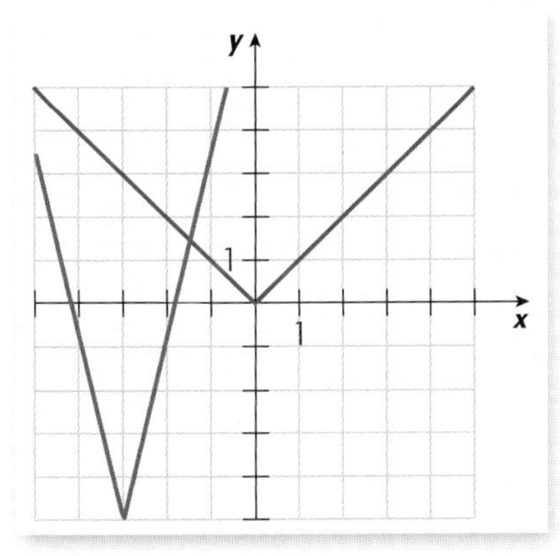

c)

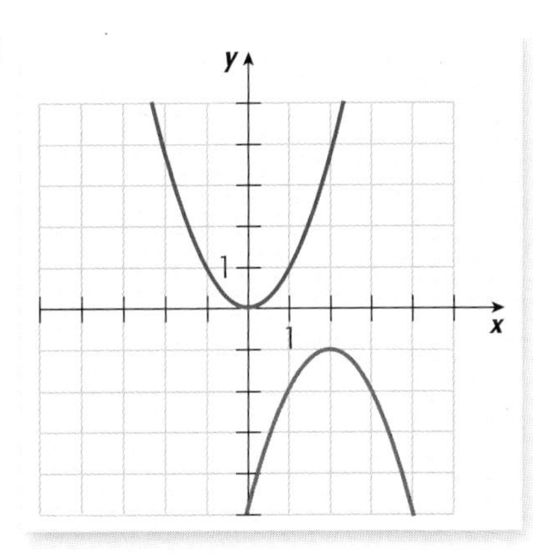

b)

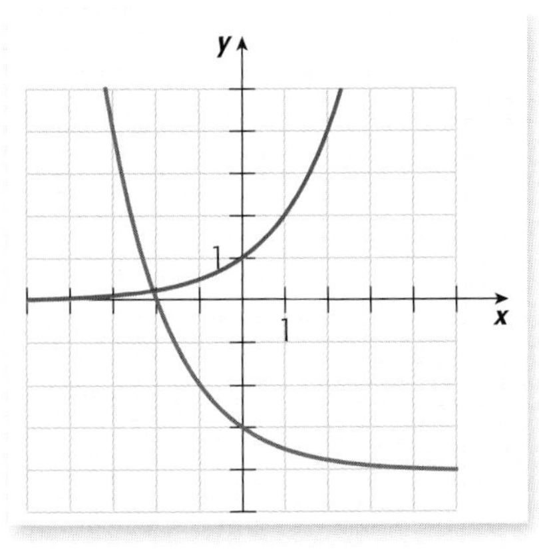

d)

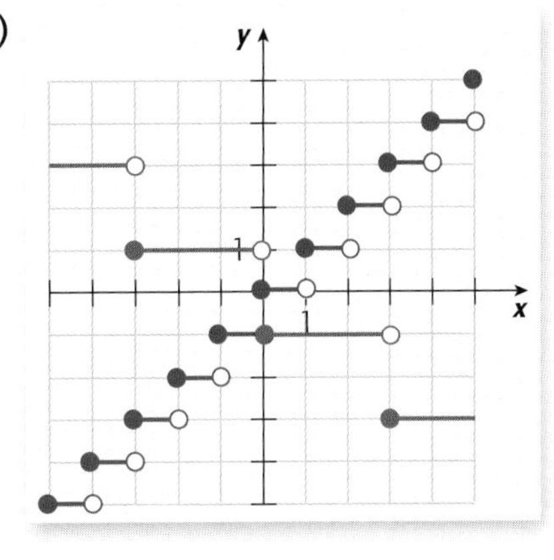

6. Quels sont les paramètres a, b, h et k des fonctions suivantes?

a) $g(x) = {}^{-}3\sin(x - 4)$ b) $j(x) = {}^{-}\sqrt{2(x - 4)} - 4$ c) $k(x) = \frac{(x - 6)^2}{4} + 3$

7. Soit $y = |x|$, la fonction de base de la famille de fonctions valeurs absolues. Détermine la règle de la fonction transformée :

a) dont tous les paramètres sont 3 ;

b) dont le graphique a subi une translation vers le bas et une réflexion par rapport à l'axe des abscisses ;

c) dont le graphique a subi un allongement vertical et une translation de 3 vers la droite et de 10 vers le haut ;

d) dont le point (2, 5) est associé au point remarquable (1, 1) de la fonction de base.

8. Mara fait subir une translation de 1 unité vers la droite et de 2 unités vers le haut au graphique de $y = 2x + 3$. Quel lien existe-t-il entre le nouveau graphique et le graphique initial ? Propose deux autres transformations qui ont le même effet.

9. Le graphique de la fonction $g(x) = x + 5$ peut être obtenu par une translation de 5 unités vers la gauche ou par une translation de 5 unités vers le haut de la fonction de base $f(x) = x$. Explique pourquoi.

10. La fonction racine carrée $f(x) = \sqrt{x}$ a son sommet en (0, 0). Qu'ont en commun les sommets :

a) de $f(x) = \sqrt{x}$, $g_1(x) = \sqrt{x - 3}$ et $g_2(x) = \sqrt{x + 4}$?

b) de $f(x) = \sqrt{x}$, $g_1(x) = \sqrt{x} - 5$ et $g_2(x) = \sqrt{x} + 6$?

11. Décris les transformations qui permettent d'associer le graphique de la fonction de base $f(x) = x^2$ aux graphiques des fonctions suivantes.

a) $g_1(x) = x^2 + 3$

b) $g_2(x) = (x - 6)^2$

c) $g_3(x) = (x + 10)^2 - 1$

d) $g_4(x) = 4x^2 + 3$

e) $g_5(x) = {}^{-}x^2 + 9$

f) $g_6(x) = \frac{^{-}1}{2}(x + 2)^2 - 5$

12. Les points de coordonnées (0, 0) et (1, 1) sont des points remarquables des fonctions de base $f_1(x) = \sqrt{x}$, $f_2(x) = x^2$ et $f_3(x) = |x|$. Voici trois fonctions transformées.

① $g_1(x) = {}^{-}5\sqrt{x - 2} + 4$ ② $g_2(x) = 3(x - 4)^2 + 3$ ③ $g_3(x) = \left|\frac{^{-}1}{2}(x - 1)\right| - 1$

Détermine les coordonnées associées à ces deux points remarquables dans les fonctions transformées.

13. Soit la fonction transformée $g_1(x) = 2\sin(2x - 4) + 2$. Samuel affirme que tous les paramètres de la règle ont une valeur de 2. Carl dit que h vaut 4. Qui a raison ? Justifie ta réponse.

14. La fonction $g(x) = 3(x - 2)^3 + 4$ subit une translation verticale de $^{-}3$ et une translation horizontale de 2. Quelle est la règle de la nouvelle fonction ?

15. Quelles conditions faut-il imposer aux paramètres afin que les graphiques de deux fonctions d'une même famille soient isométriques ?

Section 3

Les fonctions en escalier

De brillantes économies?

Une lampe fluorescente compacte (LFC) consomme jusqu'à 75 % moins d'énergie pour fournir la même luminosité qu'une ampoule incandescente traditionnelle. Par ailleurs, la durée de vie moyenne d'une LFC est d'environ 8000 heures, soit 8 fois plus que celle d'une ampoule incandescente.
Le gouvernement fédéral envisage d'adopter un règlement pour interdire la vente d'ampoules incandescentes, car ces dernières ne respectent pas ses normes d'efficacité énergétique. Au Québec, le principal fournisseur d'électricité favorise aussi l'achat de LFC en offrant jusqu'à 25 $ de remise au moment de l'achat. Le graphique ci-contre représente la relation entre la remise offerte par le fournisseur et la somme dépensée pour l'achat de ce type d'ampoules.

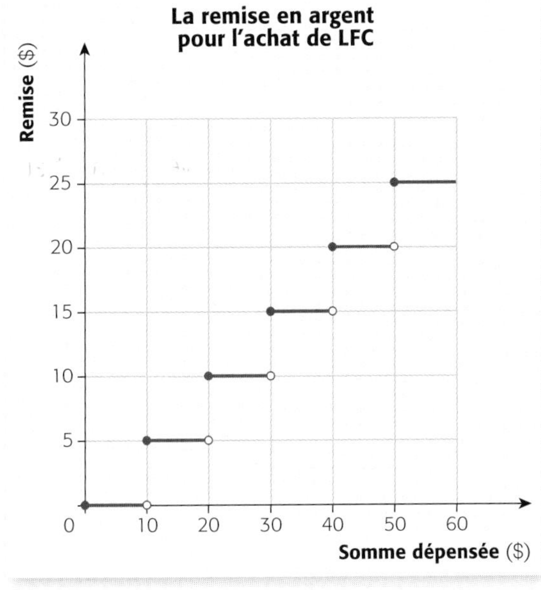

Les 18 ampoules incandescentes de 100 W installées dans les corridors d'un immeuble à logements sont allumées en tout temps. Le propriétaire de l'immeuble songe à remplacer progressivement toutes ces ampoules par des LFC de 25 W, sachant que la luminosité demeurera la même. Il a payé chaque ampoule incandescente 0,45 $, et il considère l'idée d'acheter des LFC au prix unitaire de 4,20 $.

Sachant que l'électricité coûte 0,06 $ par kilowattheure (c'est-à-dire 6 ¢ pour une dépense énergétique de 1 000 W pendant une durée d'une heure), le remplacement des ampoules est-il un choix économique pour ce propriétaire? Fais-en la démonstration.

Environnement et consommation

Les solutions de remplacement écologiques comportent parfois de petits désavantages. Vois-tu des désavantages au fait de passer de l'éclairage aux ampoules incandescentes à l'éclairage aux lampes fluorescentes compactes? Si oui, crois-tu que les avantages l'emportent sur les désavantages?

ACTIVITÉ D'EXPLORATION **1**

Fonction en escalier

Choix de réponses?

Lorsqu'on répond à un questionnaire, certaines questions nous amènent naturellement à transformer la réponse exacte en une réponse adaptée au contexte.

Un CLSC réalise une étude afin d'offrir divers services aux familles du quartier ayant au moins deux enfants dont un en bas âge. Voici un extrait d'un questionnaire, rempli par madame Salem.

1 – **Combien avez-vous d'enfants?** 4

2 – **Quel âge a le plus jeune de vos enfants?** 13 semaines

3 – **Quel âge aura le plus vieux de vos enfants à son prochain anniversaire?** 8 ans

4 – **Quel âge avez-vous?** 34 ans

5 – **Combien d'heures vos enfants se font-ils garder en une semaine?** 10 heures

A Pour quelle(s) question(s) madame Salem :

1) a-t-elle donné la réponse exacte?
2) a-t-elle probablement arrondi la réponse exacte?
3) a-t-elle transformé la réponse exacte autrement qu'en l'arrondissant?

B Pour chaque question, détermine s'il y a lieu l'intervalle dans lequel peut se trouver la réponse exacte que madame Salem a transformée pour remplir le questionnaire.

Le graphique ci-dessous représente la relation entre la réponse donnée à la question **2** et l'âge exact du plus jeune enfant de la famille.

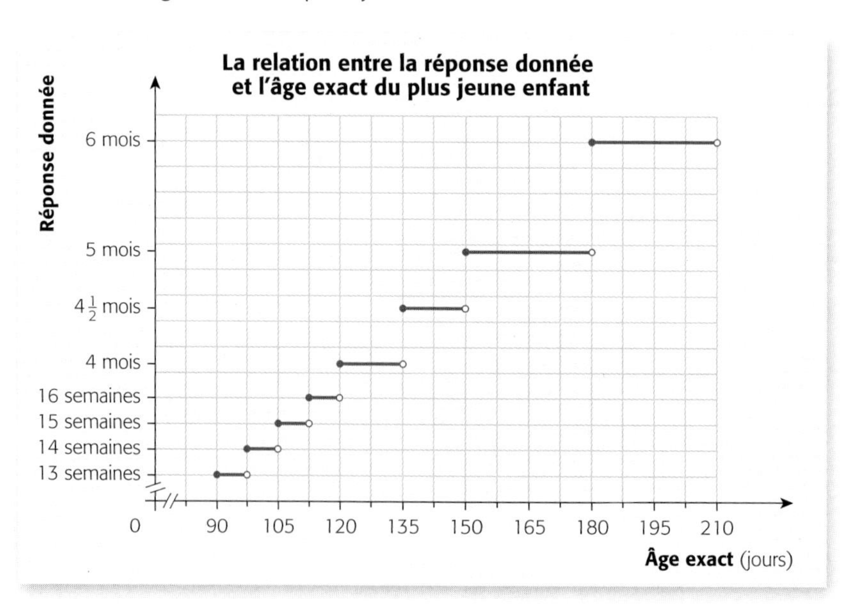

C Décris le graphique et fais l'analyse complète de la fonction.

D Pour quelles autres questions la relation entre la réponse donnée et la réponse exacte peut-elle être modélisée par une **fonction en escalier**?

E À quelle question le graphique ci-contre peut-il être associé?

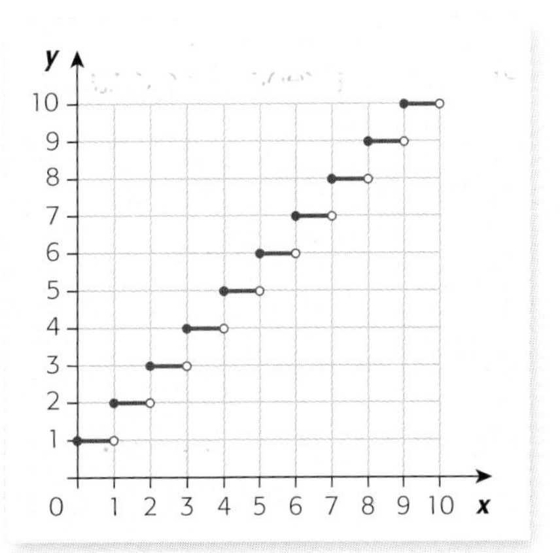

F Trace le graphique de la relation entre les réponses données et les réponses exactes:

1) de la question 4 du questionnaire;
2) de la question 5 du questionnaire.

G Pour chacune des fonctions représentées en **F**, détermine:

1) le domaine;   2) l'image.

H Parmi les fonctions que tu as représentées en **F**, laquelle correspond à la **fonction partie entière de base**?

I Soit $f(x) = [x]$. Détermine:

1) $f(3{,}4)$ 2) $f\left(\frac{12}{5}\right)$ 3) $f(9)$ 4) $f(^-2{,}1)$ 5) $f(\pi)$

Fonction en escalier
Fonction discontinue dont le graphique est formé de segments horizontaux.

TIC
Tu trouveras $[x]$ sous le nom partEnt(x) dans le menu MATH de ta calculatrice à affichage graphique ainsi que dans les fonctions du logiciel traceur de courbes. Pour en savoir plus, consulte les pages 247 et 252 de ton manuel.

Fonction partie entière de base
Fonction définie de $\mathbb{R}$ vers $\mathbb{Z}$ dont la règle est $f(x) = [x]$, où $[x]$ signifie le «plus grand entier inférieur ou égal à x».

Ai-je bien compris?

1. Voici les représentations graphiques de trois fonctions.

① 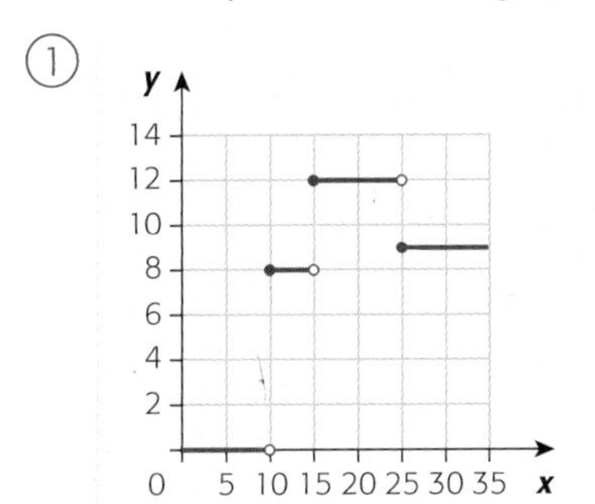

② 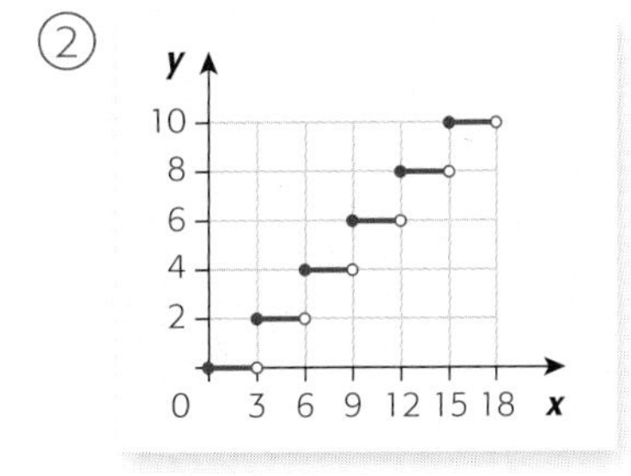

③ 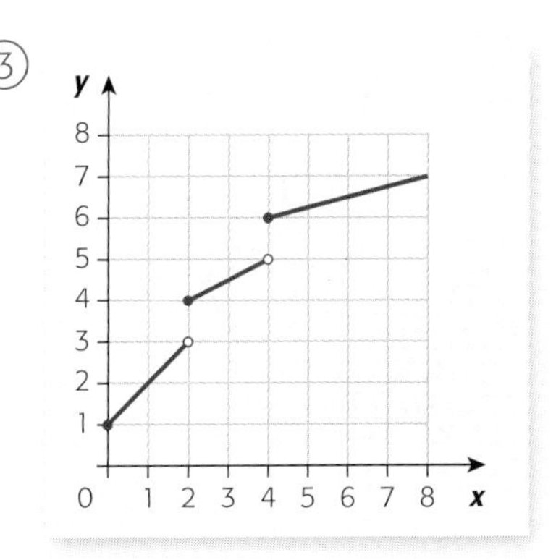

a) Quels sont le domaine et l'image de chaque fonction?
b) Parmi ces graphiques, lequel ou lesquels représentent une fonction en escalier?

2. Soit la fonction $f(x) = [x]$. Détermine:

a) I) $f(7{,}13)$ II) $f\left(\frac{27}{5}\right)$ III) $f(\pi)$ IV) $f(5)$ V) $f(^-\pi)$

b) les valeurs de x pour lesquelles:

I) $f(x) = 0$ II) $f(x) = 2{,}8$ III) $f(x) = 6$ IV) $f(x) = {}^-3$

ACTIVITÉ D'EXPLORATION 2

Incitation à consommer

Fonction partie entière dont la règle est $f(x) = a[bx]$

Certaines entreprises émettent des cartes de points de fidélité qu'elles offrent à leur clientèle. Lors d'un achat dans un des commerces affiliés à l'entreprise, sur présentation de la carte, la cliente ou le client obtient des points à échanger contre des bons-cadeaux ou des objets variés.

Voici la description des programmes de points de fidélité offerts par quatre entreprises.

Programme ①	Programme ②	Programme ③	Programme ④
1 point de fidélité offert pour chaque tranche de un dollar d'achat	5 points de fidélité offerts pour chaque tranche de un dollar d'achat	1 point de fidélité offert pour chaque tranche de 20 $ d'achat	10 points de fidélité offerts pour chaque tranche de 100 $ d'achat

A Pour chacun de ces programmes, détermine le nombre de points de fidélité offerts pour un achat de :

1) 5,75 $
2) 19,99 $
3) 42,58 $
4) 96,28 $
5) 163,50 $
6) 312,49 $

Le graphique ci-dessous représente le nombre de points de fidélité offerts en fonction du montant de l'achat pour le programme ①.

B Représente graphiquement le nombre de points de fidélité offerts en fonction du montant de l'achat pour chacun des trois autres programmes.

C Décris les transformations qui permettent d'associer chacun des graphiques tracés en **B** au graphique du programme ①.

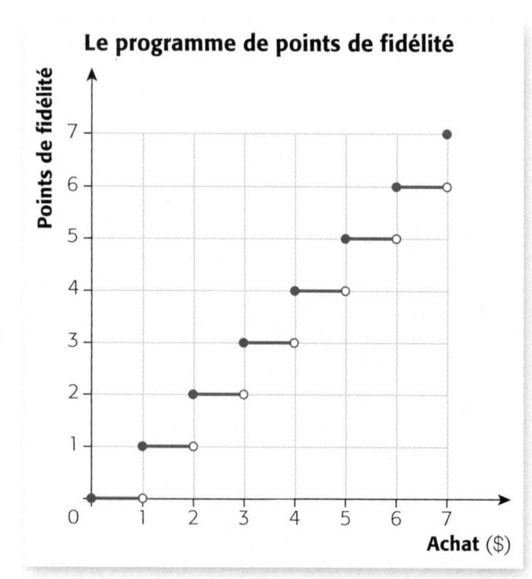

Chacun des programmes de points fidélité peut être décrit par une règle de la forme $g(x) = a[bx]$.

D Pour une fonction partie entière, quel paramètre détermine:
1) la longueur de la marche?
2) la hauteur de la contremarche?

À l'image d'un escalier, on peut appeler « marche » chacun des segments horizontaux et « contremarche » chaque segment vertical qui relierait deux marches consécutives.

E Pour chacun des programmes, détermine:
1) la valeur des paramètres a et b;
2) la règle du nombre de points fidélité offerts en fonction du montant de l'achat.

F Vérifie les règles déterminées en **E** à l'aide des montants énumérés en **A**.

G Quelle relation existe-t-il entre:
1) la longueur de la marche et le paramètre b?
2) la hauteur de la contremarche et le paramètre a?

H Quelle serait la règle associée à un programme qui offre 2 points de fidélité pour chaque tranche de 10 $ d'achat?

I Voici trois autres fonctions transformées de la forme $g(x) = a[bx]$.

① $g_1(x) = {}^{-}[x]$ ② $g_2(x) = [{}^{-}x]$ ③ $g_3(x) = {}^{-}[{}^{-}x]$

1) Quelle transformation permet d'associer le graphique de la fonction de base $f(x) = [x]$ au graphique de chacune des fonctions transformées?
2) Représente graphiquement chacune de ces fonctions.

Pièges et astuces

L'utilisation d'une table de valeurs facilite le passage de la règle à la représentation graphique.

J Décris le lien qui existe entre le signe des paramètres a et b et:
1) la variation, c'est-à-dire la croissance ou la décroissance de la fonction;
2) l'orientation des segments (•—○ ou ○—•).

Environnement et consommation

Tout article produit ou consommé comporte un coût environnemental. Selon la hiérarchie des 3RV (réduction à la source, réemploi, recyclage et valorisation), la meilleure façon de limiter l'utilisation des ressources non renouvelables est de réduire la surconsommation. Crois-tu que les programmes comme ceux des points de fidélité incitent les gens à la surconsommation? Quelle est ta définition de «surconsommation»? Donne quelques exemples.

Ai-je bien compris?

1. Associe chacun des graphiques ci-dessous à la règle correspondante.

a)

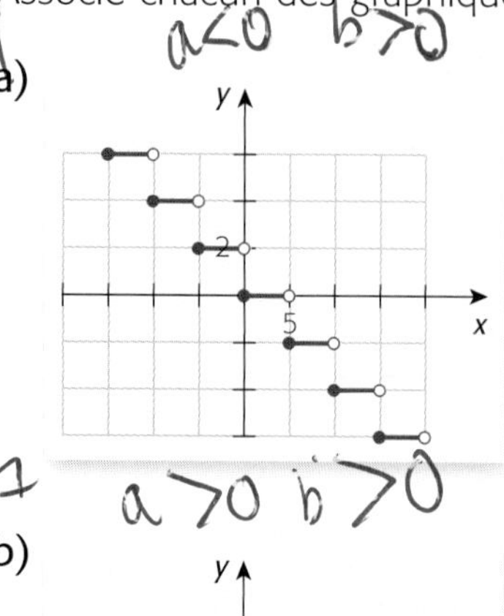

c)

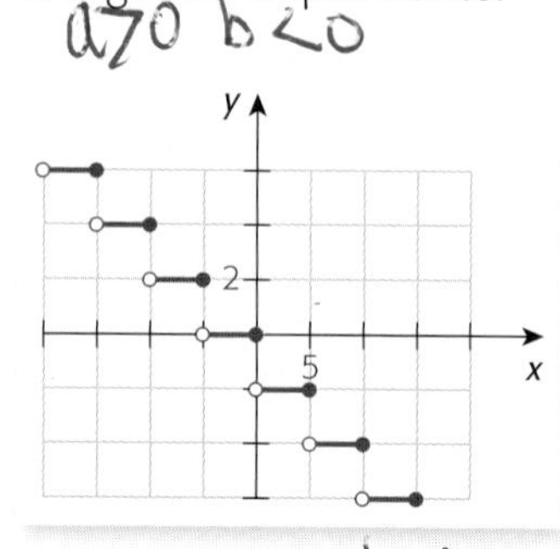

b)

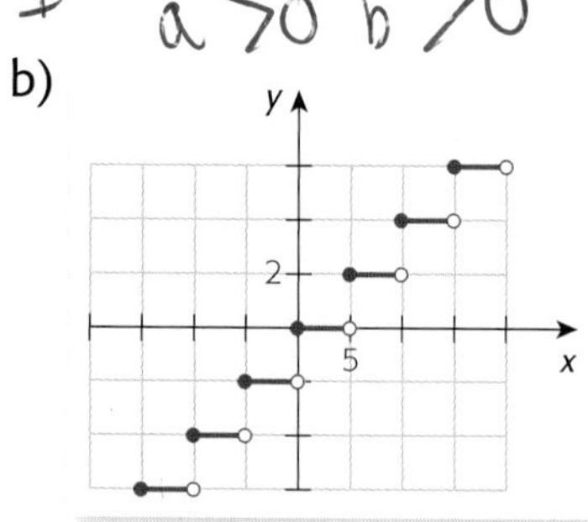

d)

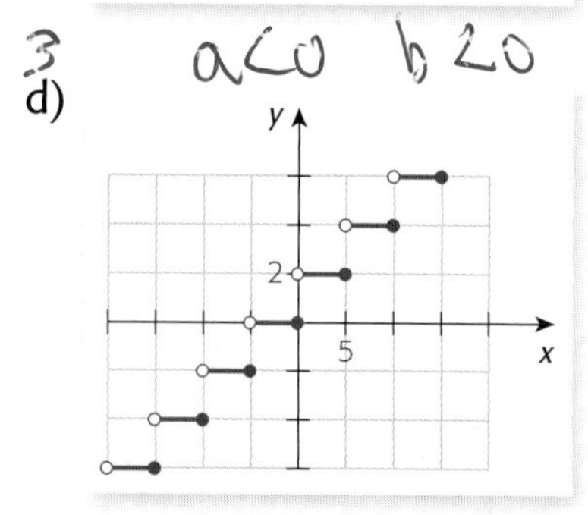

① $y = 2[0{,}2x]$ ② $y = 2[^{-}0{,}2x]$ ③ $y = ^{-}2[^{-}0{,}2x]$ ④ $y = ^{-}2[0{,}2x]$

2. Détermine la règle de chacune des fonctions représentées ci-dessous.

a)

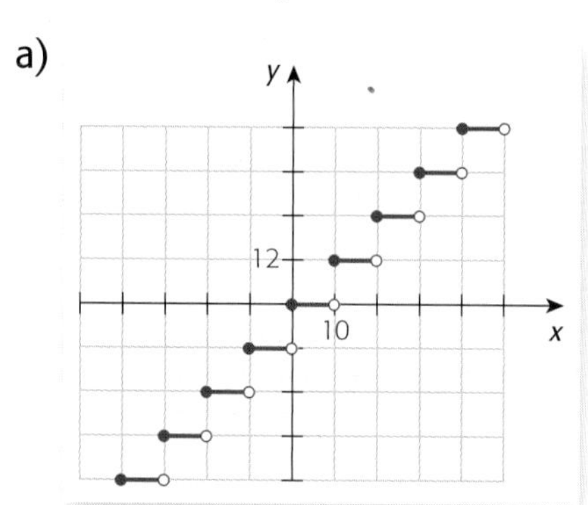

b)

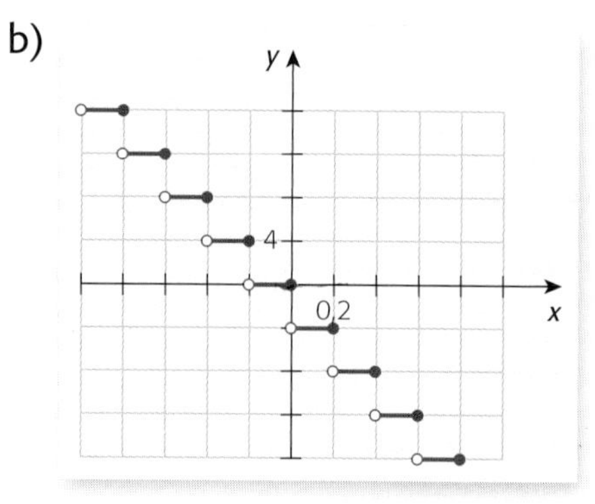

3. Trace le graphique de la fonction dont la règle est:

a) $f(x) = 10[0{,}25x]$ b) $g(x) = ^{-}5\left[\frac{x}{8}\right]$ c) $h(x) = 3[^{-}2x]$

ACTIVITÉ
D'EXPLORATION **3**

Des fonctions… à part entière

Voici les représentations graphiques de trois fonctions partie entière : la fonction de base et deux fonctions transformées.

Fonction partie entière dont la règle est $g(x) = a[b(x - h)] + k$

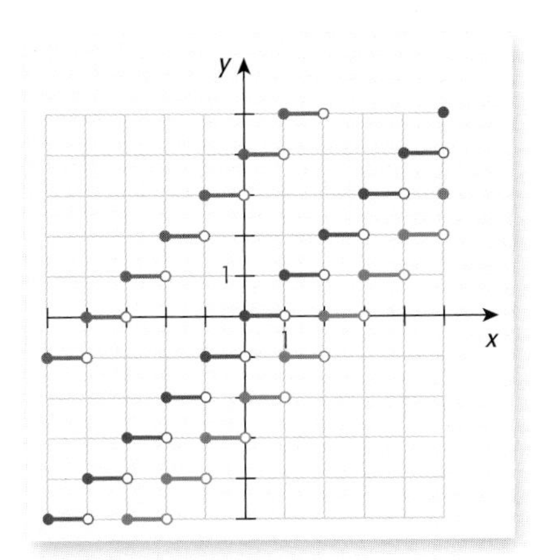

A Décris au moins trois translations différentes qui permettent d'appliquer le graphique rouge sur le graphique bleu.

B Selon toi, combien de règles différentes peut-on associer au graphique bleu ?

C Les règles $y = [x - 2]$ et $y = [x - 3] + 1$ peuvent toutes deux être associées au graphique vert. Trouve au moins deux règles qui peuvent être associées au graphique bleu.

D Voici les représentations graphiques de trois fonctions partie entière transformées.

1)

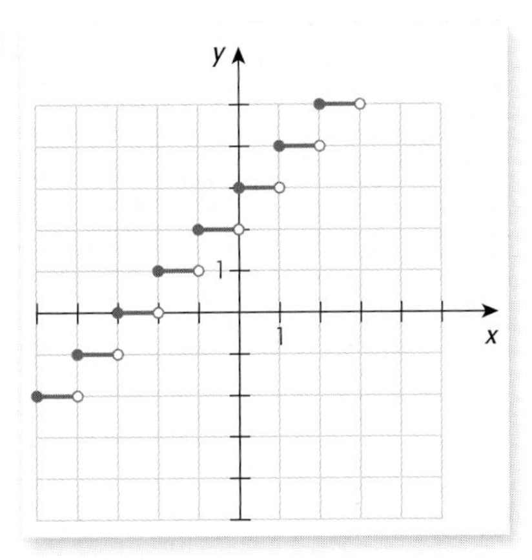

2)

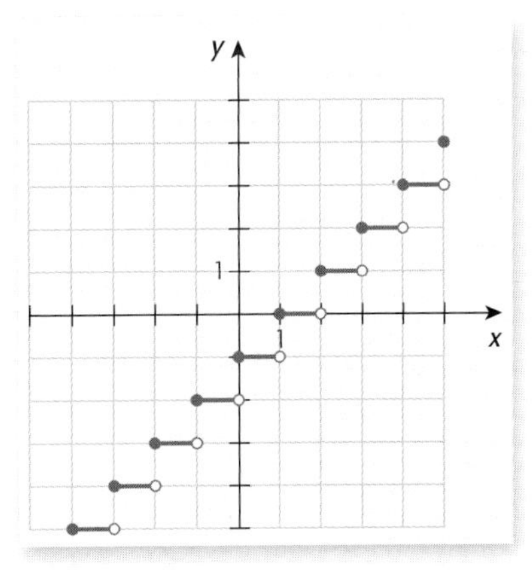

3)

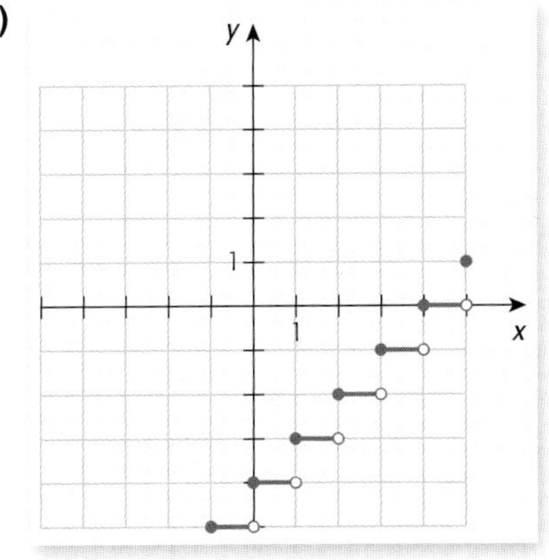

Associe chacun de ces graphiques à la règle correspondante. Explique comment tu as procédé pour effectuer les associations.

Ⓐ $y = [x - 1] - 3$ Ⓑ $y = [x + 2] + 1$ Ⓒ $y = [x + 2] - 3$

E Pour chacun des graphiques en **D**, trouve deux autres règles qui peuvent lui être associées.

La règle associée au graphique ci-contre est
$y = {}^{-}3\left[\frac{1}{4}(x + 8)\right] + 1$.

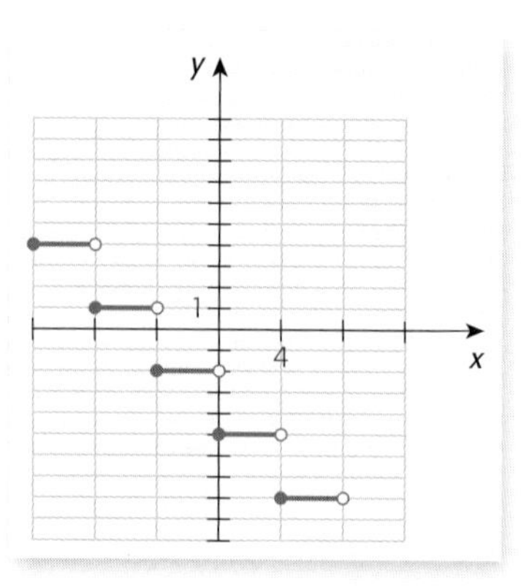

F Quelles sont les valeurs des paramètres a, b, h et k de cette fonction?

G Quel lien peux-tu établir entre la valeur de chacun des paramètres et la représentation graphique de la fonction?

H Détermine la règle associée à chacun des graphiques suivants.

1)

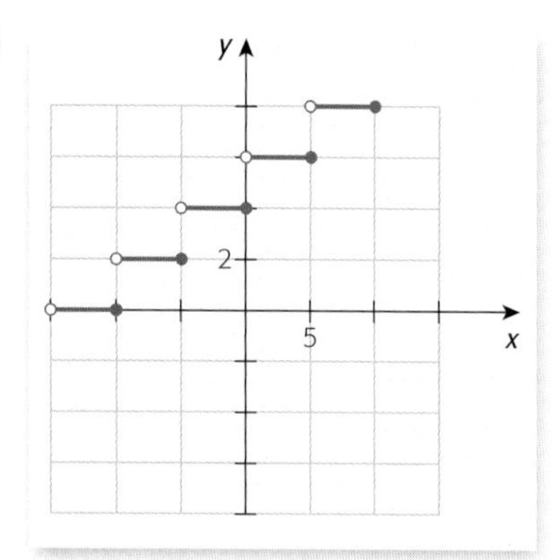

2)

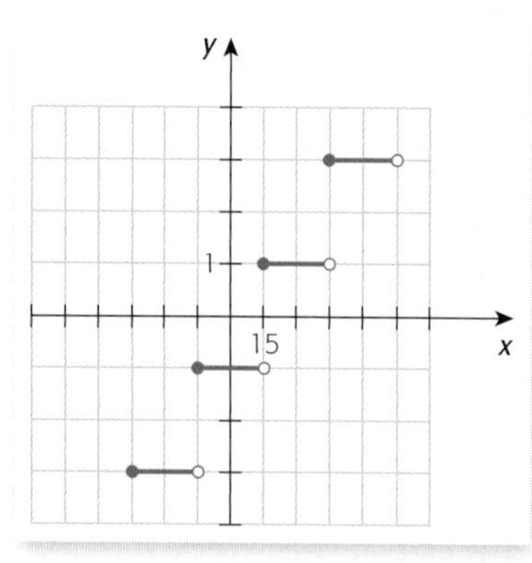

3)

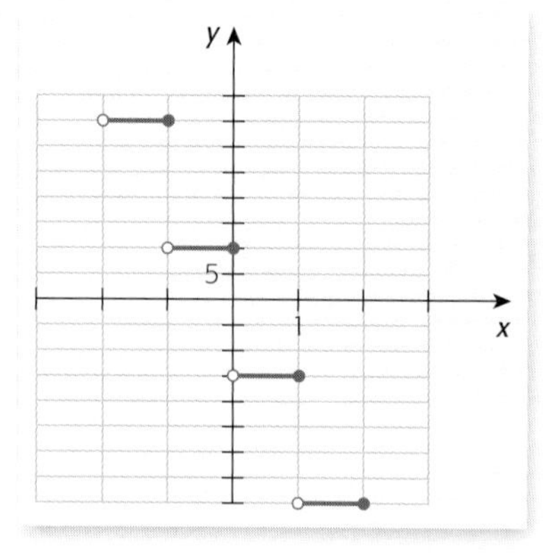

I Décris une procédure qui permet de tracer la représentation graphique d'une fonction partie entière transformée à partir de sa règle.

J Représente graphiquement chacune des fonctions suivantes.

1) $y = 10\left[\frac{1}{2}x\right] + 5$ **2)** $y = 4\left[\frac{^{-}1}{5}(x + 2)\right]$ **3)** $y = {}^{-}5\left[{}^{-}0{,}1x\right] + 10$

K Fais l'analyse complète de la fonction représentée par le graphique **1** de la question **H**.

Ai-je bien compris?

1. Voici quatre graphiques représentant des fonctions partie entière transformées.

① 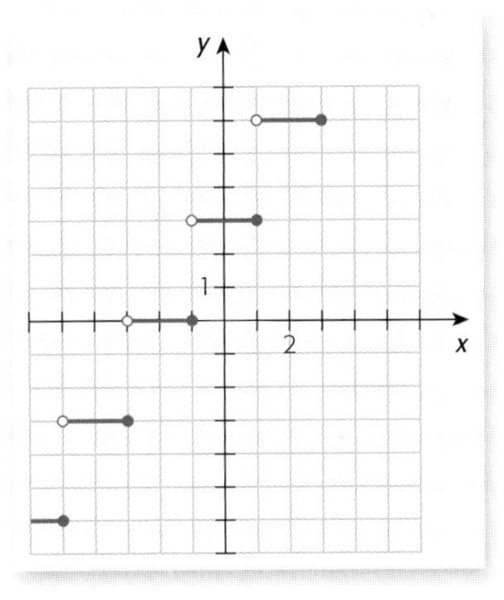

③ 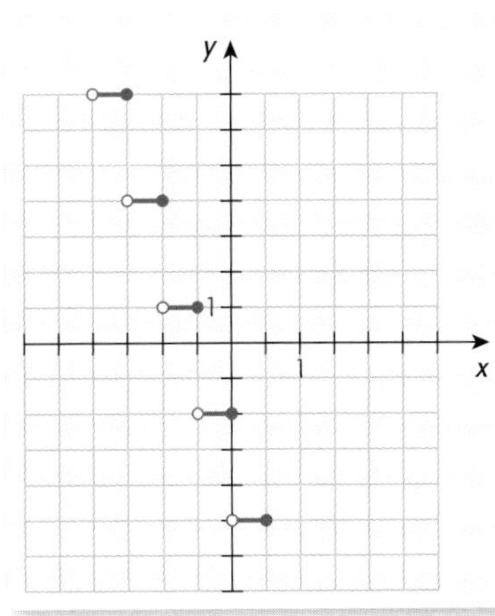

② 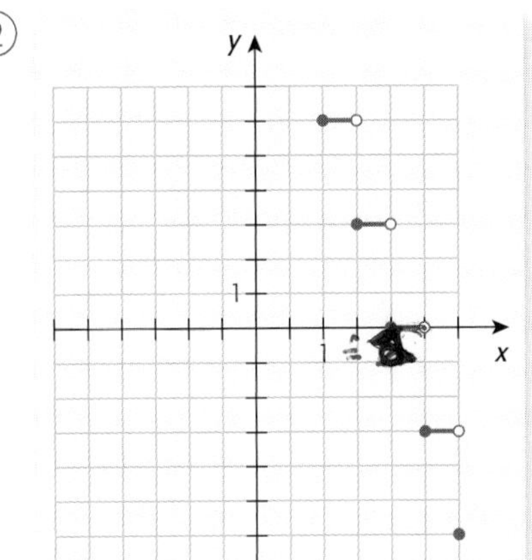

④ 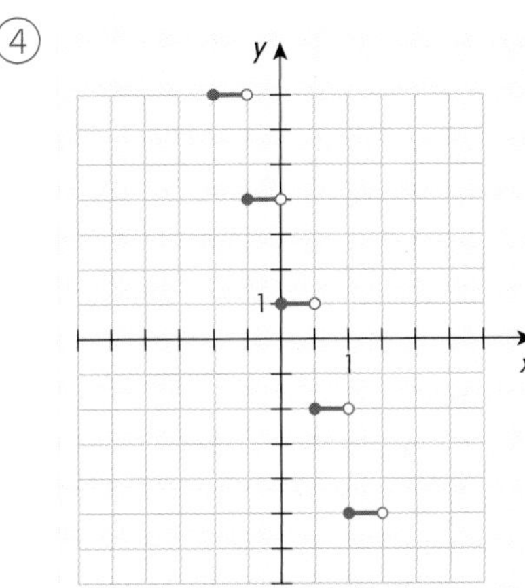

a) Associe chacun des graphiques ci-dessus à la règle correspondante.

Ⓐ $y = 3[^-2x] - 2$ Ⓒ $y = {}^-3[2(x - 2)]$ Ⓔ $y = {}^-3[2x] + 1$

Ⓑ $y = {}^-3[^-2(x + 3)]$ Ⓓ $y = {}^-3[^-0{,}5(x + 1)]$ Ⓕ $y = 3[^-0{,}5x]$

b) Représente graphiquement les deux fonctions dont les règles n'ont pas été associées en **a**.

2. Quelle est ma règle?

- Je suis une fonction partie entière croissante sur tout mon domaine.
- Mon domaine est ℝ et mon image est $\{\ldots {}^-10, {}^-5, 0, 5, 10, \ldots\}$.
- Je suis positive pour $x \in [20, +\infty[$ et négative pour $]-\infty, 40[$.
- Mes abscisses à l'origine sont les valeurs dans $[20, 40[$ et mon ordonnée à l'origine est $^-5$.

Les fonctions en escalier

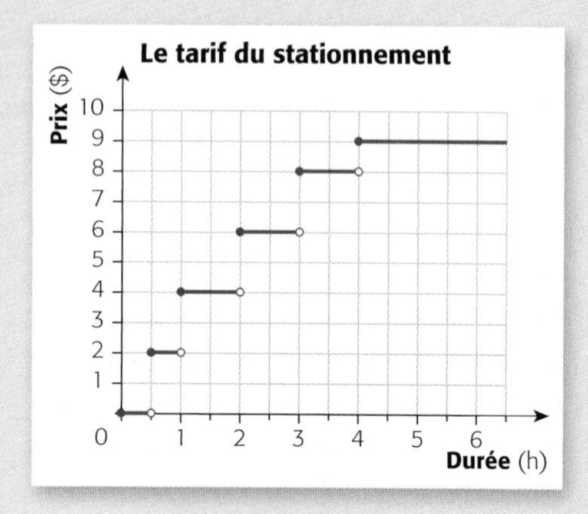

Les fonctions en escalier sont des fonctions discontinues. Elles sont constantes sur des intervalles et varient brusquement par sauts à certaines valeurs de la variable indépendante, appelées valeurs critiques. Le graphique est formé de segments horizontaux habituellement fermés à une extrémité et ouverts à l'autre.

Dans l'exemple ci-contre, les valeurs critiques sont 0,5, 1, 2, 3 et 4.

Les fonctions partie entière

Les fonctions partie entière sont des cas particuliers de fonctions en escalier pour lesquelles tous les segments horizontaux sont isométriques et la distance entre deux segments consécutifs est constante.

La fonction partie entière de base

La fonction partie entière de base se définit comme suit.

$$f: \mathbb{R} \rightarrow \mathbb{Z}$$
$$x \mapsto f(x) = [x]$$

Cette fonction associe, à chaque valeur de x, le plus grand entier inférieur ou égal à x. L'expression $[x]$ se lit «partie entière de x» et se calcule de la façon suivante.

Si $x \in [n, n + 1[$, où $n \in \mathbb{Z}$, alors $[x] = n$.

Exemples : $[4{,}28] = 4$; $\left[\frac{1}{2}\right] = 0$; $[8] = 8$; $[^{-}3{,}1] = {}^{-}4$

Les propriétés de la fonction $f(x) = [x]$

Le tableau ci-dessous présente les propriétés de la fonction de base $f(x) = [x]$.

Propriété	
Domaine	$\mathbb{R}$
Image	$\mathbb{Z}$
Abscisses à l'origine	$x \in [0, 1[$
Ordonnée à l'origine	$f(0) = 0$
Signe	• positive pour $x \in [0, +\infty[$ • négative pour $x \in]-\infty, 1[$
Extremum	La fonction ne possède pas d'extremum.
Variation	La fonction est croissante sur tout son domaine, $\mathbb{R}$.

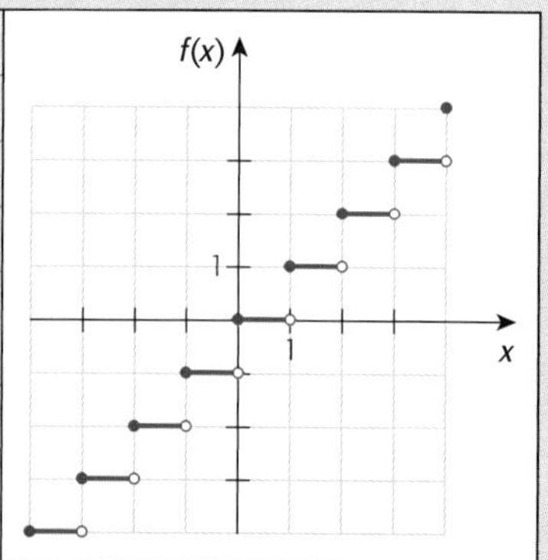

Remarque : La réciproque de cette fonction n'est pas une fonction.

La fonction partie entière dont la règle est $f(x) = a[bx]$

Le signe des paramètres a et b détermine la variation de la fonction (croissance ou décroissance) ainsi que l'orientation des segments (•—○ ou ○—•). Le tableau ci-dessous illustre les quatre cas possibles à l'aide d'un exemple.

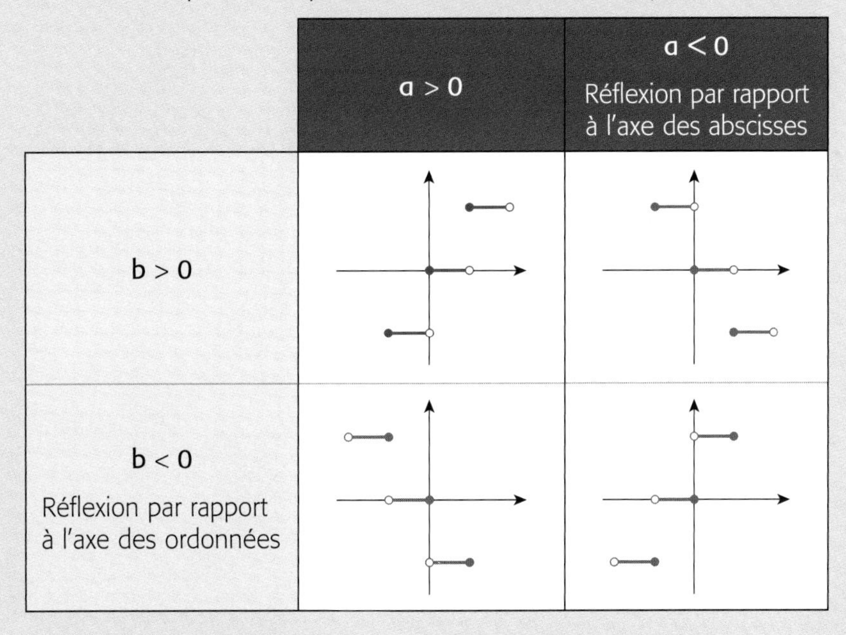

	$a > 0$	$a < 0$ Réflexion par rapport à l'axe des abscisses
$b > 0$		
$b < 0$ Réflexion par rapport à l'axe des ordonnées		

La fonction est :
- croissante si $a \cdot b > 0$;
- décroissante si $a \cdot b < 0$.

Pièges et astuces

Pour déterminer les propriétés d'une fonction partie entière, le recours à la représentation graphique est le moyen le plus efficace.

La distance entre deux segments consécutifs (contremarche) est $|a|$.

La longueur de chacun des segments (marche) est $\left|\frac{1}{b}\right|$.

La fonction partie entière dont la règle est $g(x) = a[b(x - h)] + k$

Le tableau ci-dessous présente les étapes à suivre pour déterminer la règle d'une fonction partie entière transformée à partir de sa représentation graphique.

Étape	*Exemple*
1. Déterminer le signe de a et de b à partir de la variation de la fonction et de l'orientation des segments.	$a \cdot b < 0$ $b > 0$ donc $a < 0$
2. Déterminer la valeur de a (la hauteur de la contremarche est $|a|$).	$a = ^-3$
3. Déterminer la valeur de b (la largeur de la marche est l'inverse de $|b|$).	$b = \frac{1}{10} = 0{,}1$
4. Déterminer la valeur de h (translation horizontale de l'origine à l'abscisse du point fermé d'un segment).	$h = ^-5$
5. Déterminer la valeur de k (translation verticale du point (h, 0) au point fermé du segment choisi à l'étape 4).	$k = 1$

La règle de la fonction transformée est $g(x) = ^-3[0{,}1(x + 5)] + 1$.

Mise en pratique

1. Calcule la valeur de :

a) $[2,3]$

b) $[2,99]$

c) $[6]$

d) $[^-4,19]$

e) $[^-0,0012]$

f) $\left[\frac{8}{7}\right]$

Tronquer un nombre c'est couper son développement décimal à un certain nombre de chiffres après la virgule.

2. Associe tes réponses aux questions suivantes avec les opérations mathématiques ci-dessous.

a) Combien d'heures as-tu consacrées à tes travaux scolaires cette semaine ?

b) Pendant combien de minutes complètes as-tu parlé au téléphone aujourd'hui ?

c) Quelle heure est-il ?

① Partie entière ② Arrondi ③ Troncature

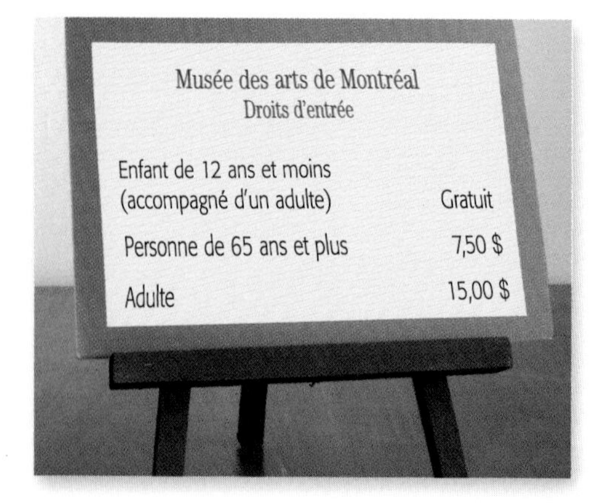

3. L'affiche ci-contre indique les droits d'entrée pour le Musée des arts de Montréal.

a) Représente graphiquement le droit d'entrée pour une visite en fonction de l'âge d'une personne.

b) Quelle est l'image de cette fonction ?

4. Vrai ou faux ? Justifie tes réponses.

a) L'image d'une fonction en escalier peut être $\mathbb{R}$.

b) Le domaine d'une fonction en escalier peut être $\mathbb{N}$.

5. Le « comité vert » d'une entreprise doit mettre en place des mesures qui visent à favoriser les gestes écologiques dans son milieu de travail. Le comité désire entre autres promouvoir le covoiturage. Il demande donc à chaque membre du personnel d'indiquer le nombre de kilomètres qui sépare sa résidence de l'entreprise.

a) Représente graphiquement la relation entre la valeur exacte de la distance et la réponse que donne une personne si on lui demande d'arrondir cette distance :

1) au kilomètre près ;

2) à l'unité supérieure ;

3) à l'unité inférieure.

b) Entre ces trois fonctions, indique la ou les propriétés qui diffèrent.

Environnement et consommation

Certaines grandes villes permettent aux automobiles ayant à bord au moins deux ou au moins trois passagers de rouler sur les voies réservées aux autobus et aux taxis. Ainsi, en guise de récompense pour leurs efforts visant à moins polluer, les covoitureurs passent moins de temps dans les bouchons de circulation. Au Québec, cette incitation au covoiturage n'est pas encore très répandue. Selon toi, quelles autres stratégies le gouvernement pourrait-il mettre sur pied pour encourager les gestes « verts » ?

6. Voici la description de primes offertes dans différents commerces.

① Un rabais de 10 $ par tranche de 50 $ d'achat

② Deux billets de cinéma par tranche de 100 $ d'achat

③ 1 point de fidélité par tranche de 20 $ d'achat

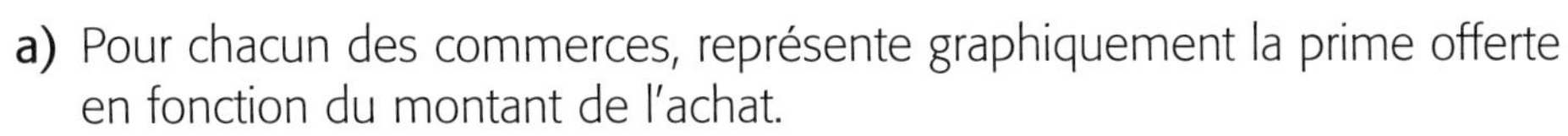

a) Pour chacun des commerces, représente graphiquement la prime offerte en fonction du montant de l'achat.

b) Détermine la règle de chacune des fonctions représentées en **a**.

7. a) Associe chacune des règles ci-dessous avec le graphique correspondant.

① $g_1(x) = [2x]$

② $g_2(x) = 2[x]$

③ $g_3(x) = {}^{-}2[x]$

④ $g_4(x) = [{}^{-}2x]$

⑤ $g_5(x) = 2[{}^{-}x]$

Ⓐ

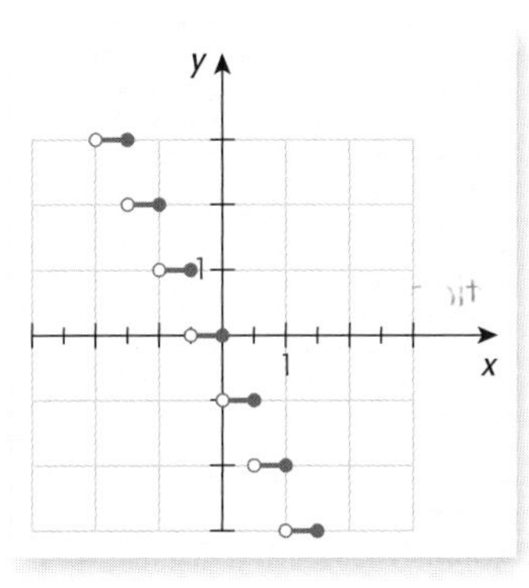

Ⓒ

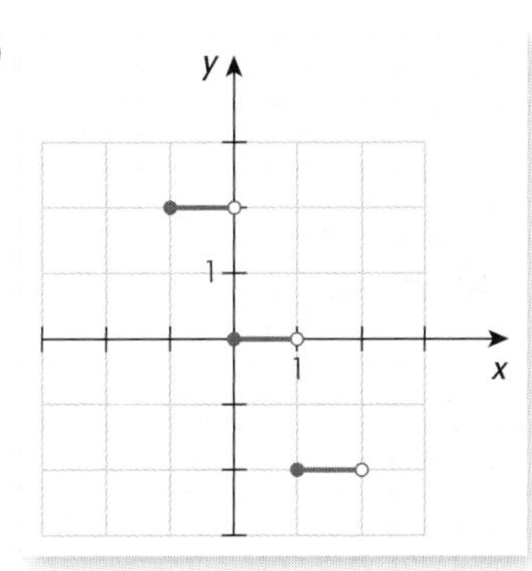

Ⓔ

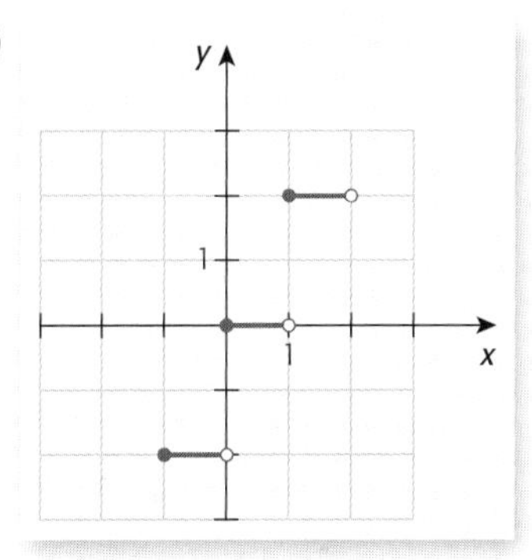

Ⓑ

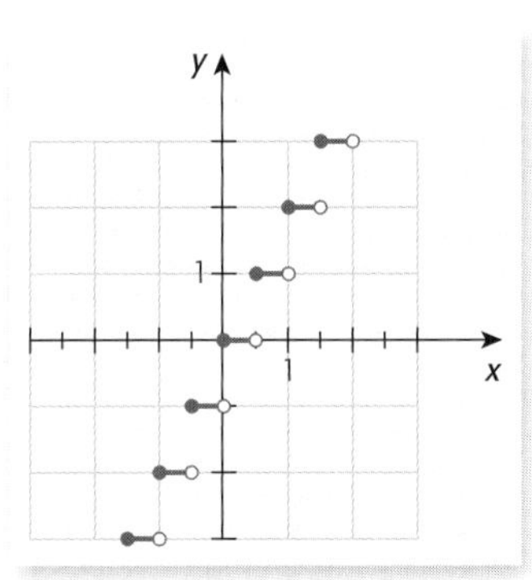

Ⓓ

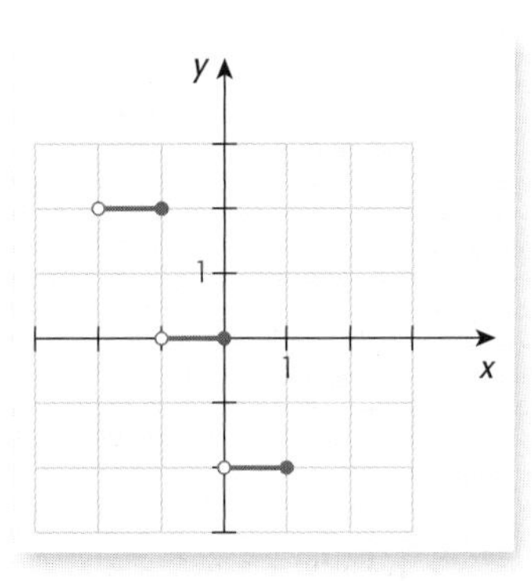

Ⓕ

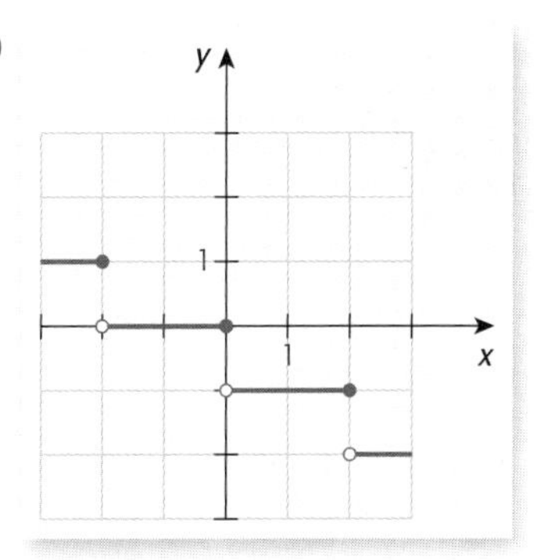

b) Détermine la règle du graphique qui n'a pas été associé en **a**.

8. Pour chacune des fonctions représentées ci-dessous :

a) détermine la règle ;

b) fais l'analyse complète de la fonction.

① 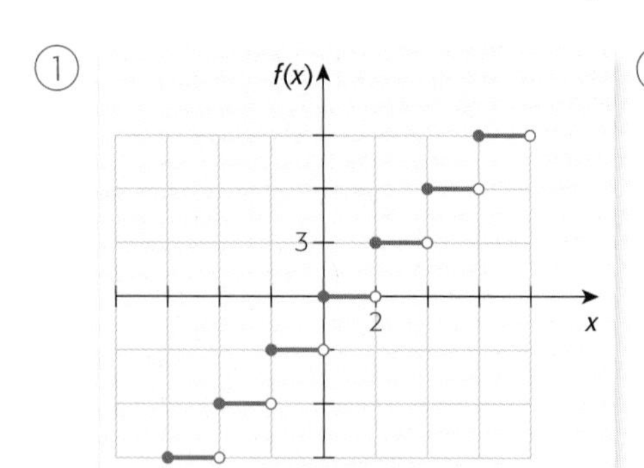

② 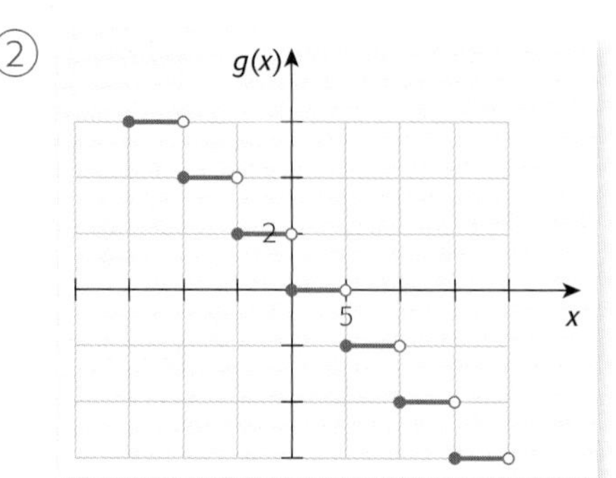

③ 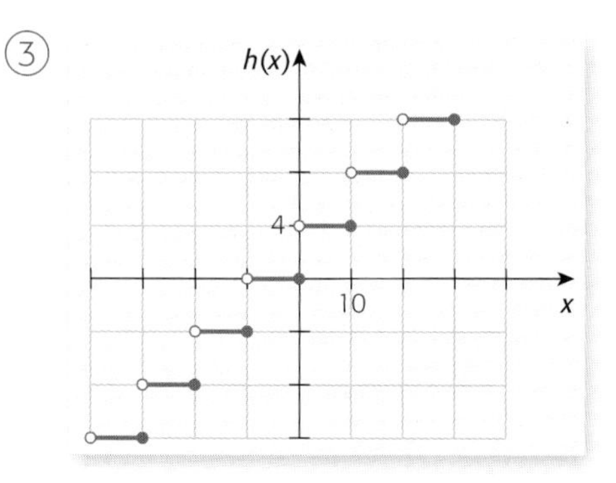

9. Voici les règles de trois fonctions.

① $g(x) = {}^-2[x + 5]$ ② $j(x) = 3[{}^-0,5x] - 4$ ③ $k(x) = 10[2x - 6]$

a) Pour chacune de ces fonctions indique les valeurs des paramètres a, b, h et k.

b) Pour chacune des fonctions ci-dessus, précise :

1) si la fonction est croissante ou décroissante ;

2) l'orientation des segments ;

3) la « largeur de la marche » ;

4) la « hauteur de la contremarche » ;

5) la translation horizontale ;

6) la translation verticale.

10. Voici les règles de deux fonctions.

① $g_1(x) = {}^-8\left[\frac{x}{5}\right] + 2$ ② $g_2(x) = 2[{}^-(x + 4)] - 1$

a) Représente graphiquement chacune de ces fonctions.

b) Fais l'analyse complète de ces fonctions.

11. Marie est vendeuse dans une boutique de vêtements. Son salaire hebdomadaire varie selon la règle :

$s(x) = 50\left[\frac{x}{1000}\right] + 500$, où x représente le montant de ses ventes en dollars.

a) Cette semaine, Marie a vendu pour 2 555 $ de vêtements. Quel est son salaire ?

b) Quel montant minimal de ventes lui assurera un salaire de 700 $?

c) Pour quels montants de ventes Marie gagnera-t-elle un salaire d'exactement 650 $ en une semaine ?

12. Le coût d'un stationnement au centre-ville varie en fonction de la durée d'utilisation. Représente graphiquement le coût total en fonction de la durée d'utilisation pour les trois situations suivantes.

a) Le premier quart d'heure coûte 2 $ et chaque quart d'heure supplémentaire coûte 1,50 $.

b) Le premier quart d'heure coûte 2 $ et chaque demi-heure supplémentaire coûte 4 $, jusqu'à un maximum de 16 $ pour la journée.

c) Le premier quart d'heure est gratuit et chaque quart d'heure supplémentaire coûte 2 $, jusqu'à un maximum de 21 $ pour la journée.

13. Quelle est la règle de la fonction représentée par chacun des graphiques suivants?

a)

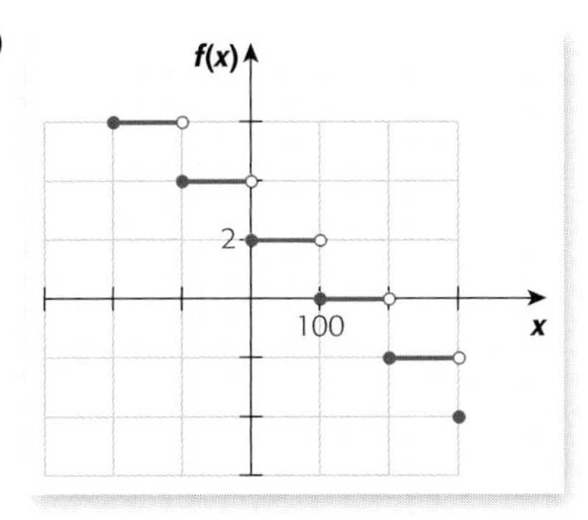

b)

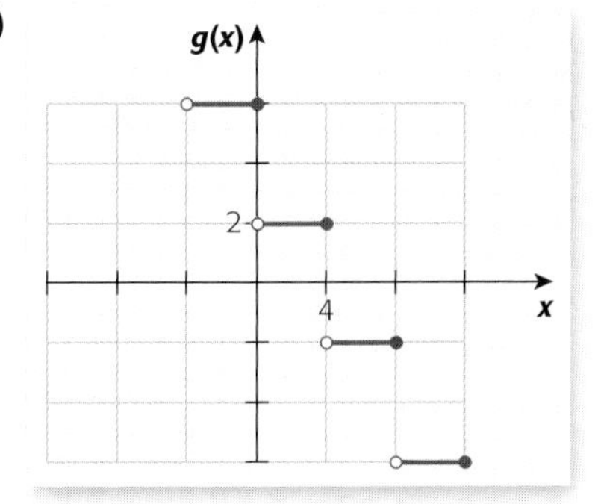

Environnement et consommation

Dans la région de Montréal et en banlieue de la métropole, 56 stationnements incitatifs offrent plus de 20 000 places gratuites. Situés près d'une gare de trains de banlieue, d'un terminus d'autobus ou d'une station de métro, les stationnements incitatifs permettent de combiner l'utilisation de la voiture à celle d'un moyen de transport collectif. Nomme quelques avantages que procurent ces stationnements.

14. Quelle est ma règle?

- Je suis une fonction partie entière.
- Mon domaine est $\mathbb{R}$ et mon image est $\{\ldots {}^-6, {}^-3, 0, 3, 6, \ldots\}$.
- Je suis positive pour $x \in]-\infty, {}^-1]$ et négative pour $x \in]{}^-3, +\infty[$.
- Mes abscisses à l'origine sont les valeurs dans $]{}^-3, {}^-1]$ et mon ordonnée à l'origine est ${}^-3$.

Consolidation

1. Soit les trois représentations graphiques de fonctions ci-dessous.

①
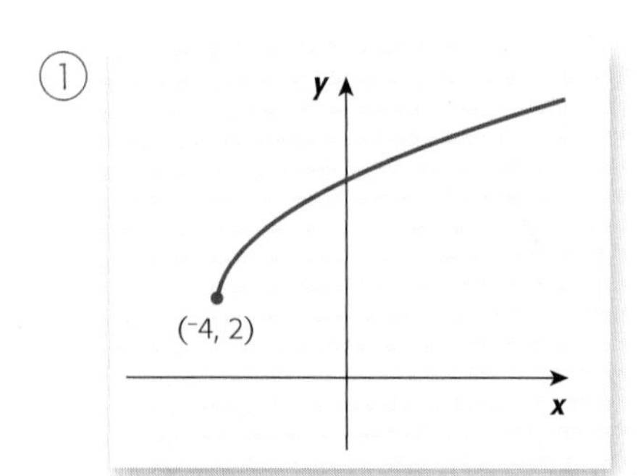

②
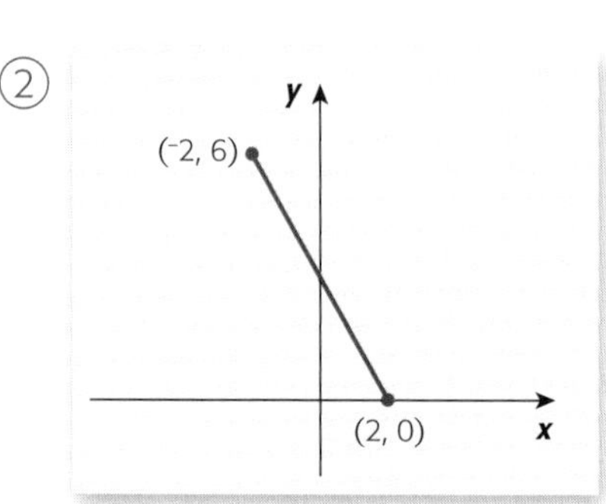

③
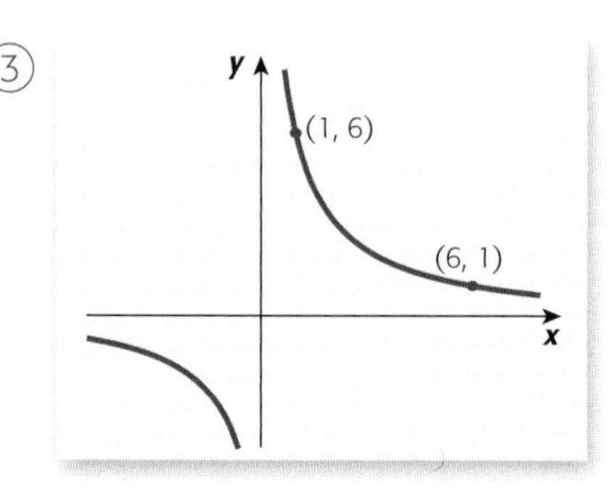

Pour chacune des fonctions représentées, détermine :

a) le domaine ;

b) l'image ;

c) les intervalles de croissance ou de décroissance.

2. Explique pourquoi une fonction peut avoir plusieurs abscisses à l'origine mais une seule ordonnée à l'origine.

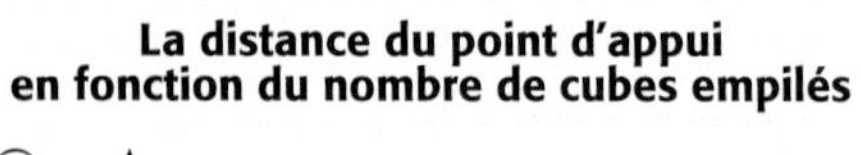

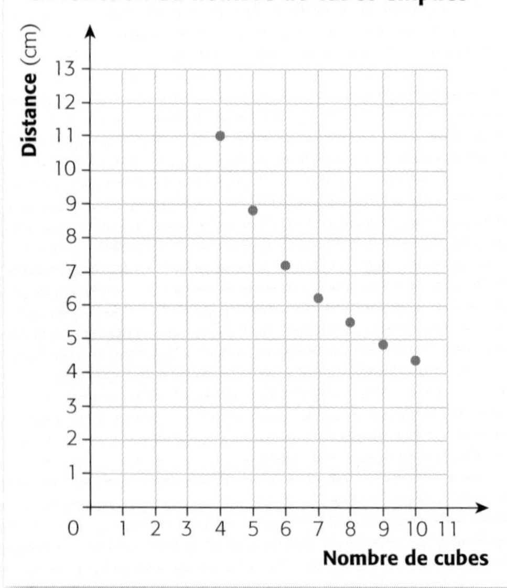

3. Félix dispose de 10 cubes isométriques, d'une règle de 30 cm, d'un crayon et d'une gomme à effacer. Il fixe une gomme à effacer à une extrémité de la règle, qui est déposée sur le crayon servant de point d'appui. Félix cherche à rétablir l'équilibre en empilant les cubes de l'autre côté du point d'appui et à une certaine distance de celui-ci.

Le graphique ci-contre représente la relation entre la distance du point d'appui à l'endroit où sont placés les cubes et le nombre de cubes empilés.

a) Définis cette fonction en notation fonctionnelle.

b) Détermine le domaine et l'image de cette fonction.

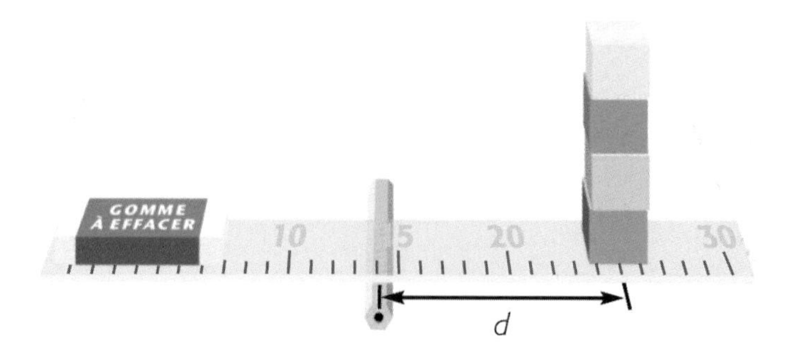

4. Pour chacune des fonctions représentées ci-dessous, fais l'étude du signe et détermine, s'il y a lieu, les extremums.

a)

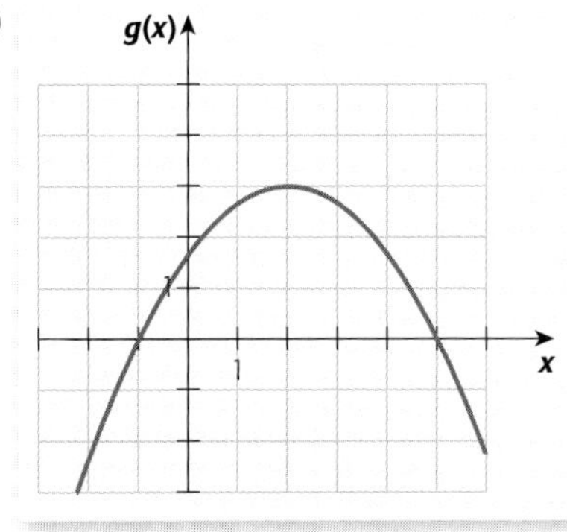

b)

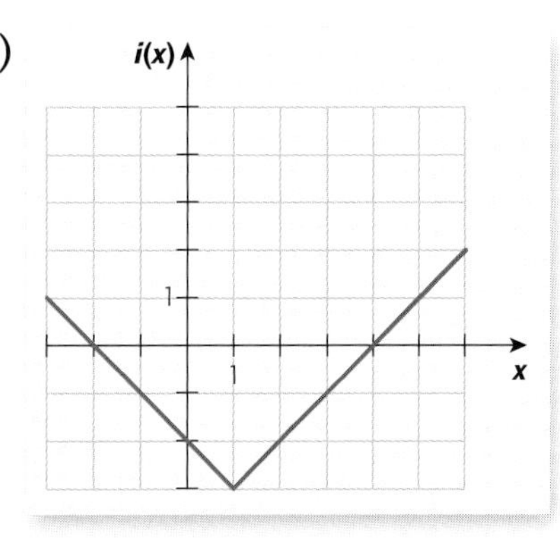

c)

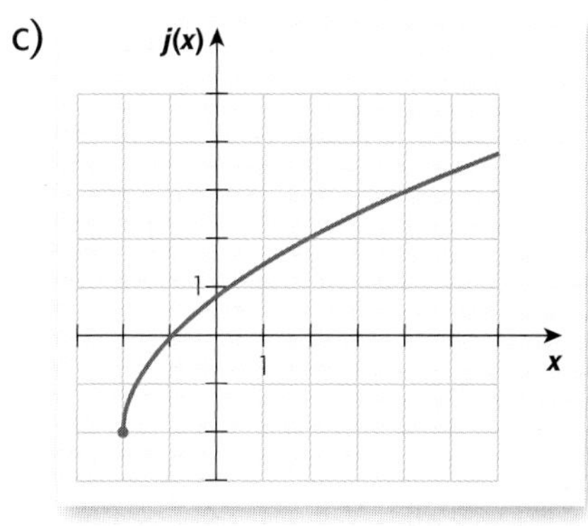

5. À partir des règles des fonctions de base, détermine la règle des fonctions transformées.

a)

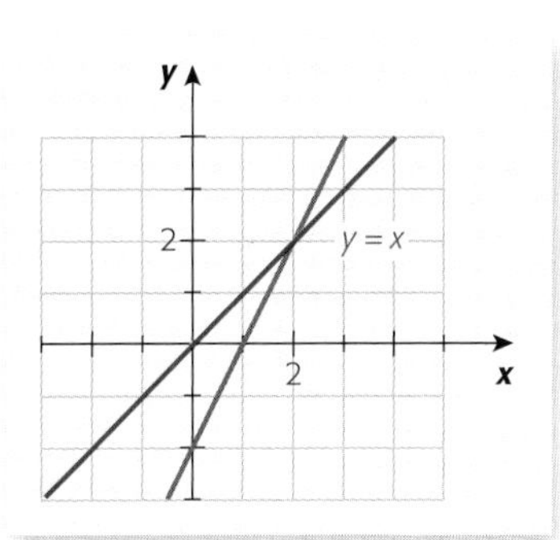

b)

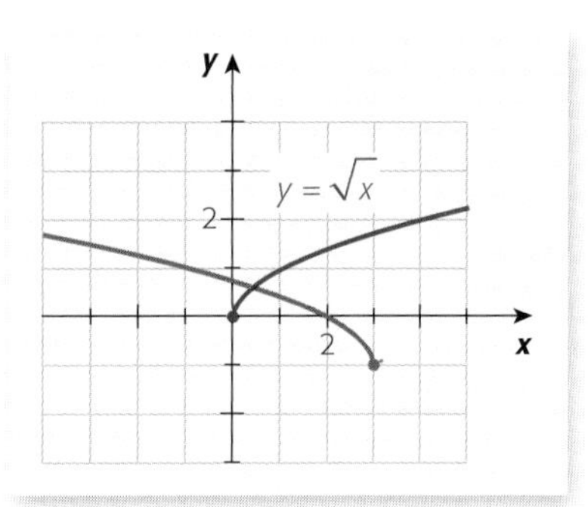

c)

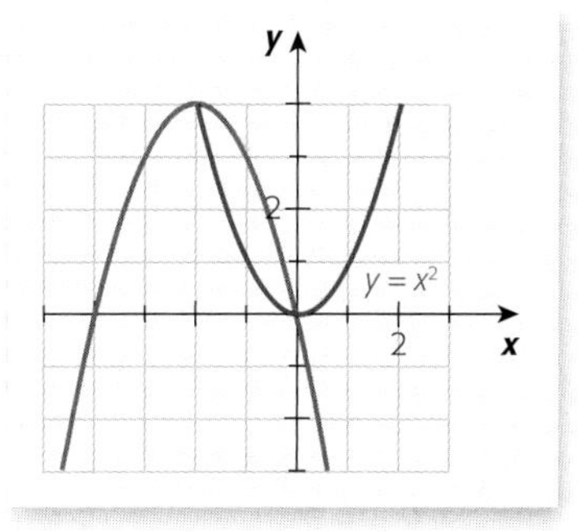

6. Détermine la règle des fonctions représentées ci-dessous.

a)

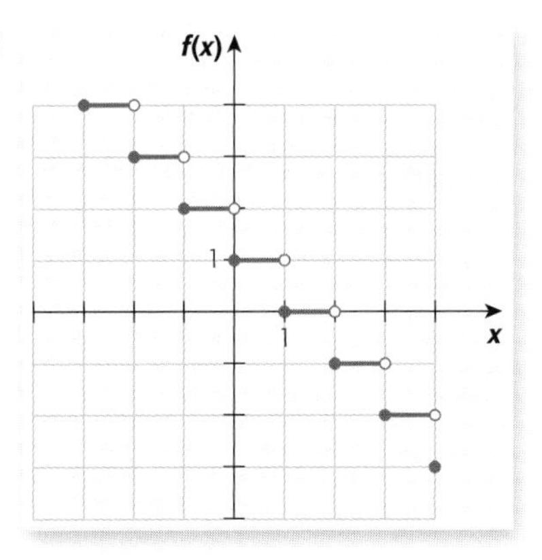

b)

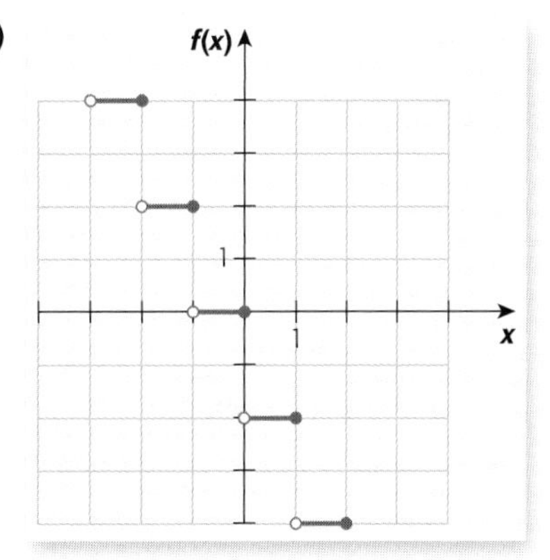

c)

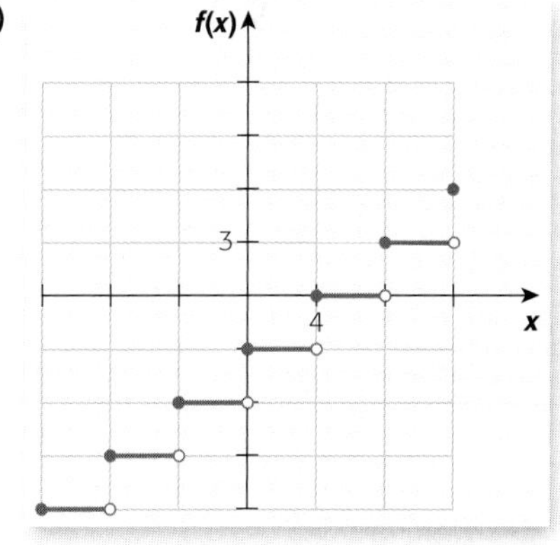

7. Représente graphiquement chacune des fonctions suivantes.

a) $g(x) = {}^{-}5[x - 1]$

b) $i(x) = 25\left[\frac{x}{40}\right]$

c) $j(x) = {}^{-}4[{}^{-}x] - 6$

8. Besoin grandissant

Les États-Unis sont de grands importateurs de pétrole, bien qu'ils possèdent eux-mêmes d'importants gisements. Le graphique ci-dessous représente le pourcentage de pétrole consommé aux États-Unis qui provient d'importations.

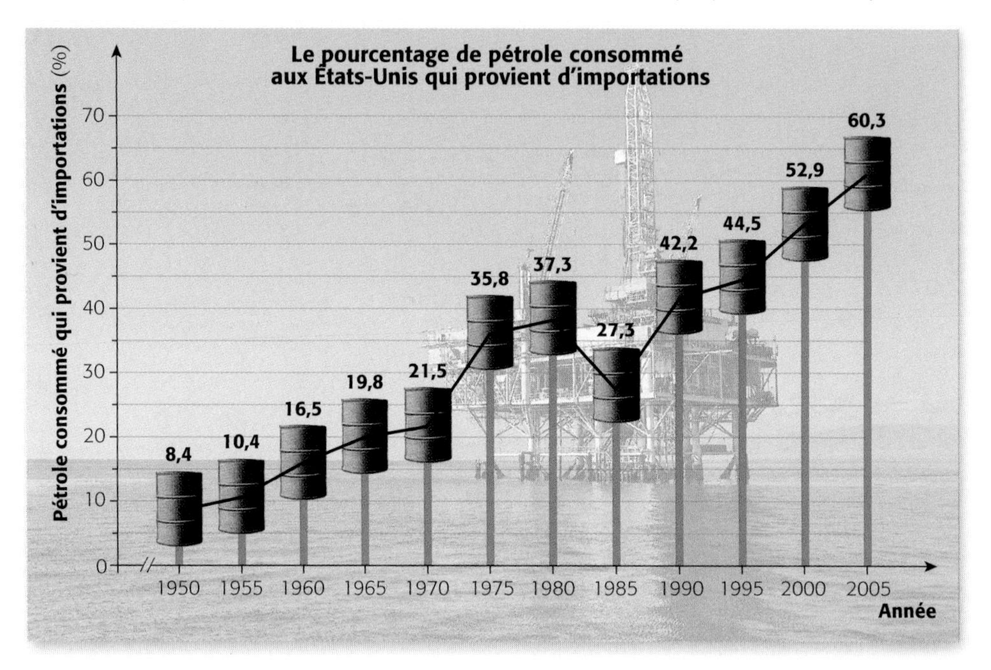

a) Quels sont les intervalles de croissance et de décroissance de cette fonction?

b) Quelle est l'image de cette fonction?

c) En supposant que la tendance se maintienne, à combien estimerais-tu le pourcentage de pétrole consommé par les États-Unis en 2020 qui proviendra d'importations?

9. Représentation

Trace le graphique d'une fonction qui présente les propriétés suivantes.

- La fonction est croissante pour $x \in [^-2, 4]$.
- La fonction est décroissante pour $x \in]-\infty, 0] \cup [4, +\infty[$.
- La fonction est positive pour $x \in]-\infty, ^-6] \cup [2, 8]$.
- La fonction possède un maximum relatif de 5 et ne possède aucun maximum absolu.

10. Un bilan positif

Dans la Ligue nationale de hockey, de nombreuses statistiques servent à décrire les performances des joueurs et des équipes au cours des saisons. La statistique «plus ou moins» se calcule de la façon suivante.

Nombre de présences du joueur sur la patinoire lors des buts comptés par son équipe	moins	Nombre de présences du joueur sur la patinoire lors des buts comptés par l'équipe adverse

Le graphique ci-dessous représente l'évolution de la statistique «plus ou moins» de Jason Pominville, des Sabres de Buffalo, au cours de la saison de hockey 2007-2008.

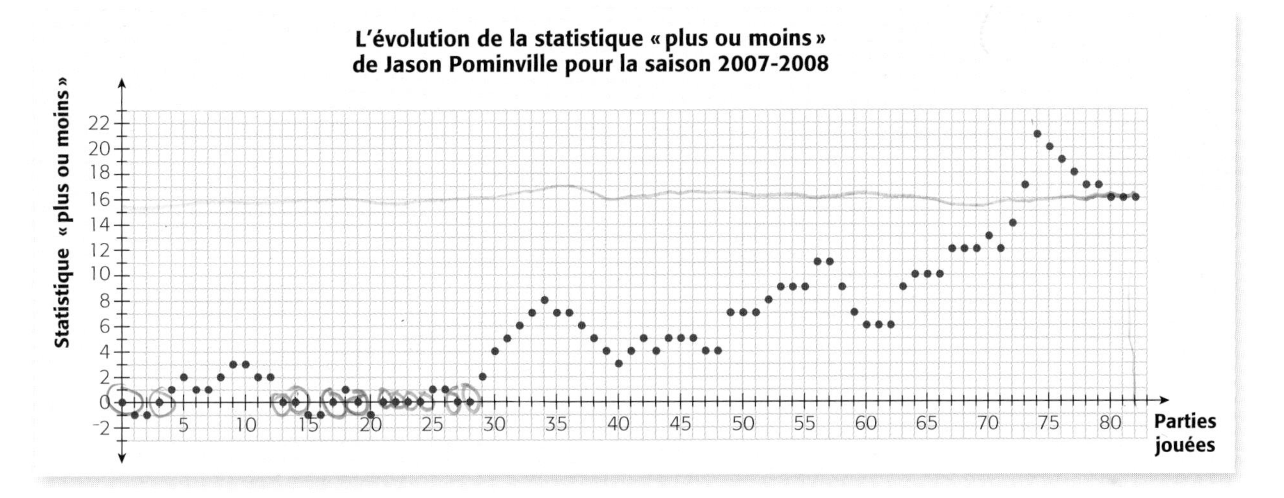

a) Pour la fonction représentée, détermine :

1) les ensembles de départ et d'arrivée ;
2) le domaine et l'image ;
3) l'ordonnée à l'origine ;
4) les abscisses à l'origine ;
5) les extremums ;
6) les minimums et les maximums relatifs, s'il y a lieu ;
7) les valeurs du domaine pour lesquelles la fonction est :
   I) négative ;   II) positive.

b) Dans le présent contexte, à quoi correspond chacune des réponses données en **a** ?

Fait divers

Depuis la création de la Ligue nationale de hockey (LNH) en 1917, plusieurs joueurs québécois se sont faits remarquer par leur talent, tout en contribuant à faire du hockey le sport national du Canada. Au total, entre 5 et 10 % des joueurs de la LNH sont originaires du Québec. Jason Pominville est originaire de Repentigny. Pour la saison de hockey 2007-2008, Pominville a été en nomination pour le trophée Lady Byng, remis au joueur qui a le meilleur esprit sportif et connaît de remarquables performances sur la patinoire. Gilbert Perreault est le seul joueur des Sabres de Buffalo à avoir déjà remporté ce trophée, en 1973. Au début des années 1970, les Québécois Gilbert Perreault, René Robert et Richard Martin formaient un des meilleurs trios de la LNH, la *French Connection*.

11. Arrêt forcé

Lorsque Marianne appuie sur les freins de son scooteur, la vitesse (en kilomètres à l'heure) varie selon la règle $v(t) = {}^-\sqrt{448t + 4} + 30$, où t est le nombre de secondes écoulées depuis le début du freinage.

a) Quelle est la vitesse du scooteur au moment où Marianne s'apprête à freiner?

b) Dans le présent contexte, à quoi correspond le zéro de la fonction v?

c) Quelle est l'image de la fonction?

12. Cousine

Voici la représentation graphique de la fonction racine carrée, $f(x) = \sqrt{x}$.

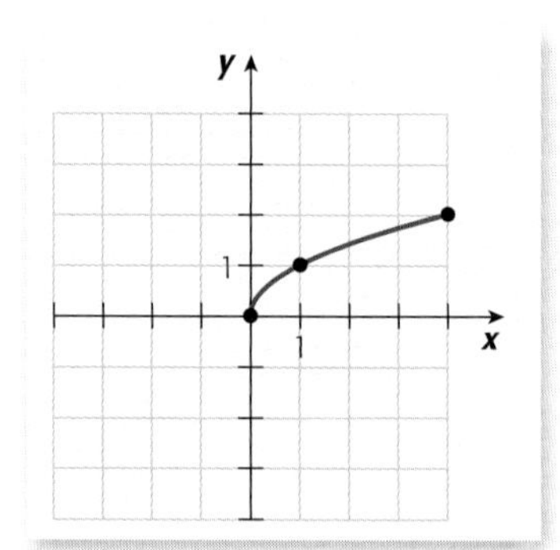

On obtient la fonction transformée g en attribuant les valeurs suivantes aux paramètres : $a = {}^-2$, $b = {}^-1$, $h = 2$ et $k = 4$.

a) Trace le graphique de la fonction g.

b) Fais l'analyse complète de la fonction g.

13. L'effet Prandtl-Glauert

Lorsqu'un avion atteint la vitesse de 1 225 km/h, il franchit le mur du son et provoque un phénomène bien particulier, appelé « l'effet Prandtl-Glauert ». Voici un graphique représentant la différence entre la vitesse de l'avion et la vitesse du son pour une courte période d'observation avant et après ce phénomène.

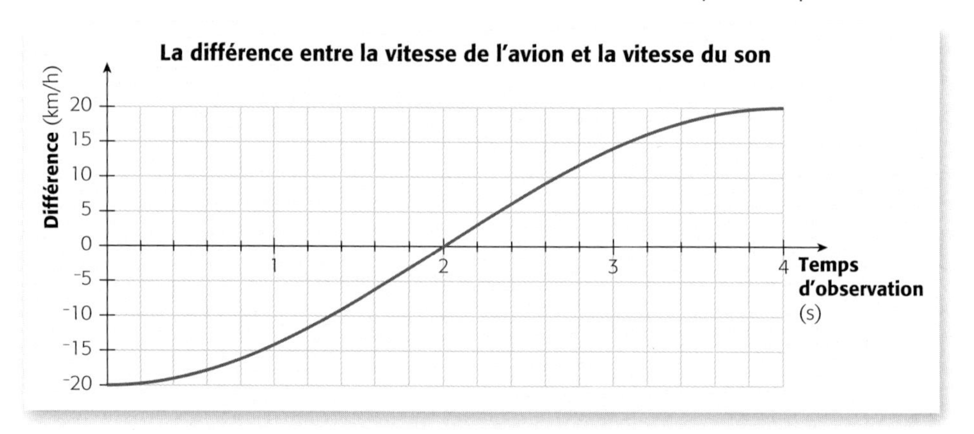

a) Dans ce contexte, que représente :

1) l'ordonnée à l'origine?

2) l'abscisse à l'origine?

b) Fais l'étude du signe de cette fonction et décris ce que représente le signe dans ce contexte.

Fait divers

L'effet Prandtl-Glauert se produit quand un nuage de condensation apparaît autour d'un objet mobile qui se déplace à une vitesse approchant celle du son (340 m/s). Une chute de pression subite autour de l'objet cause alors une baisse de température rapide. Cette chute de pression fait en sorte que l'air se condense en fines gouttelettes d'eau. Ce nuage d'humidité prend la forme d'un « cône de vapeur » entourant l'objet, par exemple un avion.

La plupart du temps, on remarque l'effet Prandtl-Glauert autour des avions supersoniques, mais on peut aussi l'observer en d'autres circonstances, comme lors du lancement de fusées ou de navettes spatiales.

14. Hauteur variable

Voici le résultat d'observations sur les déplacements de l'ascenseur d'un édifice de neuf étages, incluant deux étages souterrains, pendant 200 secondes.

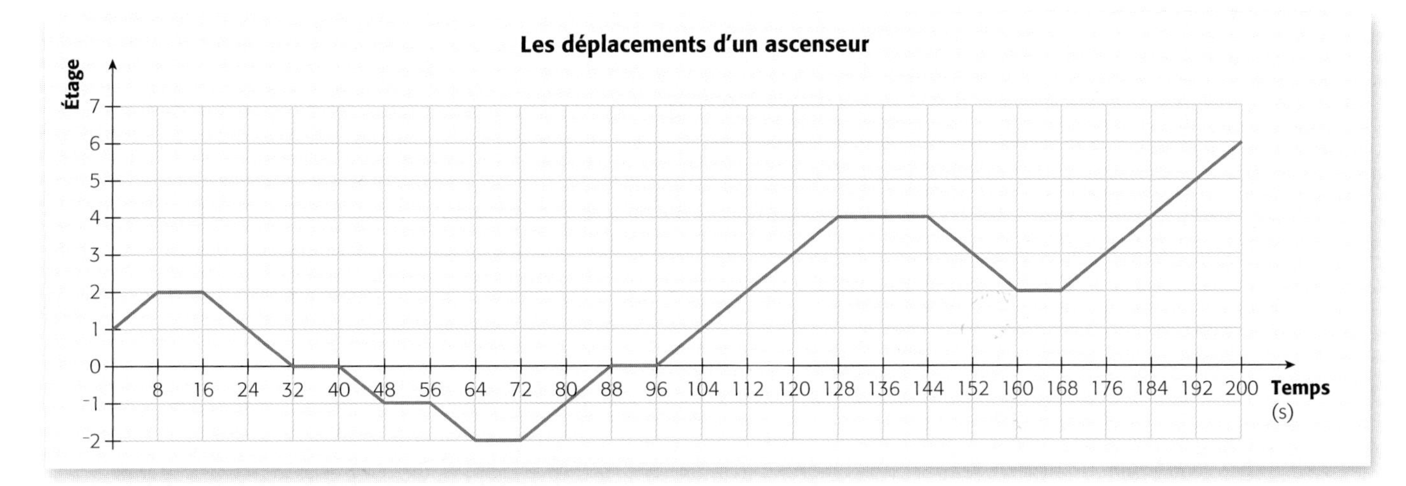

a) Détermine les intervalles de décroissance de la fonction. À quoi correspondent-ils dans ce contexte?

b) Sur quel intervalle la fonction est-elle positive?

c) Quel pourcentage du temps l'ascenseur a-t-il été:

1) immobilisé?

2) en ascension?

15. Le plus haut possible

Une fusée de détresse est tirée vers le ciel à partir d'une petite embarcation. La hauteur $h(t)$ (en mètres) de la fusée par rapport à l'embarcation en fonction du temps t (en secondes) écoulé depuis le lancement de la fusée peut être associée à la règle $h(t) = {}^{-}5(t - 2)^2 + 20$. Le graphique ci-contre représente la fonction h.

Malheureusement, ce lancement a été un échec: normalement, ce type de fusée atteint une hauteur maximale quatre fois plus grande et prend deux fois plus de temps pour revenir au niveau du lancement.

a) Représente graphiquement la courbe de la fonction correspondant à un lancement réussi.

b) Fais l'analyse complète de la fonction représentée en **a**.

c) Quelle est la règle de cette fonction?

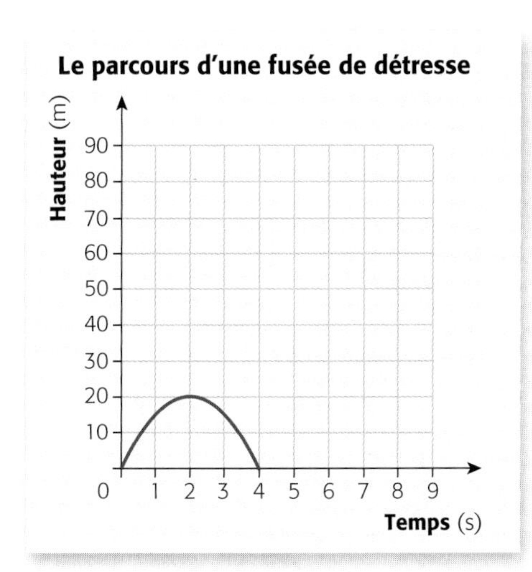

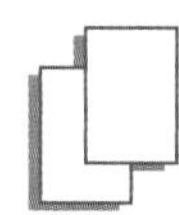

16. Paramètres et propriétés

Voici la représentation graphique de la fonction f.

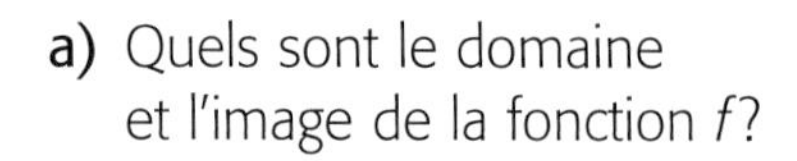

a) Quels sont le domaine et l'image de la fonction f?

b) Représente graphiquement les fonctions suivantes.

1) $g(x) = 3f(x)$ **2)** $i(x) = f(x + 2) - 3$ **3)** $j(x) = f(^{-}2x)$

c) Quels sont le domaine et l'image de chacune des trois fonctions g, i et j?

d) Émets une conjecture sur le lien qui existe entre les paramètres d'une fonction et le domaine et l'image de celle-ci.

17. Fonctions au sommet

Soit la famille de fonctions «montagnes» ci-dessous, où la courbe rouge est celle de la fonction de base et les courbes jaune et bleue sont celles des fonctions transformées.

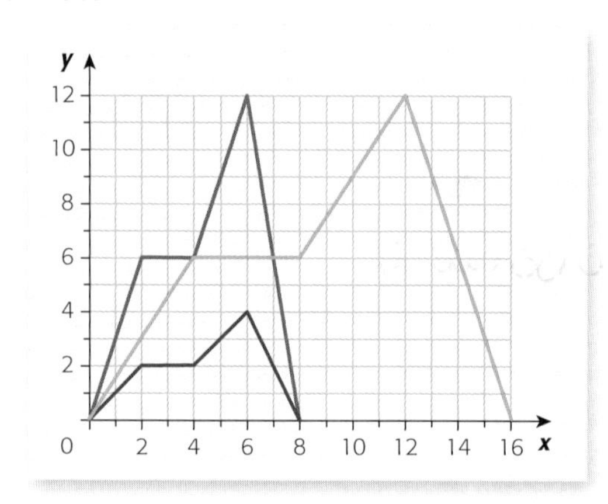

a) Si la règle de la fonction de base est $f(x) = \text{mont}(x)$, quelle règle peut être associée à chacune des fonctions transformées?

b) Représente graphiquement la fonction $g(x) = 2\ \text{mont}(2x) + 3$.

18. À la poste

Le tableau ci-dessous présente le tarif exigé par Postes Canada, en 2008, pour l'expédition d'une lettre dont le format n'est pas standard.

Masse (g)	Tarif ($)
Jusqu'à 100	1,15
Plus de 100 jusqu'à 200	1,92
Plus de 200 jusqu'à 500	2,65

Source : Société canadienne des postes, 2008.

a) À quel modèle de fonction peut être associée cette situation?

b) Quels sont le domaine et l'image de cette fonction?

19. Les deux côtés de la vingtaine

Dans une entreprise, le salaire varie selon le nombre d'années d'expérience et est déterminé à partir de la règle suivante, où x représente le nombre d'années d'expérience.

$$s(x) = \begin{cases} 3\,750\left[\frac{x}{2}\right] + 35\,000, \text{si } x < 20 \\ 72\,600, \text{si } x \geq 20 \end{cases}$$

Cette règle est définie en deux parties : une pour x inférieur à 20 et une pour x supérieur ou égal à 20.

Trois sœurs, Isabelle, Dominique et Julie, travaillent dans cette entreprise.

a) Isabelle a près de 23 ans d'expérience alors que Dominique en a un peu plus de 15. Quelle est la différence entre les salaires des deux sœurs?

b) Julie gagne annuellement un salaire de 65 000 $. Combien d'années d'expérience peut-elle minimalement avoir?

20. Loin des yeux...

Claudie a beaucoup d'amis en Finlande et elle doit choisir un forfait pour ses appels interurbains. Voici ce que lui offrent deux compagnies.

Inter Urbain

1 $ pour la première minute ou fraction de minute, 0,05 $ pour chaque minute supplémentaire entamée

TÉLÉPHONIK

0,60 $ POUR LA PREMIÈRE MINUTE OU FRACTION DE MINUTE, 0,10 $ POUR CHAQUE MINUTE SUPPLÉMENTAIRE ENTAMÉE

En t'appuyant sur au moins un autre mode de représentation, émets une recommandation à Claudie quant au choix de la compagnie qui offre le forfait le plus avantageux.

21. Pas seulement une ou deux...

Voici la représentation graphique d'une fonction partie entière. Après avoir trouvé quelques règles pouvant être associées à cette fonction, émets une conjecture, au sujet des paramètres h et k, qui permettrait de trouver toutes les règles associées à la fonction.

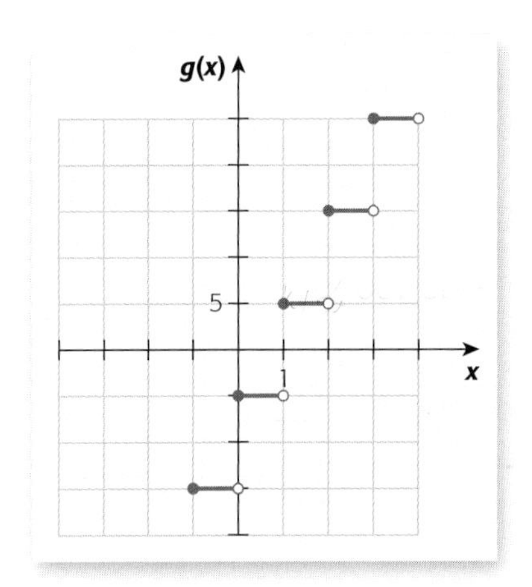

22. Monter des marches

La représentation graphique d'une fonction partie entière rappelle le profil d'un escalier. On peut associer chacune des fonctions dont les règles sont données ci-dessous à un escalier semblable à celui-ci.

$$h_1(x) = 20\left[\frac{x}{25}\right]$$

$$h_2(x) = 25\left[\frac{x}{40}\right]$$

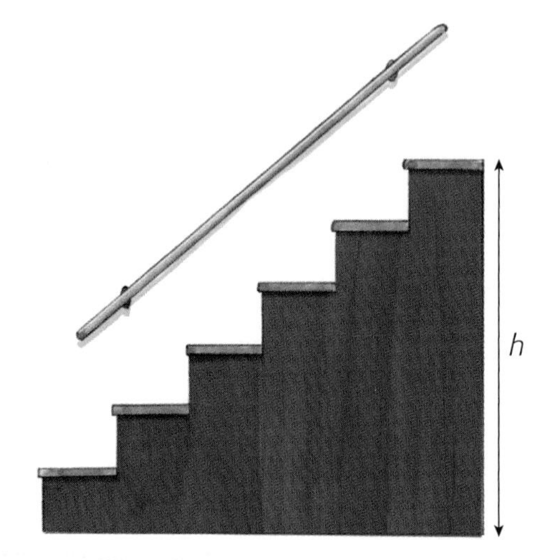

Sachant que x et $h(x)$ sont exprimés en centimètres, détermine la différence entre les hauteurs h des deux escaliers.

23. On coupe la monnaie

Ghislain est propriétaire d'une boucherie au marché public. Dans le but de réduire la manipulation de monnaie et de maximiser l'efficacité du service, il décide d'arrondir la facture totale de chacun de ses clients aux 25 ¢ inférieurs.

Ghislain veut convaincre les autres marchands qu'ils ne perdraient pas beaucoup d'argent en appliquant cette règle. Prépare une explication soutenue par le mode de représentation graphique qui met en relation le montant de l'achat et le montant perçu par le marchand.

Environnement et consommation

Faites d'acier, de nickel et de placage de cuivre, les pièces d'un cent coûtent plus de 125 millions de dollars par année à produire. Plusieurs personnes souhaitent une retraite bien méritée à cette pièce de monnaie qui a célébré ses 100 ans en 2008. Curieusement, la demande en pièces d'un cent augmente de façon significative année après année. Pourquoi, selon toi? Que fais-tu de tes pièces d'un cent? Quels avantages y aurait-il, sur le plan environnemental, à retirer cette pièce de monnaie?

24. Payer pour observer

Le coût du stationnement permettant d'accéder au poste d'observation des bélugas se décrit comme suit.

Le premier quart d'heure est gratuit. Pour chaque quart d'heure ou fraction de quart d'heure supplémentaire, l'augmentation du tarif est constante. Pour 1 heure 50 minutes, le montant à débourser pour le stationnement est de 8,40 $.

a) Trace le graphique de la fonction représentant cette situation.

b) Quel est le coût du stationnement pour 1 heure 10 minutes?

c) Quelle est la règle de cette fonction?

25. Comparaison

Deux entreprises œuvrent dans le domaine de la construction. Le tableau ci-dessous permet de comparer les salaires hebdomadaires des employés des deux entreprises.

Dolmat		Miribourt	
Ancienneté (années)	Salaire hebdomadaire ($)	Ancienneté (années)	Salaire hebdomadaire ($)
[0, 1[	540	[0, 1[	520
[1, 2[	560	[1, 2[	540
[2, 3[	580	[2, 3[	560
3 et plus	680	[3, 4[	580
		[4, 5[	600
		5 et plus	720

a) Compare graphiquement les échelles de salaire en vigueur dans ces deux entreprises et émets une recommandation à un menuisier qui a l'opportunité d'aller travailler pour l'une ou l'autre de ces entreprises.

b) Décris la règle qui permet de calculer le salaire d'une personne en fonction de son nombre d'années d'ancienneté :

1) chez Dolmat;

2) chez Miribourt.

26. Le lac Pur 

Plusieurs facteurs influent sur la qualité des eaux de baignade dans les lacs du Québec. L'évaluation de la quantité de bactéries coliformes présentes dans l'eau permet, entre autres, de mesurer la qualité de l'eau.

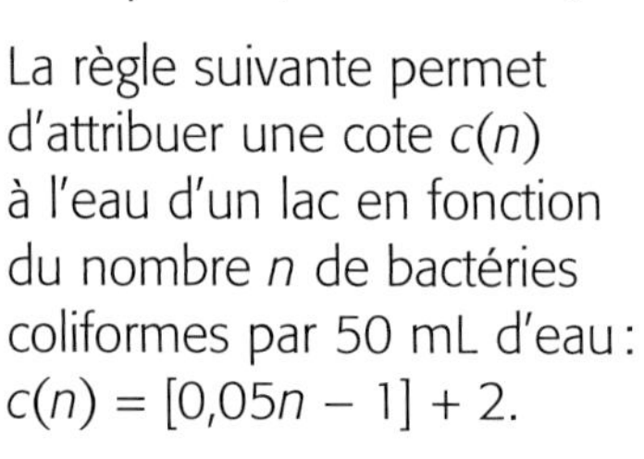

La règle suivante permet d'attribuer une cote $c(n)$ à l'eau d'un lac en fonction du nombre n de bactéries coliformes par 50 mL d'eau : $c(n) = [0{,}05n - 1] + 2$.

Les cotes et leur signification	
1	Eau d'excellente qualité
2	Eau de très bonne qualité
3	Évaluation hebdomadaire de l'eau
4	Évaluation quotidienne de l'eau
5 et +	Interdiction de baignade ou d'activités récréatives dans l'eau

Le lac Pur est un très grand lac qui compte trois plages ouvertes à la baignade. Au cours d'une journée, un étudiant en biologie a fait six prélèvements à des endroits différents. Voici les résultats.

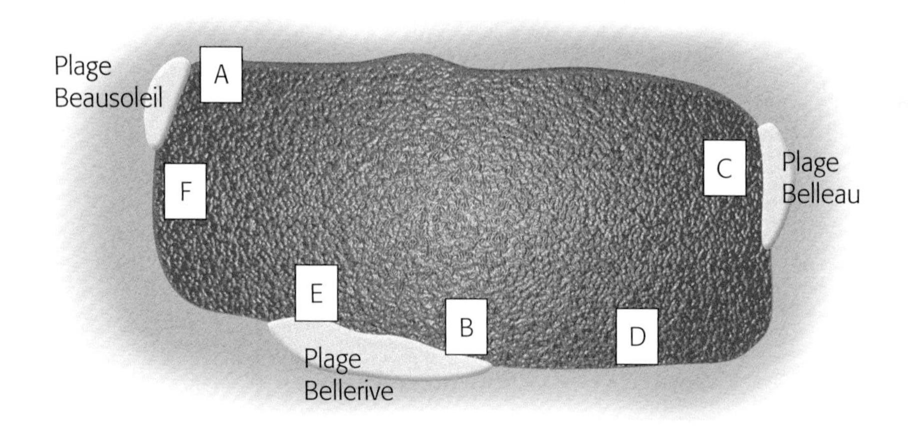

Point de prélèvement	n
A	90
B	70
C	20
D	10
E	40
F	110

a) Trace le graphique de la fonction c et indiques-y les points de prélèvement.

b) Émets une recommandation concernant la baignade dans le lac Pur.

Environnement et consommation

Les cyanobactéries, ou algues bleues, touchent de plus en plus de plans d'eau dans plusieurs régions du Québec. Actuellement, le seul moyen d'enrayer les cyanobactéries est de réduire l'apport de phosphore et d'azote dans l'eau. D'où viennent le phosphore et l'azote présents dans les plans d'eau du Québec? Selon toi, qui a la responsabilité de combattre la prolifération des algues bleues dans les lacs du Québec? Comment ces gens devraient-ils s'y prendre?

Le monde du travail

La biologie

L'eau est au cœur de notre vie. Les biologistes de la vie aquatique contribuent à évaluer et à contrôler la qualité de l'eau. À partir des données obtenues, ils font des prévisions, qu'ils cherchent ensuite à vérifier à l'aide de modèles mathématiques.

Pour devenir biologiste, il faut entreprendre des études universitaires en biologie (écologie, botanique ou zoologie). Des études de deuxième cycle universitaire conduisent ensuite à la profession de biologiste de la vie aquatique.

Les biologistes effectuent des recherches sur les organismes vivants dans le but d'accroître les connaissances scientifiques et de découvrir des applications possibles de la biologie dans différents domaines tels que la santé humaine, l'agriculture, l'élevage et la foresterie. Les découvertes des biologistes de la vie aquatique peuvent, quant à elles, avoir des applications dans les domaines de la pêche, de l'aquiculture ou de la pharmacologie. L'utilisation d'outils statistiques permet aux biologistes d'expliquer leur démarche expérimentale et de présenter le résultat de leurs recherches.

Leur travail les amène ainsi à effectuer des travaux à l'extérieur, sur le terrain. Des aptitudes à vulgariser et à communiquer sont des atouts pour les biologistes, puisqu'ils sont parfois sollicités à titre de conseillers dans le cadre de projets relatifs, entre autres, à la protection de la faune ou de la flore.

Fait divers

Jean Lemire est un spécialiste de la biologie marine. Il a dirigé la mission Antarctique qui a contribué à faire connaître la fragilité du dernier continent vierge et celle de ses écosystèmes. Avec son équipe, il a séjourné en Antarctique à bord du *Sedna IV* durant plus d'un an. Durant ce temps, l'équipe a recueilli, compilé et analysé une grande quantité de données. Jean Lemire a rapporté de ce voyage des images que le grand public a rarement l'occasion de voir.

Chapitre

2 Les manipulations algébriques et la résolution d'équations

L'algèbre est un langage mathématique universel et un outil de modélisation très efficace. Ce langage permet de décrire des phénomènes, de généraliser des relations et de communiquer des idées de façon rigoureuse.

Dans ce chapitre, tu auras à manipuler des expressions algébriques. Les nouvelles connaissances que tu acquerras te permettront d'établir des liens entre l'algèbre et les images véhiculées par les médias. Comment crois-tu que ton cerveau réagit à tous les stimuli publicitaires qu'il reçoit au cours d'une journée? Selon toi, de quelle façon la mathématique te permet-elle d'exercer un jugement critique devant l'immense quantité d'information à interpréter?

Survol

Médias

Contenu de formation

- Sens des expressions algébriques
- Expressions algébriques
- Résolution d'équations du second degré à une variable
- Manipulation d'expressions algébriques
- Multiplication d'expressions algébriques
- Division de polynômes, avec ou sans reste
- Factorisation de polynômes
- Développement, réduction ou substitution d'expressions à l'aide d'identités algébriques remarquables

Entrée en matière

Les pages 66 à 68 font appel à tes connaissances en arithmétique et en algèbre.

En contexte

Quatre artistes se réunissent pour enregistrer un disque de Noël. Ils financent eux-mêmes la production du disque : chacun contribue en versant une mise de fonds.

La mise de fonds versée par chacun des quatre artistes				
Artiste	Guitariste	Batteur	Bassiste	Chanteuse
Mise de fonds ($)	4 500	1 500	3 000	7 500

Pour chaque exemplaire de l'album vendu, les quatre artistes évaluent qu'ils auront 2,75 $ à se partager en redevances selon des pourcentages établis après s'être consultés.

Les redevances sur les ventes perçues par chacun des quatre artistes				
Artiste	Guitariste	Batteur	Bassiste	Chanteuse
Redevances (%)	28	5	12	55

Fait divers

L'industrie canadienne du disque récompense les artistes en leur remettant un disque d'or lorsque 50 000 exemplaires d'un album ont été vendus, un disque platine dans le cas de 100 000 exemplaires vendus et un disque diamant lorsque les ventes atteignent 1 000 000 d'exemplaires.

Après la période des fêtes, l'album de Noël enregistré par les quatre artistes leur a valu un disque d'or.

1. a) En désignant par n le nombre d'exemplaires de l'album vendus, exprime algébriquement la différence entre le revenu net de l'artiste dont les redevances sont les plus importantes et celui de l'artiste dont les redevances sont les moins importantes.

   b) Combien d'albums ont été vendus si la différence entre ces deux revenus est de 97 125 $?

Médias

La sortie d'albums enregistrés par des artistes connus est plus médiatisée que celle d'albums enregistrés par des artistes peu connus. Selon toi, quelles démarches doivent entreprendre des artistes peu connus pour faire parler de leurs œuvres?

Voici un extrait d'un article publié le 31 octobre dans le journal *La Petite Presse*.

Une météorite dans le ciel de Charlevoix?

Par Blanche Levesque

Une quinzaine de résidants de l'Isle-aux-Coudres affirment avoir vu, hier soir, une météorite traverser le ciel de Charlevoix. Selon monsieur David Bergeron, un des résidants qui a assisté à cet événement rare, la météorite aurait traversé le ciel vers 21 h 40 pour disparaître aussitôt à l'horizon.

Les tours de contrôle de Québec et de Chicoutimi déclarent ne rien avoir détecté sur leur radar. Les autorités locales et provinciales entreprendront tout de même le ratissage de l'île dans l'espoir de trouver la météorite ou des fragments de celle-ci et signaleront l'événement à l'agence spatiale canadienne et à la NASA.

2. Pour organiser la coordination du ratissage, les autorités locales modélisent le territoire de l'Isle-aux-Coudres par un trapèze rectangle sur une carte.

   Sachant que chaque équipe de bénévoles ratisse une aire correspondant à $0,2x$ km^2 en une journée, exprime sous la forme d'une expression algébrique le nombre d'équipes à former pour ratisser toute l'île en une seule journée.

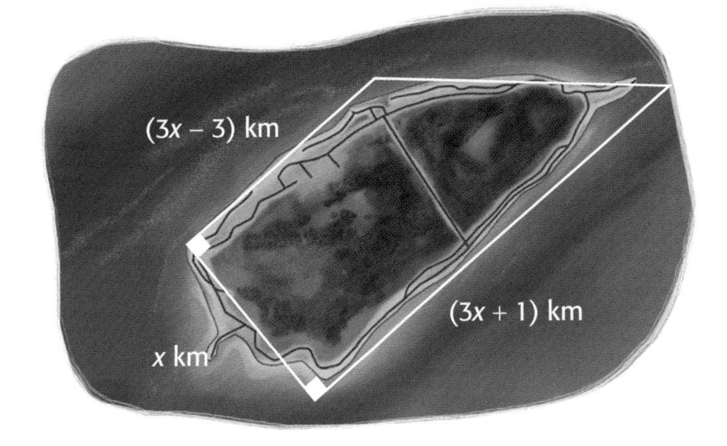

3. Il tombe une douzaine de météorites par année en sol canadien. Sachant que la superficie du Canada est de $(2^8 \cdot 3 \cdot 13 \cdot 10^3)$ km^2 et celle du Québec, de $(2^2 \cdot 3^3 \cdot 11 \cdot 13 \cdot 10^2)$ km^2, exprime par une fraction irréductible la probabilité qu'une météorite touche le sol québécois lorsqu'elle tombe en sol canadien.

Médias

Autrefois, une personne qui assistait à un événement exceptionnel ne pouvait que rapporter l'événement verbalement ; elle ne disposait d'aucune preuve tangible de ce qu'elle avançait.

L'avènement de la photographie et de la vidéo a permis, entre autres, d'attester l'authenticité de certains faits. Une personne qui assiste à un événement exceptionnel peut maintenant prouver que l'événement s'est réellement produit en présentant une photographie de cet événement.

Toutefois, la photographie et la vidéo ne sont pas toujours des attestations suffisamment convaincantes : des logiciels permettent de modifier les images. Par exemple, il a été démontré à plusieurs reprises que les photographies d'« ovnis » prises par des citoyens étaient en fait des photographies truquées.

Selon toi, faut-il parfois mettre en doute l'information qui nous parvient? À tes yeux, quelles sont les sources d'information les plus fiables?

En bref

1. Simplifie les expressions suivantes lorsque c'est possible.

a) $\dfrac{3^3 \cdot 3^4}{3^2}$ b) $(5^2)^3 \cdot \left(\left(\dfrac{1}{5}\right)^{^{-}2}\right)^4$ c) $\dfrac{25^{\frac{1}{2}} \cdot 4^{\frac{1}{2}}}{16^{\frac{1}{2}}}$

2. Justifie les six étapes de la démarche suivante.

$$\sqrt{8} \cdot \sqrt{18} \overset{①}{=} 8^{\frac{1}{2}} \cdot 18^{\frac{1}{2}} \overset{②}{=} (2^3)^{\frac{1}{2}}(2 \cdot 3^2)^{\frac{1}{2}} \overset{③}{=} 2^{\frac{3}{2}} \cdot 2^{\frac{1}{2}} \cdot 3 \overset{④}{=} 2^{\frac{4}{2}} \cdot 3 \overset{⑤}{=} 2^2 \cdot 3 \overset{⑥}{=} 12$$

3. Soit $a = 2$, $b = 3$, $c = {}^{-}1$ et $d = {}^{-}2$. Calcule la valeur des expressions algébriques suivantes.

a) $ab - c$ c) $b^2 - 2c$
b) ${}^{-}2a + cd$ d) $c^2 - 3d^2$

4. Soit les cinq cartons suivants.

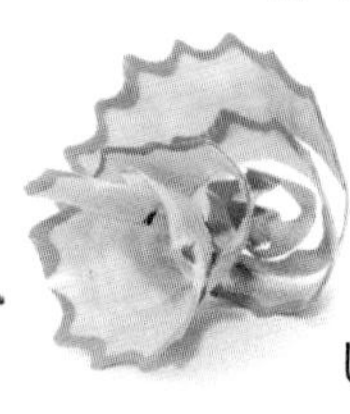

3 x 4 y z

Utilise tous les cartons ci-dessus et, s'il y a lieu, les cartons + et − pour créer :

a) un monôme de degré 6 ; c) un trinôme de degré 4 ;
b) un binôme de degré 2 ; d) un polynôme de degré 1.

5. Simplifie les expressions algébriques suivantes. Dans chaque cas, $x \neq 0$ et $y \neq 0$.

a) $3x^2 \cdot 5x \cdot 2y$ d) $\dfrac{(x^2 + 4x) + (x^2 - 8x)}{4x}$
b) $(8x^2 + 5x - 6) - (2x^2 + 4)$ e) $\dfrac{(24x^2y^2 - 12xy)}{12xy} - (4xy - 1)$
c) $(2x - 15)(3x - 4)$ f) $(x + 4)^2$

6. Exprime les polynômes suivants sous la forme d'un produit de deux facteurs.

a) $4x^2y^2 - 6xy^2z$ c) $10x^3 + 25x^2 - 60xy$
b) $15xy - 8xz + 14xyz$ d) ${}^{-}100x^4y - 75x^3y^2 - 150x^2y^3$

7. Résous les équations suivantes.

a) $2x - 1 = 0$ c) $5 - 3x = 8$ e) $4(3x + 5) = 11x + 20$
b) $\dfrac{x - 4}{3} = 1$ d) $\dfrac{2 - x}{5} = 4$ f) $\dfrac{3x + 10}{4} = \dfrac{1 - x}{5}$

Les opérations sur les polynômes

Section 1

L'image de Gamache et fille

Eugénie est graphiste publicitaire. L'entreprise de pavage Gamache et fille lui a confié la tâche de concevoir un logo pour son entreprise. Eugénie désire concevoir un logo qui évoque à la fois le nom de l'entreprise et sa spécialité, le pavage.

À l'aide d'un logiciel, Eugénie dessine un carré jaune. Elle ajoute ensuite une bande rouge d'un centimètre à deux des côtés du carré. En reportant successivement les mesures du carré initial et de la bande, elle poursuit sa construction régulière jusqu'à l'obtention d'un « G » rouge.

Voici comment progresse le travail d'Eugénie.

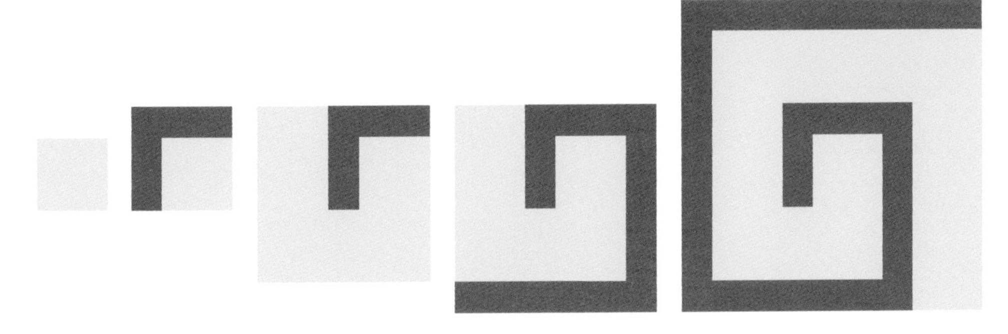

Eugénie voudrait faire varier la mesure initiale du côté du carré jaune sans changer la largeur de la bande rouge.

Elle s'intéresse au rapport $\frac{\text{aire de la région jaune}}{\text{aire de la région rouge}}$. Elle comprend que ce rapport dépend de la mesure du côté du carré de départ.

Aide Eugénie à trouver un monôme qui représente une bonne approximation du rapport des aires.

Médias

Attirer l'attention du public est le principal défi des graphistes publicitaires. Selon certaines études, les deux couleurs qui attirent le plus systématiquement l'attention sont le rouge et le jaune. Tu remarqueras que dans les épiceries, le rouge et le jaune sur les étiquettes indiquent un rabais. Bien d'autres couleurs ont une signification particulière. Selon toi, qu'évoque un produit emballé de vert? de bleu? de blanc? Trouve d'autres stratégies graphiques, autres que celles qui figurent dans les textes, ayant un effet sur la consommation.

ACTIVITÉ
D'EXPLORATION 1

Tomber dans le panneau

Identités algébriques remarquables du second degré

Les panneaux solaires photovoltaïques convertissent la lumière en électricité. La quantité d'énergie qu'ils génèrent dépend notamment de la dimension de leur surface exposée au soleil.

Soit un panneau solaire carré de x cm de côté.

A Quelle est l'aire du panneau solaire?

B Représente, par un carré de binôme et sous une forme développée en trinôme, l'aire du panneau solaire carré dont la mesure de côté est:

1) augmentée de 1 cm; **3)** diminuée de 4 cm;

2) augmentée de 7 cm; **4)** diminuée de 10 cm.

C À partir des réponses trouvées en **B**, quelle régularité observes-tu si tu compares:

1) le premier terme du trinôme et le premier terme du binôme?

2) le dernier terme du trinôme et le dernier terme du binôme?

3) le deuxième terme du trinôme et les deux termes du binôme?

D Le carré d'un binôme s'exprime-t-il toujours par un trinôme? Justifie ta réponse.

Trinôme carré parfait
Trinôme du second degré qui correspond au développement d'un carré de binôme.

E Il manque un terme aux quatre **trinômes carrés parfaits** suivants. Détermine ce terme manquant à l'aide des régularités observées en **C**.

1) $x^2 + ■ + 9$ **2)** $x^2 - ■ + 625$ **3)** $x^2 + 3x + ■$ **4)** $9x^2 + 12x + ■$

F Décris le développement de $(a + b)^2$. Démontre algébriquement que ce développement est toujours vrai.

G Décris le développement de $(a - b)^2$. Démontre algébriquement que ce développement est toujours vrai.

Fait divers

En France, un ingénieur des matériaux, Stéphane Guillerez, a créé un capteur solaire sous forme de peinture. Cette peinture est appelée «encre solaire». Le plastique utilisé pour sa fabrication est beaucoup moins coûteux que le silicium nécessaire à la fabrication des panneaux solaires photovoltaïques. De plus, sa forme liquide facilite son installation. Les cellulaires, les MP3 et les GPS pourraient se recharger en permanence si seulement quelques centimètres carrés de leur boîtier étaient enduits de cette fameuse encre solaire.

Adapté de: *Science et vie*, n° 1080, septembre 2007, p. 82.

Voici un panneau solaire rectangulaire. Si on compare les dimensions de ce panneau et celles d'un carré dont la mesure du côté est x cm, on remarque que 1 cm a été ajouté à la longueur et que 1 cm a été retranché de la largeur.

$(x + 1)$ cm

$(x - 1)$ cm

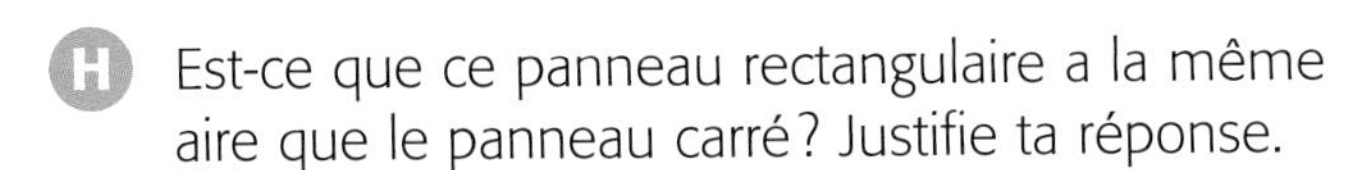

H Est-ce que ce panneau rectangulaire a la même aire que le panneau carré? Justifie ta réponse.

I Quel polynôme représente l'aire du panneau rectangulaire obtenu à partir d'un carré de x cm de côté:

1) si on ajoute 3 cm à l'une des dimensions et qu'on retranche 3 cm de l'autre?

2) si on ajoute 10 cm à l'une des dimensions et qu'on retranche 10 cm de l'autre?

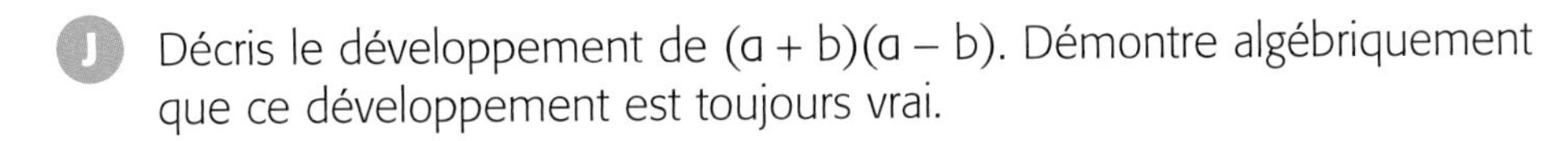

J Décris le développement de $(a + b)(a - b)$. Démontre algébriquement que ce développement est toujours vrai.

Les développements décrits en **F**, en **G** et en **J** sont des identités algébriques remarquables du second degré. Ces identités algébriques peuvent aussi être utilisées pour effectuer des calculs mentaux.

K Exprime chacun des carrés sous la forme d'un carré de la somme ou de la différence de deux nombres. Calcule ensuite mentalement leur valeur numérique.

1) 21^2 **2)** 42^2 **3)** 103^2 **4)** 98^2 **5)** 49^2

L Effectue mentalement les multiplications suivantes en utilisant l'identité algébrique remarquable développée en **J**.

1) $52 \cdot 48$ **2)** $101 \cdot 99$ **3)** $27 \cdot 33$

Ai-je bien compris?

1. À l'aide des identités algébriques remarquables, développe les produits suivants.

a) $(x + 20)^2$ c) $(x - 4)^2$ e) $(x + 4)(x - 4)$

b) $(3x + 5)^2$ d) $(6x - 1)^2$ f) $(2x - 1)(2x + 1)$

2. Associe les expressions algébriques équivalentes lorsque c'est possible.

① $x^2 - 6x + 9$ ③ $x^2 - 6x - 9$ ⑤ $9x^2 + 1$ ⑦ $(x + 3)^2$ ⑨ $x^2 - 9$

② $(3x + 1)^2$ ④ $9x^2 + 6x + 1$ ⑥ $(x - 3)^2$ ⑧ $(x + 3)(x - 3)$ ⑩ $x^2 + 9$

ACTIVITÉ D'EXPLORATION 2

Faire des choix efficaces

Multiplication de polynômes

Un polynôme est une expression algébrique composée d'un monôme ou d'une somme de monômes.

Pour calculer le volume d'un solide dont les dimensions sont représentées par des polynômes, on doit multiplier ces polynômes.

$(4x - 1)$ cm

$(x + 4)$ cm

$(2x + 2)$ cm

Soit le prisme droit à base rectangulaire ci-contre.

A Sans effectuer de calculs, détermine :

1) le degré du polynôme représentant le volume du prisme droit à base rectangulaire ;
2) si le polynôme représentant le volume du prisme droit à base rectangulaire a un terme constant.

B Quel polynôme représente l'aire de l'une des bases de ce prisme droit à base rectangulaire ?

C Utilise la formule $V_{prisme} = A_{base} \cdot h$ pour déterminer le polynôme qui représente le volume de ce prisme droit à base rectangulaire.

D Si tu choisis pour base une autre face du prisme droit à base rectangulaire, est-ce que le polynôme représentant le volume du prisme est le même ? Justifie ta réponse.

Puisque la multiplication est commutative, il peut s'avérer avantageux d'observer attentivement les polynômes à multiplier avant de développer le produit.

E Choisis les deux premiers binômes à multiplier l'un par l'autre. Développe ensuite les produits.

1) $(2x - 5)(x + 5)(x - 5)$
2) $\left(\frac{3x}{4} - \frac{1}{2}\right)(x - 7)(x + 2)$
3) $(3x - 7)(x + 2)(3x - 7)$
4) $(2x - 15)(y + 6)(3x + 4)$

F Explique les choix stratégiques que tu as faits en **E** pour faciliter la multiplication de trois binômes.

Ai-je bien compris ?

1. Quel polynôme représente le volume de ces deux prismes droits à base rectangulaire ?

a)

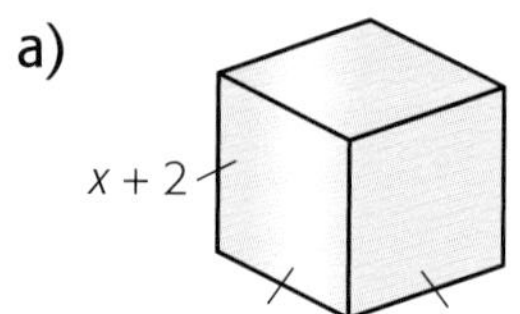

b)

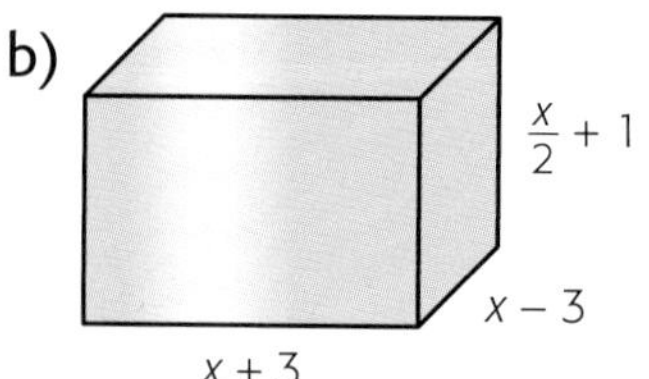

2. Effectue les multiplications suivantes.

a) $(5x + 2)(2x - 1)(5x - 2)$

b) $\left(\frac{x}{2} + \frac{1}{3}\right)(x + 2)(^{-}2x + 3)$

3. Sous quelle condition la forme développée d'un produit de polynômes a-t-elle un terme constant ?

Avec ou sans reste

Division d'un polynôme par un binôme

> Vider un bocal contenant 855 mL d'eau à l'aide d'un verre nécessite exactement 15 remplissages du verre.

> Vider un bocal contenant 855 mL d'eau à l'aide d'un bol nécessite exactement 7 remplissages du bol.

A Calcule la capacité du verre en effectuant à la main 855 | 15.

B Calcule la capacité du bol en effectuant à la main 855 | 7. Exprime ta réponse en notation décimale et en **nombre fractionnaire**.

Nombre fractionnaire
Nombre rationnel écrit sous la forme d'un nombre entier et d'une fraction.

C Explique les avantages de chacune des notations utilisées en **B**.

D Parmi les diviseurs 15 et 7, lequel est un facteur de 855? Explique ta réponse.

La maîtrise de l'algorithme de la division des nombres facilite la division de polynômes.

> Vider un bocal contenant $(2x^2 + 7x + 5)$ mL d'eau nécessite exactement $(x + 1)$ remplissages d'un bol.

Le calcul de la capacité du bol se détermine à l'aide de la division ci-contre.

$$\begin{array}{l|l} 2x^2 + 7x + 5 & x + 1 \\ \hline \underline{2x^2 + 2x} & 2x \end{array}$$

E Termine cette division. Quel est le reste?

F Est-ce que $x + 1$ est un facteur de $2x^2 + 7x + 5$? Justifie ta réponse.

G Trouve un autre facteur de $2x^2 + 7x + 5$.

Soit les divisions d'expressions algébriques suivantes. Dans chaque cas, le diviseur est non nul.

① $\dfrac{16x^2 + 8x + 4}{2x}$ ② $\dfrac{16x^2 - 4}{4x + 3}$ ③ $\dfrac{10x + 6}{5x + 3}$ ④ $\dfrac{4x^2 - 6x + 3}{2x - 4}$ ⑤ $\dfrac{x + 4}{x^2}$ ⑥ $\dfrac{6x^2 - 13x - 5}{2x - 5}$

H Effectue les divisions ci-dessus. Exprime les restes sous la forme de fractions.

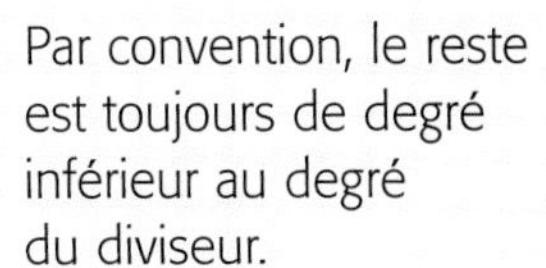
Par convention, le reste est toujours de degré inférieur au degré du diviseur.

I Dans quelle(s) division(s) le diviseur est-il un facteur du dividende? Explique ta réponse.

Ai-je bien compris?

1. Effectue les divisions suivantes. Dans chaque cas, le diviseur est non nul.
   a) $(12x^2 + 5x - 2) \div (4x - 1)$
   b) $\dfrac{2x^2 - 4x + 7}{2x + 5}$
   c) $(^-2x^3 + 3x^2 + 23x - 12) \div (^-2x + 1)$
   d) $\dfrac{y^3 - 24y - 5}{y - 5}$
2. Stephano travaille dans une quincaillerie $(x + 5)$ heures par semaine. Son salaire brut hebdomadaire est de $(2x^2 + 8x - 10)$ $. Quel polynôme représente son salaire horaire?

Les identités algébriques remarquables du second degré

Les identités algébriques remarquables du second degré sont des égalités qui permettent de développer facilement certains produits de binômes. On les qualifie de remarquables, car elles permettent de prendre des raccourcis dans les calculs algébriques.

Les identités algébriques remarquables du second degré		
Algébriquement	En mots	*Exemple*
$(a+b)^2 = a^2 + 2ab + b^2$	Le carré d'une somme de deux quantités est égal à la somme des carrés des quantités à laquelle on additionne le double produit des quantités.	$(2x+7)^2 = (2x)^2 + 2(2x)(7) + (7)^2$ $(2x+7)^2 = 4x^2 + 28x + 49$
$(a-b)^2 = a^2 - 2ab + b^2$	Le carré d'une différence de deux quantités est égal à la somme des carrés des quantités de laquelle on soustrait le double produit des quantités.	$(2x-7)^2 = (2x)^2 - 2(2x)(7) + (7)^2$ $(2x-7)^2 = 4x^2 - 28x + 49$
$(a+b)(a-b) = a^2 - b^2$	Le produit de la somme de deux quantités et de leur différence est égal à la différence des carrés des quantités.	$(2x+7)(2x-7) = (2x)^2 - (7)^2$ $(2x+7)(2x-7) = 4x^2 - 49$

Les identités algébriques remarquables permettent de calculer mentalement le carré de certains nombres.

Exemple : $53^2 = (50+3)^2 = \mathbf{50^2} + \mathbf{3^2} + \mathbf{2 \cdot 50 \cdot 3} = 2\,500 + 9 + 300 = 2\,809$

La multiplication de polynômes

Pour multiplier des polynômes, on utilise la propriété de la distributivité de la multiplication sur l'addition et la soustraction.

Exemple :

$$(3x - 2y)(4x^2y - xy^2 + 5) = 3x(4x^2y - xy^2 + 5) - 2y(4x^2y - xy^2 + 5)$$

$$(3x - 2y)(4x^2y - xy^2 + 5) = 12x^3y - 3x^2y^2 + 15x - 8x^2y^2 + 2xy^3 - 10y$$

$$(3x - 2y)(4x^2y - xy^2 + 5) = 12x^3y - 11x^2y^2 + 2xy^3 + 15x - 10y$$

La multiplication de trois polynômes

Pour multiplier trois polynômes, on multiplie d'abord deux d'entre eux.
On multiplie ensuite le produit ainsi obtenu par le troisième polynôme.

Les propriétés de commutativité et d'associativité de la multiplication permettent de faire des choix stratégiques, comme repérer les identités algébriques remarquables ou privilégier les binômes qui ont les mêmes variables et ceux qui ont des coefficients entiers.

Exemple :

$$(x + 6)(2x + 1)(x - 6) = \underbrace{(x + 6)(x - 6)}(2x + 1)$$
$$(x + 6)(2x + 1)(x - 6) = (x^2 - 36)(2x + 1)$$
$$(x + 6)(2x + 1)(x - 6) = x^2(2x + 1) - 36(2x + 1)$$
$$(x + 6)(2x + 1)(x - 6) = 2x^3 + x^2 - 72x - 36$$

Identité algébrique remarquable

La division d'un polynôme par un binôme

Pour diviser un polynôme par un binôme, on peut procéder de la même façon que pour diviser deux nombres. La division est possible seulement lorsque le diviseur est non nul.

Voici deux exemples de divisions de polynômes. Dans chaque cas, le diviseur est non nul.

1) $\dfrac{x^2 + 8x + 15}{x + 3}$

$$\begin{array}{rl} x^2 + 8x + 15 & \underline{|\,x + 3} \\ \underline{-\ x^2 + 3x} \quad\quad & \ x + 5 \\ 5x + 15 & \\ \underline{-\ 5x + 15} & \\ 0 & \end{array}$$

$$\frac{x^2 + 8x + 15}{x + 3} = x + 5$$

2) $\dfrac{2x^3 + x^2 - 13x + 9}{2x - 1}$

$$\begin{array}{rl} 2x^3 + x^2 - 13x + 9 & \underline{|\,2x - 1} \\ \underline{-\ 2x^3 - x^2 \quad\quad\quad\quad} & \ x^2 + x - 6 \\ 2x^2 - 13x \quad & \\ \underline{-\ 2x^2 - x} \quad & \\ {}^{-}12x + 9 & \\ \underline{-\ {}^{-}12x + 6} & \\ 3 & \end{array}$$

$$\frac{2x^3 + x^2 - 13x + 9}{2x - 1} = x^2 + x - 6 + \frac{3}{2x - 1}$$

Remarques :

– D'une façon générale, le quotient s'exprime de la façon suivante.

Quotient

$$\underbrace{x^2 + x - 6}_{\text{Polynôme}} + \frac{3 \leftarrow \text{Reste}}{2x - 1 \leftarrow \text{Diviseur}}$$

– Lorsque le reste de la division est 0, le diviseur et le quotient sont des facteurs du polynôme. Par exemple, $x + 3$ et $x + 5$ sont des facteurs du polynôme $x^2 + 8x + 15$, tandis que $2x - 1$ n'est pas un facteur de $2x^3 + x^2 - 13x + 9$.

– Le reste est toujours de degré inférieur au degré du diviseur.

Mise en pratique

1. Développe les carrés de binômes suivants.

   a) $(2x + 3)^2$ b) $(7 - y)^2$ c) $(3x + 2y)^2$ d) $\left(\frac{x}{4} + 1\right)^2$

2. Développe les produits de binômes suivants.

   a) $(2x - 4)(2x + 4)$ c) $(5 - x)(5 + x)$

   b) $\left(y + \frac{1}{3}\right)\left(y - \frac{1}{3}\right)$ d) $(xy - 1)(xy + 1)$

3. Geneviève a recours aux identités algébriques remarquables pour calculer mentalement le carré de certains nombres. Voici les étapes de son calcul.

   $97^2 = (100 - 3)^2 = 100^2 - 2 \cdot 100 \cdot 3 + 3^2 = 10\,000 - 600 + 9 = 9\,409$

   Évalue mentalement les carrés suivants.

   a) 31^2 b) 52^2 c) 69^2 d) 205^2

4. Voici les cinq premières rangées du triangle de Pascal, tel que publié par Blaise Pascal dans son premier essai.

   1
   1 1
   1 2 1
   1 3 3 1
   1 4 6 4 1

   a) Développe et simplifie.

      1) $(x + y)^2$ **2)** $(x + y)^3$

   b) Quel lien établis-tu entre les polynômes trouvés en **a** et le triangle de Pascal?

   c) Sers-toi du lien établi en **b** afin de développer:

      1) $(x + y)^4$ **2)** $(m + n)^3$ **3)** $(x + 2)^4$

   d) Sans effectuer d'opérations, détermine le développement de $(a + b)^5$.

5. Développe et simplifie les produits de polynômes suivants.

   a) $(2x^2y - x^3y + 1)(4x + 5)$ d) $(x + y)(x - y)(2x - 3y)$

   b) $(x + 4)(x - 3)(2x + 8)$ e) $(6y - 1)(y - 2)^2$

   c) $\left(\frac{xy}{3} - 1\right)(x - 3y^2)(2xy + 3x)$ f) $\left(\frac{x}{4} + 5\right)(2x + 1)^2$

6. Effectue les multiplications suivantes.

   a) $\begin{array}{r} x^2 + 4x - 3 \\ \cdot \quad x + 3 \\ \hline \end{array}$ b) $\begin{array}{r} xy^2 + 2y + 1 \\ \cdot \ 5xy^2 + 4y - 10 \\ \hline \end{array}$ c) $\begin{array}{r} 6xyz^2 + 4y - 3z \\ \cdot \quad x + 3y - 5z \\ \hline \end{array}$

7. La longueur du côté d'un carré est $(a + b + c)$ cm.

a) Représente l'aire de ce carré par un polynôme.

b) À partir du schéma, développe $(2x + 3y + 1)^2$.

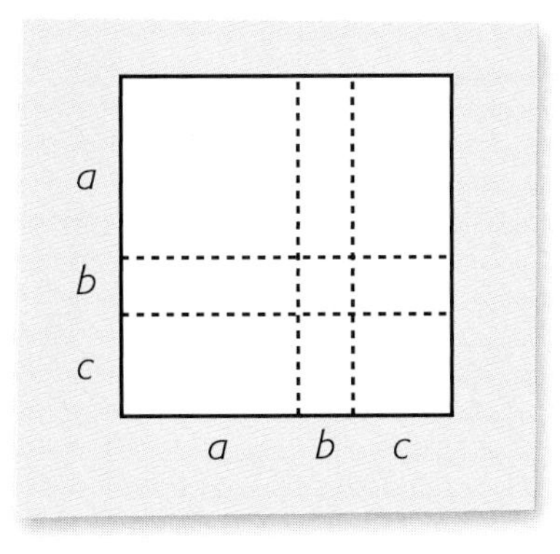

8. Quelle expression algébrique simplifiée représente l'aire de chaque figure?

a)

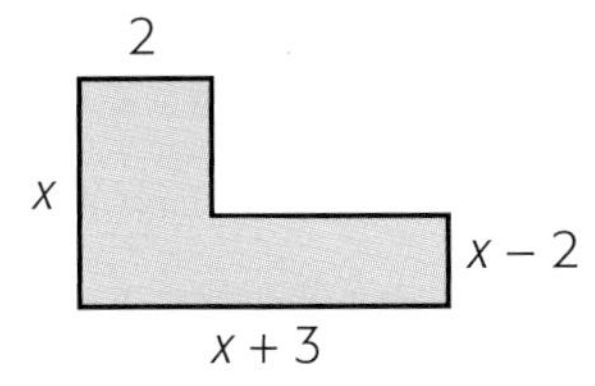

b)

x – y
x + y
3
2x + y

9. Soit les produits suivants.

① $(x + 2)(x - 4)(2x + 4)$

② $12\left(x - \frac{1}{4}\right)(x + 100)$

③ $(3xy + 5x)(4x^2y - 1)$

④ $(x + 3y)(2x - 4)$

⑤ $(x + 1)(y - 2)(z + 4)(w + 3)(v + 1)$

⑥ $(x^5 + 4)^2$

Parmi les polynômes obtenus en développant ces produits, lesquels:

a) ont un terme constant? b) sont du cinquième degré? c) sont des trinômes?

10. Quels polynômes représentent l'aire totale et le volume de chacun de ces prismes droits à base rectangulaire?

a)

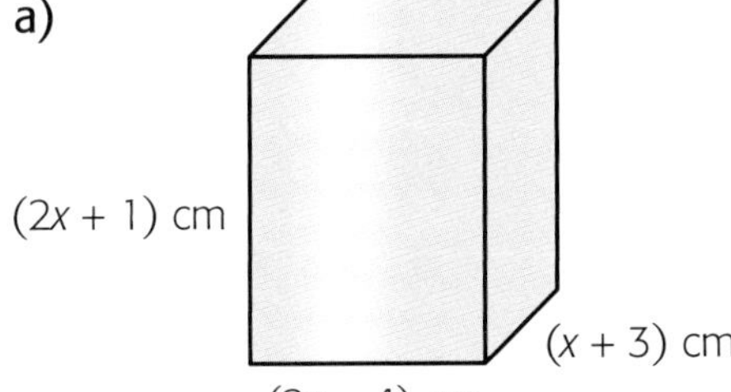

b)

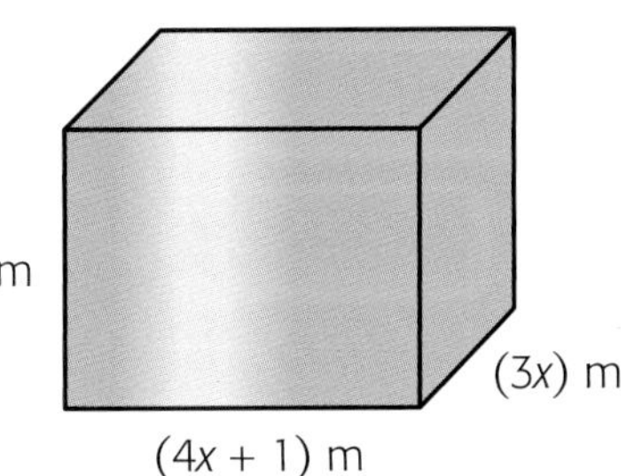

11. Effectue les divisions suivantes. Dans chaque cas, le diviseur est non nul.

a) $(x^2 + 8x + 15) \div (x + 3)$

b) $(y^2 - y - 12) \div (y - 4)$

c) $(t^2 - 4) \div (t + 2)$

d) $(e^3 - 3e^2 - e + 3) \div (e - 3)$

e) $(m^3 + 3m^2 - 4) \div (m + 2)$

f) $(y^3 - 4y^2 - 2y + 8) \div (y - 4)$

g) $(e^3 - e^2 - 4e + 4) \div (e^2 - 4)$

h) $(2x^2 + 11x + 15) \div (2x + 5)$

i) $(8x^2 + 14x - 15) \div (4x - 3)$

j) $(10d^3 + 15d^2 + 4d + 6) \div (5d^2 + 2)$

12. Effectue les neuf divisions suivantes. Dans chaque cas, le diviseur est non nul.

Dividende		Diviseur
$4x^2 + 11x + 6$		$4x + 3$
$8x^2 - 6x - 9$	$\div$	$x + 2$
$2x^2 - 11x - 6$		$2x + 1$

13. Parmi les trois trinômes dividendes de la question **12**, lequel a pour facteur $2x + 1$? Explique ta réponse.

14. Effectue les divisions suivantes. Dans chaque cas, le diviseur est non nul.

a) $(t^2 + 4t + 2) \div (t + 4)$

b) $(2w^2 + w - 3) \div (w + 2)$

c) $(6m^2 - 5m - 5) \div (3m - 4)$

d) $(8n^2 - 18n + 13) \div (2n - 3)$

e) $(4y^2 - 29) \div (2y - 5)$

f) $(9z^3 + 24z^2 - 12z - 10) \div (3z^2 - 4)$

15. Dans les polynômes suivants, détermine la valeur de k qui rend l'énoncé vrai.

a) $x^2 - x - k$ se divise sans reste par $x + 3$.

b) $2t - 1$ est un facteur de $6t^2 + t + k$.

c) Le reste est 3 lorsqu'on divise $4x^2 - 9x + k$ par $x + 1$.

d) Le reste est $^-5$ lorsqu'on divise $2x^3 + 7x^2 + 5x - k$ par $2x + 1$.

16. Détermine les mesures algébriques manquantes.

a) $A = (6x^2 - 5x - 4)\ \text{cm}^2$

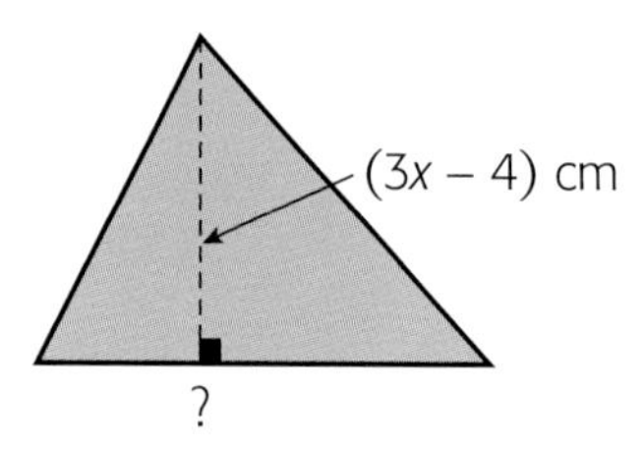

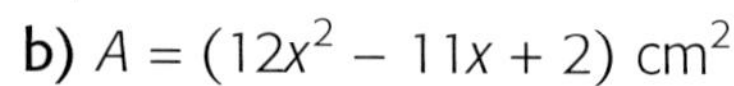

b) $A = (12x^2 - 11x + 2)\ \text{cm}^2$

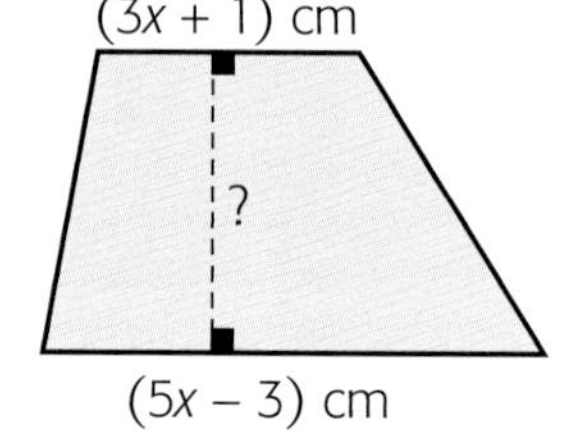

17. a) Effectue les divisions suivantes.

1) $\dfrac{x^3 - 1}{x - 1}$ **2)** $\dfrac{x^3 - 1000}{x - 10}$ **3)** $\dfrac{x^3 - 27}{x - 3}$

b) En te basant sur la régularité observée en **a**, détermine, sans effectuer de calculs, le résultat de $\frac{x^3 - 125}{x - 5}$.

18. Démontre algébriquement que le carré d'un nombre impair est aussi un nombre impair.

19. Romane a fait une erreur en développant le carré d'un binôme.

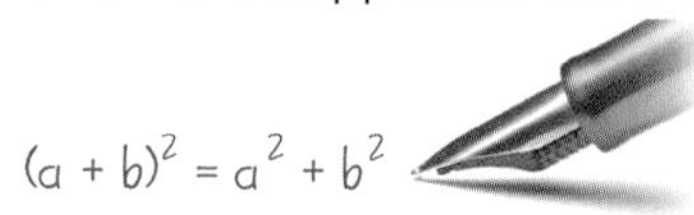

Corrige l'erreur de Romane et fournis-lui une explication visuelle afin qu'elle ne reproduise plus cette erreur.

La factorisation

Section 2

De l'ordre sur l'affiche !

Afin d'assurer une formation continue à ses membres, un ordre professionnel de pharmaciens organise chaque année un colloque. Lors de ce colloque, des conférenciers présentent, entre autres, les nouveaux services offerts aux membres, les résultats des plus récentes recherches en pharmacologie et les nouvelles tendances dans le domaine. Pour annoncer l'horaire des conférences, l'ordre a fait produire une affiche.

Cette affiche comprend aussi des espaces publicitaires réservés aux annonceurs qui voudraient faire connaître un produit ou un service.

Un institut de recherche pharmaceutique a acheté un espace publicitaire carré sur l'affiche. Le prix de cet espace est 450 $. Puisque le format de l'affiche reste à déterminer, l'aire de cet espace est représentée algébriquement par le polynôme $(4x^2 + 12x + 9)$.

Une fabricante d'équipement spécialisé en pharmacie et biotechnologie veut elle aussi acheter un espace publicitaire sur l'affiche. Le seul espace publicitaire encore disponible est situé sous l'espace publicitaire de l'institut de recherche pharmaceutique et a la même largeur que celui-ci. La hauteur de cet espace publicitaire est de $(8x + 12)$ cm.

Suggère un prix pour cet espace publicitaire. Accompagne-le d'une démarche algébrique.

Médias

Un ordre professionnel a pour mandat l'affiliation de professionnels et la protection du public. La plupart des ordres mettent à la disposition de leurs membres et du public un site Internet qui permet la diffusion de l'information. Une partie de cette information est réservée aux membres qui peuvent y accéder à l'aide d'un code d'accès. Une autre partie de l'information est ouverte au grand public.

Selon toi, quel type d'information est réservé uniquement aux membres d'un ordre professionnel ?

ACTIVITÉ
D'EXPLORATION **1**

- **Double mise en évidence**
- **Factorisation de trinômes**

De trois à quatre

L'aire du rectangle ci-contre peut être représentée par la somme des produits indiqués en rouge.

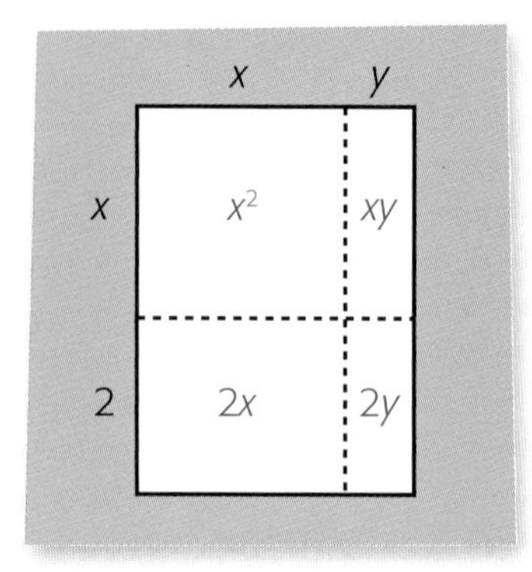

A Quel polynôme représente l'aire de ce rectangle ?

Développer

$$(x + 2)(x + y) = x^2 + xy + 2x + 2y$$

Factoriser

B Selon toi, que signifient les verbes *développer* et *factoriser* ?

On s'intéresse au procédé de factorisation. On veut exprimer le polynôme sous la forme d'un produit de facteurs.

Florence a factorisé correctement le polynôme en procédant de la façon suivante.

$x^2 + xy + 2x + 2y$

$x(x + y) + 2(x + y)$

$(x + 2)(x + y)$

C Procède comme Florence pour factoriser $x^2 + 2x + xy + 2y$. Que remarques-tu ?

D Effectue la **double mise en évidence** des polynômes suivants.

1) $14xy + 7x + 6y + 3$

2) $x^2 + 6x + 3x + 18$

3) $x^2 - 12y + 6xy - 2x$

4) $x^2 + 9x + 18$

Double mise en évidence

Procédé qui permet de factoriser un polynôme en effectuant, d'abord, une simple mise en évidence sur des groupes de termes du polynôme, puis une autre simple mise en évidence du binôme ou du polynôme commun.

Observe les produits illustrés ci-dessous.

$(x + 1)(x + 2) = x^2 + 3x + 2$ $(2x + 1)(3x + 2) = 6x^2 + 7x + 2$ $(x + 5)(5x + 3) = 5x^2 + 28x + 15$

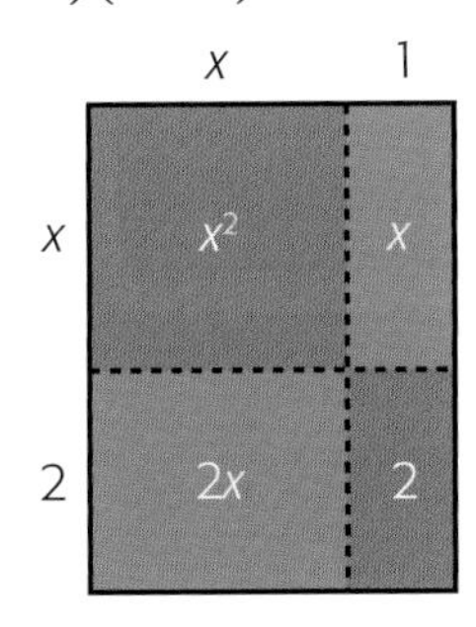

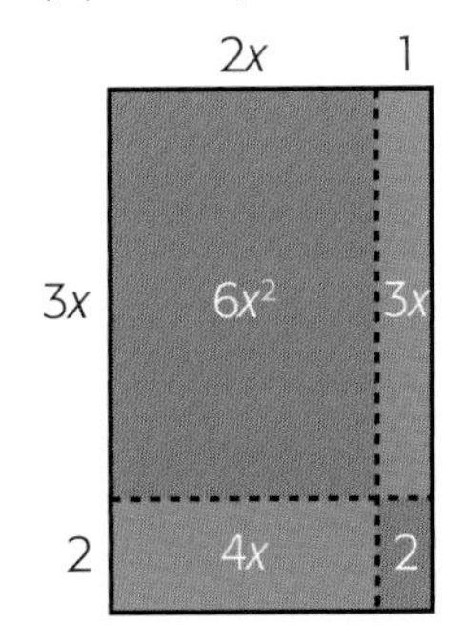

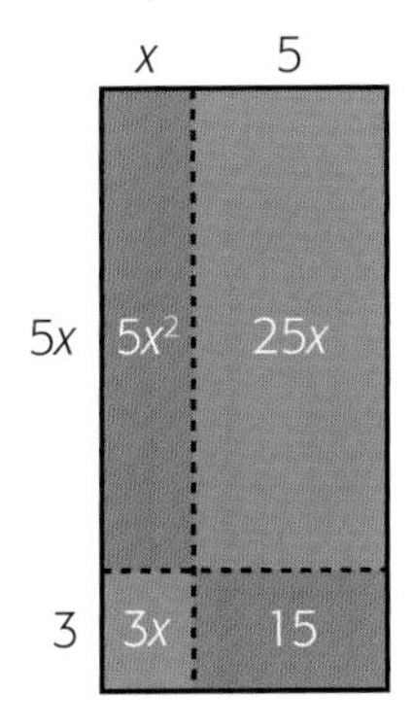

Si un trinôme de la forme $ax^2 + bx + c$ représente l'aire d'un rectangle, alors ses facteurs représentent la longueur et la largeur de ce rectangle.

E Réécris les trinômes représentant l'aire des trois rectangles ci-dessus sous la forme d'une somme de quatre termes.

F Factorise par une double mise en évidence les polynômes trouvés en **E**.

G Quelle régularité observes-tu entre le deuxième terme du trinôme et les aires des rectangles verts?

H Multiplie les aires des rectangles verts et les aires des rectangles bleus. Que remarques-tu?

I À la suite des observations faites en **G** et **H**, peux-tu affirmer que le trinôme $2x^2 + 11x + 5$ se décompose en un produit de deux binômes? Explique ta réponse.

J Comment dois-tu procéder pour effectuer une double mise en évidence d'un trinôme de la forme $ax^2 + bx + c$, où a, b et c sont des nombres entiers?

Ai-je bien compris?

1. Factorise les polynômes suivants.

a) $ef + 2f + 3e + 6$

b) $2xy + 6x + y + 3$

c) $4x^2 + 12xy - x - 3y$

d) $m^2 + 12n + 4m + 3mn$

2. Factorise les trinômes suivants.

a) $x^2 - 22x + 40$

b) $x^2 - 17x - 18$

c) $3x^2 + 14x + 15$

d) $4x^2 + 10x + 6$

ACTIVITÉ D'EXPLORATION **2**

Produits remarquables

- **Factorisation d'un trinôme carré parfait**
- **Factorisation d'une différence de carrés**

L'entreprise de pavage Gamache et fille doit créer des motifs carrés à partir de chacun des deux ensembles de dalles présentés ci-dessous. Les motifs seront ensuite reproduits sur la surface à couvrir. Comme l'entreprise fabrique elle-même ses dalles, la taille des grandes et des moyennes dalles peut varier selon les exigences de la clientèle, mais les petites dalles ont toujours une aire de 1 dm^2.

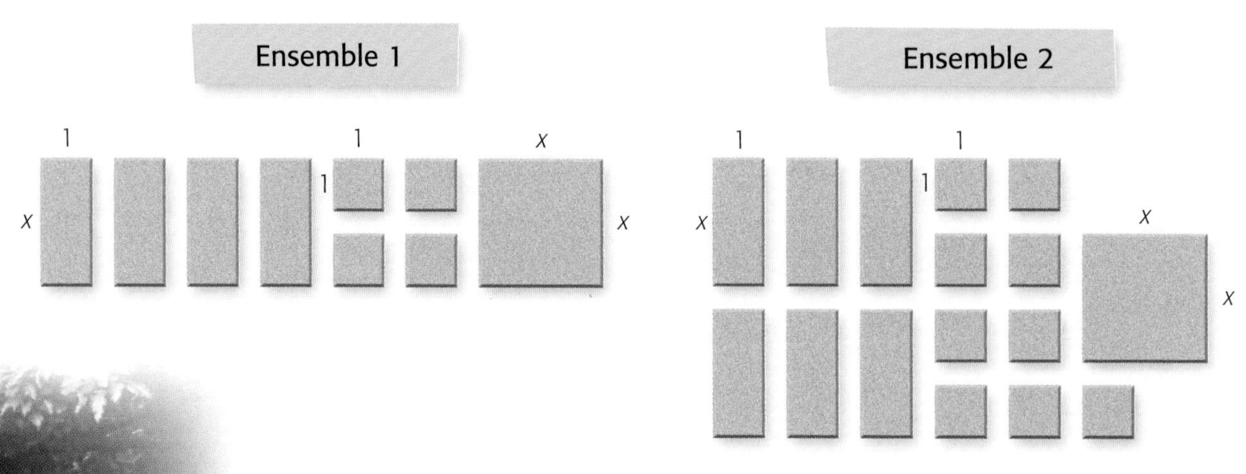

A Quel trinôme représente l'aire couverte par les dalles :

1) de l'**ensemble 1** ?
2) de l'**ensemble 2** ?

B Trace un motif carré formé de toutes les dalles :

1) de l'**ensemble 1** ;
2) de l'**ensemble 2**.

C Représente l'aire de chacun des motifs tracés en **B** sous la forme d'un carré de binôme.

D Établis des liens entre les termes du trinôme exprimé en **A** et les carrés de binômes trouvés en **C**.

E Est-il possible de créer un motif carré avec une grande, six moyennes et cinq petites dalles sans les couper ? Explique ta réponse.

Voici deux identités algébriques remarquables du second degré :

$$(a + b)^2 = a^2 + 2ab + b^2$$
$$(a - b)^2 = a^2 - 2ab + b^2$$

On les qualifie de remarquables, car elles permettent, si on les reconnaît, de factoriser les polynômes qui leur sont associés.

Les trinômes carrés parfaits peuvent s'exprimer sous la forme d'un carré de binôme.

F Soit les polynômes suivants.

1) $x^2 + 20x + 100$ **3)** $x^2 + 16x - 64$ **5)** $16x^2 + 8x + 1$

2) $x^2 - 24x + 144$ **4)** $x^2 - \frac{3x}{2} + \frac{9}{16}$ **6)** $25x^2 - 110x + 121$

Exprime chacun de ces polynômes sous la forme d'un carré de binôme, s'il s'agit d'un trinôme carré parfait. Sinon, explique pourquoi il ne s'agit pas d'un trinôme carré parfait.

G Ajoute un terme à chacun des polynômes suivants pour qu'il devienne un carré de binôme.

1) $x^2 + 6x$ **2)** $x^2 + 7x$ **3)** $x^2 - 32x$ **4)** $x^2 - 9x$

Qu'ont en commun les termes ajoutés?

Voici une troisième identité algébrique remarquable: $(a + b)(a - b) = a^2 - b^2$. Elle porte le nom de différence de carrés.

H Explique à quoi correspondent les deux termes dans une différence de carrés.

I Soit les polynômes suivants.

1) $y^2 - 81$ **3)** $y^2 + 25$ **5)** $y^4 - 25$

2) $16 - y^2$ **4)** $y^2 - 1$ **6)** $\frac{y^2}{4} - \frac{1}{9}$

Exprime chacun des polynômes sous la forme d'un produit de **binômes conjugués**, s'il s'agit d'une différence de carrés. Sinon, explique pourquoi il ne s'agit pas d'une différence de carrés.

Binômes conjugués
Deux expressions algébriques dont l'une est la somme et l'autre est la différence de deux mêmes termes.

Ai-je bien compris?

1. Factorise les trinômes carrés parfaits suivants.
   a) $x^2 - 16x + 64$
   b) $y^2 + 26y + 169$
   c) $9t^2 - 6t + 1$
   d) $4m^2 + 28mn + 49n^2$

2. Factorise les polynômes suivants.
   a) $x^2y^2 - 4$
   b) $y^2 - \frac{1}{5^2}$
   c) $81 - b^2$
   d) $\frac{100}{9} - x^2$

3. L'aire d'un rectangle est représentée par le polynôme $4a^2 - 25b^2$. Les deux dimensions du rectangle sont représentées par des binômes. Quelle expression algébrique représente son périmètre?

ACTIVITÉ
D'EXPLORATION 3

À la recherche de carrés

Factorisation d'un trinôme par complétion du carré

Voici la transformation d'un rectangle en carré.

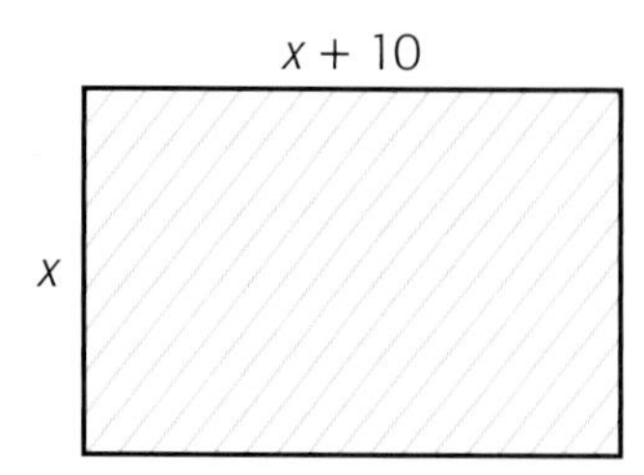

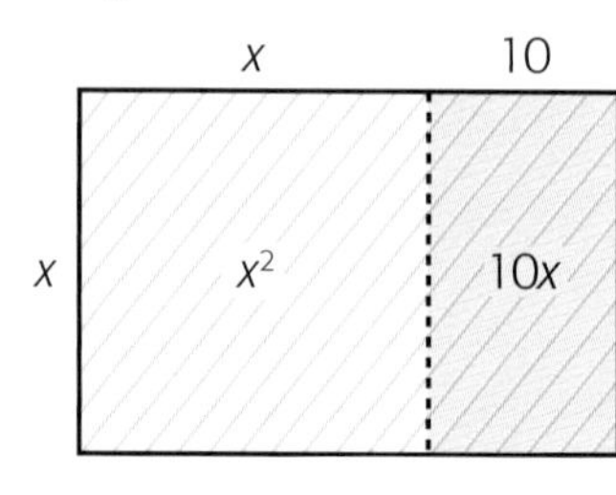

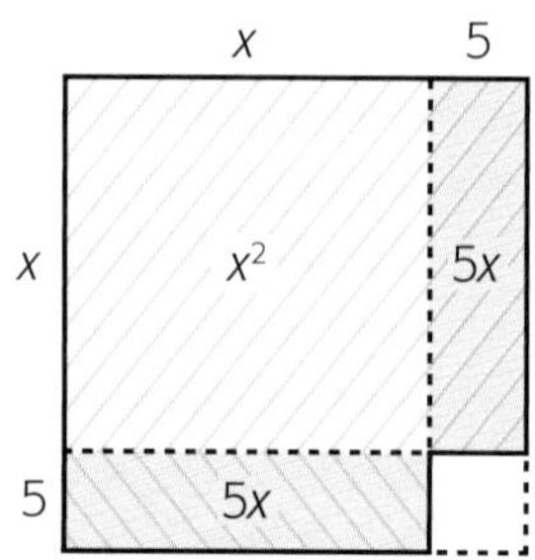

A Quelle est l'aire de la figure à ajouter pour obtenir un grand carré?

B Exprime l'aire du grand carré sous la forme d'un carré de binôme.

C Exprime l'aire du rectangle initial en fonction de l'aire du grand carré.

D Quel nombre doit-on ajouter à chacun des polynômes ci-dessous pour l'exprimer sous la forme d'un trinôme carré parfait? Quel carré de binôme représente-t-il alors?

1) $x^2 + 4x$ **2)** $x^2 - 6x$

E Exprime les trinômes suivants sous la forme de carrés de binômes auxquels on ajoute ou retranche un nombre.

1) $x^2 + 8x + 17$ **2)** $x^2 + 8x + 23$ **3)** $x^2 + 8x - 5$

F Voici comment Géraldine procède pour factoriser un trinôme.

Explique chacune des étapes de la factorisation effectuée par Géraldine.

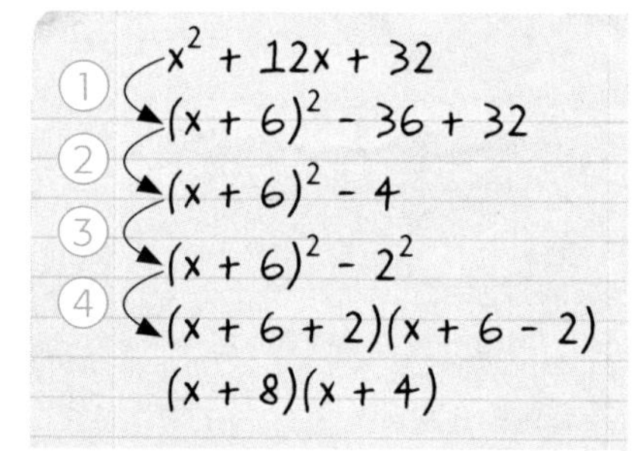

La factorisation effectuée par Géraldine débute par une **complétion du carré**.

Complétion du carré
Manipulation algébrique qui consiste à exprimer un polynôme sous la forme d'un carré de binôme auquel on soustrait un certain nombre.

G Factorise les polynômes en procédant de la même façon que Géraldine.

1) $x^2 + 145x - 2\,400$ **2)** $x^2 - 90x - 5\,200$

H Dans quelle situation a-t-on avantage à privilégier ce procédé de factorisation au lieu de la double mise en évidence pour factoriser un trinôme?

I Décris de quelle façon tu peux factoriser, en procédant par complétion du carré, un polynôme de la forme $ax^2 + bx + c$ tel que $3x^2 + 21x + 30$.

Ai-je bien compris?

1. Factorise les expressions algébriques suivantes.
   a) $(y - 6)^2 - 9$ b) $(y - 2)^2 - 1$ c) $(x + 2)^2 - 25$ d) $(x + 7)^2 - (x + 1)^2$
2. Factorise les trinômes suivants en procédant par complétion du carré.
   a) $x^2 - 18x - 19$ b) $x^2 - 19x + 48$ c) $4x^2 - 24x - 64$ d) $4x^2 - 8x - 5$

La factorisation

Factoriser un polynôme consiste à l'exprimer sous la forme d'un produit de facteurs. Par convention, les facteurs sont des polynômes de degré inférieur au polynôme de départ.

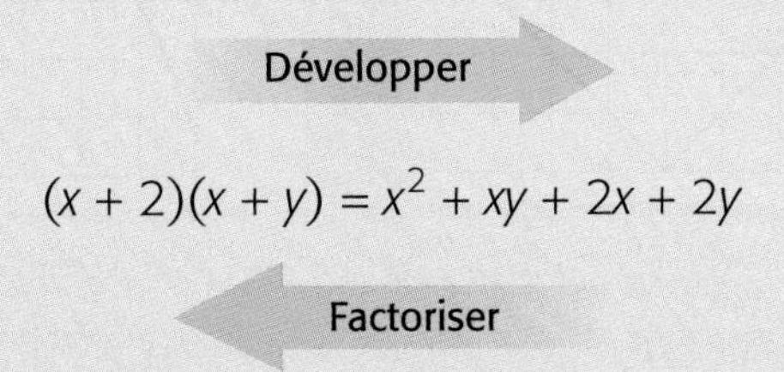

Un polynôme du second degré est dit irréductible s'il ne peut s'écrire sous la forme du produit de deux polynômes du premier degré. Par exemple, $x^2 + 4$ est irréductible.

La factorisation par mise en évidence

Simple mise en évidence : Procédé qui permet de factoriser un polynôme en mettant en évidence un facteur commun à tous les termes.

Exemple :

$2x^3 + 6x^2 - 10x = 2x(x^2 + 3x - 5)$

Double mise en évidence : Procédé qui permet de factoriser un polynôme en deux étapes. La première étape consiste à effectuer une simple mise en évidence sur des groupes de termes du polynôme de façon à faire ressortir un binôme commun à tous les termes. La deuxième étape consiste à mettre en évidence le binôme commun afin d'obtenir un produit de facteurs.

Exemple :

Étape	Démarche algébrique
1. Ordonner les termes du polynôme de manière à regrouper les termes qui ont un facteur commun.	$x^2 - 12y - 3x + 4xy$ $x^2 - 3x + 4xy - 12y$
Effectuer ensuite une simple mise en évidence sur chacune des parties du polynôme afin de faire ressortir le binôme commun.	$x(x - 3) + 4y(x - 3)$
2. Effectuer une simple mise en évidence du binôme commun.	$(x - 3)(x + 4y)$

Remarque : On dit de la mise en évidence qu'elle est double, car elle comprend une simple mise en évidence à deux niveaux.

La factorisation d'un trinôme carré parfait et d'une différence de carrés

Les identités algébriques remarquables permettent, lorsqu'on les reconnaît, de factoriser les polynômes qui leur sont associés.

Les identités algébriques remarquables		
$a^2 + 2ab + b^2 = (a + b)^2$	$a^2 - 2ab + b^2 = (a - b)^2$	$a^2 - b^2 = (a + b)(a - b)$
Trinôme carré parfait Le seul facteur d'un trinôme carré parfait est un binôme.		**Différence de carrés** Les facteurs d'une différence de carrés sont deux binômes conjugués.
Exemple : $y^2 + 6y + 9 = (y + 3)^2$, car y^2 et 9 sont les carrés de y et de 3 **et** $6y$ est le double du produit de y et de 3.	Exemple : $4y^2 - 4y + 1 = (2y - 1)^2$, car $4y^2$ et 1 sont les carrés de $2y$ et de $^-1$ **et** ^-4y est le double du produit de $2y$ et de $^-1$.	Exemple : $4x^2 - 25 = (2x + 5)(2x - 5)$ $4x^2$ est le carré de $2x$ **et** 25 est le carré de 5.

La factorisation d'un trinôme de la forme $ax^2 + bx + c$

Par recherche de la somme et du produit

Procédé qui consiste à exprimer un trinôme sous la forme d'un polynôme à quatre termes afin d'effectuer une double mise en évidence.

Exemple :

Factoriser $2x^2 + x - 15$

Étape	Démarche algébrique
1. Chercher deux nombres dont la somme est égale à b et dont le produit est égal à ac.	$a = 2$, $b = 1$ et $c = {}^-15$ Somme : 1 et Produit : $2(^-15) = {}^-30$ Ces nombres sont 6 et $^-5$.
2. Remplacer le second terme du trinôme par deux termes, dont les coefficients sont les nombres trouvés à l'étape **1**, afin d'obtenir quatre termes.	$2x^2 + x - 15 = 2x^2 + 6x - 5x - 15$
3. Effectuer une double mise en évidence.	$2x(x + 3) - 5(x + 3)$ $(x + 3)(2x - 5)$

Remarque : Cette façon de procéder s'avère efficace lorsqu'on trouve rapidement les deux termes en x dont les coefficients ont une somme égale à b et un produit égal à ac.

Par complétion du carré

Procédé qui consiste à exprimer un trinôme sous la forme d'une différence de carrés.

Exemple :

Factoriser $2x^2 + x - 15$

Étape	Démarche algébrique
1. Au besoin, mettre le a en évidence.	$2\left(x^2 + \frac{x}{2} - \frac{15}{2}\right)$
2. Compléter le carré afin d'obtenir un trinôme carré parfait. Soustraire ensuite la quantité ajoutée afin de conserver la relation d'égalité.	$2\left(x^2 + \frac{x}{2} + \frac{1}{16} - \frac{1}{16} - \frac{15}{2}\right)$
3. Factoriser le trinôme carré parfait.	$2\left(\left(x + \frac{1}{4}\right)^2 - \frac{1}{16} - \frac{15}{2}\right)$
4. Additionner les termes constants et exprimer cette somme sous la forme d'un carré.	$2\left(\left(x + \frac{1}{4}\right)^2 - \frac{1}{16} - \frac{120}{16}\right)$ $2\left(\left(x + \frac{1}{4}\right)^2 - \frac{121}{16}\right)$ $2\left(\left(x + \frac{1}{4}\right)^2 - \left(\frac{11}{4}\right)^2\right)$
5. Factoriser la différence de carrés.	$2\left(x + \frac{1}{4} + \frac{11}{4}\right)\left(x + \frac{1}{4} - \frac{11}{4}\right)$ $2(x + 3)\left(x - \frac{5}{2}\right)$
6. Au besoin, distribuer le a à un des binômes.	$(x + 3)(2x - 5)$

Remarque : Cette façon de procéder s'avère efficace lorsque a, b et c sont de grands nombres entiers ou des nombres rationnels.

Point de repère

Al-Khawarizmi

Au IXe siècle, le mathématicien arabe Al-Khawarizmi faisait déjà référence à la complétion du carré. Ce mathématicien, considéré comme l'un des pères de l'algèbre, utilisait la complétion du carré pour prouver que les calculs « algébriques » utilisés pour extraire les racines des équations quadratiques étaient appropriés.

Mise en pratique

Pièges et astuces

Pour effectuer une double mise en évidence sur un polynôme à quatre termes, il faut, entre autres, que les coefficients des termes soient de même signe ou que deux d'entre eux soient positifs et les deux autres, négatifs.

1. Factorise les polynômes suivants.

a) $ef + 2f + 3e + 6$

b) $xy - 5y + 7x - 35$

c) $15e^2f - 6f - 35e^2 + 14$

d) $xy + 4y - x - 4$

e) $6xy + 3y - 8x - 4$

f) $2x^2 + 6y + 4x + 3xy$

g) $3x^2 + 6y^2 - 9x - 2xy^2$

h) $xy + 12 + 4x + 3y$

i) $x^2 - 4n + 4x - xn$

j) $5m^2t - 10m^2 + t^2 - 2t$

2. Décompose les polynômes suivants en facteurs.

a) $m^2 + m - 12$

b) $r^2 - 17r + 42$

c) $x^2 - 6x - 16$

d) $y^2 - 2y - 3$

e) $n^2 + 7n - 44$

f) $w^2 + 12w + 20$

3. Décompose les polynômes suivants en facteurs.

a) $2x^2 - x - 6$

b) $3x^2 + x - 4$

c) $9x^2 - 16x - 4$

d) $4t^2 + 8t + 3$

e) $8y^2 - 22y + 12$

f) $6r^2 + 15r + 9$

g) $10x^2 - 17x + 3$

h) $2y^2 + 11y + 15$

i) $6x^2 + 5x - 4$

j) $12y^2 - 11y + 2$

4. Décompose les polynômes à deux variables suivants en facteurs.

a) $6m^2 + mn - 2n^2$

b) $10x^2 - 3xy - y^2$

c) $6c^2 + 13cd + 2d^2$

d) $6x^2 - 9xy + 3y^2$

e) $4y^2 + 4xy - 8x^2$

f) $3x^2 + 7xy + 2y^2$

5. Un billet de banque a une aire de $(10x^2 + 9x - 40)$ mm².

a) Factorise le trinôme $10x^2 + 9x - 40$ pour trouver des expressions algébriques qui représentent les dimensions du billet.

b) Si x vaut 32, quelles sont les dimensions du billet, en millimètres?

Fait divers

En 1935, la Banque du Canada lançait sa première série de billets. Celle-ci a été imprimée sur du papier composé de 75 % de fibres de lin et de 25 % de fibres de coton. Depuis 1983, les billets de banque sont imprimés sur du papier composé de 100 % de fibres de coton. La durée de vie d'un billet de 20 $ canadien est de deux à quatre ans alors que celle d'un billet de 100 $ est de sept à neuf ans. Les billets de 20 $ s'usent plus rapidement que ceux de 100 $ parce qu'ils sont manipulés plus souvent.

Adapté de: Banque du Canada, 2008.

6. Énumère toutes les valeurs entières de k pour lesquelles $3x^2 + kx + 3$ se décompose en facteurs.

7. Trouve trois valeurs de k pour lesquelles les trinômes suivants se décomposent en binômes dont les coefficients sont entiers.

a) $2x^2 + 3x + k$ b) $3x^2 - 8x + k$

8. Factorise les binômes suivants.

a) $y^2 - 16$
b) $25e^2 - 36$
c) $1 - 64t^2$
d) $16^2 - 81y^2$
e) $2x^2 - 32$
f) $3x^3 - 48x$
g) $25x^2 - 64y^2$
h) $4t^2 - 9s^2$
i) $100p^2 - 121q^2$
j) $225f^2 - e^2$
k) $49x^2 - 121y^2$
l) $80x^3 - 45f^2x$

9. Associie les expressions algébriques équivalentes.

a) $(x + 2)^2 - 9$
b) $\frac{x^2}{4} - \frac{1}{9}$
c) $25x^4 - 81$
d) $\frac{x^2}{9} - 1$
e) $\frac{121}{4} - 4x^2$

① $(5x^2 + 9)(5x^2 - 9)$
② $\left(\frac{x}{3} - 1\right)\left(\frac{x}{3} + 1\right)$
③ $\left(\frac{11}{2} - 2x\right)\left(\frac{11}{2} + 2x\right)$
④ $(x + 5)(x - 1)$
⑤ $\left(\frac{x}{2} + \frac{1}{3}\right)\left(\frac{x}{2} - \frac{1}{3}\right)$

10. Trouve la valeur des expressions suivantes en factorisant la différence de carrés.

a) $53^2 - 47^2$ b) $45^2 - 35^2$ c) $820^2 - 180^2$

11. Factorise les trinômes suivants en procédant par complétion du carré.

a) $x^2 - 7x + 12$
b) $x^2 + 4x - 21$
c) $y^2 + 9y + 20$
d) $t^2 - 6t - 27$
e) $3x^2 - 3x - 6$
f) $4t^2 - 28t + 40$
g) $3t^2 + 8t + 5$
h) $2m^2 - 9m + 4$
i) $6x^2 - x - 2$
j) $4y^2 + 4y - 3$

12. L'aire totale d'un cube est représentée par le polynôme $54x^2 + 36x + 6$. Quel polynôme représente le volume de ce cube?

13. Le schéma ci-contre montre deux cercles concentriques dont les rayons sont r cm et $(r + 3)$ cm.

a) Quelle expression algébrique simplifiée représente l'aire de la zone bleue?

b) Si r égale 5 cm, calcule l'aire de la zone bleue, au dixième de centimètre carré près.

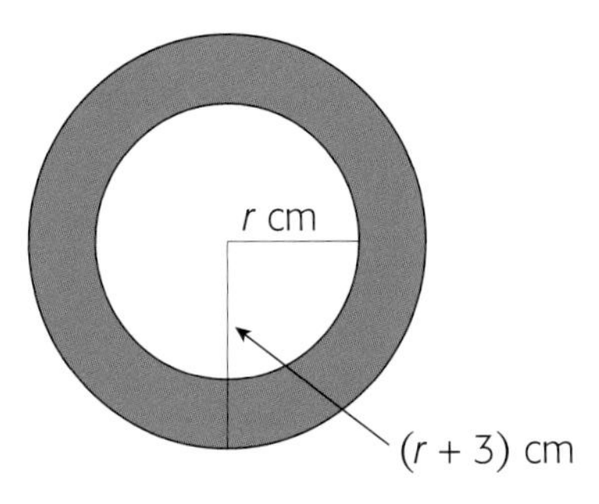

14. Chacun des trinômes suivants représente l'aire d'une photo. Parmi ces photos, lesquelles sont carrées?

a) $25x^2 + 25x + 4$
b) $4x^2 + 24x + 36$
c) $4x^2 - 20x + 16$
d) $9x^2 + 12x + 4$

15. Détermine sous la forme d'une expression algébrique, le périmètre des photos représentées à la question **14**.

16. Le volume d'une boîte de savon à lessive est de $(x^3 + 5x^2 - 16x - 80)$ cm^3 et sa hauteur est représentée par $(x + 4)$ cm. Quels binômes représentent les dimensions de la base de cette boîte?

17. L'aire d'un losange est représentée par le polynôme $\frac{4x^2 + 25x + 25}{2}$.
Quels binômes représentent la mesure de chacune des diagonales de ce losange?

18. On utilise un trinôme pour représenter l'aire occupée par une piscine. Pour la piscine «de luxe», on utilise $x^2 + 10x + 24$ et pour la piscine «populaire», on utilise $x^2 + 9x + 18$.

a) Trouve le binôme représentant la longueur du côté qui est identique pour les deux piscines.

b) Trouve les binômes représentant la longueur des côtés différents.

c) Quelle piscine entrerait dans un espace rectangulaire d'une aire de $x^2 + 10x + 21$? Explique ta réponse.

19. L'aire d'un cercle est de $(4\pi x^2 + 4\pi x + \pi)$ cm^2. Quel binôme représente la circonférence de ce cercle?

20. Le volume d'une pyramide à base carrée est de $(x^3 + 6x^2 + 9x)$ m^3. Détermine, en fonction de x, les dimensions possibles de la pyramide.

21. Montre que le polynôme $2x^2 - 3x - 20$ peut s'écrire comme ceci:

$$2\left(x - \frac{3}{4}\right)^2 - \frac{169}{8}$$

22. Combien de facteurs ont en commun $x^2 - 36$ et $36 - x^2$? Exprime $x^2 - 36$ en fonction de $36 - x^2$.

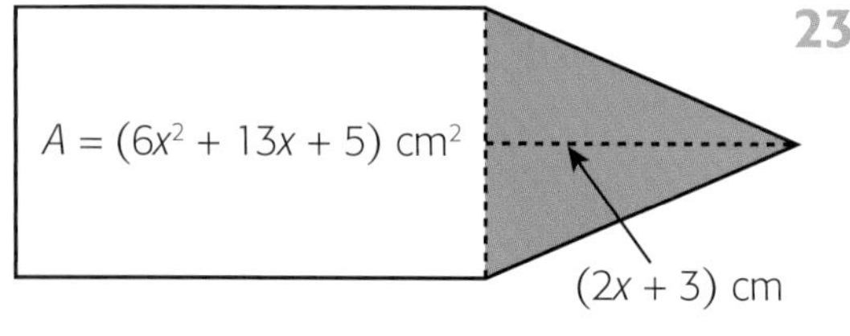

23. La figure ci-contre est composée d'un rectangle et d'un triangle isocèle dont la hauteur est de $(2x + 3)$ cm. Sachant que l'aire du rectangle est de $(6x^2 + 13x + 5)$ cm^2 et que sa base est plus grande que sa hauteur, détermine l'expression algébrique qui représente l'aire du triangle bleu.

Les expressions rationnelles

Section 3

Les deux côtés de la médaille

Un cinéaste réalise un film documentaire sur la population de tortues molles à épines au Québec. Soucieux de dresser un portrait juste de la situation, il interroge Marie Brunelle, présidente de l'Observatoire des espèces menacées, et Mark Cowan, professeur en sciences environnementales. Ces deux experts lui font part du modèle servant à établir leurs prévisions quant à la population de tortues molles à épines au Québec dans 10 ans, en fonction de x, la population actuelle.

Les prévisions de Marie Brunelle

La situation est grave. Notre modèle prévoit que cette espèce de tortue, présente uniquement dans la baie Missisquoi, verra sa population diminuer considérablement. Dans 10 ans, la population de tortues molles à épines s'exprimera ainsi :

$$\frac{7x - 21}{4x^2 - 36} \div \frac{5}{x^2 + 3x}$$

Les prévisions de Mark Cowan

À l'aide des différents modèles développés par les départements de sciences environnementales en Amérique du Nord, nous prévoyons que, dans 10 ans, la population de tortues molles à épines s'exprimera ainsi :

$$\frac{x + 5}{3(x + 2)} - \frac{1}{x + 2} + \frac{3x + 2}{12}$$

Le cinéaste veut inclure dans le titre de son film le pourcentage de la population de tortues molles à épines qui disparaîtra d'ici 10 ans au Québec. Détermine ce pourcentage à l'aide des prévisions des deux experts.

Médias

Un documentaire est la représentation cinématographique d'une situation ou d'un phénomène qui veut refléter le plus fidèlement possible la réalité. Réaliser un documentaire est une façon de traiter en profondeur un sujet qui ne profite généralement pas d'une importante tribune médiatique. Selon toi, pourquoi est-il important d'être bien informé ou informée ? Est-ce que l'information diffusée par les médias est suffisante pour se faire une idée juste d'une situation ou d'un phénomène ? Que recommanderais-tu à une personne qui veut être bien informée et avoir accès à plus d'un point de vue ?

ACTIVITÉ D'EXPLORATION **1**

Démarche rationnelle

Simplification d'expressions rationnelles

Jacinthe et Admir ont calculé le rapport des volumes des deux prismes à base rectangulaire semblables ci-dessous.

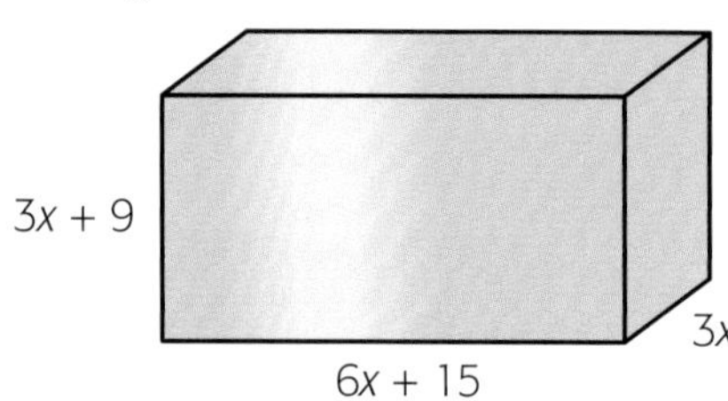

$x + 3$, x, $2x + 5$

Voici leur démarche.

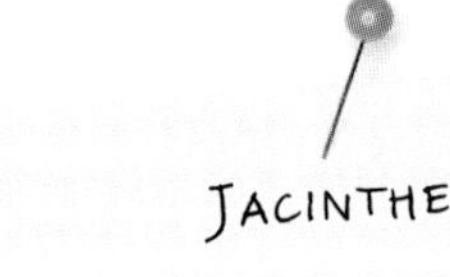

JACINTHE

Rapport de similitude:

$k = \frac{3x}{x} = 3$

Rapport des volumes:

$k^3 = 3^3$

$k^3 = 27$

Le rapport des volumes des prismes est 27.

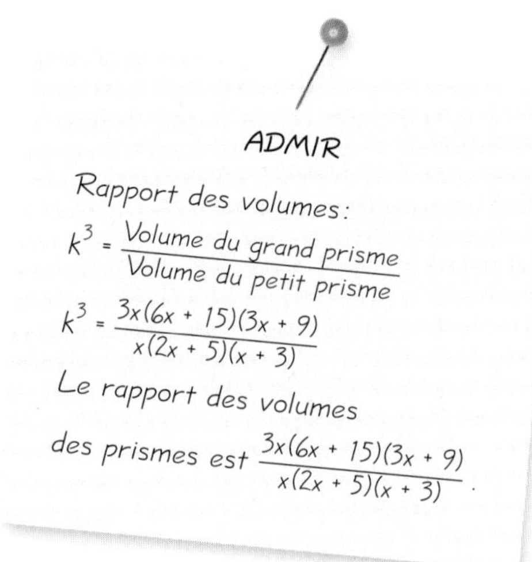

A Calcule la valeur du rapport des volumes d'Admir si:

1) $x = 1$ **2)** $x = 2$ **3)** $x = 3$

B Démontre que les deux démarches mènent à des rapports de volumes équivalents.

C Selon le contexte, quelles sont les valeurs possibles de la variable x?

Soit les polynômes $x^2 + 4x + 3$ et $x^2 + 3x$.

Dans le menu «Fonction» d'une calculatrice à affichage graphique, ces deux polynômes sont associés aux fonctions Y_1 et Y_2. Une table de valeurs est affichée pour les deux fonctions.

TIC

La calculatrice à affichage graphique permet, entre autres, de vérifier si deux expressions algébriques sont équivalentes.

Pour en savoir plus, consulte la page 247 de ce manuel.

Menu «Fonction»

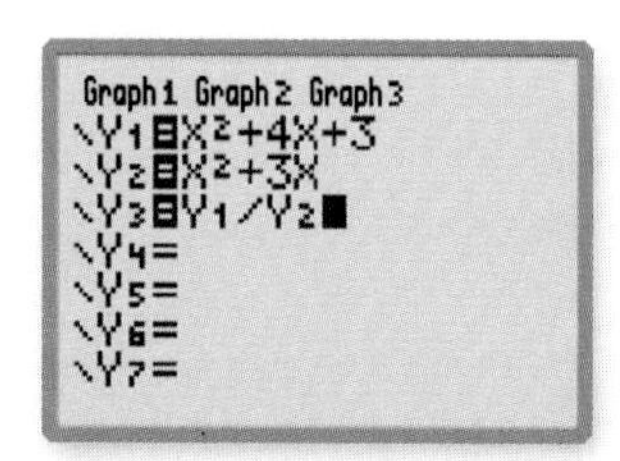

Menu «Table de valeurs»

X	Y1	Y2
-4	3	4
-3	0	0
-2	-1	-2
-1	0	-2
0	3	0
1	8	4
2	15	10

X=-4

D Quelle est l'**expression rationnelle** associée à Y_3?

E Pour les valeurs de x données dans la table de valeurs, calcule les valeurs associées à la fonction Y_3.

F Quelles sont les **restrictions** qui s'appliquent à la variable dans l'expression rationnelle associée à Y_3?

G Prouve qu'il y a seulement deux valeurs de x pour lesquelles l'expression rationnelle associée à Y_3 n'est pas définie.

H Exprime Y_3 sous la forme d'une expression rationnelle irréductible.

I À quelle condition l'expression rationnelle irréductible exprimée en **H** est-elle équivalente à Y_3?

J Ordonne chronologiquement les trois étapes de la simplification d'une expression rationnelle.

Poser les restrictions, c'est-à-dire trouver les valeurs des variables pour lesquelles le dénominateur est égal à 0.

Factoriser le numérateur et le dénominateur.

Simplifier les facteurs communs au numérateur et au dénominateur.

K Soit l'expression rationnelle $\frac{Y_2}{Y_1}$. Exprime ce rapport algébriquement sous sa forme simplifiée en posant les restrictions qui s'appliquent à x.

L Les rapports des volumes calculés par Jacinthe et Admir sont des expressions rationnelles. Quelles restrictions s'appliqueraient à x si ces expressions rationnelles n'étaient pas en contexte?

Expression rationnelle
Expression algébrique s'exprimant sous la forme d'un rapport de polynômes.

Restrictions
Valeurs que ne peut pas prendre la variable. Dans une expression rationnelle, les restrictions sont les valeurs qui annulent le dénominateur.

Ai-je bien compris?

1. Quelles restrictions s'appliquent aux variables des expressions rationnelles suivantes?
   a) $\frac{x^2 - 4x + 4}{x^2}$ b) $\frac{x^2 + 6x - 40}{x^2 - 4x}$ c) $\frac{y - 2}{y^2 + 5y - 14}$ d) $\frac{1}{y^2 - 1}$

2. Simplifie les expressions rationnelles suivantes en posant les restrictions.
   a) $\frac{4x^2 - 9}{4x^2 + 12x + 9}$ b) $\frac{y^2 + 4y}{y^2 + y - 12}$ c) $\frac{4 - z^2}{2z^2 - 3z - 2}$ d) $\frac{2\pi rh + \pi r^2}{\pi r^2 h}$

ACTIVITÉ
D'EXPLORATION **2**

Addition et soustraction d'expressions rationnelles

Probabilité rationnelle 

Soit le contenu de trois sacs de billes.

Kyara effectue une expérience aléatoire qui consiste à choisir un sac au hasard et à en tirer une bille. Elle s'intéresse à l'événement A = {Tirer une bille rouge}. La probabilité de l'événement peut se calculer de la façon suivante.

Le diagramme en arbre

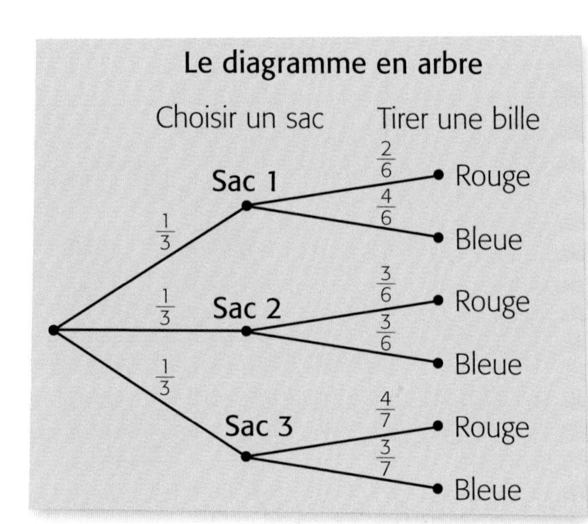

Le calcul de la probabilité

$$P(A) = \left(\frac{1}{3} \cdot \frac{2}{6}\right) + \left(\frac{1}{3} \cdot \frac{3}{6}\right) + \left(\frac{1}{3} \cdot \frac{4}{7}\right)$$

$$P(A) = \frac{2}{3 \cdot 6} + \frac{3}{3 \cdot 6} + \frac{4}{3 \cdot 7}$$

$$P(A) = \frac{2 \cdot 7}{3 \cdot 6 \cdot 7} + \frac{3 \cdot 7}{3 \cdot 6 \cdot 7} + \frac{4 \cdot 6}{3 \cdot 7 \cdot 6}$$

$$P(A) = \frac{14 + 21 + 24}{126}$$

$$P(A) = \frac{59}{126}$$

A Explique chacune des étapes du calcul de la probabilité de l'événement en accordant une attention particulière aux opérations sur les fractions.

On ajoute x billes vertes dans chacun des trois sacs de billes.

B Reproduis et remplis le tableau ci-dessous en exprimant la probabilité que Kyara tire, dans le sac donné, une bille de la couleur donnée.

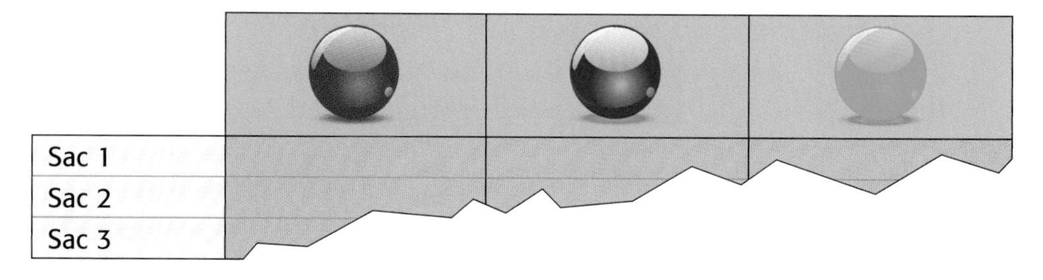

Sac 1			
Sac 2			
Sac 3			

Kyara effectue ensuite l'expérience aléatoire qui consiste à tirer une bille du **sac 1**.

C En te servant du tableau rempli en **B**, exprime, sous la forme d'une seule expression rationnelle, la probabilité que Kyara tire :

1) une bille rouge ou une bille bleue ;

2) une bille rouge ou une bille verte ;

3) une bille rouge, une bille verte ou une bille bleue.

D Comment additionne-t-on des expressions rationnelles lorsqu'elles ont le même dénominateur ?

Kyara effectue ensuite l'expérience aléatoire qui consiste à choisir un sac au hasard et à en tirer une bille. Il faut tenir compte des x billes vertes ajoutées.

E Quelle est la probabilité que Kyara tire une bille rouge ? Exprime ta réponse sous la forme d'une seule expression rationnelle.

F Comment additionne-t-on des expressions rationnelles lorsqu'elles n'ont pas le même dénominateur ?

Kyara effectue une dernière expérience aléatoire qui consiste à choisir un sac au hasard et à en tirer deux billes, l'une après l'autre, sans remise. Elle s'intéresse à l'événement B = {Tirer deux billes rouges}. Cette probabilité peut s'exprimer de la façon suivante.

$$P(B) = \frac{1}{3}\left(\frac{2}{(x+6)} \cdot \frac{1}{(x+5)} + \frac{3}{(x+6)} \cdot \frac{2}{(x+5)} + \frac{4}{(x+7)} \cdot \frac{3}{(x+6)}\right)$$

G Quel est le plus petit dénominateur commun à tous ces termes ?

H Exprime cette probabilité sous la forme d'une seule expression rationnelle.

I Explique pourquoi les restrictions qui s'appliquent habituellement aux variables d'une expression rationnelle ne sont pas nécessaires dans ce contexte.

Ai-je bien compris ?

1. Quel est le plus petit dénominateur commun aux expressions rationnelles formant les sommes suivantes ?

a) $\frac{3}{x+3} + \frac{2x}{x^2-9}$ b) $\frac{1}{x+1} - \frac{4}{3x+3} + \frac{x}{x^2-4x-5}$ c) $\frac{3}{x-4} + \frac{2x}{x^2-8x+16}$

2. Pose les restrictions, puis exprime le résultat des opérations suivantes sous la forme d'une seule expression rationnelle irréductible.

a) $\frac{1}{2x^2} + \frac{3}{3x} - \frac{2}{x^3}$

b) $\frac{6}{2n-1} - \frac{3}{6n^2-5n+1}$

c) $\frac{3x}{x-5} + \frac{2x}{x^2-4x-5}$

d) $\frac{4m}{m^2-9m+18} + \frac{2m}{m^2-6m+9}$

ACTIVITÉ
D'EXPLORATION 3

Multiplication et division d'expressions rationnelles

Zéro dessus, zéro dessous?

Soit les quatre expressions rationnelles suivantes.

$A = \dfrac{x^2 + 6x + 5}{x + 4}$ $B = \dfrac{x + 1}{x^2 + 9x + 20}$ $C = \dfrac{1}{x^2 + 5x + 4}$ $D = \dfrac{x + 5}{2x + 3}$

A Pose les restrictions qui s'appliquent à x dans chacune de ces expressions rationnelles.

B Effectue les multiplications suivantes.

1) $A \cdot B$ **2)** $B \cdot C$

C Exprime les produits de **B** sous une forme simplifiée. Pose ensuite les restrictions qui s'appliquent à la variable x.

D Pourquoi est-il nécessaire de poser les restrictions qui s'appliquent à la variable pour chacune des expressions rationnelles avant d'effectuer les opérations sur celles-ci?

Soit le quotient $\dfrac{A}{D} = \dfrac{\dfrac{x^2 + 6x + 5}{x + 4}}{\dfrac{x + 5}{2x + 3}}$

E Quelles sont les trois restrictions qui s'appliquent à la variable dans ce quotient?

F Exprime ce quotient sous la forme d'un produit de deux expressions rationnelles. Effectue ensuite l'opération et simplifie ta réponse.

G Soit l'affirmation suivante.

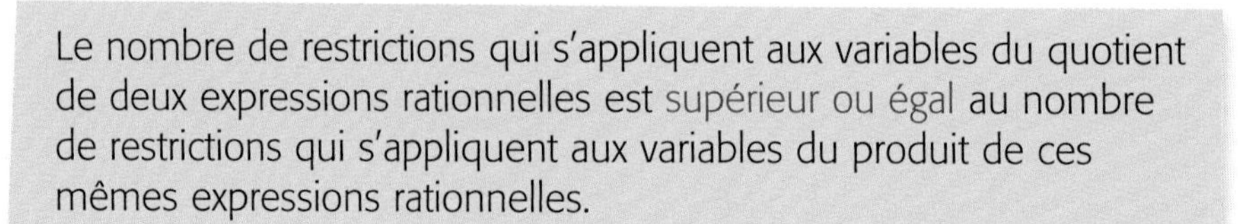

Le nombre de restrictions qui s'appliquent aux variables du quotient de deux expressions rationnelles est supérieur ou égal au nombre de restrictions qui s'appliquent aux variables du produit de ces mêmes expressions rationnelles.

Explique l'expression «supérieur ou égal» utilisée dans l'affirmation ci-dessus.

Ai-je bien compris?

Pose les restrictions, puis exprime le résultat des opérations sous une forme simplifiée.

a) $\dfrac{x^2 + 4x + 3}{2x^2 - 18} \cdot \dfrac{2x}{x + 1}$

b) $\dfrac{x^2 - 25}{x^2 - 16} \div \dfrac{2x - 10}{4x + 16}$

c) $\dfrac{2x^2 - 5x - 3}{x^2 + 3x - 18} \cdot \dfrac{x + 5}{2x^2 + 11x + 5}$

d) $\dfrac{x^2 - 3x - 4}{x^2 + 5x} \div \dfrac{x^2 - 7x + 12}{x^2 + 10x + 25}$

La simplification d'expressions rationnelles

Une expression rationnelle est une expression algébrique exprimée sous la forme d'un rapport de polynômes.

Exemple :

$\frac{3x+4}{2x-1}$, $\frac{1}{2x^2+4x}$ et $5x^3$ sont des expressions rationnelles.

$\frac{3x+4}{2\sqrt{x}-1}$ n'est pas une expression rationnelle.

Simplifier une expression rationnelle, c'est rechercher des facteurs communs au numérateur et au dénominateur afin de la rendre irréductible, comme on le fait avec des fractions. Pour ce faire, il faut exprimer le numérateur et le dénominateur sous la forme d'un produit de facteurs.

Puisqu'il est impossible de diviser par 0, une expression rationnelle n'est pas définie lorsque son dénominateur vaut 0. Il faut poser les restrictions, c'est-à-dire préciser les valeurs qui annulent le dénominateur et pour lesquelles l'expression rationnelle n'a donc pas de valeur. Les restrictions doivent être posées **avant** de simplifier l'expression rationnelle.

Pièges et astuces

Lorsque l'expression rationnelle représente une quantité, le contexte impose parfois davantage de restrictions. Par exemple, dans un contexte de mesure, on s'intéressera seulement aux valeurs positives de l'expression rationnelle.

Exemple :

La simplification de fractions		
Fraction	Factorisation	Fraction irréductible
$\frac{42}{54}$	$\frac{2 \cdot 3 \cdot 7}{2 \cdot 3 \cdot 3 \cdot 3}$	$\frac{\cancel{2} \cdot \cancel{3} \cdot 7}{\cancel{2} \cdot \cancel{3} \cdot 3 \cdot 3} = \frac{7}{9}$

La simplification d'expressions rationnelles			
Expression rationnelle	Factorisation	Restrictions	Expression rationnelle irréductible
$\frac{x^3+4x^2+5x}{x-1}$	$\frac{x(x^2+4x+5)}{x-1} = \frac{x(x+5)(x+1)}{x-1}$	$x - 1 \neq 0$ si $x \neq 1$	L'expression rationnelle ne se simplifie pas. $\frac{x(x+5)(x+1)}{x-1}$ ou $\frac{x(x^2+4x+5)}{x-1}$
$\frac{(3x+4)(5x-20)}{4x(x-4)}$	$\frac{5(3x+4)(x-4)}{4x(x-4)}$	$4x(x-4) \neq 0$ si $x \neq 0$, $x \neq 4$*	$\frac{5(3x+4)\cancel{(x-4)}}{4x\cancel{(x-4)}} = \frac{5(3x+4)}{4x}$ ou $\frac{15x+20}{4x}$

* La restriction $x \neq 4$ demeure malgré le fait que cette valeur n'annule pas le dénominateur de l'expression rationnelle irréductible.

Les opérations sur les expressions rationnelles

Il existe un lien étroit entre «effectuer des opérations sur les fractions» et «effectuer des opérations sur les expressions rationnelles».

La multiplication		
Étape / *Exemple*	Fractions	Expressions rationnelles
	$\frac{21}{20} \cdot \frac{8}{3}$	$\frac{x^2 - 4x - 21}{2x^2 + 7x + 3} \cdot \frac{x + 1}{2x - 14}$
1. Décomposer en facteurs.	$\frac{3 \cdot 7}{2 \cdot 2 \cdot 5} \cdot \frac{2 \cdot 2 \cdot 2}{3}$	$\frac{(x + 3)(x - 7)}{(2x + 1)(x + 3)} \cdot \frac{x + 1}{2(x - 7)}$
2. Poser les restrictions*.		si $x \neq {}^{-}3$, $x \neq {}^{-}\frac{1}{2}$, $x \neq 7$
3. Simplifier les facteurs communs.	$\frac{\cancel{3} \cdot 7 \cdot \cancel{2} \cdot \cancel{2} \cdot 2}{\cancel{2} \cdot \cancel{2} \cdot 5 \cdot \cancel{3}} = \frac{14}{5}$	$\frac{\cancel{(x + 3)}\cancel{(x - 7)}(x + 1)}{2(2x + 1)\cancel{(x + 3)}\cancel{(x - 7)}} = \frac{x + 1}{4x + 2}$

* Les restrictions qui s'appliquent à la variable correspondent à toutes les valeurs pour lesquelles les polynômes ombrés sont égaux à zéro.

La division		
Étape / *Exemple*	Fractions	Expressions rationnelles
	$\frac{21}{20} \div \frac{9}{10}$	$\frac{x^2 - 4x - 21}{2x^2 + 7x + 3} \div \frac{2x - 8}{2x + 1}$
1. Décomposer en facteurs.	$\frac{3 \cdot 7}{2 \cdot 2 \cdot 5} \div \frac{3 \cdot 3}{2 \cdot 5}$	$\frac{(x + 3)(x - 7)}{(2x + 1)(x + 3)} \div \frac{2(x - 4)}{2x + 1}$
2. Poser les restrictions*.		si $x \neq {}^{-}3$, $x \neq {}^{-}\frac{1}{2}$, $x \neq 4$
3. Multiplier par l'inverse multiplicatif du diviseur.	$\frac{3 \cdot 7}{2 \cdot 2 \cdot 5} \cdot \frac{2 \cdot 5}{3 \cdot 3}$	$\frac{(x + 3)(x - 7)}{(2x + 1)(x + 3)} \cdot \frac{2x + 1}{2(x - 4)}$
4. Simplifier les facteurs communs.	$\frac{\cancel{3} \cdot 7 \cdot \cancel{2} \cdot \cancel{5}}{2 \cdot \cancel{2} \cdot \cancel{5} \cdot \cancel{3} \cdot 3} = \frac{7}{6}$	$\frac{\cancel{(x + 3)}(x - 7)\cancel{(2x + 1)}}{2\cancel{(2x + 1)}\cancel{(x + 3)}(x + 4)} = \frac{x - 7}{2x + 8}$

* Les restrictions qui s'appliquent à la variable correspondent à toutes les valeurs pour lesquelles les polynômes ombrés sont égaux à zéro. Il faut aussi prendre en compte les valeurs qui annulent le numérateur du diviseur.

L'addition et la soustraction		
Exemple / Étape	Fractions	Expressions rationnelles
	$\frac{21}{20} + \frac{7}{10} - \frac{5}{8}$	$\frac{x + 1}{x^2 + 8x + 12} + \frac{3}{2x + 4} - \frac{1}{3}$
1. Décomposer les dénominateurs en facteurs.	$\frac{21}{2 \cdot 2 \cdot 5} + \frac{7}{2 \cdot 5} - \frac{5}{2 \cdot 2 \cdot 2}$	$\frac{x + 1}{(x + 2)(x + 6)} + \frac{3}{2(x + 2)} - \frac{1}{3}$
2. Trouver le plus petit dénominateur commun.	$2 \cdot 2 \cdot 2 \cdot 5 = 40$	$6(x + 2)(x + 6)$
3. Poser les restrictions*.		si $x \neq {}^-2$ et $x \neq {}^-6$
4. Exprimer chaque fraction sur ce dénominateur.	$\frac{42}{40} + \frac{28}{40} - \frac{25}{40}$	$\frac{6(x + 1)}{6(x + 2)(x + 6)} + \frac{3 \cdot 3(x + 6)}{6(x + 2)(x + 6)} - \frac{2(x + 2)(x + 6)}{6(x + 2)(x + 6)}$
5. Effectuer les opérations sur les numérateurs.	$\frac{45}{40}$	$\frac{(6x + 6) + (9x + 54) - (2x^2 + 16x + 24)}{6(x + 2)(x + 6)} = \frac{{}^-2x^2 - x + 36}{6(x + 2)(x + 6)}$
6. Factoriser à nouveau le numérateur afin de simplifier, s'il y a lieu, les facteurs communs.	$\frac{9}{8}$	$\frac{({}^-2x - 9)(x - 4)}{6(x + 2)(x + 6)}$

* Les restrictions qui s'appliquent à la variable correspondent à toutes les valeurs pour lesquelles les polynômes ombrés sont égaux à zéro.

Point de repère

La division par zéro

Au cours de l'histoire, plusieurs mathématiciens ont tenté d'élucider la question de la division par zéro. Au VIIe siècle, Brahmagupta, un mathématicien indien connu entre autres pour son travail sur le développement décimal de π, statua qu'un nombre divisé par zéro donne une fraction ayant un dénominateur qui est égal à zéro. Près de deux cents ans plus tard, le mathématicien Mahavira conclut, quant à lui, qu'un nombre divisé par zéro donne zéro. Toujours en Inde, mais cette fois-ci au XIIe siècle, Bhaskara a défini qu'un nombre divisé par zéro est égal à l'infini, représenté par Dieu. La solution donnée par Bhaskara convient dans certains cas, mais le problème de la division par zéro est considéré comme paradoxal. Bref, on ne divise pas par zéro!

Mise en pratique

1. Détermine lesquelles des expressions algébriques suivantes ne sont pas des expressions rationnelles.

① $\frac{1}{x}$ ③ $\frac{8x+2y}{5z}$ ⑤ $\frac{\sqrt{x-3}}{x}$ ⑦ 8

② $\frac{5x^{\frac{1}{3}}-4}{2x^{\frac{1}{3}}+1}$ ④ $\frac{\sqrt{20}}{9x^2-1}$ ⑥ $4x^{-2}$ ⑧ $\frac{5x^3}{10x^3}$

Dans la manipulation d'expressions rationnelles, il faut toujours poser, s'il y a lieu, les restrictions qui s'appliquent aux variables.

2. Simplifie les expressions rationnelles suivantes.

a) $\frac{6t-36}{t-6}$ e) $\frac{8x^2+4x}{6x^2+3x}$ i) $\frac{4x^2y+8xy}{6x^2-6x}$

b) $\frac{4x+40}{5x+50}$ f) $\frac{2x^2-2x}{2x^2+2x}$ j) $\frac{5xy+10x}{2y^2+4y}$

c) $\frac{x^2+4x+4}{x^2+5x+6}$ g) $\frac{x^2-10x+24}{x^2-12x+36}$ k) $\frac{4x^2-9}{4x^2+12x+9}$

d) $\frac{y^2-8y+15}{y^2-25}$ h) $\frac{2t^2-t-1}{t^2-3t+2}$ l) $\frac{3z^2-7z+2}{9z^2-6z+1}$

3. Écris une expression rationnelle dont les restrictions qui s'appliquent à la variable sont :

a) $x \neq 1$ b) $y \neq 0$ et $y \neq {}^-3$ c) $t \neq \frac{1}{2}$ et $t \neq \frac{3}{4}$ d) $v \neq \sqrt{3}$ et $v \neq {}^-\sqrt{3}$

4. Écris une expression rationnelle qui n'a pas de restrictions.

5. Exprime le résultat des opérations suivantes sous la forme d'une expression rationnelle irréductible.

a) $\frac{4x+4}{3x-3} \cdot \frac{6x-6}{5x+5}$ e) $\frac{y^2+7y+12}{y^2+4y+4} \cdot \frac{y^2-y-6}{y^2-9}$

b) $\frac{7y^2}{y^2-9} \cdot \frac{4y+12}{14y^3}$ f) $\frac{2x^2-5x-3}{2x^2-11x+15} \cdot \frac{4x^2-8x-5}{4x^2+4x+1}$

c) $\frac{3y+6}{9y^2} \div \frac{y+2}{{}^-3y}$ g) $\frac{12y^2-19y+5}{4y^2-9} \cdot \frac{2y-3}{3y-1}$

d) $\frac{2x^2-8}{6x+3} \div \frac{6x-12}{18x+9}$ h) $\frac{y^2-3y-4}{y^2+5y} \div \frac{y^2-7y+12}{y^2+2y-15}$

Pièges et astuces

Pour déterminer l'opération à effectuer, on peut remplacer les expressions algébriques par des nombres.

6. L'arête d'un cube mesure $x + 1$ unités. Détermine l'expression rationnelle qui représente le rapport entre le volume et l'aire totale du cube. Simplifie ensuite cette expression rationnelle.

7. Exprime le résultat des opérations suivantes sous la forme d'une expression rationnelle irréductible.

a) $\frac{2}{x+1}+\frac{3}{x+2}$

b) $\frac{3}{x}+\frac{5}{x-1}$

c) $\frac{2x}{x-2}-\frac{3x}{x+2}$

d) $\frac{y}{3y+15}-\frac{1}{6y-24}$

e) $\frac{y+1}{y-1}+\frac{2}{y^2-5y+4}$

f) $\frac{x-2}{x^2+4x+3}-\frac{2x+1}{x+3}$

g) $\frac{y+4}{y^2-y-12}-\frac{y}{y^2-5y+4}$

h) $\frac{3y-4}{y^2+5y+4}+\frac{2y-3}{y^2+2y-8}$

i) $\frac{10}{x-5}+4$

j) $\frac{7}{2(x+3)}-\frac{5}{2}$

8. Le trapèze isocèle ci-contre est formé d'un carré et de deux triangles rectangles. Les mesures indiquées sur la figure sont en centimètres. Détermine l'expression rationnelle qui représente le rapport des aires du carré et du trapèze à l'aide d'une expression rationnelle irréductible.

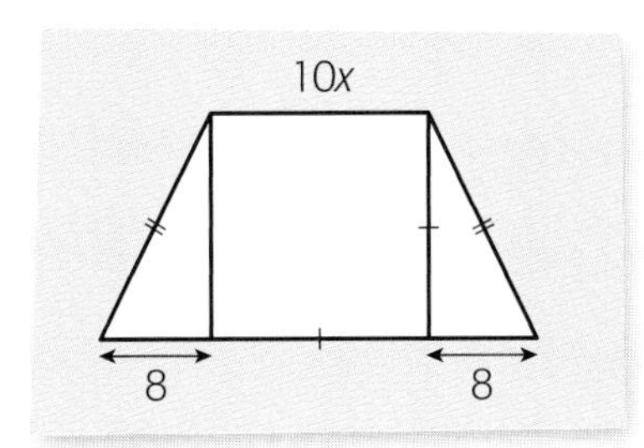

9. Soit les deux triangles ci-dessous.

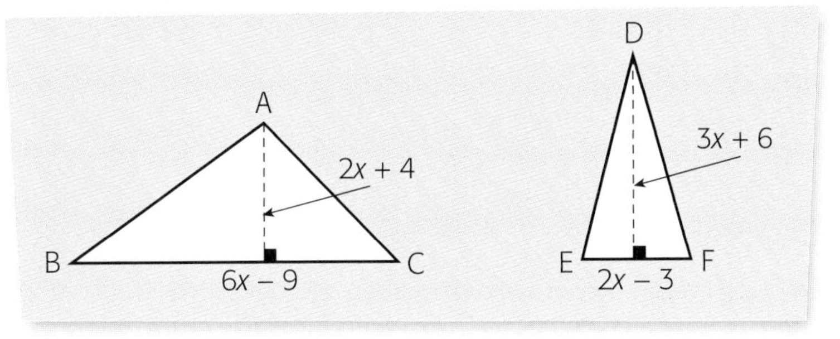

a) Selon le contexte, quelles sont les valeurs possibles de la variable x?

b) Détermine le rapport des aires du triangle **ABC** et du triangle **DEF** à l'aide d'une expression rationnelle irréductible.

10. Au soccer, la surface de but se trouve à l'intérieur de la surface de réparation et elle en fait partie. Le schéma ci-contre représente les dimensions de la surface de but et de la surface de réparation.

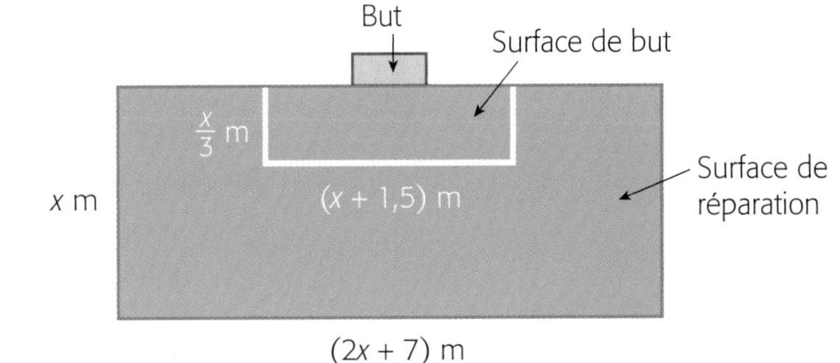

a) Quel est le rapport des aires de la surface de réparation et de la surface de but?

b) Sur un terrain de soccer professionnel, le rapport des aires de la surface de réparation et de la surface de but est de $\frac{20}{3}$. Quelles sont les dimensions de la surface de réparation?

11. Une piscine creusée rectangulaire a 5 m de plus sur la longueur que sur la largeur. La piscine est ceinturée d'un trottoir de 3 m de largeur. Quelle expression rationnelle représente le rapport des aires du trottoir et de la piscine?

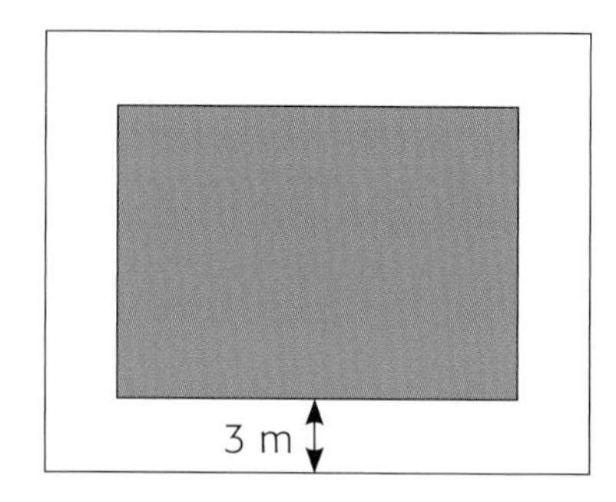

12. Soit la division $\frac{10x + 25}{8x} \div \frac{15x - 30}{4x}$.

Pour effectuer cette division, Abbie procède ainsi:

Si $x \neq 0$, $x \neq 2$

$$\frac{5(2x + 5)}{2(4x)} \div \frac{15(x - 2)}{4x}$$

$$= \frac{\frac{2x + 5}{2}}{3(x - 2)}$$

$$= \frac{2x + 5}{6(x - 2)}$$

Explique pourquoi cette façon de procéder est valable et dans quel cas elle s'avère efficace.

13. Un guépard aperçoit un zèbre qui broute à 200 m de lui. Sur une courte distance, la vitesse du guépard dépasse celle du zèbre de 12 m/s. Les deux animaux amorcent leur course au même moment et le guépard rejoint le zèbre après avoir parcouru 500 m. À quelle vitesse, en km/h, le guépard et le zèbre courent-ils?

Point de repère

Stéphane Durand

Stéphane Durand est un physicien québécois connu pour avoir fourni des réponses mathématiques à des questions d'ordre scientifique au cours de l'année internationale des mathématiques, en 2000. Ainsi, il a expliqué mathématiquement pourquoi certains animaux sont rayés alors que d'autres sont tachetés. Il a montré qu'à l'origine il y a un seul motif et que, obéissant à une équation, celui-ci se transforme peu à peu selon la valeur de certaines variables, notamment les variables de la forme et de la taille du corps de l'animal et la variable du moment où le motif se définit dans l'embryon. Suivant son modèle, il est possible qu'un animal tacheté ait la queue rayée, mais impossible qu'un animal rayé ait la queue tachetée.

La résolution d'équations du second degré

Section 4

Le juste prix

Marianne travaille pour une maison d'édition qui vend des livres en ligne. Son mandat actuel est de déterminer le prix de vente du troisième tome d'une trilogie en tenant compte du modèle des ventes des premier et deuxième tomes. La maison d'édition a vendu 5 000 exemplaires en ligne du premier tome au prix de 30 $. Lorsque le deuxième tome est paru, la maison d'édition a réduit son prix de vente. Une analyse financière des revenus engendrés par la vente du deuxième tome a permis de constater que chaque réduction de 1,50 $ du prix de vente permettait de vendre 500 exemplaires additionnels.
La maison d'édition souhaite que les ventes du troisième tome rapportent au moins 18 000 $ de plus que les ventes du premier tome de la trilogie.

Propose un prix de vente qui permettrait à Marianne d'atteindre l'objectif de la maison d'édition. Détermine aussi un modèle algébrique qui traduit la relation entre le montant des ventes et le nombre de réductions du prix de vente afin que Marianne puisse s'en servir pour les parutions à venir.

Médias

«Parlez-en en bien, parlez-en en mal, mais parlez-en» est un dicton bien connu. Bien que tous les ouvrages publiés n'aient pas la chance d'avoir une bonne visibilité dans les chroniques littéraires, certains, plus attendus, se trouvent rapidement publicisés par les médias. C'est notamment le cas de la suite d'une saga dont le premier tome a connu un vif succès.

Selon toi, quel est l'effet d'une critique unanimement positive à l'égard du troisième tome d'une trilogie sur les ventes de la collection? Quelle importance accordes-tu aux critiques de livres que tu trouves dans les médias? Quelle importance accordes-tu aux critiques de livres formulées par des gens de ton entourage?

ACTIVITÉ
D'EXPLORATION 1

Un habitat, plusieurs solutions

Résolution d'équations quadratiques par factorisation

Caroline est biologiste. Un zoo lui a confié le mandat de réaménager l'espace occupé par certaines espèces animales. À son arrivée au zoo, les travaux ont déjà commencé. Le responsable du zoo informe Caroline que l'ancien habitat des lynx du Canada, qui était de forme carrée, a été agrandi. Ainsi, on a augmenté un côté de 30 m et l'autre de 50 m afin d'obtenir une nouvelle superficie de 3 500 m^2. Caroline s'interroge sur les dimensions et la superficie de l'ancien habitat.

Voici le modèle algébrique que Caroline établit pour les déterminer. Elle désigne par x la mesure du côté qu'elle cherche.

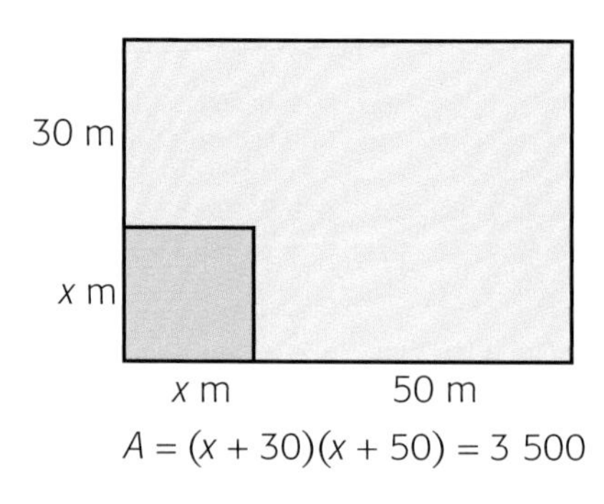

$A = (x + 30)(x + 50) = 3\,500$

A Quel est le degré de l'équation traduisant la superficie du nouvel habitat?

Voici trois équations qui sont équivalentes entre elles.

① $(x + 10)(x - 20) = 5\,400$

② $x^2 - 10x - 5\,600 = 0$

③ $(x + 70)(x - 80) = 0$

B Explique le passage de l'équation ① à l'équation ② et le passage de l'équation ② à l'équation ③.

C Quelle équation permet de trouver les solutions plus facilement?

Produit nul
Équation dont l'un des membres est un produit de facteurs et dont l'autre membre est 0.

Caroline transforme l'équation $(x + 30)(x + 50) = 3\,500$ en un **produit nul**.

D Quelle équation obtient-elle?

E Deux valeurs de x vérifient l'équation trouvée en **D**. Lesquelles?

F Explique pourquoi, dans ce contexte, il faut rejeter l'une des valeurs de x.

G Indique les dimensions et la superficie de l'ancien habitat des lynx.

H Factorise les polynômes et détermine les solutions des équations suivantes.

1) $x^2 - 16x + 15 = 0$ **2)** $4x^2 - 26x = 0$ **3)** $9x^2 + 6x + 1 = 0$

I Est-il toujours possible de transformer une équation du second degré en un produit nul? Justifie ta réponse.

Caroline doit établir les dimensions d'un habitat rectangulaire de 10 000 m^2 pour les grizzlys. Un des côtés de l'habitat est déjà clôturé. Le zoo dispose de 300 m de clôture pour les trois autres côtés.

x m

J Si x représente la mesure, en mètres, de la largeur du rectangle, quelle expression algébrique représente la mesure de sa longueur?

K Détermine toutes les dimensions numériques possibles de l'habitat des grizzlys.

L Si l'aire de l'habitat était de 11 000 m^2, aurais-tu pu résoudre l'équation de la même façon?

Ai-je bien compris?

1. Résous les équations suivantes.

a) $(2x - 1)(x + 4) = 0$ c) $x^2 - 14x + 24 = 0$ e) $3x^2 - 11x = 20$

b) $x^2 - 30x = 0$ d) $25x^2 - 20x + 4 = 0$ f) $(x + 7)(2x + 1) = 57$

2. Le bassin des ours polaires est rectangulaire et a une aire de 480 m^2. Si la longueur du bassin a 16 m de plus que le double de sa largeur, quelles peuvent être les dimensions numériques du bassin?

ACTIVITÉ
D'EXPLORATION **2**

À bout de toute équation

Résolution d'équations quadratiques par complétion du carré

Soit les équations suivantes.

① $x^2 = 9$ ② $x^2 = \frac{1}{16}$ ③ $3x^2 = 75$ ④ $2x^2 - 32 = 0$

⑤ $(x + 3)^2 = 9$ ⑥ $(x + 3)^2 = \frac{1}{16}$ ⑦ $3(x + 3)^2 = 75$ ⑧ $2(x + 3)^2 - 32 = 0$

Si $k \in \mathbb{R}_+$, alors l'équation $x^2 = k$ présente deux solutions : $x = \sqrt{k}$ et $x = -\sqrt{k}$.
On exprime ces deux solutions ainsi : $x = \pm\sqrt{k}$

A Résous les équations ① à ④.

B Combien de solutions chaque équation résolue en **A** possède-t-elle? Explique ta réponse.

C Explique en quoi les équations ⑤ à ⑧ ressemblent aux équations ① à ④.

D Résous les équations ⑤ à ⑧.

E Isole x dans l'équation $u(x + v)^2 - w = 0$, où u, v et w $\in \mathbb{R}$.

Équation quadratique
Équation du second degré de la forme $ax^2 + bx + c = 0$, où a, b et c $\in \mathbb{R}$ et $a \neq 0$.

Voici deux conjectures et trois **équations quadratiques**.

Conjecture A

Toute équation quadratique peut être transformée en $u(x + v)^2 - w = 0$, où u, v et w $\in \mathbb{R}$.

Conjecture B

Toute équation quadratique peut être transformée en un produit nul. $(rx + s)(tx + u) = 0$, où r, s, t et u $\in \mathbb{R}$.

⑨ $x^2 + 6x + 11 = 0$

⑩ $3x^2 + 7x + 4 = 0$

⑪ $2x^2 - 4x + 10 = 0$

F À l'aide de chacune des équations ci-dessus, vérifie les deux conjectures. Arrives-tu aux mêmes conclusions que les autres élèves de la classe?

G Résous les équations quadratiques ⑨ à ⑪.

H La démarche algébrique suivante est basée sur la complétion du carré. Elle permet de résoudre une équation quadratique. Reproduis le tableau et complète la description des étapes à suivre pour résoudre $ax^2 + bx + c = 0$.

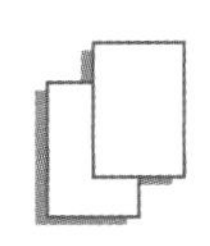

Étape	Démarche algébrique
1.	$a\left(x^2 + \frac{bx}{a} + \frac{c}{a}\right) = 0$
2. Compléter le carré avec $\left(\frac{b}{2a}\right)^2$ afin d'obtenir un trinôme carré parfait.	$a\left(x^2 + \frac{bx}{a} + \left(\frac{b}{2a}\right)^2 - \left(\frac{b}{2a}\right)^2 + \frac{c}{a}\right) = 0$
3. Factoriser le trinôme carré parfait.	$a\left(\left(x + \frac{b}{2a}\right)^2 - \frac{b^2}{4a^2} + \frac{c}{a}\right) = 0$
4.	$a\left(\left(x + \frac{b}{2a}\right)^2 + \frac{^-b^2 + 4ac}{4a^2}\right) = 0$
5. Diviser par a chaque membre de l'équation.	$\left(x + \frac{b}{2a}\right)^2 + \frac{^-b^2 + 4ac}{4a^2} = 0$
6.	$\left(x + \frac{b}{2a}\right)^2 = \frac{b^2 - 4ac}{4a^2}$
7. Extraire la racine carrée de chaque membre de l'équation sans oublier le ±.	$x + \frac{b}{2a} = \pm\sqrt{\frac{b^2 - 4ac}{4a^2}}$
8. Extraire la racine carrée du numérateur et du dénominateur car la racine d'un quotient équivaut au quotient des racines carrées.	$x + \frac{b}{2a} = \frac{\pm\sqrt{b^2 - 4ac}}{\sqrt{4a^2}}$
9.	$x = -\frac{b}{2a} \pm \frac{\sqrt{b^2 - 4ac}}{2a}$
10. Additionner les expressions pour obtenir les solutions de l'équation.	$x = \frac{^-b \pm \sqrt{b^2 - 4ac}}{2a}$

I Utilise la formule $x = \frac{^-b \pm \sqrt{b^2 - 4ac}}{2a}$ pour vérifier les solutions trouvées en **G**.

J Émets une conjecture sur l'influence de la valeur du **discriminant** sur le nombre de solutions que possède une équation quadratique.

Discriminant (d'une équation quadratique)
Expression notée Δ et qui se lit «delta».
$\Delta = b^2 - 4ac$
On la retrouve sous le radical dans la formule
$x = \frac{^-b \pm \sqrt{\Delta}}{2a}$

Ai-je bien compris?

1. Résous les équations suivantes.
   a) $3x^2 - 14 = 0$ b) $5(x - 4)^2 - 30 = 0$ c) $\frac{x^2}{2} + 6x - 2 = 0$

2. Calcule la valeur du discriminant des équations quadratiques suivantes. Détermine ensuite le nombre de solutions que possède chacune des équations quadratiques.
   a) $x^2 - x + 1 = 0$ b) $2x^2 - 3x + 4 = 0$ c) $9x^2 - 30x + 25 = 0$

Résoudre une équation du second degré à une variable consiste à trouver la ou les valeurs de la variable qui vérifient cette équation. Ces valeurs sont appelées «les solutions» ou «les racines» de l'équation. Une équation du second degré peut posséder une ou deux solutions réelles, ou n'en posséder aucune.

Afin de trouver les solutions, on peut transformer l'équation en une équation quadratique, c'est-à-dire sous la forme $ax^2 + bx + c = 0$, où a, b, et $c \in \mathbb{R}$ et $a \neq 0$, puis utiliser l'une des façons de procéder suivantes.

Pièges et astuces

Même si la résolution de l'équation donne deux solutions, il se peut que l'une d'elles soit rejetée selon le contexte.

La résolution d'équations quadratiques

Par factorisation

Soit $ax^2 + bx + c = 0$. Si le polynôme $ax^2 + bx + c$ se factorise, on peut transformer l'équation en un produit nul. Les solutions de l'équation sont les valeurs de x qui annulent les facteurs du polynôme.

Exemple :

Résoudre l'équation $4x^2 - 7x + 1 = 3$.

Étape	Démarche algébrique	
1. Transformer en une équation de la forme $ax^2 + bx + c = 0$.	$4x^2 - 7x - 2 = 0$	
2. Factoriser le polynôme.	$(4x + 1)(x - 2) = 0$	
3. Déterminer les valeurs pour lesquelles le produit est nul, c'est-à-dire les valeurs pour lesquelles l'un ou l'autre des facteurs est égal à 0.	$4x + 1 = 0$ $x = \frac{^-1}{4}$	$x - 2 = 0$ $x = 2$
4. Vérifier les solutions dans l'équation initiale.	Si $x = \frac{^-1}{4}$, alors $4\left(\frac{^-1}{4}\right)^2 - 7\left(\frac{^-1}{4}\right) + 1 = 3.$ $\frac{1}{4} + \frac{7}{4} + 1 = 3$	Si $x = 2$, alors $4(2)^2 - 7(2) + 1 = 3.$ $16 - 14 + 1 = 3$
5. Déterminer l'ensemble-solution.	$x \in \left\{\frac{^-1}{4}, 2\right\}$	

Par complétion du carré

La complétion du carré permet d'obtenir une formule pour trouver les solutions d'une équation quadratique.

Pour $ax^2 + bx + c = 0$, les solutions sont $x = \frac{^-b \pm \sqrt{b^2 - 4ac}}{2a}$.

L'expression $b^2 - 4ac$, qui se trouve sous le radical, se nomme le discriminant. Il est noté Δ et se lit « delta ». Sa valeur permet de déterminer le nombre de solutions d'une équation quadratique.

$\Delta > 0$	$\Delta = 0$	$\Delta < 0$
L'équation a deux solutions réelles.	L'équation a une solution réelle.	L'équation n'a pas de solution réelle.

Exemple : Résoudre l'équation $3x^2 - 4x - 6 = 0$.

1) La résolution complète

Étape	Démarche algébrique
1. Mettre a en évidence.	$3\left(x^2 - \frac{4x}{3} - 2\right) = 0$
2. Compléter le carré afin d'obtenir un trinôme carré parfait.	$3\left(x^2 - \frac{4x}{3} + \frac{4}{9} - \frac{4}{9} - 2\right) = 0$
3. Factoriser le trinôme carré parfait.	$3\left(\left(x - \frac{2}{3}\right)^2 - \frac{4}{9} - 2\right) = 0$
4. Additionner les termes constants.	$3\left(\left(x - \frac{2}{3}\right)^2 - \frac{22}{9}\right) = 0$
5. Diviser par a les deux membres de l'équation.	$\left(x - \frac{2}{3}\right)^2 - \frac{22}{9} = 0$
6. Isoler le carré du binôme.	$\left(x - \frac{2}{3}\right)^2 = \frac{22}{9}$
7. Extraire la racine carrée de chaque membre de l'équation.	$x - \frac{2}{3} = \pm\sqrt{\frac{22}{9}}$
8. Isoler x afin d'obtenir les solutions.	$x = \frac{2}{3} + \sqrt{\frac{22}{9}}$ ou $x = \frac{2}{3} - \sqrt{\frac{22}{9}}$ $x = \frac{2 + \sqrt{22}}{3}$ ou $x = \frac{2 - \sqrt{22}}{3}$ $x \approx 2{,}230$ ou $x \approx {}^-0{,}897$
9. Déterminer l'ensemble-solution.	$x \in \left\{\frac{2 - \sqrt{22}}{3}, \frac{2 + \sqrt{22}}{3}\right\}$

2) La résolution à l'aide de la formule permettant de trouver les racines d'une équation quadratique

En substituant les valeurs de $a = 3$, $b = {}^-4$ et $c = {}^-6$ dans la formule, on obtient :

$x = \frac{{}^-({}^-4) \pm \sqrt{({}^-4)^2 - 4(3)({}^-6)}}{2 \cdot 3}$	$x = \frac{4 \pm \sqrt{16 + 72}}{6}$	$x = \frac{4 + \sqrt{88}}{6}$ ou $x = \frac{4 - \sqrt{88}}{6}$	$x \approx 2{,}230$ ou $x \approx {}^-0{,}897$

Mise en pratique

1. Associe les équations suivantes à leur ensemble-solution.

a) $(x + 1)(x + 2) = 0$
b) $x(x + 1) = 0$
c) $2x - x^2 = 0$
d) $(2 - x)(x + 1) = 0$
e) $(x - 1)(x - 1) = 0$
f) $(^{-}x + 1)(^{-}x + 2) = 0$

① $\{^{-}2, ^{-}1\}$
② $\{1, 2\}$
③ $\{^{-}1, 0\}$
④ $\{1\}$
⑤ $\{^{-}1, 2\}$
⑥ $\{0, 2\}$

2. Résous les équations suivantes en procédant par factorisation. Vérifie ensuite tes solutions.

a) $n^2 + 7n + 12 = 0$
b) $x^2 - x - 6 = 0$
c) $0 = 4m^2 - 4m - 3$
d) $m^2 - 7m = 18$
e) $10y^2 - 16y = ^{-}6$
f) $4x^2 - 3 = 11x$
g) $9z^2 = ^{-}24z - 16$
h) $3p^2 = 15 - 4p$
i) $4r^2 + 9 = 12r$
j) $3t^2 + 13t = 10$
k) $^{-}4y^2 - 17y = 4$
l) $y - 2 = ^{-}6y^2$
m) $5z^2 + 44z = 60$
n) $^{-}2x^2 = 18 + 12x$

3. Résous les équations suivantes en procédant par complétion du carré.

a) $x^2 + 6x + 4 = 0$
b) $t^2 + 8t - 7 = 0$
c) $d^2 = 7d - 9$
d) $x - 3 = ^{-}x^2$
e) $w^2 - 4w - 11 = 0$
f) $4 + y^2 = 20y$
g) $6n^2 = n + 5$
h) $2m^2 + 9m = 5$
i) $3x^2 = 4x + 15$
j) $4x + 5 = 2x^2 - 6$

4. Trouve les racines des équations suivantes.

a) $(x + 3)^2 = 9$
b) $(x - 1)^2 = 4$
c) $4 = \left(x + \frac{1}{2}\right)^2$
d) $(x - 10)^2 - 1 = 0$
e) $(y - 4)^2 - 25 = 0$
f) $\left(x - \frac{1}{3}\right)^2 = \frac{1}{9}$

5. Calcule la valeur du discriminant des équations suivantes. Détermine ensuite le nombre de solutions que possède chacune des équations.

a) $4x^2 - 12x + 5 = 0$
b) $2m^2 = m - 15$
c) $2z^2 + 3 = 5z$
d) $25x^2 - 20x + 4 = 0$
e) $3y^2 + 5y = {}^-28$

6. Résous les équations suivantes.

a) $3x^2 - 14x + 15 = 0$
b) $z^2 + 5z + 8 = 0$
c) $2(x + 1)^2 - 6 = 8$
d) $\frac{2}{x} = \frac{x + 1}{3}$
e) $n^2 - 3n + 3 = 0$
f) ${}^-y^2 + 3y - 9 = 0$
g) $3m^2 - 4m = {}^-2$
h) ${}^-(x + 3)^2 + 15 = 0$
i) $\frac{x - 7}{2x - 15} = \frac{x - 4}{x}$

7. Situé à Athènes, en Grèce, le Parthénon est un immense temple qui a été construit en 447 av. J.-C. Le périmètre de sa base rectangulaire est de 300 m et son aire est de 4 400 m^2. Quelles sont les dimensions de la base?

8. Une patinoire rectangulaire mesure 40 m sur 20 m. Dans le but de doubler son aire, on prévoit ajouter à chaque côté une même longueur de glace. Détermine la longueur que l'on doit ajouter à chaque côté.

9. Si on additionne la moitié du carré d'un nombre et le cinquième du carré de ce nombre, on obtient 10. Trouve la valeur exacte de ce nombre.

10. Trouve les dimensions du carré blanc de chacune des figures ci-dessous.

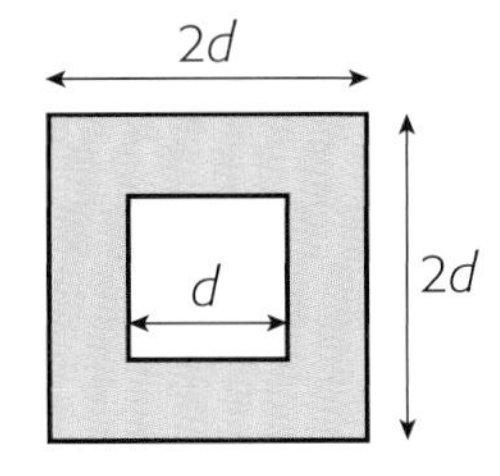

$A_{\text{région ombrée}} = 48$ cm^2

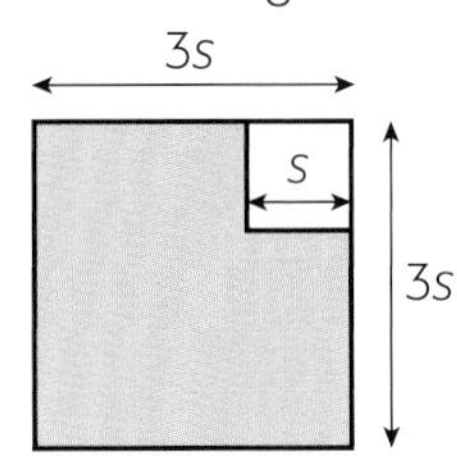

$A_{\text{région ombrée}} = 72$ cm^2

11. Karine et Benoît veulent aménager une plate-bande le long des deux côtés adjacents de leur pelouse, qui mesure 5 m sur 7 m. Si les fleurs qu'ils ont achetées pour garnir la plate-bande permettent de couvrir une superficie de 6,25 m^2, quelle largeur la plate-bande peut-elle avoir?

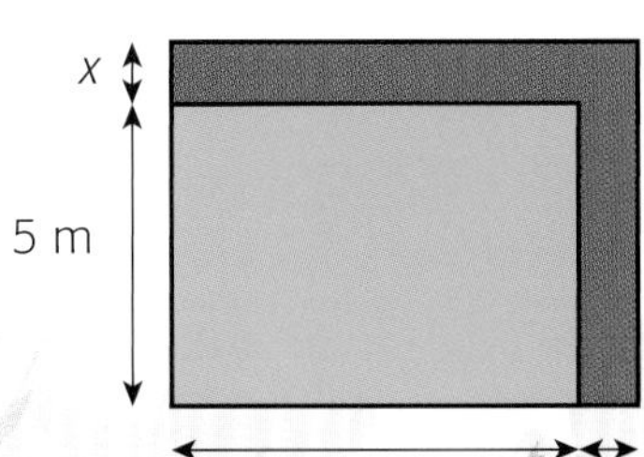

12. La différence entre deux nombres naturels est 6. La somme des carrés de ces deux nombres est 146. Quels sont ces nombres ?

13. L'hypoténuse d'un triangle rectangle mesure 17 cm. Une des cathètes du triangle mesure 7 cm de plus que l'autre. Détermine la longueur de chaque cathète.

14. Un polygone régulier à n côtés possède $\frac{n(n-3)}{2}$ diagonales. Trouve le nombre de côtés d'un polygone régulier qui possède 44 diagonales.

15. Existe-t-il un rectangle dont le périmètre est de 50 m et dont l'aire est de 160 m^2 ? Justifie ta réponse.

16. Voici un triangle dont la base mesure 8 cm et dont la hauteur est de 6 cm. On découpe, à l'intérieur de ce triangle, un plus petit triangle en retranchant une même mesure à la hauteur et à la base du triangle initial. L'aire du petit triangle a 4 cm^2 de moins que celle du triangle initial. Détermine la mesure de la base et la hauteur du petit triangle.

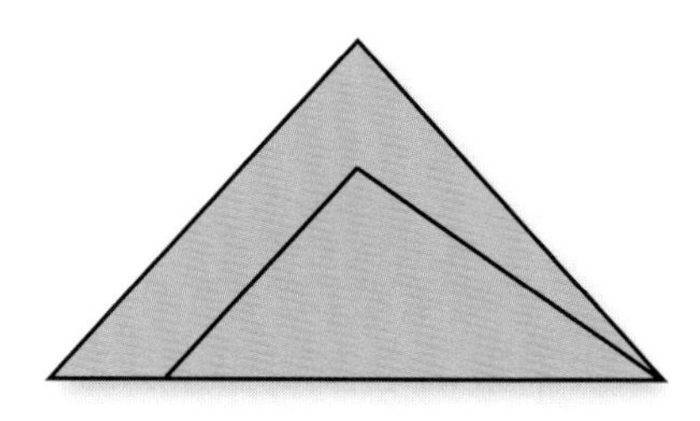

17. Voici une démarche partielle menant à la résolution d'une équation du second degré. À partir de la dernière étape de cette démarche, propose deux façons différentes de trouver les solutions.

$$\begin{aligned}(x+30)(x+50) &= 3\,500\\ x^2+80x+1\,500-3\,500 &= 0\\ x^2+80x-2\,000 &= 0\\ (x+40)^2-1\,600-2\,000 &= 0\\ (x+40)^2-3\,600 &= 0\end{aligned}$$

18. La planche d'appel qui sert au triple saut a une aire de 2 440 cm^2. La longueur de la planche a 102 cm de plus que sa largeur. Trouve les dimensions de la planche.

19. L'aire du petit rectangle ci-dessous est de 215 cm^2. Quelle est l'aire du carré adjacent?

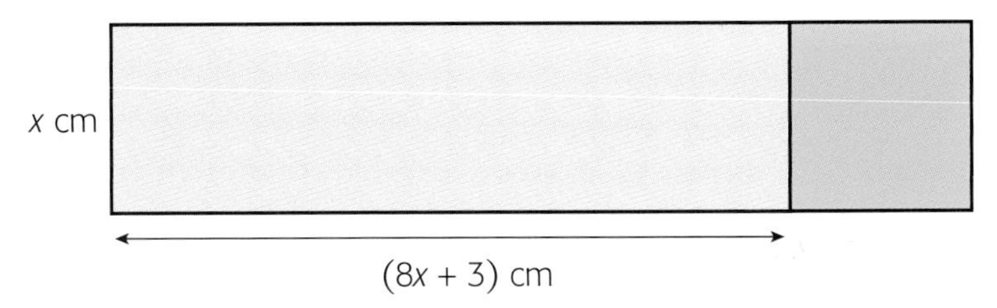

20. À partir d'un rectangle de fer-blanc de 50 cm sur 40 cm, on découpe des carrés de mêmes dimensions dans chaque coin. Ensuite, on plie les rabats ainsi formés vers le haut pour fabriquer une boîte sans couvercle. L'aire de la base de la boîte mesure 875 cm^2. Détermine:

a) la mesure du côté de chaque carré découpé;

b) le volume de la boîte ainsi formée.

21. Les trois côtés d'un triangle mesurent respectivement $(x^2 - 3x - 4)$ cm, $(x + 5)$ cm et 14 cm.

a) Détermine les valeurs de x pour lesquelles le triangle est isocèle.

b) Si le triangle est isocèle, est-il également rectangle?

22. Sur le mur d'un hôpital, on a peint en vert un gigantesque «H». La lettre est formée de trois bandes de même largeur. Si l'aire du «H» est de 38 m^2, quelle est sa largeur?

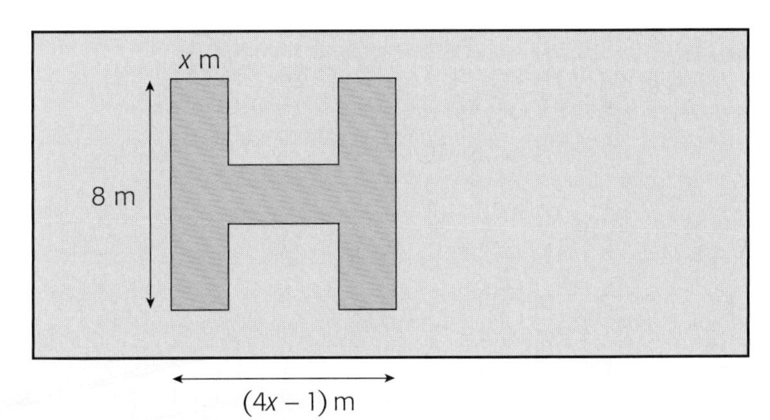

Consolidation

1. Trouve le polynôme qui vérifie les équations suivantes.

a) $(x + 6)\left(\frac{x}{3} + \frac{1}{2}\right)(x - 6) = \boxed{}$

b) $(4x + 3)^2(x - 1) = \boxed{}$

c) $(2x + 3)(\boxed{}) = 2x^2 - 7x - 15$

d) $(\boxed{})(3x^2 - x + 5) = 12x^3 - x^2 + 19x + 5$

2. Trouve deux binômes dont le produit :

a) est un binôme ; b) est un trinôme ; c) est un polynôme à quatre termes.

3. L'aire d'un disque est représentée par l'expression $\pi(x^2 - 8x + 16)$ cm². Quel polynôme représente le rayon de ce disque ?

4. Factorise les expressions algébriques suivantes.

a) $6x^2 + 11x - 10$

b) $2x^2y + 7x^2 + 50y^3 + 175y^2$

c) $12x^3 + 20x^2 - 75x - 125$

d) $(3x - 1)^2 - 9$

e) $8x^2 + 2x - 15$

f) $6x^4 + 9x^3 + 3x^2$

g) $25x^2 - 90x + 81$

h) $x^4 - 1$

5. Exprime le résultat des opérations suivantes sous la forme d'une seule expression rationnelle irréductible.

a) $\dfrac{x^3 - 5x^2 + 12}{x - 2}$

b) $\dfrac{\frac{3x + 6}{2x + 2}}{\frac{x + 2}{x^2 - 1}}$

c) $\dfrac{x + 1}{x - 1} + \dfrac{2}{x^2 - 5x + 4}$

d) $\dfrac{x + 4}{x^2 - x - 12} - \dfrac{x}{x^2 - 5x + 4}$

e) $\dfrac{12x^2 - 19x + 5}{4x^2 - 9} \cdot \dfrac{2x - 3}{3x - 1}$

f) $\dfrac{3x^3 + 14x^2 - 5x}{4x^2 + 7x + 3} \div \dfrac{6x^2 - 2x}{8x^2 + 2x - 3}$

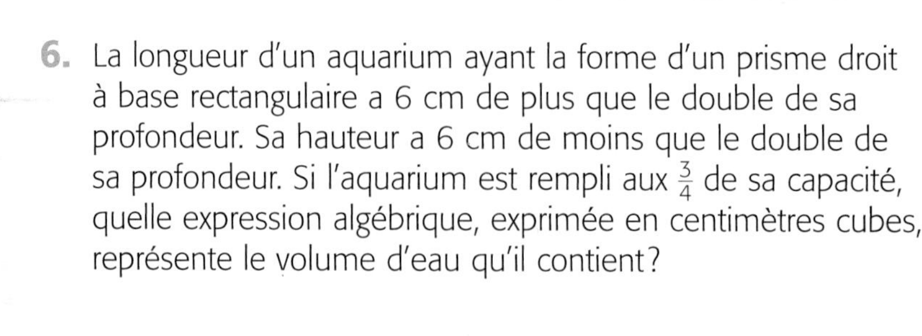

6. La longueur d'un aquarium ayant la forme d'un prisme droit à base rectangulaire a 6 cm de plus que le double de sa profondeur. Sa hauteur a 6 cm de moins que le double de sa profondeur. Si l'aquarium est rempli aux $\frac{3}{4}$ de sa capacité, quelle expression algébrique, exprimée en centimètres cubes, représente le volume d'eau qu'il contient ?

7. Quelles valeurs de x annulent les polynômes suivants?

a) $x^2 - 7x - 30$

b) $2x^2 + 5x - 12$

c) $9x^2 - 36$

d) $\frac{x^2}{4} + x + 1$

e) $x^3 - 25x$

f) $4x^2 - 6x$

8. Résous les équations suivantes.

a) $\frac{x^2}{2} + 6x - 2 = 0$

b) $2x^2 - 3x + 7 = 0$

c) $^-(x - 4)^2 + 12 = 0$

d) $x^2 + (x + 1)^2 + (x + 2)^2 = 29$

e) $3(2x^2 + 5) = 5(3x^2 - 2)$

f) $3(x + 2) = (x + 1)(2x + 1)$

g) $(2x + 1)(2x - 1) + 12 = 4(x + 5) - 10$

h) $\frac{x}{x + 1} = \frac{x + 15}{3x + 17}$, si $x \neq {}^-1$, $x \neq \frac{^-17}{3}$

9. Quel est le rapport?

L'aire de chacun des rectangles ci-dessous est indiquée en unités carrées.

$x^2 + 3x$

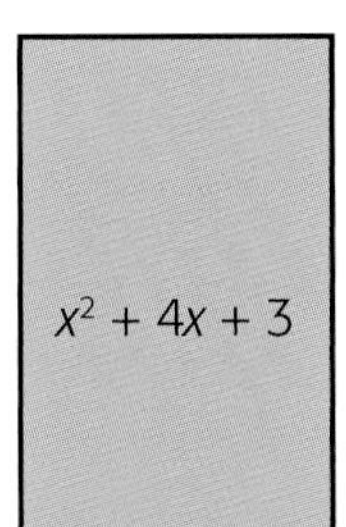

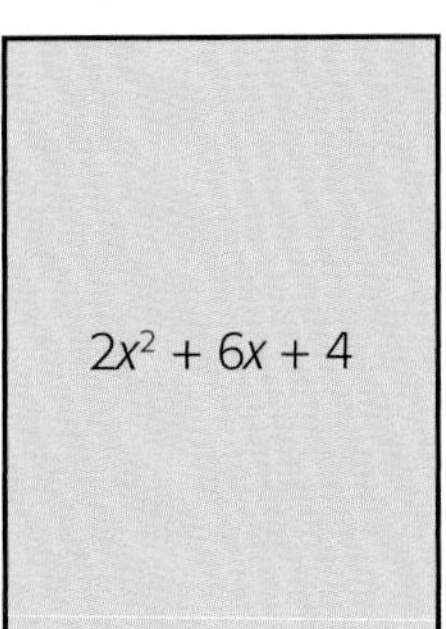

a) Trouve l'expression rationnelle simplifiée qui équivaut aux rapports suivants.

1) $\frac{\text{Aire du rectangle orange}}{\text{Aire du rectangle jaune}}$

2) $\frac{\text{Aire du rectangle vert}}{\text{Aire du rectangle orange}}$

3) $\frac{\text{Aire du rectangle vert}}{\text{Aire du rectangle orange + aire du rectangle jaune}}$

b) Les dimensions du rectangle vert sont représentées par des binômes. Détermine toutes les dimensions possibles de ce rectangle.

10. Jusqu'aux arrière-petits-souriceaux 

Scarlett, une souris, a eu plusieurs souriceaux. Devenues adultes, les souris de cette deuxième génération ont chacune eu deux souriceaux de plus que Scarlett. Chaque souris de la troisième génération a eu un souriceau de moins que Scarlett. Si la descendance de Scarlett s'arrêtait ici, quel polynôme la représenterait? Explique comment former ce polynôme en justifiant les étapes.

11. Quel volume?

Quelle expression algébrique représente le volume des solides suivants?

a) Un cylindre droit surmonté d'une demi-sphère

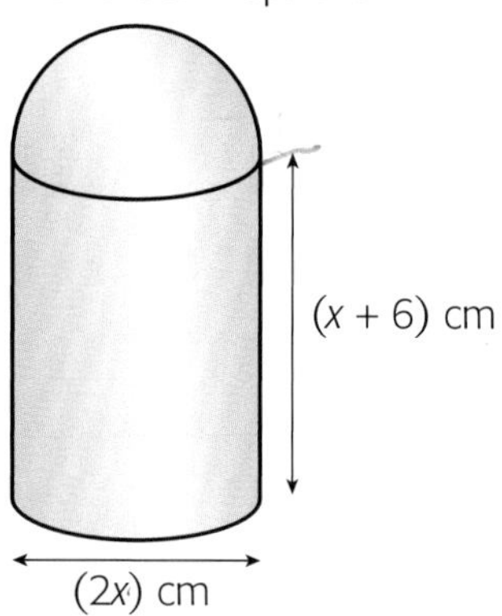

b) Un cube surmonté d'une pyramide droite

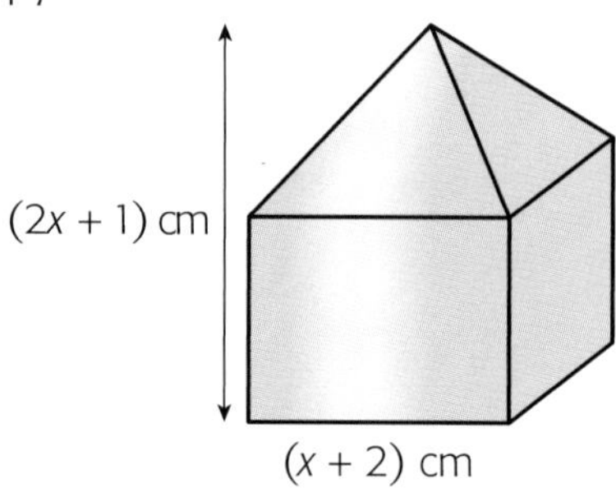

12. Triangle en vue

Les diagonales d'un losange mesurent $(24x - 48)$ cm et $(10x - 20)$ cm. Quelle expression algébrique représente le périmètre du losange?

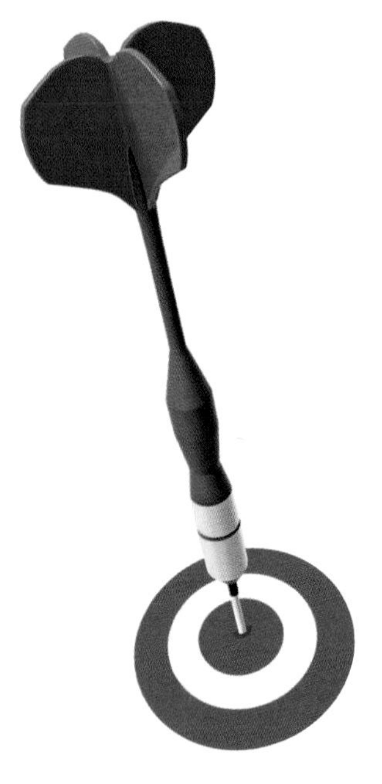

13. Touché!

Quelle expression rationnelle représente la probabilité qu'une fléchette qui atteint les cibles touche une zone rouge? Les mesures indiquées sont en centimètres.

a)

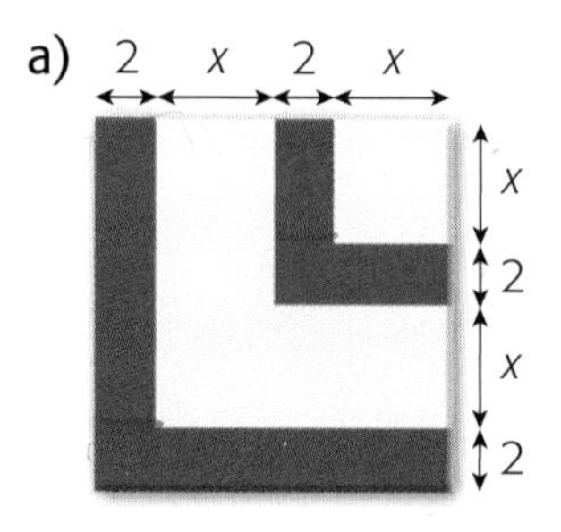

b)

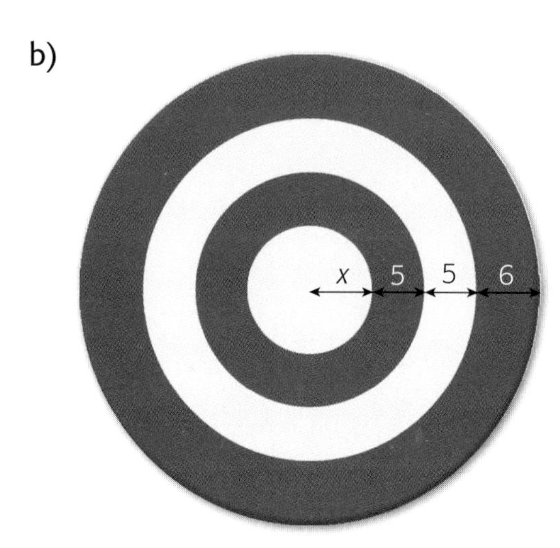

14. Mur à peindre

Un récipient contient $(3x^3 - 7x^2 - 12x + 28)$ mL de peinture. La quantité nécessaire pour couvrir 10 mètres carrés d'un mur est de $(x^2 - 4)$ mL. Combien de mètres carrés peut-on couvrir en utilisant toute la peinture contenue dans le récipient?

15. Le toit du clapier 

Bruno désire recouvrir de tôle le toit du clapier qui abrite son lapin. Pour bien protéger le lapin, le toit dépasse la boîte du clapier de 8 cm. Quelle expression algébrique représente l'aire du toit de tôle qui recouvre le clapier?

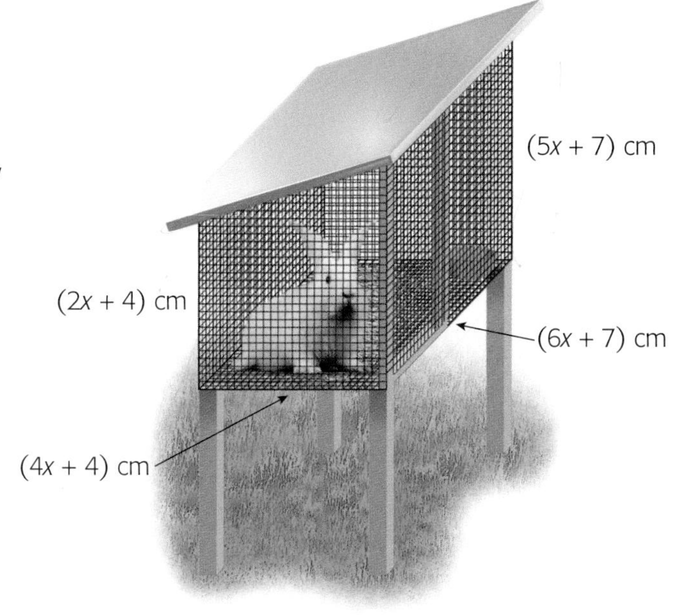

16. Le téléviseur

Pour indiquer la taille d'un écran de téléviseur ou d'ordinateur, on se sert habituellement de la longueur de sa diagonale. Un écran a une diagonale de 114 cm. La largeur de l'écran mesure 18 cm de plus que sa hauteur. Détermine les dimensions de l'écran.

17. Double sécurité 

Dans un zoo, les tigres sont gardés dans un enclos vitré rectangulaire dont les dimensions sont représentées par des binômes et dont l'aire est de $(10y^2 + 11y + 3)$ m^2. Pour plus de sécurité, une clôture électrique a été installée autour de l'enclos, à 5 m de celui-ci. Quelle expression algébrique représente la longueur totale de la clôture électrique?

Fait divers

Le cube Rubik a été inventé en 1974 par le Hongrois Ernö Rubik. Le cube Rubik a connu un succès presque instantané : plus de 100 millions de cubes ont été vendus entre 1980 et 1982. Les adeptes les plus rapides réussissent le casse-tête en moins de 15 secondes. Il existe aussi le « Rubik's Revenge » et le « Professor's Cube », qui ont respectivement des faces comptant 16 et 25 carrés.

18. Cubes variables

Une compagnie veut commercialiser deux formats de casse-têtes en trois dimensions : un premier dont l'arête mesure les $\frac{4}{3}$ de celle du cube standard et un second dont l'arête mesure 21 mm de moins que celle du cube standard.

La différence entre le rapport des aires et le rapport des arêtes des nouveaux formats est $\frac{190}{81}$. Sachant que l'arête du cube standard mesure plus de 10 mm, détermine les mesures des arêtes des trois cubes.

19. Zone à couvrir

Quatre étudiants en biologie effectuent un recensement des espèces végétales se trouvant entre deux boisés sur une rive de la rivière Rapide. Leur professeur partage le terrain en quatre zones : trois zones carrées et une dernière rectangulaire. Il affirme que les quatre zones ont la même aire : il a ajouté un mètre à la longeur de la quatrième zone qui, à cause du boisé, a un mètre de moins sur la largeur.

Le professeur a-t-il raison d'affirmer que les quatre zones ont la même aire ? Justifie ta réponse.

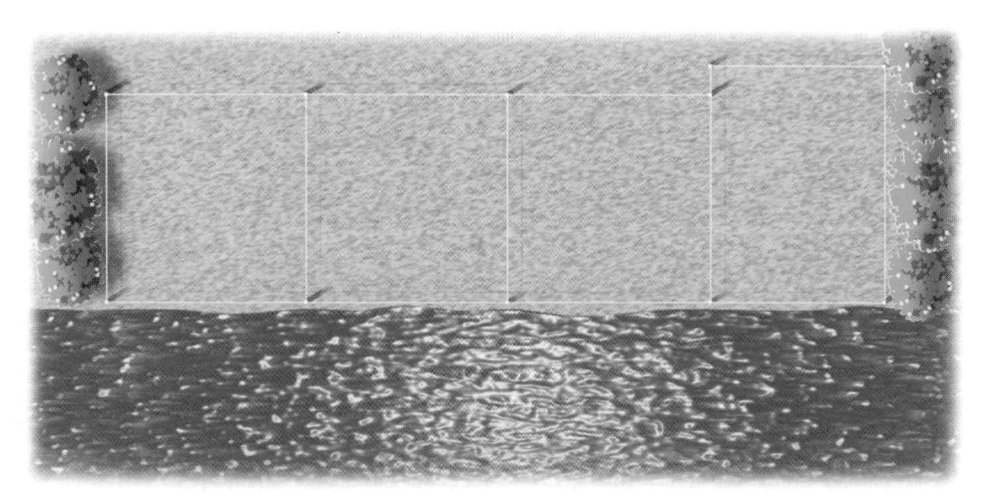

20. Partager les côtés

Le polygone **A** de chacune des figures ci-dessous a un côté commun avec le rectangle **B** et un côté commun avec le rectangle **C**. L'aire des rectangles ainsi que la mesure d'un de leurs côtés sont indiquées sur l'illustration.

Détermine l'aire des polygones **A** de chacune des figures.

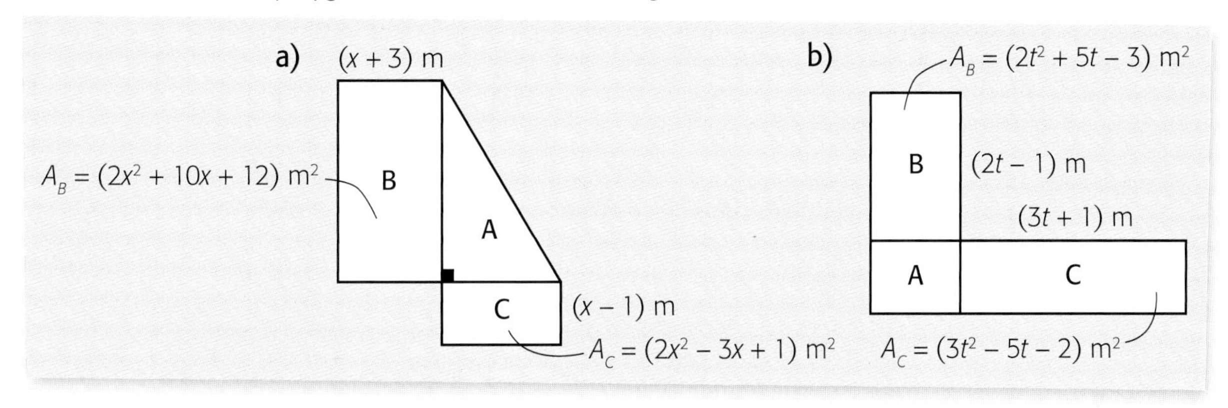

21. Augmentation calculée 

Une boulangerie vend chaque jour 50 pains belges à 2,50 $ chacun. Après quelques calculs, la boulangère découvre que, pour chaque augmentation de 0,25 $ du prix du pain belge, il se vend deux pains belges de moins qu'à l'habitude. Fixe le prix d'un pain belge afin que le revenu généré chaque jour par la vente des pains belges soit de 152 $.

22. À l'affiche !

Un panneau publicitaire a un périmètre de 30 m et couvre une surface de 50 m^2. Détermine les dimensions de ce panneau.

Médias

Contrairement à la radio, aux journaux et à la télévision que nous sommes libres d'écouter, de lire ou de regarder, il est presque impossible d'ignorer les panneaux publicitaires qui longent les routes du Québec. Pourtant, des études ont montré que les conducteurs et les passagers de véhicules n'accordent, en moyenne, que trois secondes de leur attention à un panneau publicitaire. Comment expliques-tu alors la prolifération de ce genre de publicité ? Quelle est la différence entre une publicité sur un panneau et une publicité dans un magazine ?

23. Vraies ou fausses?

Dans les expressions suivantes, A, B, C, D, E et F représentent des polynômes. Suppose que les restrictions nécessaires pour effectuer les opérations ont été posées et détermine si les égalités sont vraies ou fausses. Accompagne ta réponse d'une preuve algébrique ou d'un contre-exemple, selon le cas.

a) $\frac{A}{B} \div \left(\frac{C}{D} \cdot \frac{E}{F}\right) = \frac{A}{B} \cdot \frac{DE}{CF}$

b) $\frac{A}{B} \cdot \left(\frac{C}{D} \div \frac{E}{F}\right) = \frac{A}{B} \cdot \frac{CF}{DE}$

c) $\frac{A}{B} + \left(\frac{C}{D} - \frac{E}{F}\right) = \frac{A}{B} - \left(\frac{E}{F} + \frac{C}{D}\right)$

24. Une preuve convaincante?

Voici la démonstration que 2 = 1. Trouve l'erreur.

$$a = b$$
$$a^2 = ab$$
$$a^2 - b^2 = ab - b^2$$
$$(a - b)(a + b) = b(a - b)$$
$$a + b = b$$
$$b + b = b$$
$$2b = b$$
$$2 = 1$$

25. Produit renversant

Observe les produits suivants.

$32 \cdot 46 = 1\,472$
$23 \cdot 64 = 1\,472$

À quelle condition le produit de deux nombres à deux chiffres est-il le même que le produit des deux nombres où sont intervertis les chiffres des dizaines et des unités? Accompagne ta réponse d'une preuve algébrique et d'un exemple.

26. L'algèbre pour ne pas commettre d'impair

L'encadré ci-contre présente les différences des carrés de nombres naturels consécutifs.

$1^2 - 0^2 = 1$
$2^2 - 1^2 = 3$
$3^2 - 2^2 = 5$
$4^2 - 3^2 = 7$
$5^2 - 4^2 = 9$

a) Généralise la régularité observée à toute paire de nombres naturels consécutifs.

b) Utilise cette régularité pour calculer mentalement $45^2 - 44^2$.

27. Moyenne avant ou moyenne après?

Le carré de la moyenne de deux nombres est-il plus petit, égal ou plus grand que la moyenne des carrés de deux nombres? Justifie ta réponse algébriquement.

28. **« L » comme dans « lettre »**

La lettre « L » illustrée ci-contre a une aire de 374 cm^2. Détermine son périmètre.

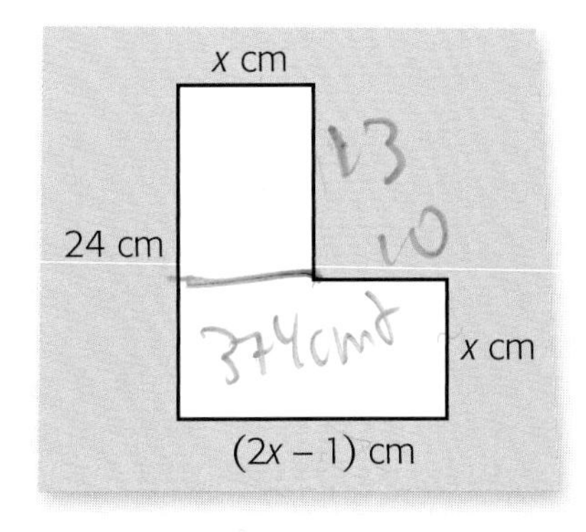

29. **Trois quadrilatères, deux régions**

La figure ci-contre est composée d'un rectangle mesurant 14 cm sur 6 cm et de deux carrés.

Détermine la valeur de x pour laquelle l'aire de la région blanche égale l'aire de la région hachurée.

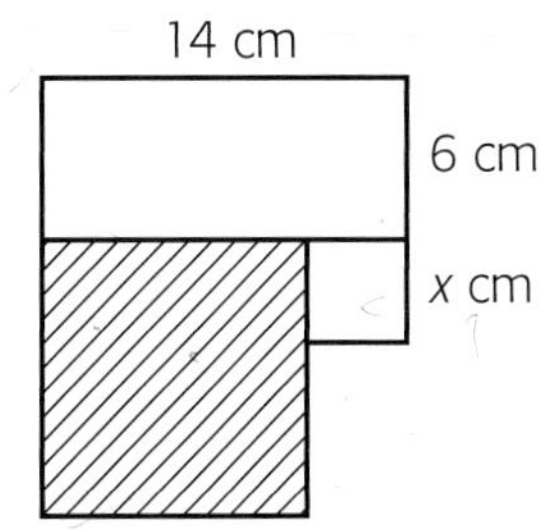

30. **D'une simplicité déconcertante** 

a) Sans utiliser de calculatrice, trouve le résultat de :

$$\sqrt{1+51\sqrt{1+50\sqrt{1+49\sqrt{1+48\sqrt{1+47\cdot 45}}}}}$$

b) Quelle expression de même forme donnerait 30 après simplification ?

31. **Découpage**

Un carton rectangulaire dont la longueur a 10 cm de plus que la largeur est transformé en procédant de la façon suivante.

- Retrancher quatre carrés aux quatre coins du rectangle.
- Replier les quatre rabats le long des pointillés de façon à former les quatre faces latérales d'un prisme droit.

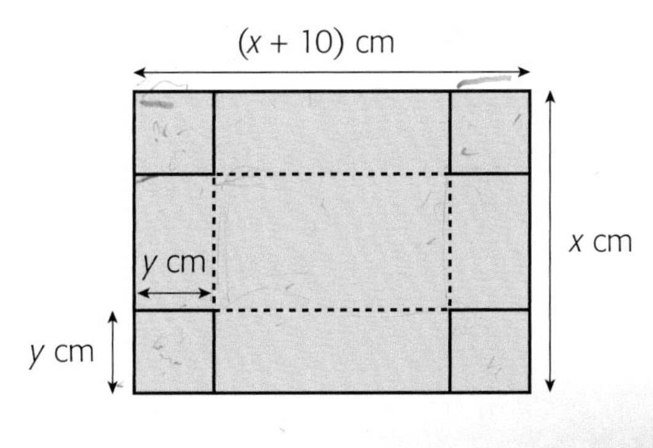

Sachant que l'aire du carton retranché est égale à l'aire de la base du prisme formé, exprime y, la mesure du côté d'un carré retranché, en fonction de x, la largeur du carton.

32. **Architecture italienne**

La tour campanile de la cathédrale de Florence, en Italie, a été conçue par l'architecte italien Giotto di Bondone. Elle a une hauteur de 84,7 m et une base carrée de 14,45 m de côté.

a) Quel est le volume d'une tour dont les dimensions sont celles de la tour campanile augmentées de x m ?

b) La tour dont le volume a été calculé en **a** est-elle semblable à la tour campanile de la cathédrale de Florence ? Explique ta réponse.

33. Le nombre d'or

Les architectes ont souvent recours au nombre d'or, aussi appelé « divine proportion » par Léonard de Vinci, lorsqu'ils dessinent des plans de bâtiments. La plupart estiment que son utilisation apporte aux bâtiments une harmonie particulière.

On appelle « rectangle d'or » un rectangle dont le rapport de la mesure du plus long côté et de la mesure de l'autre côté est égal au nombre d'or. Ce rectangle possède la caractéristique suivante : en posant un carré sur son plus long côté, on obtient à nouveau un rectangle d'or.

Comme le montre l'illustration ci-dessous, si le rectangle jaune est d'or alors le rectangle avec le motif pointillé l'est aussi.

Un architecte commande une carte professionnelle. Par souci d'esthétisme, il demande que le format de sa nouvelle carte respecte la « divine proportion ». Propose des dimensions réalistes pour cette carte.

Médias

Une carte professionnelle est une publicité peu coûteuse et qui se distribue facilement. La carte professionnelle peut également être distribuée virtuellement par Internet moyennant des frais mensuels. Prêtes-tu attention aux publicités dans Internet? Comment une carte professionnelle peut-elle se distinguer des autres si elles ont toutes des dimensions similaires? Quels sont les critères d'esthétisme que tu juges importants pour une carte professionnelle?

Point de repère

Johannes Kepler

« La géométrie renferme deux trésors inestimables : le théorème de Pythagore et la division d'une droite en une proportion moyenne et extrême. L'un se compare à de l'or ; l'autre peut prendre le nom d'un précieux joyau. »

Johannes Kepler (1571-1630)

Le précieux joyau qu'évoquait Kepler est le nombre d'or, qu'on représente par la lettre grecque « phi » (φ). « Phi » est la première lettre de Phidias, un sculpteur grec qui a souvent utilisé le nombre d'or dans ses travaux.

Johannes Kepler

Le monde du travail

L'architecture

Le Corbusier, un célèbre architecte français, a conçu les plans d'édifices où toutes les proportions respectent le nombre d'or. Il appelle ces créations «Modulor», un terme formé des mots «module» et «or».

La conception des plans de bâtiments est à la fois un art et une science. Pour devenir architecte, il faut faire des études universitaires d'une durée de quatre à cinq ans. En plus de ces études, les architectes doivent faire un stage d'une durée de trois ans en milieu de travail et réussir l'examen de l'Ordre des architectes du Québec.

Cette création de Le Corbusier, située à Marseille, porte le nom de «Cité radieuse».

Les architectes s'occupent de mettre en œuvre, à l'aide des plans qu'ils conçoivent, les désirs des clients en matière de construction et de rénovation. Pour ce faire, ils s'assurent de respecter les normes de la structure et du design intérieur et extérieur de même que les normes de fonctionnalité d'un bâtiment. Pour élaborer les plans, les architectes font appel à des notions de calcul et de géométrie. Ils doivent aussi estimer le coût des travaux.

Les architectes travaillent en collaboration avec une équipe composée d'experts qui compte, entre autres, des ingénieurs et des techniciens. Ils veillent au bon déroulement du projet. Ils gèrent les imprévus et résolvent les problèmes. Ils mettent à profit leurs habiletés de communication et de vulgarisation afin de communiquer avec les membres de leur équipe ainsi qu'avec les clients.

Les architectes doivent faire preuve de créativité et avoir une rigueur «cartésienne». Ils doivent, d'une part, aimer travailler seuls à partir de nombreuses contraintes et, d'autre part, aimer collaborer avec une équipe multidisciplinaire. Ils doivent exceller dans l'élaboration et le respect d'échéanciers, faire preuve de souplesse et être capables de résoudre des problèmes de natures diverses.

Intersection

Chapitres 1 et 2

Sylviculture : de la coupe à blanc à la coupe à vert

La forêt boréale recouvre quelque 560 000 km^2 du territoire québécois, soit environ le tiers de la superficie de la province. Elle abrite 30 espèces de mammifères et 150 espèces d'oiseaux nicheurs.

Outre les incendies de forêt, la principale menace de la forêt boréale est sa surexploitation. Les coupes à blanc pratiquées dans la forêt boréale au Québec ont connu une forte croissance au début des années 1990 pour atteindre un sommet en 1997 : cette année-là, 3 119 km^2 de forêt boréale ont été littéralement rasés. À la suite de l'adoption d'une nouvelle réglementation plus sévère pour le prélèvement du bois, les coupes intensives ont progressivement été remplacées par des coupes de protection de la régénération et des sols (CPRS).

Tu fais partie d'une équipe d'ingénieurs forestiers et tu as le mandat de faire l'étude comparative de deux méthodes de sylviculture : celle d'un reboisement par plantation à la suite d'une coupe à blanc et celle d'une CPRS. Ton étude comparative doit couvrir une période de 240 ans.

Pour faire cette étude, tu disposes de renseignements provenant d'études antérieures (voir la page suivante). À partir de ces renseignements, évalue le rendement d'une exploitation forestière en considérant la longueur totale que représenteraient les arbres coupés si on les plaçait bout à bout. Dans la conclusion de l'étude, détermine laquelle des deux méthodes offre le meilleur rendement.

<table>
<tr><th></th><th colspan="2">Les méthodes de sylviculture</th></tr>
<tr><th></th><th>Coupe à blanc</th><th>CPRS</th></tr>
<tr><td>Extraction</td><td>La forêt est rasée à 30 cm du sol.</td><td>Seuls les arbres d'au moins 6 m sont coupés.
La coupe est réalisée à 30 cm du sol.</td></tr>
<tr><td>Régénération</td><td>La régénération est assurée par le reboisement.
Après la coupe, la terre est labourée et des semis de 20 cm de hauteur sont plantés.</td><td>La régénération est assurée par les repousses.
Les repousses d'au moins 10 cm sont classifiées à l'aide de la règle : $c(h) = \left[\frac{h}{120}\right] + 1$
où h représente la hauteur, en centimètres, et c, la classe de hauteur.</td></tr>
<tr><td>Recensement de la régénération pour une région carrée de x m de côté</td><td>$\frac{x^2}{5}$ semis</td><td>
<table>
<tr><th colspan="6">Le nombre approximatif de repousses</th></tr>
<tr><td>Classe</td><td>1</td><td>2</td><td>3</td><td>4</td><td>5</td></tr>
<tr><td>Nombre de repousses</td><td>$\frac{x^2}{28}$</td><td>$\frac{x^2}{29}$</td><td>$\frac{x^2}{30}$</td><td>$\frac{x^2}{32}$</td><td>$\frac{x^2}{35}$</td></tr>
</table>
</td></tr>
<tr><td>Croissance de la régénération, en centimètres, en fonction de a, le nombre d'années écoulées depuis la coupe</td><td>
La croissance des semis de reboisement
 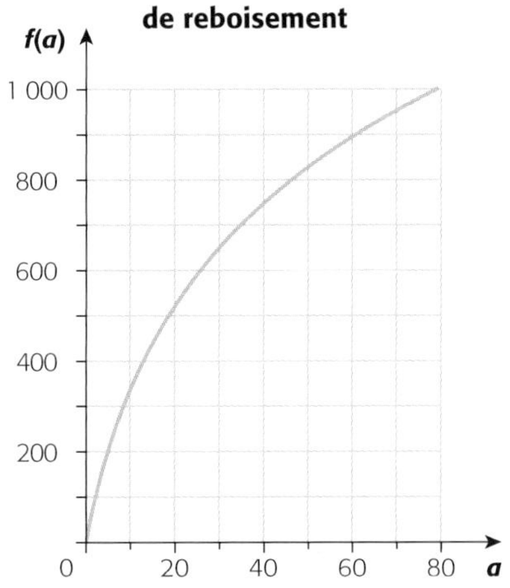
$f(a)$
1 000
800
600
400
200
0 20 40 60 80 a
</td><td>
<table>
<tr><th colspan="2">La croissance approximative des repousses selon la classe</th></tr>
<tr><th>Classe</th><th>Croissance (cm)</th></tr>
<tr><td>1</td><td>$g_1(a) = 1{,}02f(a)$</td></tr>
<tr><td>2</td><td>$g_2(a) = 0{,}96f(a)$</td></tr>
<tr><td>3</td><td>$g_3(a) = 0{,}90f(a)$</td></tr>
<tr><td>4</td><td>$g_4(a) = 0{,}84f(a)$</td></tr>
<tr><td>5</td><td>$g_5(a) = 0{,}78f(a)$</td></tr>
</table>
</td></tr>
<tr><td>Âge d'exploitabilité</td><td>80 ans</td><td>60 ans</td></tr>
</table>

Problèmes

1. Punir la vitesse

Au Québec, des points d'inaptitude sont inscrits au dossier de conduite de la conductrice ou du conducteur qui enfreint le Code de la sécurité routière, notamment pour des excès de vitesse. Les titulaires de permis de conduire régulier ont une limite de 15 points d'inaptitude. Cette limite est de 4 pour une personne qui a un permis probatoire ou d'apprenti conducteur.

Les infractions liées à la vitesse qui entraînent l'inscription de points d'inaptitude

Excès		Points d'inaptitude		
Vitesse supérieure à la limite prescrite		Zone de 60 km/h ou moins	Zone de plus de 60 km/h et d'au plus 90 km/h	Zone de 100 km/h
De 11 à 20 km/h		1	1	1
De 21 à 30 km/h		2	2	2
De 31 à 45 km/h	31 à 39 km/h	3	3	3
	40 à 45 km/h	6	3	3
De 46 à 60 km/h	46 à 49 km/h	10	5	5
	50 à 59 km/h	10	10	5
	60 km/h	10	10	10
De 61 à 80 km/h		14	14	14
De 81 à 100 km/h		18	18	18
De 101 à 120 km/h		24	24	24
121 km/h ou plus		30 ou plus	30 ou plus	30 ou plus

Grand excès de vitesse

Source : Société de l'assurance automobile du Québec (SAAQ), 2008.

Le tableau ci-contre présente le nombre de points d'inaptitude inscrits au dossier pour un excès de vitesse, selon le type de zone où l'infraction est commise.

La Société d'assurance automobile du Québec (SAAQ) organise une campagne pour sensibiliser les jeunes conducteurs aux conséquences d'un excès de vitesse dans une zone scolaire, où la limite permise est de 30 km/h.

Une des stratégies adoptée est de présenter un graphique au titre accrocheur qui met en relation le nombre de points d'inaptitude à inscrire au dossier et l'excès de vitesse du véhicule. Construis ce graphique. Trouve ensuite une façon de représenter dans ce même graphique les grands excès de vitesse pour lesquels le permis de conduire régulier et le permis de conduire probatoire sont automatiquement révoqués.

2. Un terrain rectangulaire

Pour planifier le traçage des lignes d'un terrain de soccer, on doit connaître les dimensions du terrain et, pour vérifier si le terrain est bien rectangulaire, on peut se servir de la mesure de la diagonale.

Si la longueur du terrain est de $(c + d)$ m et que son aire est de $(c^2 - d^2)$ m^2, quelle expression algébrique représente la diagonale de ce rectangle ?

3. Des partisans vêtus chaudement !

Le stade de football de la ville de Green Bay, dans l'État du Wisconsin, est un stade à ciel ouvert qui n'offre aucune protection contre le froid. Voici les températures annoncées, en degrés Fahrenheit, pour les deux premières semaines de janvier, pendant les séries de la Ligue nationale de football (LNF).

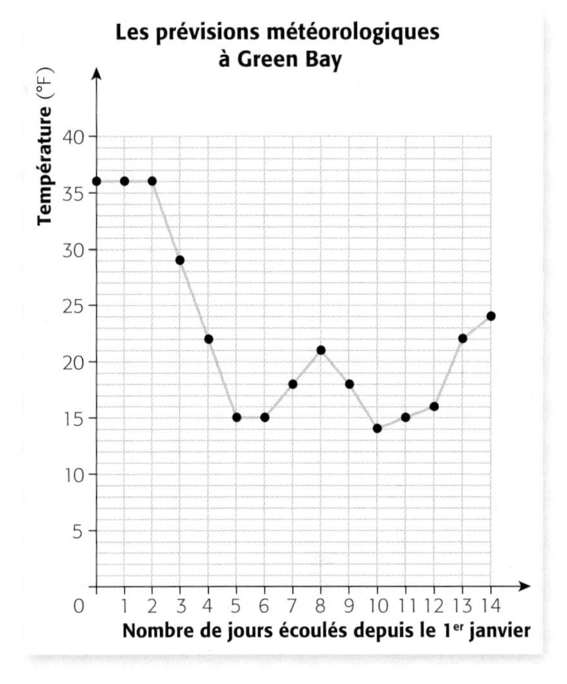

La règle suivante permet de convertir les degrés Fahrenheit en degrés Celsius.

$$C = \frac{5}{9}F - \frac{160}{9}$$

a) À l'aide des paramètres, construis un graphique qui représente les prévisions en degrés Celsius pour les 15 premiers jours de janvier.

b) Durant quelle période la température, en degrés Celsius, sera-t-elle négative ?

4. Condominiums à vendre

Un édifice de condominiums est présentement en chantier. Les acheteurs auront le choix entre trois formats : $3\frac{1}{2}$ pièces, $4\frac{1}{2}$ pièces et $5\frac{1}{2}$ pièces. Pour chacun de ces formats, plusieurs superficies sont disponibles.

Les expressions algébriques suivantes décrivent les superficies disponibles pour chacun des formats.

$3\frac{1}{2}$ pièces :	$4\frac{1}{2}$ pièces :	$5\frac{1}{2}$ pièces :
$(10x^2 + x - 9)$ m^2	$(5x^2 + 13x + 8)$ m^2	$(11x^2 - 4x - 15)$ m^2

La salle de bain de tous les condominiums, qui correspond à la demi-pièce, a une superficie de $(x^2 + x)$ m^2. Toutes les dimensions des pièces sont représentées par des binômes dont les coefficients sont des entiers. Toutes les pièces d'un même condominium sont rectangulaires et ont la même superficie. Le prix d'un condominium est de 1 500 $ le mètre carré.

a) Quelles expressions algébriques peuvent représenter les dimensions possibles d'une pièce de chaque format de condominium ?

b) Détermine le rapport de la superficie de la salle de bain et de la superficie du reste du condominium pour les trois formats de condominium.

c) Le plus petit $4\frac{1}{2}$ pièces disponible a la même superficie que le plus grand $3\frac{1}{2}$ pièces, et le plus grand $4\frac{1}{2}$ pièces disponible a la même superficie que le plus petit $5\frac{1}{2}$ pièces. Détermine l'intervalle des prix qu'une personne peut payer pour un $4\frac{1}{2}$ pièces dans cet édifice.

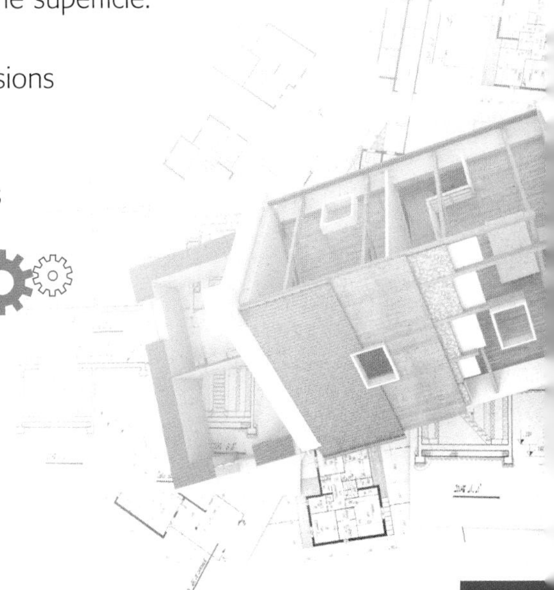

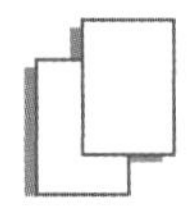

5. Fusion variable

On a réchauffé quatre substances pures à l'état solide (du mercure, du méthanol, de la glycérine et du naphtalène) afin d'observer leurs changements de phase.

Le diagramme ci-dessous représente, pour trois de ces substances, la température de la substance en fonction du temps écoulé depuis le début de l'expérience. Les changements de phase sont représentés par des plateaux.

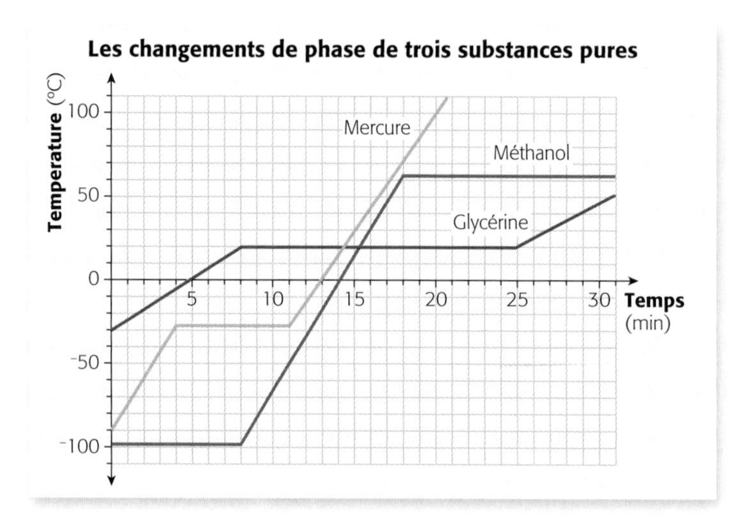

a) Reproduis ce diagramme. Représente ensuite, dans le même plan cartésien, les changements de phase du naphtalène. Pour ce faire, tiens compte des renseignements suivants:
- la température de fusion (passage de l'état solide à l'état liquide) du naphtalène est de 80 °C;
- sa température initiale est de ⁻40 °C;
- sa température est constante sur l'intervalle [15, 25].

b) Pour quel intervalle de temps la température des quatre substances est-elle positive?

c) Quelle fonction a le plus petit zéro?

d) Pour laquelle des substances la fusion a-t-elle duré le plus longtemps?

6. Nouveau décor

Benjamin se rend dans une boutique de produits de rénovation afin d'acheter le matériel nécessaire pour tapisser un des murs de sa chambre. L'emballage d'un rouleau du papier peint qu'il souhaite acheter indique que la largeur d'un rouleau est de 60 cm et sa longueur, de 10 m.

a) Construis le graphique qui représente le nombre de rouleaux de papier peint que Benjamin doit acheter en fonction de la surface à couvrir.

b) Quelle est la règle de la fonction représentée en **a**?

c) Benjamin a acheté deux rouleaux de papier peint. Une fois le mur tapissé, il lui reste seulement une bande de papier peint de 1,6 m de longueur. Il n'a pas tapissé la porte qui se trouve sur le mur et qui mesure 0,8 m sur 2 m. Sachant que la longueur du mur a 2 m de plus que sa hauteur, détermine les dimensions du mur.

Énigmes

1. Tu as deux sacs contenant chacun huit balles — quatre blanches et quatre noires. Tu tires une balle du premier sac et une balle du second sac. Quelle est la probabilité de tirer au moins une balle noire?

2. Si 29 grenouilles attrapent 29 mouches en 29 minutes, combien faut-il de grenouilles pour attraper 87 mouches en 87 minutes?

3. Observe les schémas ci-contre. Quel nombre devrait remplacer le point d'interrogation?

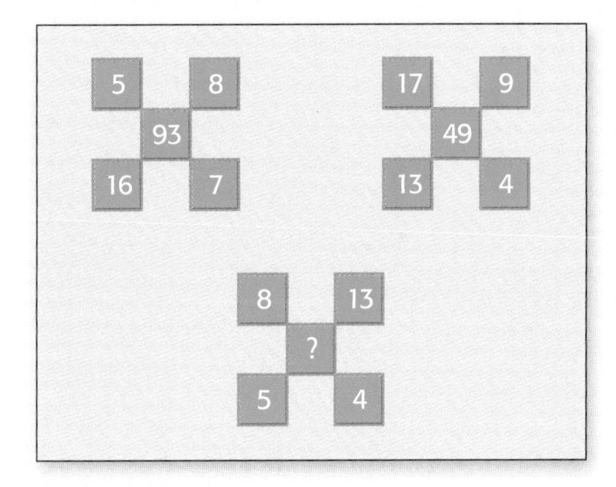

4. Annie pense à un nombre entre 99 et 999. Isabelle lui demande si le nombre est inférieur à 500. Annie répond «oui». Isabelle lui demande s'il s'agit d'un nombre carré. Annie répond «oui». Isabelle lui demande s'il s'agit d'un nombre cube. Annie répond «oui». Annie a cependant menti une fois sur trois. Sans mentir, Annie dit à Isabelle que le nombre commence et finit par 5, 7 ou 9. Quel est ce nombre?

Chapitre 3

L'analyse de la fonction quadratique

Dans les situations de crise, la recherche d'efficacité prend tout son sens. Par exemple, on peut chercher à maximiser l'aire de surfaces cultivables pour faire face à une crise alimentaire ou chercher à minimiser le temps au cours d'une opération de sauvetage.

De par ses caractéristiques, la fonction quadratique permet de modéliser plusieurs situations contextualisées. L'analyse de ces modèles sollicite un certain nombre de manipulations algébriques, mais permet de trouver des solutions tangibles et parfois optimales à des problèmes de société.

Nous sommes tous préoccupés par certains problèmes que connaît notre société. Bien souvent, face à des événements tragiques, un sentiment de solidarité pousse de nombreuses personnes à donner de leur temps ou de l'argent pour aider les gens dans le besoin. Nomme une cause humanitaire qui te tient particulièrement à cœur. Selon toi, de quelle façon peux-tu contribuer à cette cause?

Survol

Vivre-ensemble et citoyenneté

Contenu de formation

- Représentation d'une situation à l'aide d'une fonction, verbalement, algébriquement, à l'aide d'une table de valeurs ou graphiquement
- Description des propriétés d'une fonction quadratique
- Interprétation des paramètres dans la forme canonique de la règle
- Recherche de la règle d'une fonction quadratique
- Passage d'une forme d'écriture à une autre : forme générale, forme canonique, forme factorisée
- Résolution d'inéquations du second degré à une variable

Entrée en matière

Les pages 132 à 134 font appel à tes connaissances sur les fonctions et les expressions algébriques.

En contexte

Le triathlonien Pierre Lavoie, originaire de la région du Saguenay–Lac-Saint-Jean, a choisi de mettre son talent au service de la lutte contre l'acidose lactique.

En 1999, cet athlète et père de famille lance la première édition du « Défi Pierre Lavoie ». Il roule alors 650 km à vélo en 24 heures. Il répète l'exploit à trois reprises, en 2000, 2002 et 2005, et amasse ainsi des fonds pour l'Association de l'acidose lactique. Ces quatre éditions du Défi Pierre Lavoie ont permis d'amasser près de un million de dollars, somme consacrée principalement à la recherche sur la maladie. Grâce aux dons, la recherche a permis de découvrir, en 2003, le gène responsable de cette maladie héréditaire.

Fait divers

L'acidose lactique est une maladie qui a comme conséquence une production insuffisante d'énergie par le corps qui s'accompagne d'une accumulation d'acide lactique dans le sang.

Au Saguenay–Lac-Saint-Jean, 1 personne sur 22 est porteuse de cette maladie héréditaire. Annuellement, au Canada, environ une cinquantaine de décès sont attribuables à cette maladie.

1. Suppose que Pierre roule à une vitesse constante sur le parcours du Défi. Ne tiens pas compte de ses temps d'arrêt.

a) Représente graphiquement la distance, en kilomètres, qu'il lui reste à parcourir en fonction du temps écoulé, en heures, depuis son départ.

b) Détermine la règle associée à cette situation. Cette règle représente-t-elle une fonction ?

c) À partir de la règle trouvée en **b**, exprime sous la forme d'une inéquation à une variable la période de temps pendant laquelle la distance qu'il lui reste à parcourir est inférieure ou égale à 325 km.

d) Exprime sous la forme d'un intervalle la solution de l'inéquation trouvée en **c**.

2. En 2005, l'objectif du Défi était d'amasser 200 000 $. Cet objectif a été dépassé d'au moins 40 %. En désignant par x le montant, en dollars, amassé au cours du Défi de 2005, exprime cette situation sous la forme d'une inéquation.

3. Le grand succès de chacune des éditions du Défi est attribuable à la générosité des gens de la région mais aussi à la campagne publicitaire. Dans le plan cartésien ci-contre, on a reproduit une affiche publicitaire du Défi.

a) Reproduis le cœur dans un plan cartésien comme celui ci-contre et trace son axe de symétrie.

b) Qu'ont en commun tous les points situés sur cet axe?

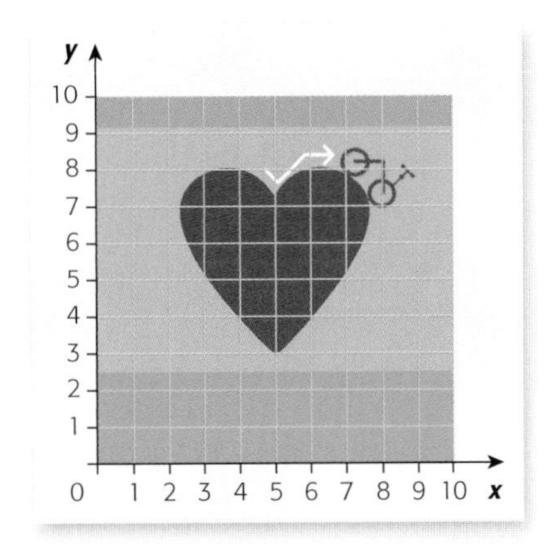

4. Pierre Lavoie a participé à plusieurs reprises à l'Ironman d'Hawaii. En 2005, il a battu le record du monde dans sa catégorie. Le graphique ci-dessous représente la distance parcourue par Pierre, en kilomètres, en fonction du temps écoulé, en minutes, depuis le début d'une séance d'entraînement comprenant du vélo et de la course à pied.

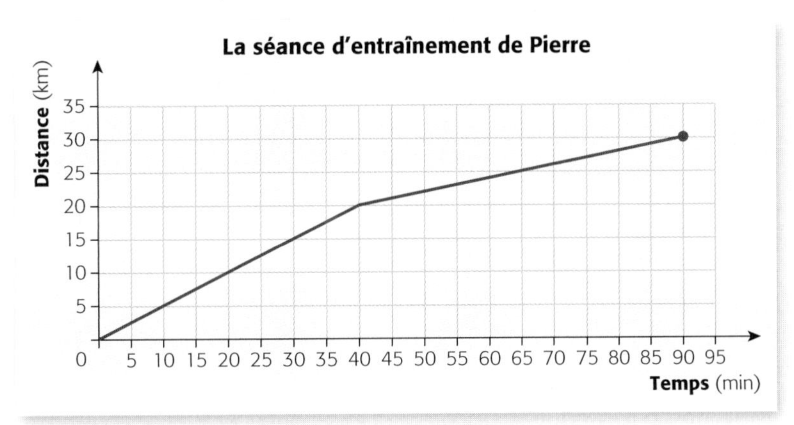

a) Détermine le domaine de cette fonction. Dans ce contexte, que représente-t-il?

b) Sur quel intervalle cette fonction est-elle croissante?

c) Quels sont les extremums de cette fonction? Dans ce contexte, que représentent-ils?

Fait divers

L'épreuve d'Ironman est considérée comme la plus difficile compétition d'endurance. L'athlète doit parcourir en continu 3,8 km de natation, 180 km de vélo et 42,2 km de course à pied.

Vivre-ensemble et citoyenneté

En 2006, Pierre Lavoie est couronné dans la catégorie Courage, humanisme et accomplissement personnel lors du 22e Gala Excellence *La Presse*-Radio-Canada. Après que l'acidose lactique a entraîné la perte de deux de ses quatre enfants, l'athlète de haut niveau décide de sensibiliser la population à cette maladie génétique au moyen du Défi Pierre Lavoie. Souvent, les gens s'engagent pour une cause qu'ils associent à la perte d'un être cher. Selon toi, qu'est-ce qui les motive à agir ainsi? Nomme des personnalités qui profitent de leur célébrité pour attirer l'attention sur une cause qui leur tient à cœur.

En bref

1. Trace l'esquisse du graphique d'une fonction affine dont l'abscisse à l'origine est 6 et dont l'ordonnée à l'origine est $^{-}2$.

2. Trace la droite formée par l'ensemble des points dont les abscisses sont 8.

3. Associe la règle au graphique correspondant.

a) $f_1(x) = {}^{-}5|x - 6| + 4$

b) $f_2(x) = \frac{-1}{5}|x + 2| - 3$

c) $f_3(x) = |x - 1| + 3$

d) $f_4(x) = 2|x + 5| - 2$

e) $f_5(x) = |x|$

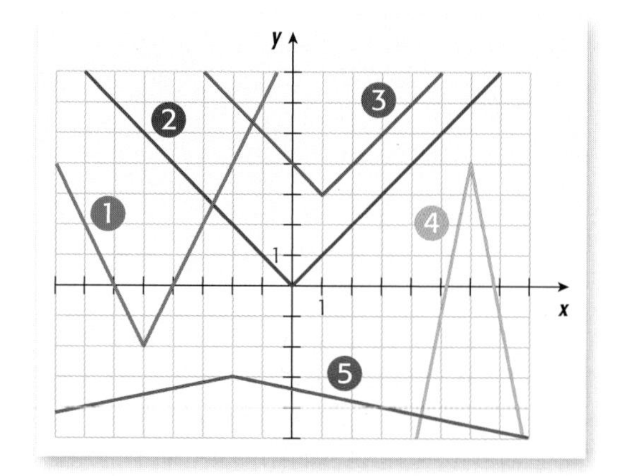

4. Traduis chacune des situations suivantes par une inéquation.

a) Vincent a reçu une carte-cadeau de 70 $ qu'il veut utiliser pour s'acheter, entre autres, une chemise et deux polos. Il choisit une chemise qui coûte 34 $, taxes comprises. On désigne par x le prix d'un polo, taxes comprises.

b) Marianne a 2 ans de moins que son frère. Elle est âgée d'au moins 12 ans. On désigne par x l'âge de son frère.

5. Les fonctions affines f et g sont représentées graphiquement dans le plan cartésien ci-contre.

a) Détermine la règle de chacune des fonctions.

b) Détermine sur quel intervalle :

i) $f(x) \leq 0$ ii) $f(x) \leq g(x)$ iii) $g(x) > {}^{-}1$

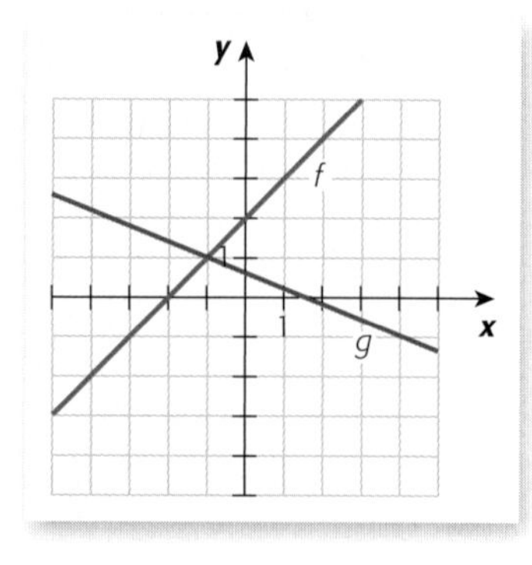

6. Développe les expressions suivantes et exprime-les sous la forme d'un polynôme.

a) $2(x + 4)^2$ b) $^{-}(x - 2)^2 + 6$ c) $\frac{-1}{2}(x + 3)^2 - 11$

7. Parmi les expressions algébriques suivantes, détermine celles qui sont associées à des polynômes de degré 2.

a) $(x + 1)^2 + 8$

b) $(x + 1)^2 - (x - 2)^2$

c) $(x + 3)(x - 8)(x - 7)$

d) $x(x + 7)$

8. Factorise les trinômes suivants.

a) $x^2 - 7x + 12$ b) $3x^2 + 8x + 5$ c) $2x^2 + 3x - 5$

La forme canonique de la règle et les propriétés

Section 1

Prévenir la pénurie

Au Canada, le risque d'une pénurie de main-d'œuvre dans divers métiers spécialisés suscite de plus en plus d'inquiétude. Comme la compétitivité de plusieurs entreprises dépend d'une main-d'œuvre qualifiée, des économistes prévoient qu'une telle pénurie causerait un ralentissement économique et affecterait ainsi plusieurs Canadiens.

Afin d'encourager le renouvellement de la main-d'œuvre et de favoriser la prospérité du pays, le gouvernement canadien a mis sur pied un programme de subventions pour les apprentis et les entreprises qui les embauchent. Les apprentis sont des étudiants qui ont des périodes de formation en classe et d'autres en milieu de travail.

L'évolution, depuis 1991, du nombre d'apprentis dans des métiers spécialisés au Canada peut être modélisée par une fonction dont la règle est $n(t) = 1{,}5(t - 4)^2 + 162$, où $n(t)$ représente le nombre d'apprentis en milliers et t, le temps écoulé, en années, depuis 1991.

En tant qu'analyste pour le gouvernement, tu recommandes qu'on cesse graduellement de verser des subventions dès que le nombre d'apprentis atteindra 700 000. En t'appuyant sur une représentation graphique de la situation, dresse le portrait de l'évolution du nombre d'apprentis depuis 1991. Émets une recommandation sur le moment où le gouvernement pourrait cesser de verser les subventions.

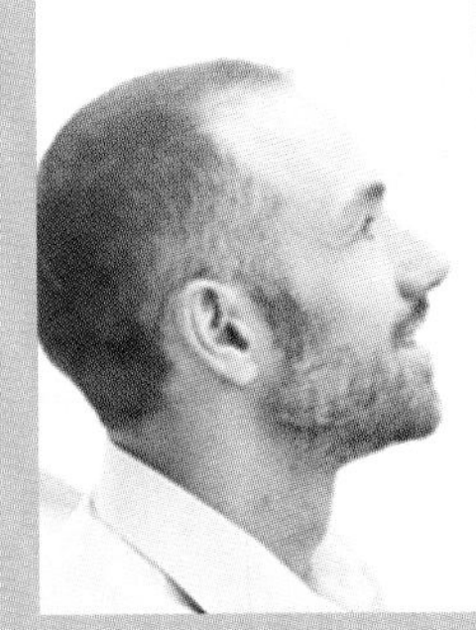

Vivre-ensemble et citoyenneté

Dans une démocratie, les gouvernements municipal, provincial ou fédéral représentent les électeurs. Ils interviennent dans des domaines comme l'économie, la santé, l'environnement et l'éducation afin, entre autres, d'aider les citoyens aux prises avec des difficultés. Donne un exemple de mesure ou de programme mis en place par le gouvernement qui, à ton avis, facilite la vie de certaines personnes. Quel programme, selon toi, mériterait d'être renforcé ou instauré? Justifie ta réponse.

L'observation de régularités

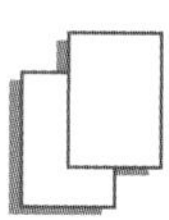

Observation de régularités : les accroissements

Fonction polynomiale

Fonction dont la règle est un polynôme à une variable. Le degré de la fonction correspond au degré du polynôme.

Voici les tables de valeurs de deux **fonctions polynomiales** de degré 1 et 2.

$f(x) = 3x$	
x	$f(x)$
0	0
1	3
2	6
3	9
4	12
5	15

Accroissements de 1er niveau : + 3, + 3, + 3, + 3, + 3

Accroissements de 2e niveau : + 0

$f(x) = x^2$	
x	$f(x)$
0	0
1	1
2	4
3	9
4	16
5	25

Accroissements de 1er niveau : + 1, + 3, + 5, + 7, + 9

Accroissements de 2e niveau : + 2

Pour chaque augmentation unitaire de la valeur de la variable indépendante, les accroissements de premier niveau de la variable dépendante sont indiqués en marge du tableau.

A Selon toi, de quelle façon calcule-t-on les accroissements de deuxième niveau ?

B Reproduis les tables de valeurs et complète le calcul des accroissements de deuxième niveau. Que remarques-tu ?

La fonction polynomiale de degré 2 est appelée fonction quadratique. La fonction quadratique de base est $f(x) = x^2$.

Voici les tables de valeurs de quatre fonctions quadratiques.

①

$f(x) = 5x^2$	
x	$f(x)$
0	0
1	5
2	20
3	
4	

②

$g(x) = ^-3x^2$	
x	$g(x)$
0	0
1	$^-3$
2	$^-12$
3	
4	

③

$p(x) = \frac{1}{2}x^2 + 5$	
x	$p(x)$
0	5
1	$\frac{11}{2}$
2	
3	
4	

④

$q(x) = ^-2(x + 2)^2$	
x	$q(x)$
0	$^-8$
1	$^-18$
2	
3	
4	

C Reproduis et complète les quatre tables de valeurs.

D Calcule les accroissements du premier et du deuxième niveau pour les fonctions f, g, p et q.

E Comment peut-on déduire le degré d'une fonction polynomiale à partir des différents niveaux d'accroissements calculés avec une table de valeurs ?

F Vérifie la réponse donnée en **E** avec la fonction polynomiale de degré 3 dont la règle est $f(x) = 2x^3$.

Il est utile de se servir des paramètres a, h et k de la **forme canonique de la règle d'une fonction quadratique** afin d'en faire l'analyse.

G Quelle est la valeur des paramètres a, h et k dans chacune des règles représentant les fonctions *f*, *g*, *p* et *q*?

H Établis un lien entre les accroissements de deuxième niveau calculés en **D** et la valeur du paramètre a.

Forme canonique de la règle d'une fonction quadratique

Règle de la forme $f(x) = a(x - h)^2 + k$, où $a \neq 0$. Cette forme de la règle d'une fonction quadratique permet de mettre en évidence les paramètres a, h et k.

Ai-je bien compris?

1. Identifie la ou les tables de valeurs qui peuvent être celles de fonctions quadratiques.

①

x	0	1	2	3	4
$f_1(x)$	3	2	5	12	23

②

x	0	1	2	3	4
$f_2(x)$	1	$^-3$	$^-7$	$^-11$	$^-15$

③

x	0	1	2	3	4
$f_3(x)$	5	4	1	$^-4$	$^-11$

2. Voici les tables de valeurs de fonctions quadratiques. Quelle est la valeur du paramètre a dans chaque règle exprimée sous la forme canonique?

a)

x	$^-2$	$^-1$	0	1	2
$f_1(x)$	8	2	0	2	8

b)

x	$^-2$	$^-1$	0	1	2
$f_2(x)$	$^-4$	$^-1$	0	$^-1$	$^-4$

c)

x	$^-2$	$^-1$	0	1	2
$f_3(x)$	3	$\frac{4}{3}$	$\frac{1}{3}$	0	$\frac{1}{3}$

ACTIVITÉ
D'EXPLORATION 2

Les paramètres jouent un rôle

Rôle des paramètres a, h et k dans la forme canonique de la règle

Une parabole est la courbe qui représente une fonction quadratique.

Voici les représentations graphiques de plusieurs fonctions quadratiques de la forme $f(x) = ax^2$. La fonction de base, $f(x) = x^2$, est représentée par une parabole rouge.

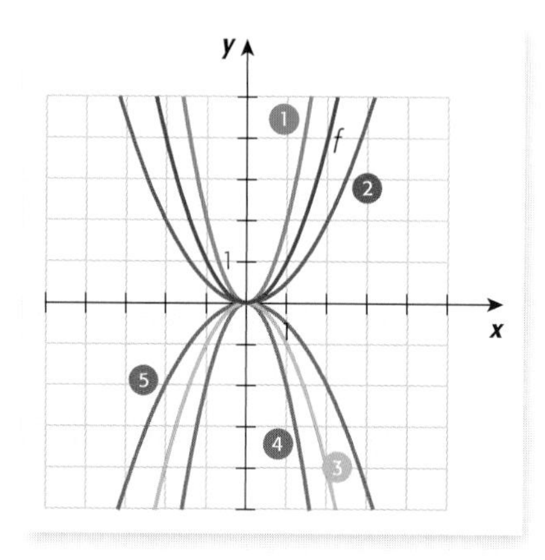

A Reproduis et complète la table de valeurs ci-dessous pour $f(x) = x^2$.

x	$^{-}2$	$^{-}1$	0	1	2
$f(x)$					

B À l'aide de la table de valeurs complétée en **A**, vérifie au moyen de quelques couples qu'une parabole représentant une fonction de la forme $f(x) = ax^2$ est une courbe symétrique.

C Quelle équation représente l'ensemble des points situés sur l'axe de symétrie des paraboles représentées ci-dessus?

D Associe chacune des règles suivantes à la parabole correspondante dans la représentation ci-dessus.

1) $f_1(x) = \frac{1}{2}x^2$
2) $f_2(x) = 2x^2$
3) $f_3(x) = {}^{-}2x^2$
4) $f_4(x) = \frac{^{-}1}{2}x^2$
5) $f_5(x) = {}^{-}x^2$

E Quels effets une variation du paramètre a produit-elle sur la représentation graphique d'une fonction dont la règle est de la forme $f(x) = ax^2$?

F Est-ce que la valeur du paramètre a peut être zéro? Explique ta réponse.

TIC

La calculatrice à affichage graphique permet de faire varier les paramètres dans la règle de la fonction quadratique et d'observer les modifications que ces variations entraînent sur le graphique de la fonction. Pour en savoir plus, consulte la page 246 de ce manuel.

Soit quatre fonctions quadratiques dont les règles sont les suivantes.

① $g_1(x) = (x - 5)^2$

② $g_2(x) = (x + 4)^2$

③ $g_3(x) = x^2 - 5$

④ $g_4(x) = x^2 + 4$

G Représente graphiquement ces fonctions dans un même plan cartésien.

H Quelles sont les coordonnées du **sommet** de chacune des paraboles représentées en **G**?

Sommet
Point de la parabole situé sur l'axe de symétrie de celle-ci et dont l'ordonnée est l'extremum de la fonction. Le sommet se note **S**.

I En observant les règles ci-dessus et tes réponses en **H**, détermine les coordonnées du sommet de la fonction dont la règle est $g_5(x) = (x - 5)^2 + 4$.

Voici la représentation graphique de trois fonctions quadratiques dont les règles sont :
$p_1(x) = {}^-(x - 2)^2 - 4$, $p_2(x) = 2(x + 1)^2 - 8$ et $p_3(x) = \frac{1}{2}(x - 3)^2$.

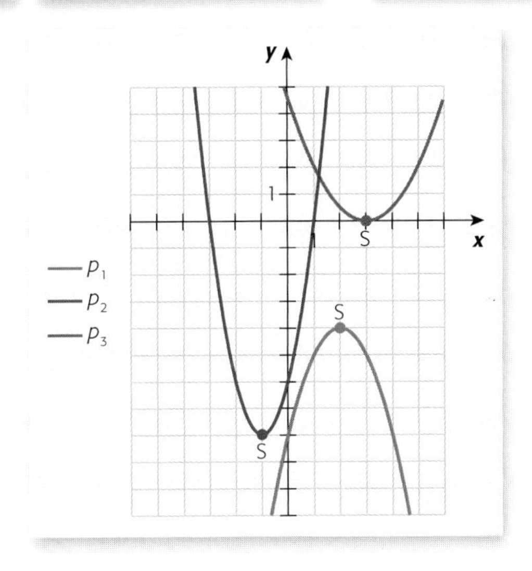

J Quel lien peut-on établir entre la valeur des paramètres a, h et k et les coordonnées du sommet de la parabole?

K Quelle est l'équation de l'axe de symétrie des paraboles associées aux fonctions p_1, p_2 et p_3?

L Quel lien peut-on établir entre les coordonnées du sommet et l'équation de l'axe de symétrie?

M La fonction p_2 possède deux zéros. Détermine la valeur exacte de ceux-ci en résolvant l'équation $2(x + 1)^2 - 8 = 0$.

N À l'aide de la règle de la fonction p_1, explique pourquoi cette fonction n'a pas de zéros.

O Observe le nombre de zéros que possèdent les fonctions p_1, p_2 et p_3. Émets ensuite une conjecture sur le lien qui existe entre le signe des paramètres a et k et le nombre de zéros que possède une fonction quadratique dont la règle est $f(x) = a(x - h)^2 + k$, où $a \neq 0$.

P Trace la parabole représentant la fonction dont la règle est $g(x) = \frac{1}{2}(x - 2)^2 - 6$. Explique ta procédure.

Ai-je bien compris?

1. Voici les représentations de quatre fonctions quadratiques.

① $f_1(x) = 2x^2 + 3$

② $f_2(x) = \frac{1}{2}(x + 3)^2$

③ $f_3(x) = {}^-(x - 3)^2$

④ $f_4(x) = x^2 - 3$

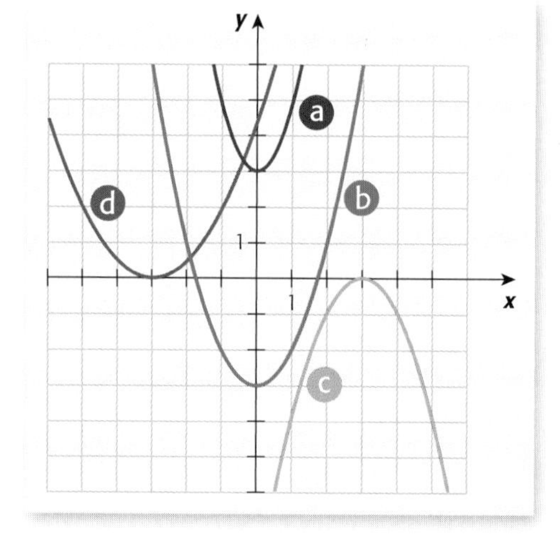

a) Associe chacune des règles à la parabole correspondante.

b) Détermine les coordonnées du sommet de chacune des paraboles.

c) Détermine l'équation de l'axe de symétrie de chacune des paraboles.

2. Voici les règles de quatre fonctions quadratiques.

1) $f_1(x) = {}^-5x^2 + 2$

2) $f_2(x) = \frac{^-4}{3}(x - 6)^2$

3) $f_3(x) = \frac{5}{2}(x + 4)^2 + 3$

4) $f_4(x) = 2(x - 2)^2 - \frac{1}{2}$

a) Combien de zéros possède chacune de ces fonctions?

b) S'ils existent, quels sont-ils?

ACTIVITÉ D'EXPLORATION 3

Le Stromboli en éruption

- **Propriétés de la fonction dont la règle est $f(x) = a(x - h)^2 + k$**
- **Inéquation du second degré à une variable**

Le Stromboli, une île volcanique située au large des côtes de l'Italie, est reconnu pour son volcan actif. Toutes les 20 à 30 minutes, ce volcan projette de la lave à des hauteurs pouvant atteindre plusieurs dizaines de mètres. Les touristes peuvent observer ce spectacle naturel fantastique en faisant une randonnée pédestre nocturne.

Au cours de leur randonnée, des touristes sont témoins d'une éruption du Stromboli. À partir de quelques observations et d'un chronomètre, on a établi que, par rapport au cratère du volcan, la hauteur $h(t)$, en mètres, atteinte par un amas de roches en fonction du temps écoulé t, en secondes, après le début de cette éruption, est modélisée par la fonction dont la règle est $h(t) = ^{-}5(t - 5{,}5)^2 + 151{,}25$.

A Quelles sont les coordonnées du sommet de la parabole associée à la fonction h ? Dans ce contexte, à quoi correspondent-elles ?

B Représente graphiquement la fonction h.

C Sur quel intervalle la fonction h est-elle décroissante ? Dans ce contexte, à quoi correspond cet intervalle ?

D Pendant combien de temps l'amas de roches reste-t-il au-dessus du cratère du volcan ?

E Résous l'équation $90 = ^{-}5(t - 5{,}5)^2 + 151{,}25$. À quoi correspondent les solutions de cette équation dans le présent contexte ?

À un certain endroit du sentier de randonnée d'où le cratère n'est pas visible, les touristes peuvent voir la lave pendant la période où elle est projetée à une hauteur de 50 m et plus.

F Exprime cette situation sous la forme d'une inéquation du second degré à une variable.

G Détermine à quels moments l'amas de roches se situe exactement à une hauteur de 50 m.

H Sur le graphique tracé en **B**, représente la période de temps, après le début de l'éruption, pendant laquelle les touristes peuvent voir la lave.

I Exprime cette période de temps sous la forme d'un intervalle.

J Résous les inéquations suivantes.

1) $^{-}5(t - 5{,}5)^2 + 151{,}25 > 120$

2) $^{-}5(t - 5{,}5)^2 + 151{,}25 \leq 71{,}25$

3) $^{-}5(t - 5{,}5)^2 + 151{,}25 > 200$

K Dans ce contexte, à quoi correspondent les réponses trouvées en **J**?

Vivre-ensemble et citoyenneté

Le Mouvement international de la Croix-Rouge et du Croissant-Rouge est un important organisme humanitaire. Fondé en 1859, il a comme mission de protéger la vie et la santé ainsi que de veiller au respect de la personne humaine. Présent dans plus de 176 pays, ce mouvement compte plus de 100 millions de membres et de volontaires qui travaillent de concert pour venir en aide aux personnes touchées par les conflits armés et les catastrophes naturelles (inondations, séismes, éruptions volcaniques, ouragans, etc.).

Au moment de l'éruption du volcan Nyirangongo en République démocratique du Congo, survenue le 17 janvier 2002, une coulée de lave de plusieurs kilomètres de largeur a atteint et dévasté Goma, une ville de 400 000 habitants. Des dizaines de milliers de personnes se sont retrouvées sans abri, sans eau, sans nourriture. Des travailleurs humanitaires de la Croix-Rouge ont fourni de l'aide, des abris, de l'eau potable et des premiers soins aux sinistrés.

Selon toi, la Croix-Rouge intervient-elle seulement dans le cas de catastrophes naturelles? Donne des exemples. Connais-tu d'autres organismes humanitaires qui viennent en aide aux populations touchées par des conflits armés ou des catastrophes naturelles?

Ai-je bien compris?

L'esquisse du graphique d'une fonction quadratique comprend les coordonnées du sommet, l'ordonnée à l'origine et les zéros, s'il y a lieu.

1. Soit la fonction f définie par la règle $f(x) = \frac{1}{4}(x - 7)^2 - 1$. Trace une esquisse de la fonction f et:
   a) détermine l'extremum de f;
   b) fais l'étude de la variation et du signe de f;
   c) détermine pour quelles valeurs de x:
      i) $f(x) = 8$
      ii) $f(x) \geq 8$
      iii) $f(x) \leq 8$
      iv) $f(x) = {}^{-}2$
      v) $f(x) > {}^{-}2$
      vi) $f(x) < {}^{-}2$

L'observation de régularités : les accroissements

La table de valeurs ci-dessous présente le calcul des accroissements des premier et deuxième niveaux pour la fonction $f(x) = 3x^2$. Les accroissements de premier niveau correspondent aux variations des valeurs de la variable dépendante lorsque la valeur de la variable indépendante augmente de une unité. Les accroissements des niveaux supérieurs correspondent à la variation des accroissements du niveau précédent.

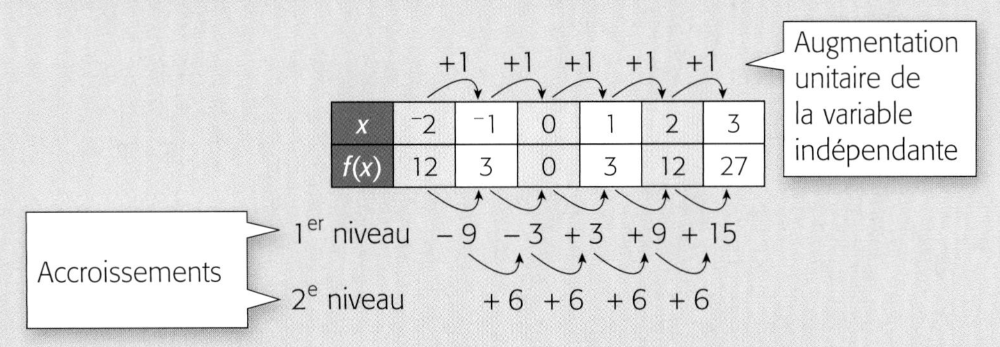

x	$^-2$	$^-1$	0	1	2	3
$f(x)$	12	3	0	3	12	27

Remarque : On peut déterminer le degré d'une fonction polynomiale en observant les différents niveaux d'accroissements. La fonction $f(x) = 3x^2$ est une fonction polynomiale de degré 2. C'est pour cette raison que les accroissements de deuxième niveau sont constants.

La fonction quadratique

Une fonction quadratique, appelée aussi fonction polynomiale de degré 2, est représentée graphiquement par une parabole. La parabole possède un sommet situé sur son axe de symétrie. La règle de la fonction quadratique de base est $f(x) = x^2$. La forme canonique de la règle d'une fonction quadratique, $f(x) = a(x - h)^2 + k$ où $a \neq 0$, met en évidence les paramètres a, h et k.

Exemple :

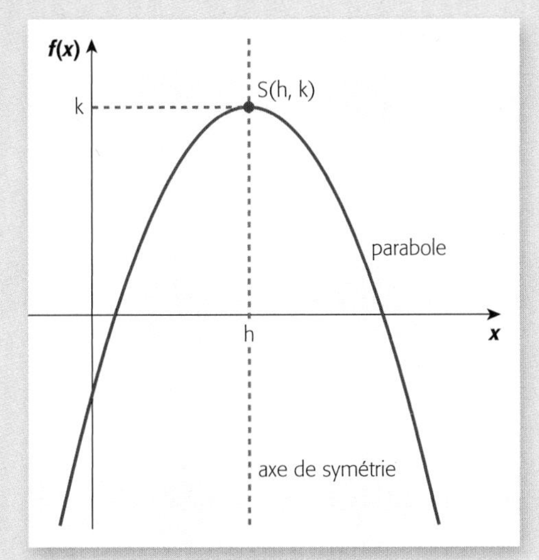

Le rôle des paramètres a, h et k

Le rôle du paramètre a

Le tableau suivant décrit l'influence du paramètre a sur l'ouverture de la parabole.

Il faut que $a \neq 0$ pour que la règle représente une fonction quadratique.

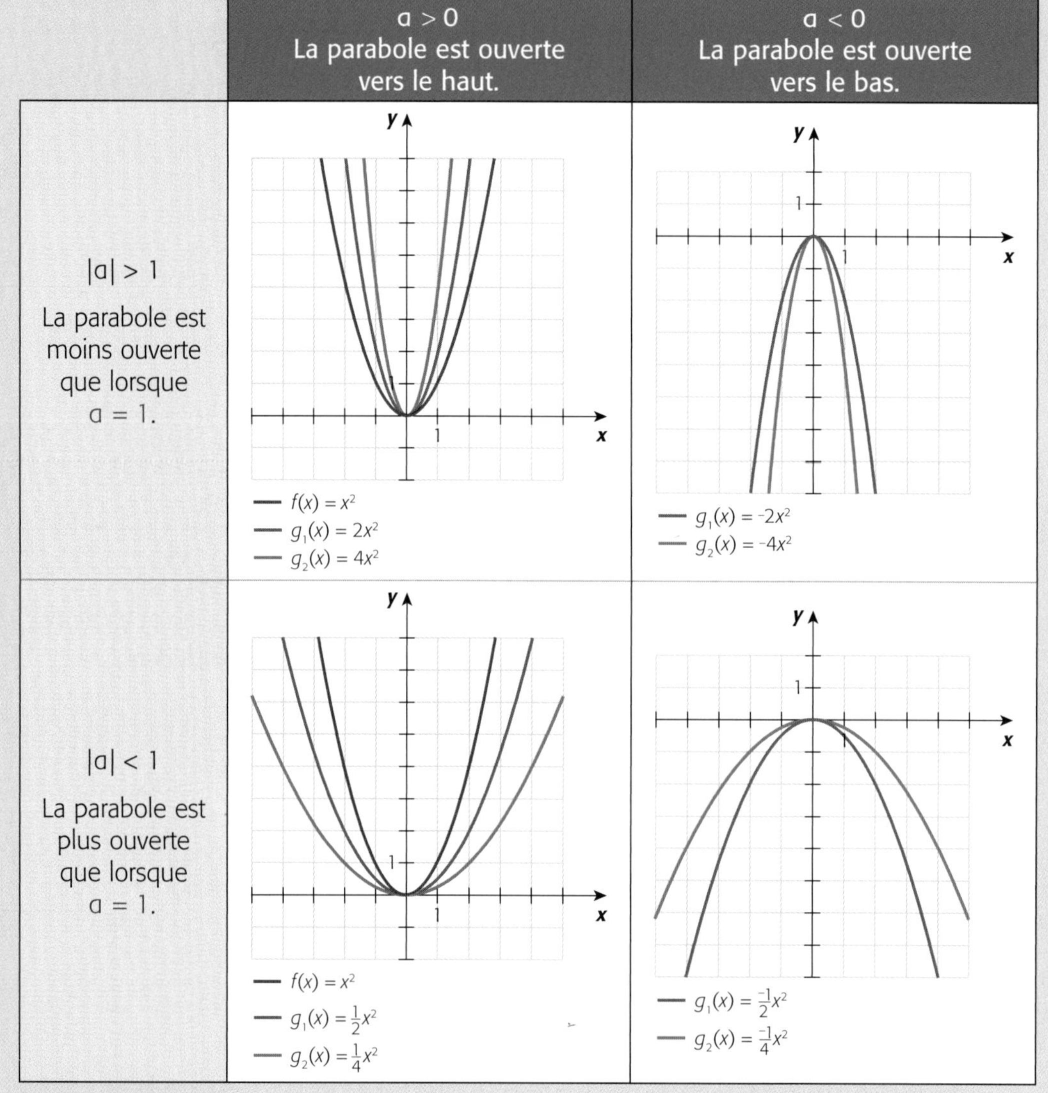

	$a > 0$ La parabole est ouverte vers le haut.	$a < 0$ La parabole est ouverte vers le bas.
$\lvert a \rvert > 1$ La parabole est moins ouverte que lorsque $a = 1$.	$f(x) = x^2$ $g_1(x) = 2x^2$ $g_2(x) = 4x^2$	$g_1(x) = {}^-2x^2$ $g_2(x) = {}^-4x^2$
$\lvert a \rvert < 1$ La parabole est plus ouverte que lorsque $a = 1$.	$f(x) = x^2$ $g_1(x) = \frac{1}{2}x^2$ $g_2(x) = \frac{1}{4}x^2$	$g_1(x) = \frac{^-1}{2}x^2$ $g_2(x) = \frac{^-1}{4}x^2$

Remarque : L'ouverture de la parabole représentant $g(x) = {}^-x^2$ est la même que celle représentant $f(x) = x^2$.

Le rôle des paramètres h et k

Dans la règle $f(x) = a(x - h)^2 + k$, les paramètres h et k correspondent aux coordonnées du sommet de la parabole qui représente la fonction *f*. Sur la représentation graphique, on identifie le sommet par la lettre **S**.

Exemple : Les coordonnées du sommet de la parabole représentant la fonction $g(x) = 3(x + 2)^2 + 4$ sont $(^-2, 4)$.

L'influence des paramètres a et k sur le nombre de zéros de la fonction

Le tableau ci-dessous présente les liens entre les signes des paramètres a et k et le nombre de zéros de la fonction quadratique.

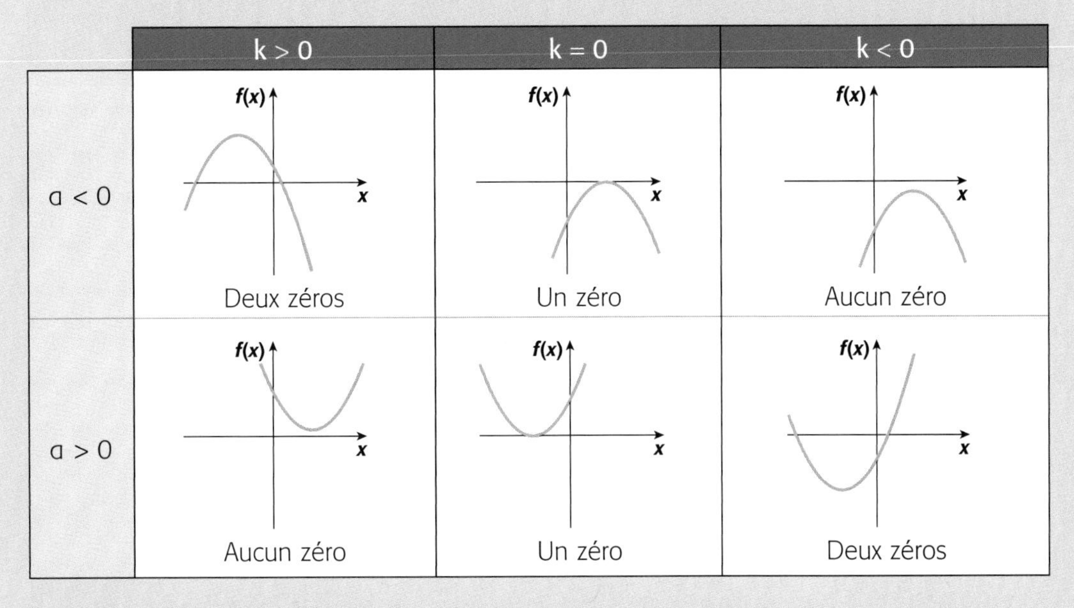

	$k > 0$	$k = 0$	$k < 0$
$a < 0$	Deux zéros	Un zéro	Aucun zéro
$a > 0$	Aucun zéro	Un zéro	Deux zéros

Le tracé du graphique à l'aide des paramètres a, h et k

Le tableau ci-dessous présente les étapes à suivre pour tracer le graphique d'une fonction quadratique dont la règle est exprimée sous la forme canonique.

Exemple : Tracer le graphique de la fonction dont la règle est $f(x) = 2(x - 5)^2 - 1$.

Étape	*Exemple*	
1. Placer le sommet de la parabole dont les coordonnées sont (h, k) et tracer l'axe de symétrie dont l'équation est $x = h$.	S(5, $^-1$) Axe de symétrie : $x = 5$	f(x), x, (3, 7), (7, 7), (4, 1), (6, 1), S(5, -1)
2. Placer deux autres points de la parabole en calculant $f(h + 1)$ et $f(h + 2)$.	$h = 5$ $h + 1 = 6$ $h + 2 = 7$ $f(6) = 2(6 - 5)^2 - 1 = 1$ $f(7) = 2(7 - 5)^2 - 1 = 7$ Points : (6, 1) (7, 7)	
3. À partir des deux points placés à l'étape 2, utiliser l'axe de symétrie pour placer deux autres points de la parabole. Ensuite, compléter le tracé de la parabole.	Autres points : (4, 1) (3, 7)	

Les propriétés d'une fonction quadratique dont la règle est $f(x) = a(x - h)^2 + k$

Faire l'analyse d'une fonction consiste à décrire ses propriétés. Le tableau ci-dessous présente les propriétés d'une fonction quadratique dont la règle est sous la forme canonique.

	Exemple : $f(x) = {}^{-}2(x - 1)^2 + 8$	Représentation graphique
Domaine	$\mathbb{R}$	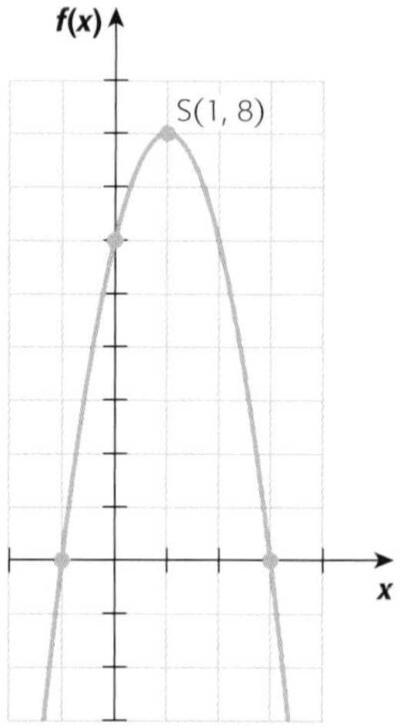
Image	$]-\infty, 8]$	
Ordonnée à l'origine (ou valeur initiale)	$f(0) = {}^{-}2(0 - 1)^2 + 8 = 6$	
Zéros (ou abscisses à l'origine)	${}^{-}2(x - 1)^2 + 8 = 0$ $(x - 1)^2 = 4$ $x - 1 = {}^{\pm}\sqrt{4} = {}^{\pm}2$ $x_1 = {}^{-}1$ et $x_2 = 3$	
Variation	f est croissante pour $x \in]-\infty, 1]$ f est décroissante pour $x \in [1, +\infty[$	
Signe	f est positive pour $x \in [{}^{-}1, 3]$ f est négative pour $x \in]-\infty, {}^{-}1] \cup [3, {}^{+}\infty[$	
Extremum	Max $f = 8$ Aucun minimum	
Équation de l'axe de symétrie	$x = 1$	

La résolution d'inéquations du second degré à une variable

Résoudre une inéquation du second degré à une variable consiste à déterminer les valeurs de la variable qui vérifient l'inéquation. On utilise l'esquisse du graphique ainsi que les solutions de l'équation pour déterminer l'ensemble-solution de l'inéquation.

Exemple : Pour résoudre l'inéquation $\frac{{}^{-}1}{2}(x - 5)^2 + 8 < 6$, on peut tracer la fonction dont la règle est $f(x) = \frac{{}^{-}1}{2}(x - 5) + 8$ et interpréter le graphique pour déterminer les valeurs de x qui vérifient $f(x) < 6$.

Étape	**1.** Résoudre l'équation.	**2.** Tracer l'esquisse du graphique de f. **3.** Placer les solutions de l'équation qui correspondent aux points (3, 6) et (7, 6).	**4.** Interpréter le graphique pour déterminer l'ensemble-solution, c'est-à-dire les valeurs de la variable indépendante qui vérifient l'inéquation.
Démarche	$\frac{{}^{-}1}{2}(x - 5)^2 + 8 = 6$ $\frac{{}^{-}1}{2}(x - 5)^2 = {}^{-}2$ $(x - 5)^2 = 4$ $x - 5 = {}^{\pm}\sqrt{4}$ $x = {}^{\pm}2 + 5$ $x_1 = 3 \quad x_2 = 7$	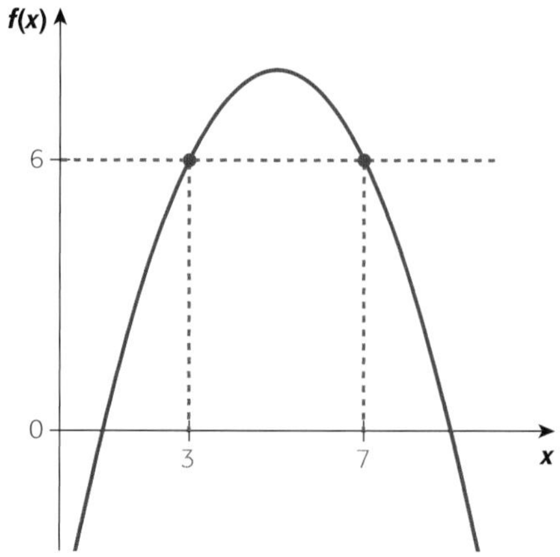	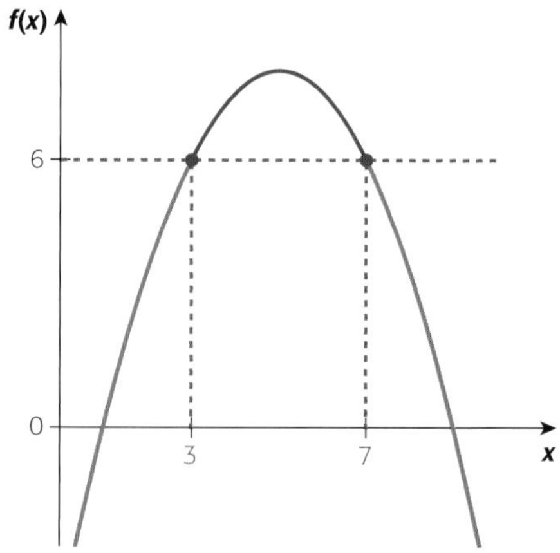 $x \in]-\infty, 3[\cup]7, +\infty[$

Mise en pratique

1. Voici les tables de valeurs de quatre fonctions polynomiales. Identifie le degré de chaque fonction.

a)

x	y
0	7
1	5
2	5
3	7
4	11

b)

x	y
0	6
1	4
2	2
3	0
4	$^-2$

c)

x	y
0	$^-1$
1	0
2	9
3	32
4	75

d)

x	y
0	5
1	2
2	$^-1$
3	$^-4$
4	$^-7$

2. Voici les tables de valeurs de quatre fonctions quadratiques. Quelle est la valeur du paramètre a dans la règle écrite sous la forme canonique?

a)

x	y
0	3
1	6
2	11
3	18
4	27

b)

x	y
0	$^-2$
1	1
2	12
3	31
4	58

c)

x	y
0	4
1	5
2	2
3	$^-5$
4	$^-16$

d)

x	y
0	0
1	3
2	4
3	3
4	0

3. Détermine les trois prochains termes de cette suite : 12, 11, 6, $^-3$, $^-16$, $^-33$, ...

4. Associe chacune des règles ci-dessous à la parabole correspondante.

a) $y = 3(x + 1)^2 - 2$

b) $y = 3(x - 1)^2 + 2$

c) $y = {}^-3(x - 1)^2 - 2$

d) $y = {}^-3(x + 1)^2 + 2$

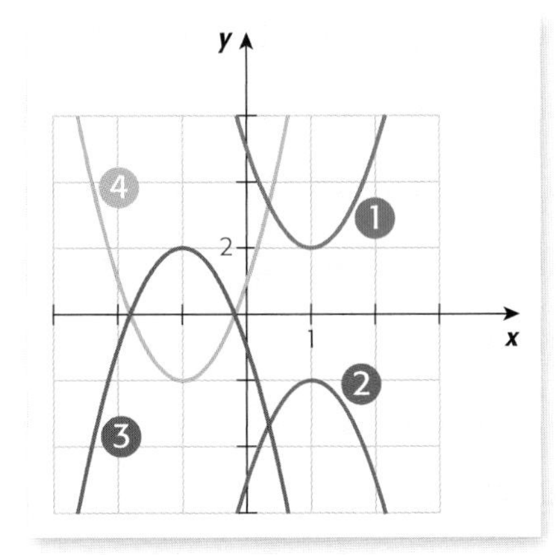

5. Pour chacune des fonctions dont les règles sont les suivantes, détermine la valeur des paramètres a, h et k.

a) $f_1(x) = (x + 8)^2$

b) $f_2(x) = 0{,}8x^2 + 18$

c) $f_3(x) = \frac{^-(x - 6)^2}{2}$

d) $f_4(x) = {}^-4(x + 5)^2 - 6$

6. Les fonctions représentées ci-dessous ont une règle de la forme $f(x) = ax^2 + k$.

① 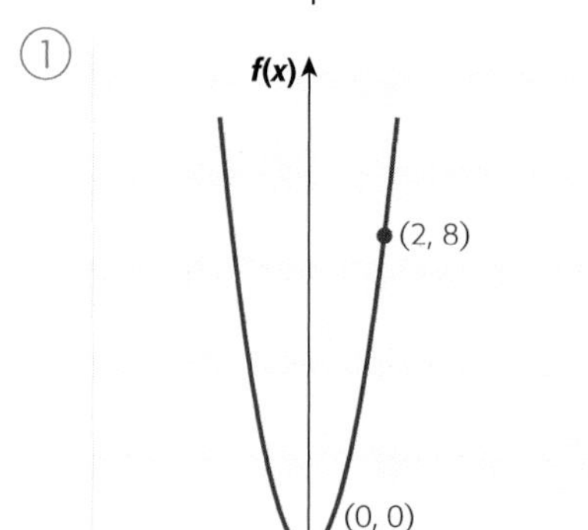

③ 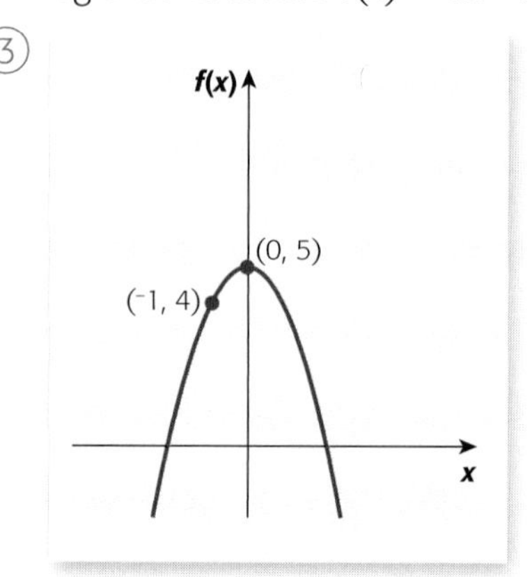

② 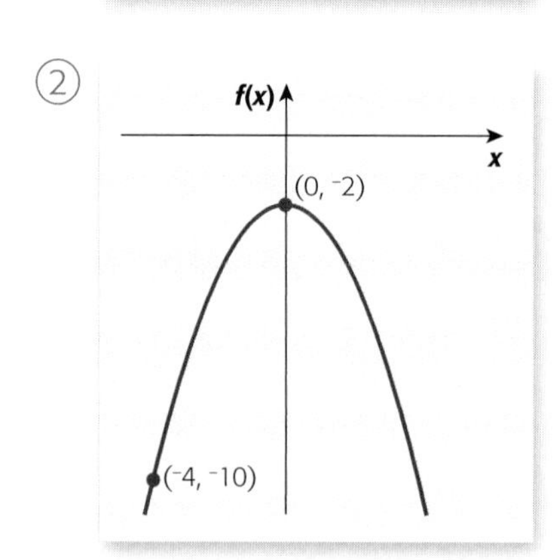

④ 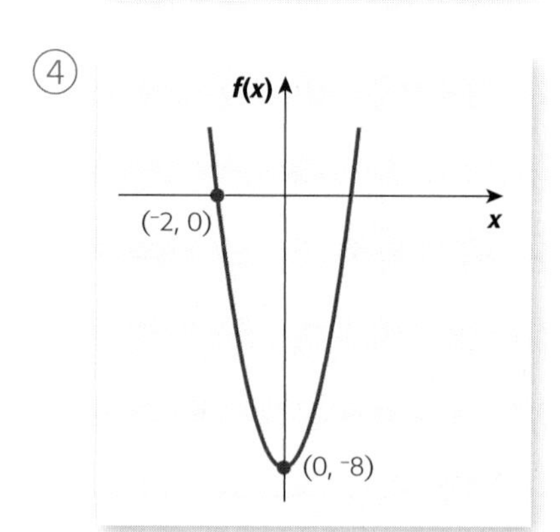

a) Décris les liens entre les valeurs de a et de k et le nombre de zéros de *f*.

b) Décris les liens entre les valeurs de a et de k et le nombre d'ordonnées à l'origine de *f*.

7. Voici les règles de six fonctions quadratiques.

① $f_1(x) = (x + 5)^2$

② $f_2(x) = \frac{-1}{2}(x + 1)^2$

③ $f_3(x) = {}^-(x - 2)^2 - 5$

④ $f_4(x) = 2(x + 6)^2 + 2$

⑤ $f_5(x) = (x - 5)^2 - 4$

⑥ $f_6(x) = {}^-(x + 4)^2 + 3$

Trace chaque parabole et indique pour chacune :

a) les coordonnées du sommet ;

b) l'équation de l'axe de symétrie ;

c) le domaine et l'image de la fonction ;

d) le maximum ou le minimum de la fonction ;

e) les zéros de la fonction, s'il y a lieu.

8. Le graphique ci-contre représente la fonction f.
Sur quel intervalle la fonction f est-elle :

a) croissante ?
b) décroissante ?
c) positive ?
d) négative ?

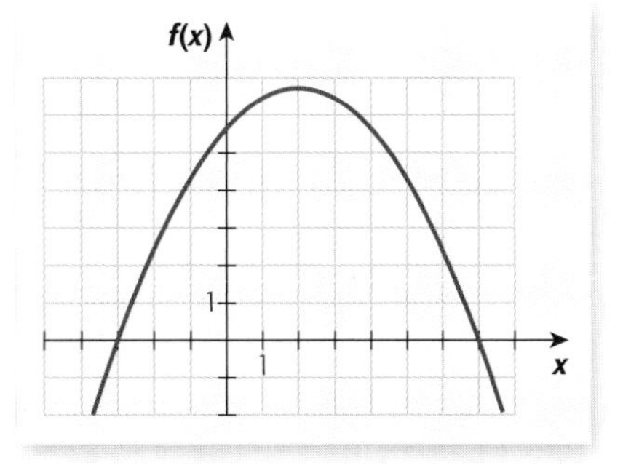

9. Les coordonnées du sommet de la parabole associée à la fonction f sont (2, 7). Un des zéros de cette fonction est 12. Détermine :

a) le domaine et l'image de f ;
b) les extremums de f ;
c) le signe de f.

10. La distance qu'une voiture parcourt entre le moment où l'automobiliste appuie sur le frein et le moment où la voiture s'immobilise correpond à la distance de freinage. Cette distance varie en fonction de la vitesse de la voiture. On peut représenter la distance de freinage d'une voiture qui roule sur une chaussée sèche par la fonction $d(v) = 0{,}006(v + 15)^2 - 1{,}35$, où $d(v)$ est la distance de freinage, en mètres, et v, la vitesse de la voiture, en kilomètres par heure.

a) Quelle est la distance de freinage d'une voiture qui roule sur une chaussée sèche :
  1) dans une zone scolaire à une vitesse de 30 km/h ?
  2) sur l'autoroute à une vitesse de 100 km/h ?

b) À quelle vitesse roule une voiture dont la distance de freinage sur une chaussée sèche est de 42 m ?

11. Quand on laisse tomber un objet en chute libre d'une hauteur initiale de d mètres, la hauteur h de l'objet pendant sa chute est modélisée par la fonction suivante :

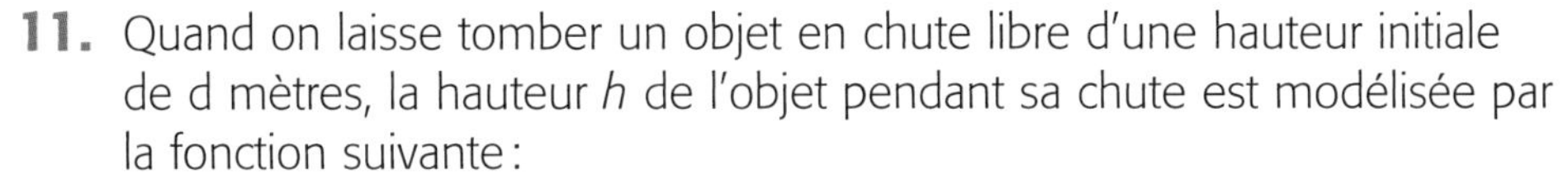

$$h_1(t) = {}^{-}4{,}9t^2 + d \text{ (sur la Terre)}$$
$$h_2(t) = {}^{-}0{,}8t^2 + d \text{ (sur la Lune)}$$

où t représente le temps écoulé depuis le début de sa chute, en secondes.

Suppose qu'on laisse tomber un objet d'une hauteur de 120 m.

a) Représente graphiquement les fonctions h_1 et h_2.
b) Détermine la durée de la chute de l'objet sur la Terre et sur la Lune. Explique ta réponse.

Fait divers

La force gravitationnelle est la force qui attire et maintient les objets à la surface du sol. Elle est environ six fois moindre sur la Lune que sur la Terre. C'est pourquoi les astronautes qui marchent sur la lune semblent flotter à la surface du sol lunaire.

12. La hauteur $h(t)$, en mètres, d'une balle de base-ball qu'on a frappée avec un bâton en fonction du temps t écoulé depuis qu'on l'a frappée, en secondes, est représentée par la fonction dont la règle est $h(t) = {}^{-}2{,}1(t - 2{,}4)^2 + 13$.

a) Quelle est la hauteur maximale de la balle?

b) Quelle est la hauteur de la balle au moment où on la frappe?

c) Combien de secondes faut-il à la balle après l'impact pour toucher le sol?

d) Quels sont le domaine et l'image de la fonction h?

13. Soit la fonction $f(x) = 5(x - 6)^2 + 20$. Quelles valeurs de x vérifient les inéquations suivantes?

a) $f(x) \leq 45$ b) $f(x) \leq 15$ c) $f(x) > 100$

Pièges et astuces

Une simple esquisse du graphique facilite la recherche de la solution.

14. Une caméra sous-marine est programmée pour descendre sous l'eau selon la règle $p(t) = {}^{-}\frac{2}{3}(t - 5)^2 + 60$, où $p(t)$ indique la profondeur atteinte par la caméra, en mètres, et t, le temps, en heures, écoulé depuis l'enclenchement du mécanisme. Pendant combien de temps la caméra reste-t-elle à au moins 40 m sous l'eau?

15. Le cap Diamant, à Québec, est à 100 m d'altitude par rapport au niveau du fleuve Saint-Laurent. Au sommet du cap se trouve la citadelle de Québec. Des canons y ont autrefois été installés afin de protéger la ville des ennemis qui pouvaient arriver en bateau.

On estime que l'altitude par rapport au niveau de l'eau $a(t)$, en mètres, d'un boulet de canon depuis sa mise à feu en fonction du temps écoulé t, en secondes, était donnée par la règle $a(t) = {}^{-}3(t - 5)^2 + 175$. Pendant combien de secondes le boulet restait-il à une altitude plus élevée que celle du cap Diamant?

La forme générale et la forme factorisée de la règle

Section 2

Surface maximale

Il est difficile de rester indifférent face à la crise alimentaire que traversent plusieurs pays d'Afrique. Dans les régions les plus pauvres du monde, soit l'Afrique de l'Ouest et l'Afrique centrale, la demande en riz connaît la croissance mondiale la plus forte. En conséquence, des coopérants de pays étrangers mettent sur pied des programmes d'autosuffisance en riz.

Tu participes à un programme de coopération internationale qui prévoit le défrichage de champs pour la culture de riz. Chaque personne qui participe à ce programme se voit attribuer une certaine longueur de bordure de rétention. Cette bordure sert à délimiter la surface rectangulaire à cultiver.

De toutes les surfaces rectangulaires qu'on peut délimiter à l'aide d'une longueur de bordure, démontre que la surface carrée est celle qui a la plus grande aire.

Vivre-ensemble et citoyenneté

L'Agence canadienne de développement international (ACDI), créée en 1968, a pour mandat de réduire la pauvreté, de promouvoir les droits de la personne et de favoriser le développement durable. L'ACDI assure le financement de programmes et de projets internationaux. Par exemple, grâce à l'ACDI, le Ghana, un pays d'Afrique de 22 millions d'habitants, a réduit de près de la moitié son taux de pauvreté entre 1991 et 2006. Tel que le prévoit la politique canadienne de coopération, les Canadiens sont invités à participer au dialogue sur la réduction de la pauvreté dans le monde. Quelle serait, selon toi, la meilleure façon de permettre aux Canadiens de s'exprimer sur cette question? Nomme une conséquence du problème de la pauvreté dans le monde.

ACTIVITÉ
D'EXPLORATION **1**

Une règle : trois formes

Passage d'une forme de règle à une autre : forme générale, forme canonique, forme factorisée

Forme générale de la règle
Règle de la forme $f(x) = ax^2 + bx + c$, où $a, b, c \in \mathbb{R}$ et $a \neq 0$.

Forme factorisée de la règle
Règle de la forme $f(x) = a(x - x_1)(x - x_2)$, où x_1 et x_2 sont les zéros de la fonction et $a \neq 0$.

Voici la règle d'une fonction quadratique présentée sous trois formes différentes.

① $f_1(x) = 3(x - 2)^2 - 27$ ② $f_2(x) = 3x^2 - 12x - 15$ ③ $f_3(x) = 3(x + 1)(x - 5)$

A Quelle règle est présentée :

1) sous la **forme générale** ?

2) sous la **forme factorisée** ?

3) sous la forme canonique ?

B En manipulant les expressions algébriques du membre de droite des règles, vérifie :

1) que la règle exprimée sous la forme canonique est équivalente à celle exprimée sous la forme générale ;

2) que la règle exprimée sous la forme factorisée est équivalente à celle exprimée sous la forme générale.

C Quelle manipulation algébrique permet de passer de la forme générale à la forme canonique ? Effectue cette manipulation.

$f_2(x) = 3x^2 - 12x - 15$  $f_1(x) = 3(x - 2)^2 - 27$

D Quelle manipulation algébrique permet de passer de la forme générale à la forme factorisée ? Effectue cette manipulation.

$f_2(x) = 3x^2 - 12x - 15$  $f_3(x) = 3(x + 1)(x - 5)$

E Selon toi, est-il toujours possible d'effectuer par manipulation algébrique les passages évoqués en **C** et en **D** ? Justifie ta réponse.

F La valeur du paramètre a est la même dans les trois formes de règle. Est-ce suffisant pour déterminer si les trois règles sont équivalentes ? Justifie ta réponse.

G Détermine si les trois règles suivantes représentent la même fonction.

① $g_1(x) = 2x^2 - 2x - 24$

② $g_2(x) = 2(x - 4)(x + 3)$

③ $g_3(x) = 2\left(x - \frac{1}{2}\right)^2 - \frac{49}{2}$

Voici la règle d'une autre fonction quadratique présentée sous les trois formes.

① $f_1(x) = {}^-(x - 6)^2 + 16$ ② $f_2(x) = {}^-(x - 2)(x - 10)$ ③ $f_3(x) = {}^-x^2 + 12x - 20$

H Détermine :

1) les coordonnées du sommet de la parabole représentant cette fonction ;

2) les zéros de cette fonction ;

3) l'ordonnée à l'origine de cette fonction.

I Quelle forme de la règle as-tu utilisée pour déterminer les réponses en **H** ?

J Établis un lien entre les zéros de cette fonction et l'abscisse du sommet (h).

K Quel avantage présente chacune de ces trois formes de la règle d'une fonction quadratique ?

Ai-je bien compris ?

1. Soit les trois règles suivantes.

① $f(x) = x^2 - 6x + 8$ ② $g(x) = 2x^2 - 4x - 16$ ③ $h(x) = {}^-x^2 - 8x - 16$

a) Exprime chaque règle sous la forme canonique.

b) Exprime chaque règle sous la forme factorisée.

2. Soit les trois fonctions dont les règles sont les suivantes.

① $f(x) = {}^-(x + 5)^2 - 9$ ② $g(x) = 3x^2 - 6x + 10$ ③ $h(x) = 5(x - 1)(x - 7)$

Détermine :

a) les coordonnées du sommet de la parabole associée à ces fonctions ;

b) les zéros de ces fonctions ;

c) l'ordonnée à l'origine de ces fonctions.

ACTIVITÉ D'EXPLORATION 2

Propriétés de la fonction quadratique dont la règle est $f(x) = ax^2 + bx + c$

Les feux d'artifice

L'illustration ci-dessous représente le site où a lieu un spectacle pyrotechnique. Les pièces pyrotechniques sont projetées vers le haut à une vitesse de 100 m/s à partir des rampes P et Q, puis à une vitesse de 80 m/s à partir de la rampe R. Les pièces projetées à partir du point P ont la particularité d'être allumées dès le lancement et de rester allumées jusqu'à ce qu'elles tombent dans l'eau.

Le tableau suivant indique la hauteur des rampes de lancement par rapport au niveau de l'eau du lac ainsi que les règles associées aux fonctions modélisant la hauteur des pièces pyrotechniques.

Rampe de lancement	Hauteur de la rampe par rapport au niveau de l'eau du lac (m)	Hauteur de la pièce par rapport au niveau de l'eau du lac (m) en fonction du temps (s)
P	2	$h_1(t) = ^-5t^2 + 100t + 2$
Q	20	$h_2(t) = ^-5t^2 + 100t + 20$
R	60	$h_3(t) = ^-5t^2 + 80t + 60$

Ces règles sont présentées sous la forme générale $h(t) = at^2 + bt + c$, où a est une constante calculée à partir de la force gravitationnelle terrestre.

A Dans le présent contexte, à quoi correspond le paramètre c?

B Exprime chacune des règles sous la forme la plus appropriée pour déterminer les coordonnées du sommet.

C Calcule les zéros des fonctions h_1, h_2 et h_3.

D Dans un même plan cartésien, trace une esquisse des fonctions h_1, h_2 et h_3.

E Dans le présent contexte, à quoi correspond le plus grand des zéros des fonctions calculés en **C**?

F Quelle est la hauteur maximale atteinte par une pièce pyrotechnique lancée:

1) de la rampe P? **2)** de la rampe Q? **3)** de la rampe R?

G À combien de secondes doit-on régler la minuterie si l'on désire qu'une pièce explose lorsqu'elle atteint sa hauteur maximale:

1) à partir de la rampe Q? **2)** à partir de la rampe R?

H Fais l'étude de la variation des fonctions h_1, h_2 et h_3.

I Dans ce contexte, à quoi correspondent les intervalles de croissance et de décroissance de chaque fonction?

Le stationnement, situé à 90 m au-dessus du niveau de l'eau du lac, offre une vue réduite sur le spectacle à cause des arbres qui l'entourent. De l'endroit où est garée leur voiture, les membres de la famille Berlatie ne peuvent observer que les feux atteignant une hauteur d'au moins 182 m.

J À quel moment, pour la première fois, la famille Berlatie peut-elle apercevoir les feux lancés à partir de la rampe P?

Ai-je bien compris?

1. Fais l'analyse de chacune des fonctions représentées par les règles suivantes.

   a) $y = x^2 - 20x + 36$ b) $y = 3x^2 - 12x + 11$ c) $y = {}^-2x^2 - 4x + 1$

2. Soit la fonction f définie par la règle $f(x) = \frac{1}{2}x^2 - 2x - \frac{5}{2}$. Détermine pour quelles valeurs de x:

   a) $f(x) = 0$ b) $f(x) = 8$ c) $f(x) = {}^-5$

Faire le point

Les formes de la règle

Voici trois formes de la règle d'une fonction quadratique.

Forme canonique : $f(x) = a(x - h)^2 + k$, où $a \neq 0$
Forme générale : $f(x) = ax^2 + bx + c$, où $a \neq 0$
Forme factorisée : $f(x) = a(x - x_1)(x - x_2)$, où $a \neq 0$

Le passage d'une forme de règle à une autre

La manipulation d'expressions algébriques permet d'exprimer la règle d'une fonction sous la forme désirée. Les tableaux ci-dessous présentent les passages qui impliquent la forme générale de la règle.

Passage de la forme générale à la forme canonique

Étape \ Exemple	$f(x) = 2x^2 - 4x - 30$
	Démarche
1. Mettre le a en évidence.	$f(x) = 2(x^2 - 2x - 15)$
2. Compléter le carré.	$f(x) = 2((x - 1)^2 - 1 - 15)$
3. Distribuer le a sur les termes de l'expression afin d'obtenir la règle sous la forme canonique.	$f(x) = 2(x - 1)^2 - 32$

Passage de la forme canonique à la forme générale

Étape \ Exemple	$f(x) = 2(x - 1)^2 - 32$
	Démarche
1. Développer le carré du binôme.	$f(x) = 2(x^2 - 2x + 1) - 32$
2. Distribuer le a sur les termes du trinôme.	$f(x) = 2x^2 - 4x + 2 - 32$
3. Réduire l'expression afin d'obtenir la règle sous la forme générale.	$f(x) = 2x^2 - 4x - 30$

Passage de la forme générale à la forme factorisée

Étape \ Exemple	$f(x) = 2x^2 - 4x - 30$
	Démarche
1. Mettre le a en évidence.	$f(x) = 2(x^2 - 2x - 15)$
2. Factoriser le trinôme afin d'obtenir la règle sous la forme factorisée.	$f(x) = 2(x + 3)(x - 5)$

Passage de la forme factorisée à la forme générale

Étape \ Exemple	$f(x) = 2(x + 3)(x - 5)$
	Démarche
1. Multiplier les facteurs.	$f(x) = 2(x^2 - 2x - 15)$
2. Distribuer le a sur les termes de l'expression afin d'obtenir la règle sous la forme générale.	$f(x) = 2x^2 - 4x - 30$

Remarque : Le passage de la forme générale à la forme factorisée s'effectue à condition que la fonction possède au moins un zéro.

Les coordonnées du sommet d'une parabole

La généralisation du passage de la forme générale de la règle à la forme canonique permet d'obtenir une formule pour déterminer les coordonnées du sommet (h, k) d'une parabole en fonction des valeurs de a, b et c. Le tableau ci-dessous décrit la procédure à suivre.

Étape \ Exemple	$f(x) = ax^2 + bx + c$ Démarche
1. Mettre le a en évidence.	$f(x) = a\left(x^2 + \frac{b}{a}x + \frac{c}{a}\right)$
2. Compléter le carré afin d'obtenir un trinôme carré parfait.	$f(x) = a\left(x^2 + \frac{b}{a}x + \left(\frac{b}{2a}\right)^2 - \frac{b^2}{4a^2} + \frac{c}{a}\right)$
3. Factoriser le trinôme carré parfait et additionner les termes constants.	$f(x) = a\left(\left(x + \frac{b}{2a}\right)^2 - \frac{b^2 - 4ac}{4a^2}\right)$
4. Distribuer le a sur les deux termes de l'expression.	$f(x) = a\left(x + \frac{b}{2a}\right)^2 + \frac{4ac - b^2}{4a}$
5. Déterminer les coordonnées du sommet en comparant la règle obtenue à l'étape **4** avec la forme canonique de la règle $f(x) = a(x - h)^2 + k$.	Abscisse : $h = \frac{^-b}{2a}$ Ordonnée : $k = \frac{4ac - b^2}{4a}$ *Remarque :* On peut aussi déterminer la valeur de k en calculant simplement $f(h)$.

Les avantages de chacune des formes de la règle

Le tableau suivant présente trois formes de la règle d'une fonction quadratique qui possède des zéros. Des repères quant à la forme qui facilite l'obtention des coordonnées du sommet de la parabole, des zéros et de l'ordonnée à l'origine de la fonction sont dans les cases ombrées.

	Sommet	Zéro(s)	Ordonnée à l'origine
Forme canonique $f(x) = \mathbf{a}(x - h)^2 + k$	(h, k)	$0 = a(x - h)^2 + k$ $\frac{^-k}{a} = (x - h)^2$ $\pm\sqrt{\frac{^-k}{a}} = x - h$ $x = h \pm \sqrt{\frac{^-k}{a}}$	$f(0) = ah^2 + k$
Forme factorisée $f(x) = \mathbf{a}(x - x_1)(x - x_2)$	$h = \frac{x_1 + x_2}{2}$ $k = f(h)$	x_1 et x_2	$f(0) = ax_1x_2$
Forme générale $f(x) = \mathbf{a}x^2 + bx + c$	$h = \frac{^-b}{2a}$ $k = \frac{4ac - b^2}{4a}$ ou $k = f(h)$	$x = \frac{^-b \pm \sqrt{b^2 - 4ac}}{2a}$	$f(0) = c$

Remarque : Le paramètre a reste le même quelle que soit la forme de la règle.

Les propriétés d'une fonction quadratique dont la règle est $f(x) = ax^2 + bx + c$

Le tableau ci-dessous présente l'esquisse du graphique et les propriétés d'une fonction quadratique dont la règle est sous la forme générale.

	Exemple : $f(x) = x^2 - 10x + 16$
Coordonnées du sommet	$h = \frac{^-b}{2a} = \frac{^-(^-10)}{2(1)} = 5$ $k = \frac{4ac - b^2}{4a} = \frac{4 \cdot 1 \cdot 16 - (^-10)^2}{4 \cdot 1} = {^-9}$
Zéros (ou abscisses à l'origine)	$x_1 = \frac{^-b - \sqrt{b^2 - 4ac}}{2a} = \frac{10 - \sqrt{(^-10)^2 - 4 \cdot 1 \cdot 16}}{2 \cdot 1} = \frac{10 - \sqrt{36}}{2} = 2$ $x_2 = \frac{^-b + \sqrt{b^2 - 4ac}}{2a} = \frac{10 + \sqrt{(^-10)^2 - 4 \cdot 1 \cdot 16}}{2 \cdot 1} = \frac{10 + \sqrt{36}}{2} = 8$
Esquisse du graphique	
Domaine et image	Dom $f = \mathbb{R}$ Ima $f = [^-9, +\infty[$
Ordonnée à l'origine (ou valeur initiale)	$f(0) = 16$
Variation	f est croissante pour $x \in [5, +\infty[$ f est décroissante pour $x \in]-\infty, 5]$
Signe	f est positive pour $x \in]-\infty, 2] \cup [8, +\infty[$ f est négative pour $x \in [2, 8]$
Extremums	Min $f = {^-9}$ Aucun max
Équation de l'axe de symétrie	$x = 5$

L'influence du paramètre a et du discriminant sur le nombre de zéros de la fonction

Le discriminant est une expression notée Δ, qui se lit « delta ».

$$\Delta = b^2 - 4ac$$

On trouve cette expression sous le radical dans la formule

$$x = \frac{^-b \pm \sqrt{\Delta}}{2a}$$

Le tableau ci-dessous présente les liens entre les signes du paramètre a et du discriminant et le nombre de zéros de la fonction quadratique.

	$\Delta > 0$	$\Delta = 0$	$\Delta < 0$
$a < 0$	Deux zéros	Un zéro	Aucun zéro
$a > 0$	Deux zéros	Un zéro	Aucun zéro

Mise en pratique

1. Exprime les règles des fonctions quadratiques suivantes sous la forme générale.

a) $f_1(x) = 2(x - 4)^2 + 3$

b) $f_2(x) = {}^{-}1(x + 1)^2 - 5$

c) $f_3(x) = 2{,}5(x - 1{,}3)(x - 3{,}7)$

d) $f_4(x) = {}^{-}4(x - 5)(x + 3)$

e) $f_5(x) = {}^{-}3x(x - \frac{2}{3})$

f) $f_6(x) = \frac{1}{3}(x - 4)^2$

2. Exprime les règles des fonctions quadratiques suivantes sous la forme factorisée.

a) $f_1(x) = 8x^2 - 40x + 32$

b) $f_2(x) = 4x^2 + 4x - 120$

c) $f_3(x) = {}^{-}3x^2 + 6x + 9$

d) $f_4(x) = 5x^2 + 5x - 60$

e) $f_5(x) = \frac{1}{3}x^2 - 2x$

f) $f_6(x) = \frac{1}{4}x^2 - \frac{3}{4}x + \frac{5}{16}$

3. Exprime les règles des fonctions quadratiques suivantes sous la forme canonique.

a) $f_1(x) = 2x^2 - 16x + 35$

b) $f_2(x) = {}^{-}3x^2 - 24x - 49$

c) $f_3(x) = 5x^2 + 10x$

d) $f_4(x) = x^2 + 12x + 36$

e) $f_5(x) = \frac{1}{2}x^2 - \frac{1}{4}x + \frac{1}{8}$

f) $f_6(x) = \frac{x^2}{5} - \frac{6x}{5} + \frac{34}{5}$

4. Quelle forme de la règle d'une fonction quadratique est la plus pratique pour :

a) déterminer les coordonnées du sommet ?

b) déterminer les zéros ?

c) déterminer les intervalles de croissance et de décroissance ?

d) déterminer l'extremum ?

e) déterminer la valeur initiale ?

f) tracer la parabole ?

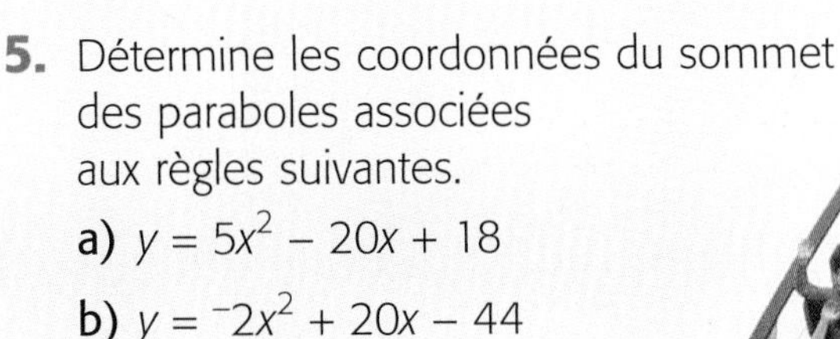

5. Détermine les coordonnées du sommet des paraboles associées aux règles suivantes.

a) $y = 5x^2 - 20x + 18$

b) $y = {}^{-}2x^2 + 20x - 44$

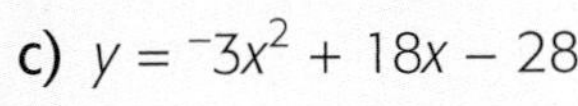

c) $y = {}^{-}3x^2 + 18x - 28$

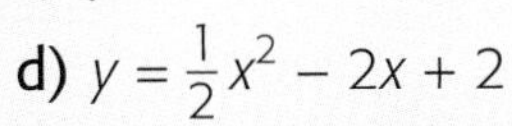

d) $y = \frac{1}{2}x^2 - 2x + 2$

6. Représente graphiquement les fonctions dont les règles sont les suivantes. Indique sur le graphique les coordonnées du sommet de la parabole, les zéros (s'il y a lieu) et l'ordonnée à l'origine.

a) $f_1(x) = 2x^2 + 7x$

b) $f_2(x) = 3x^2 + 2x - 5$

c) $f_3(x) = {}^-2x^2 - 3x - 2$

d) $f_4(x) = 2(x - 1)(x - 5)$

e) $f_5(x) = {}^-(x + 3)(x - 7)$

f) $f_6(x) = 2x(x + 4)$

7. Fais l'étude du signe des fonctions quadratiques représentées par les règles suivantes.

a) $f(x) = x^2 + 8x + 14$

b) $g(x) = {}^-2x^2 + 12x - 12$

c) $h(x) = x^2 - 2x + 6$

8. Fais l'analyse des fonctions quadratiques dont les règles sont les suivantes.

a) $f(x) = \frac{1}{2}(x - 5)(x + 1)$

b) $g(x) = {}^-2(x - 2)(x - 4)$

9. La trajectoire du jet d'eau de la fontaine représentée dans le plan cartésien ci-dessous est une parabole. La hauteur $f(x)$, en centimètres, en fonction de la distance horizontale x, en centimètres, est représentée par la règle $f(x) = {}^-0,1x^2 + 2x + 14$. Quelle est la hauteur maximale atteinte par le jet d'eau?

10. Carolina a lancé un avion en papier par la fenêtre de sa chambre. L'altitude par rapport au sol $a(t)$, en mètres, en fonction du temps de vol t, en secondes, de l'avion est représentée par la fonction dont la règle est $a(t) = \frac{^-1}{2}t^2 + \frac{3}{2}t + 2$.

a) De quelle hauteur Carolina a-t-elle lancé l'avion ?

b) Quelle est l'altitude maximale atteinte par l'avion ?

c) Pendant combien de temps l'altitude de l'avion a-t-elle augmenté ?

d) Après combien de secondes l'avion a-t-il touché le sol ?

11. Dans un milieu de culture approprié, le taux d'accroissement de l'aire totale d'une colonie cellulaire varie à un rythme décrit par la fonction dont la règle est $f(x) = {}^-0{,}008x^2 + 0{,}04x$, où $f(x)$ représente le taux d'accroissement de l'aire totale, en millimètres carrés à l'heure, et x, le temps écoulé, en heures, à partir du moment où les cellules commencent à se multiplier.

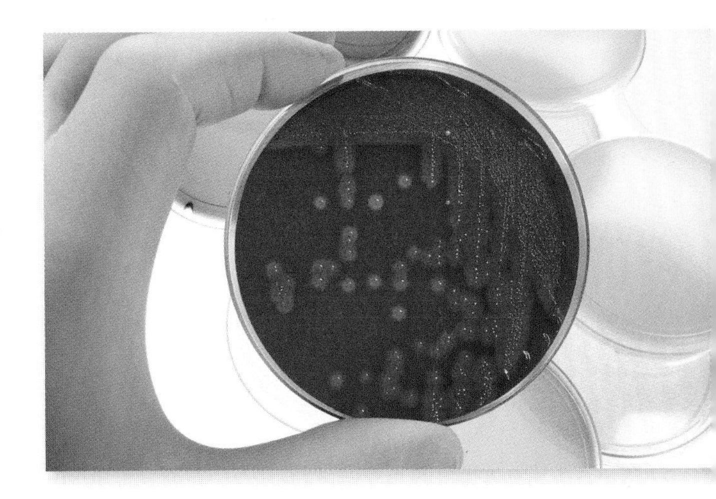

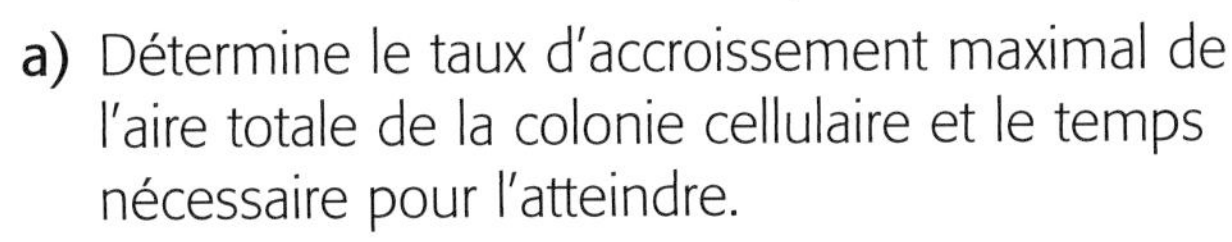

a) Détermine le taux d'accroissement maximal de l'aire totale de la colonie cellulaire et le temps nécessaire pour l'atteindre.

b) Décris, en contexte, la variation de la fonction f.

12. Soit la fonction f décrite par la règle $f(x) = \frac{x^2}{2} - 10x + 57$.
Pour quelles valeurs de x :

a) $f(x) = 0$?　　b) $f(x) = 9$?　　c) $f(x) = 15$?

13. Au soccer, un gardien effectue un dégagement. La hauteur du ballon $h(t)$, en mètres, en fonction du temps t, en secondes, est décrite par la fonction quadratique dont la règle est $h(t) = \frac{^-3}{125}t^2 + \frac{6}{5}t$.

a) Trace une esquisse du graphique de cette fonction.

b) Détermine la hauteur maximale atteinte par le ballon.

c) Après combien de secondes le ballon retombe-t-il au sol ?

d) Pendant combien de temps le ballon est-il en ascension ?

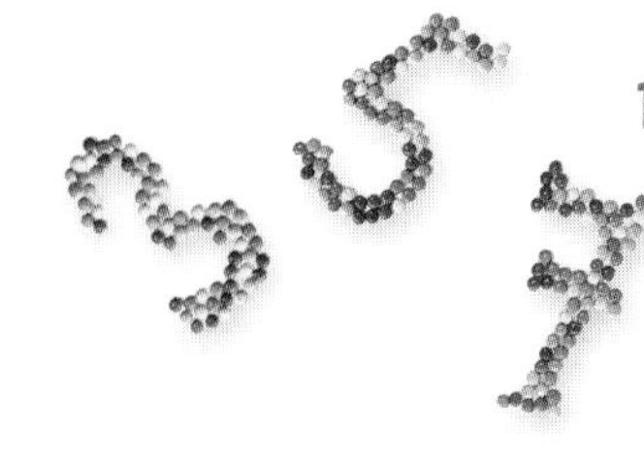

14. Personne n'a encore trouvé une fonction qui générerait tous les nombres premiers. La fonction p dont la règle est $p(x) = (x + 0,5)^2 + 16,75$, où x est un nombre entier et $p(x)$ un nombre premier, génère quelques nombres premiers. Détermine les trois plus petits nombres premiers générés par cette fonction.

15. Les profits $p(t)$, en milliers de dollars, de l'entreprise Alaska sont représentés par la fonction $p(t) = {}^{-}2t^2 + 28t - 80$, où t est le temps écoulé, en mois, depuis le début de l'année.

a) Dans ce contexte, à quoi correspond la valeur initiale de la fonction p?

b) Exprime sous forme d'intervalle la période de temps durant laquelle l'entreprise a enregistré un déficit.

c) Pendant combien de mois les profits de l'entreprise ont-ils été d'au moins 16 000 $?

16. Des météorologues du nord du Québec ont noté la température extérieure de leur région entre 6 h le matin et minuit. À partir de leurs observations, ils ont établi que la variation $t(h)$ de la température en degrés Celsius, au cours de cette journée, est décrite par la règle $t(h) = {}^{-}0,4h(h - 10)$, où h est le nombre d'heures écoulées à partir de 6 h.

a) Quelle température faisait-il à 17 h?

b) À quelle heure la température a-t-elle atteint ⁻30 °C?

c) Sur quel intervalle la température a-t-elle été inférieure à ⁻30 °C?

La recherche de la règle

Section 3

Trop, c'est comme pas assez !

Lorsqu'il est question de secourir des personnes en danger, le temps est une contrainte importante. Heureusement, les secouristes reçoivent souvent l'aide de nombreux bénévoles. Toutefois, le nombre de bénévoles est parfois si élevé que, dans certaines circonstances, les coordonnateurs des mesures d'urgence doivent refuser l'aide de certains d'entre eux. En effet, un trop grand nombre de bénévoles diminue l'efficacité des interventions.

Une importante inondation vient de survenir et il est nécessaire de coordonner l'évacuation d'environ 8 000 sinistrés. Compte tenu de l'équipement et du nombre de secouristes, un coordonnateur évalue que le nombre de personnes qui pourront être évacuées est fonction du nombre de bénévoles qui participent à l'évacuation par période de 8 heures. Cette situation peut être modélisée par la fonction quadratique représentée ci-contre.

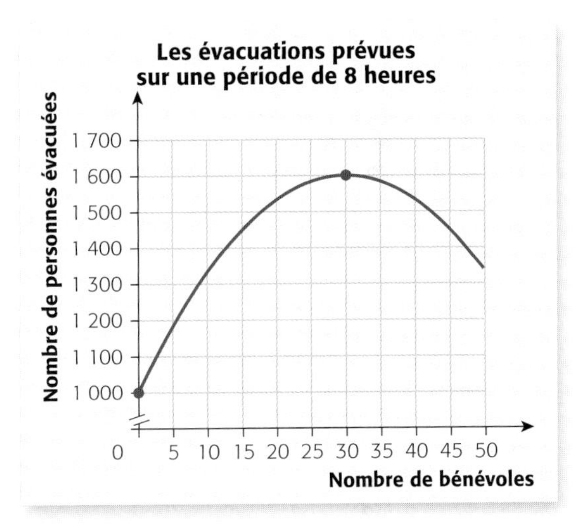

Jusqu'à l'évacuation complète des sinistrés, des équipes de bénévoles se relaieront aux 8 heures. Le tableau ci-dessous dresse un portrait de l'aide disponible dans les 48 prochaines heures.

Période		Bénévoles disponibles	Période		Bénévoles disponibles
1	12 h à 20 h	21	4	12 h à 20 h	66
2	20 h à 4 h	15	5	20 h à 4 h	45
3	4 h à 12 h	25	6	4 h à 12 h	21

Tu as le mandat de coordonner le travail des bénévoles et d'évaluer le plus précisément possible le temps qu'il faudra pour évacuer les quelque 8 000 sinistrés. Pour exécuter ton mandat, dresse un portrait global du plan d'évacuation. Quelles mesures suggères-tu pour maximiser l'efficacité du plan d'évacuation ?

Vivre-ensemble et citoyenneté

En situation de crise, qu'il s'agisse de la disparition d'une personne, d'une catastrophe naturelle ou d'autre chose, il est souvent surprenant de constater la mobilisation spontanée de gens qui souhaitent prêter main forte aux secouristes. Selon toi, qu'est-ce qui pousse certaines personnes à venir en aide aux gens en détresse ? Quelles qualités personnelles ces personnes possèdent-elles ?

ACTIVITÉ D'EXPLORATION 1

Recherche de la règle à partir du sommet et d'un autre point

Des fonctions artistiques

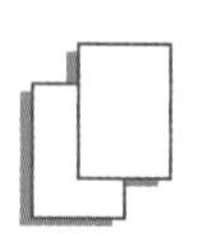

Charlotte s'amuse à tracer des dessins sur sa calculatrice à affichage graphique.

Voici un de ses dessins, constitué de quatre paraboles, ainsi que la fenêtre d'affichage de sa calculatrice.

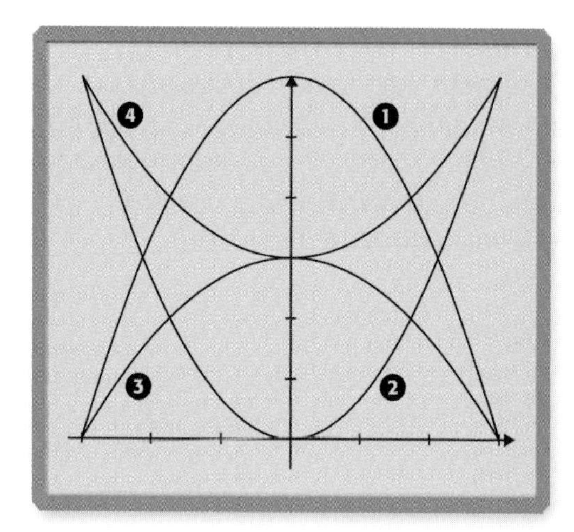

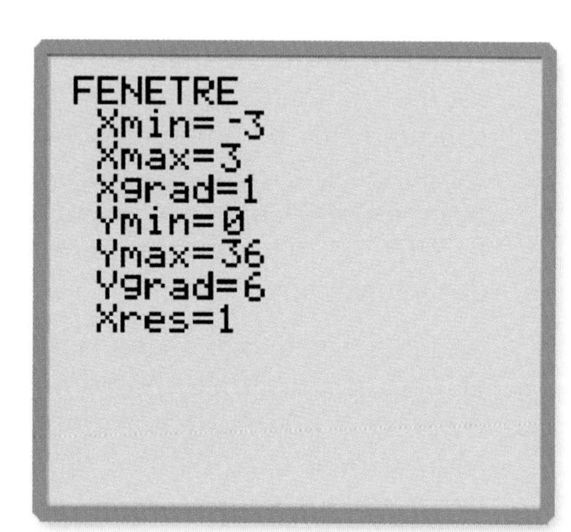

FENETRE
Xmin=-3
Xmax=3
Xgrad=1
Ymin=0
Ymax=36
Ygrad=6
Xres=1

TIC

La calculatrice à affichage graphique permet de tracer des dessins comme celui de Charlotte à partir de la représentation graphique de fonctions. Pour en savoir plus, consulte la page 244 de ce manuel.

A Reproduis ce dessin dans un plan cartésien en utilisant les mêmes graduations que celles indiquées sur la fenêtre d'affichage. Indique ensuite les coordonnées du sommet de chacune des paraboles.

B Dans quelle forme de la règle d'une fonction quadratique trouve-t-on les coordonnées du sommet?

C Quel paramètre te manque-t-il pour pouvoir écrire la règle de la fonction représentée par chacune de ces paraboles?

D À partir du graphique, trouve les coordonnées d'un point autre que le sommet appartenant à la parabole ❶.

E À l'aide de la forme de la règle identifiée en **B** et du point trouvé en **D**, détermine la règle de la fonction représentée par la parabole ❶. Explique comment tu as procédé.

F Procède de la même manière qu'en **E** pour déterminer les règles de chacune des fonctions représentées par les paraboles ❷, ❸ et ❹.

G Charlotte veut faire un nouveau dessin à l'aide de sa calculatrice. Elle aimerait tracer une parabole qui passe par le point (3, 2), dont l'axe de symétrie est la droite d'équation $x = 2$ et dont le maximum est 5. Quelle règle Charlotte doit-elle saisir sur sa calculatrice?

Ai-je bien compris?

1. Détermine la règle de chacune des fonctions quadratiques représentées ci-dessous.

a)

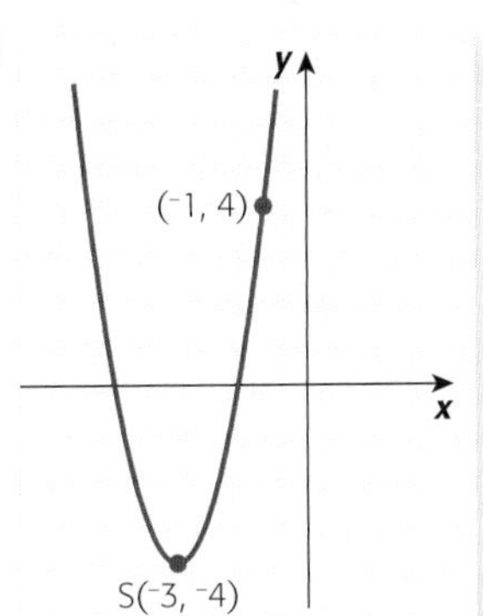

b)

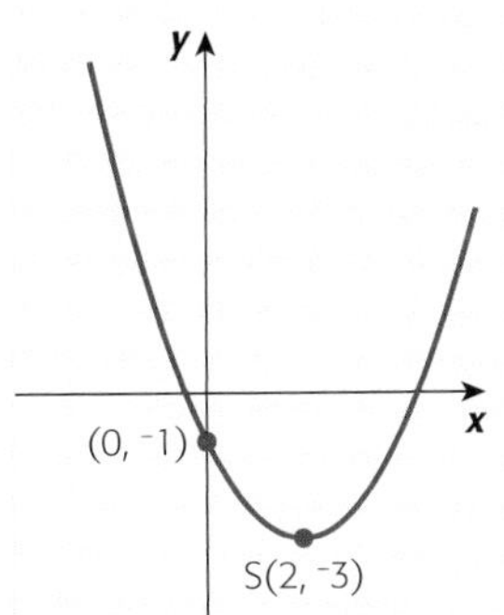

c)

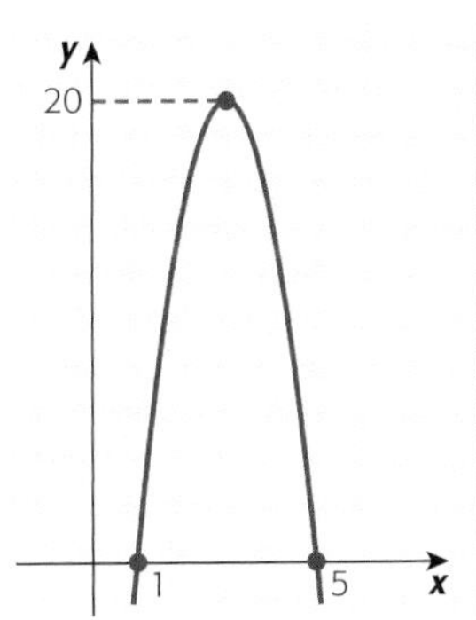

2. Détermine la règle de chacune des fonctions quadratiques décrites ci-dessous.

a)

- La fonction f est croissante sur $]-\infty, 8]$.
- Son ordonnée à l'origine est $^{-}11$.
- Le maximum de cette fonction est 5.

b)

- L'image de la fonction g est $[6, +\infty[$.
- L'équation de l'axe de symétrie de cette parabole est $x = {}^{-}2$.
- Cette parabole passe par le point $(^{-}6, 46)$.

ACTIVITÉ D'EXPLORATION 2

Coup de départ

Recherche de la règle à partir des zéros et d'un autre point

Un ingénieur s'intéresse à la dynamique des coups de départ au golf. Il choisit de modéliser le plus long coup de départ enregistré en compétition par Jason Zuback, champion mondial en titre des coups de départ. L'esquisse ci-dessous représente la relation entre la hauteur atteinte par la balle et le temps écoulé à partir du moment de l'impact.

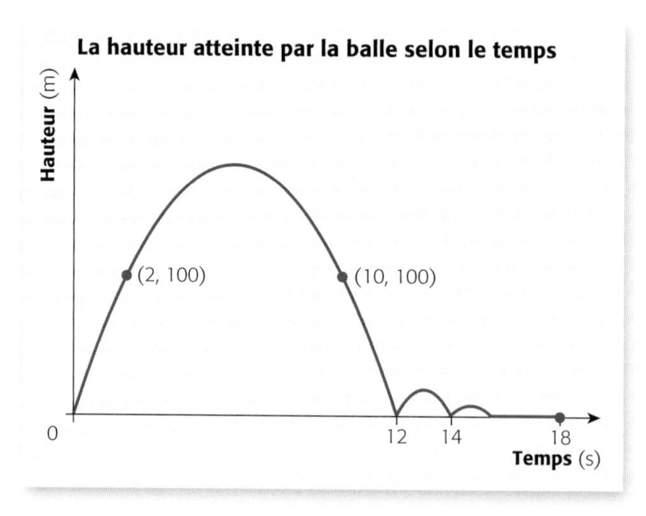

A Explique pourquoi ce graphique ne représente pas la trajectoire de la balle.

B Avant que la balle ne touche le sol pour la première fois :

1) pendant combien de secondes reste-t-elle dans les airs ?
2) pendant combien de secondes atteint-elle une hauteur d'au moins 100 m ?

Pour déterminer la règle de la fonction quadratique qui modélise la hauteur atteinte par la balle entre le moment de l'impact et celui où elle touche le sol pour la première fois, l'ingénieur a procédé de la façon suivante.

$$f(x) = a(x - x_1)(x - x_2)$$
$$f(x) = a(x - 0)(x - 12)$$
$$100 = a(10 - 0)(10 - 12)$$
$$100 = a \cdot 10 \cdot {}^{-}2$$
$$100 = {}^{-}20a$$
$$a = {}^{-}5$$
$$f(x) = {}^{-}5(x - 0)(x - 12)$$
$$f(x) = {}^{-}5x(x - 12)$$

C Quelle forme de la règle de la fonction quadratique l'ingénieur a-t-il utilisée pour déterminer la règle de la fonction ? Justifie son choix.

D Décris la procédure utilisée par l'ingénieur pour déterminer la règle de la fonction quadratique.

Fait divers

Entre 1996 et 2006, l'Albertain Jason Zuback, pharmacien de profession, a remporté à cinq reprises le championnat mondial des plus longs coups de départ au golf. Son plus long coup enregistré en compétition est de 423 m. La force de frappe de Jason Zuback est si grande qu'il réussit à faire passer la balle de golf à travers un bottin téléphonique. Cet exploit lui a mérité le surnom de Golfzilla.

Voici les règles de trois fonctions quadratiques exprimées sous leur forme factorisée.

① $g(x) = 3(x + 2)(x - 4)$ ② $i(x) = {}^{-}2(x - 5)(x - 1)$ ③ $j(x) = a(x - x_1)(x - x_2)$

E Quels sont les zéros de chacune de ces fonctions ?

F Pour chacune des règles de ces fonctions, effectue le produit des deux binômes.

G Émets une conjecture sur la relation entre les zéros d'une fonction et les produits obtenus en **F**.

L'esquisse ci-contre représente, pour le même coup de départ, la relation entre la hauteur atteinte par la balle et la distance horizontale parcourue par celle-ci à partir du point de départ.

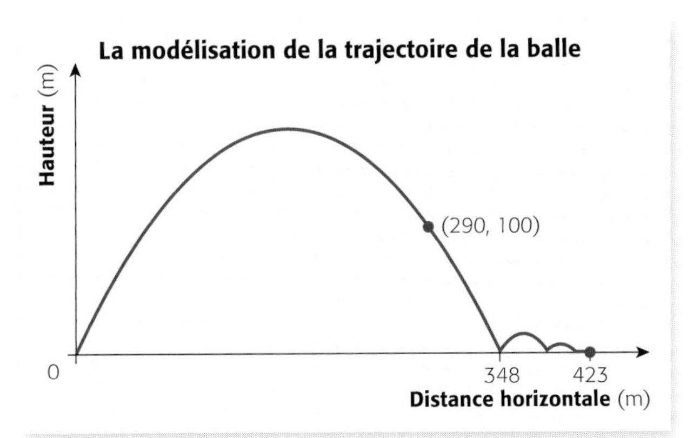

H Détermine la règle de la fonction quadratique qui modélise la trajectoire de la balle entre le point de départ et l'endroit où elle touche le sol pour la première fois :

1) en utilisant la procédure de l'ingénieur ;

2) en utilisant la conjecture que tu as émise en **G**.

Montre que les réponses obtenues en **1** et **2** sont équivalentes.

Au golf, les distances sont habituellement mesurées en verges. Une verge équivaut environ à 0,914 m.

I À l'aide de la règle trouvée en **H**, détermine la hauteur maximale, en mètres, atteinte par la balle.

J À quelle distance horizontale du point de départ la balle se trouve-t-elle lorsqu'elle atteint pour la première fois une hauteur de :

1) 100 m ? **2)** 130 m ?

Ai-je bien compris ?

1. Détermine la règle de chacune des fonctions quadratiques décrites ci-dessous.

a)
- Les zéros de la fonction f sont 4 et $^{-}9$.
- La parabole passe par le point (5, 7).

b)
- Un des zéros de la fonction g est $^{-}2$.
- L'équation de l'axe de symétrie de la parabole est $x = 1$.
- L'ordonnée à l'origine de la fonction est 24.

c)
- Les points d'intersection de la parabole associée à la fonction h avec l'axe des abscisses et l'axe des ordonnées sont (2, 0), (8, 0) et (0, 4).

Faire le point

La recherche de la règle d'une fonction quadratique

On peut déterminer la règle d'une fonction quadratique à partir de certaines informations.

Le sommet et un autre point de la parabole

Les coordonnées du sommet et celles d'un autre point de la parabole permettent de trouver la règle d'une fonction quadratique sous la forme canonique. Le tableau ci-dessous présente les étapes à suivre pour obtenir cette règle.

Étape	*Exemple*
	Sommet $(4, 10)$ et point $(7, {}^{-}2)$
1. Substituer les coordonnées du sommet à h et à k dans la forme canonique $f(x) = a(x - h)^2 + k$.	$f(x) = a(x - h)^2 + k$ $f(x) = a(x - 4)^2 + 10$
2. Substituer les coordonnées du point à x et à $f(x)$ dans la règle obtenue à l'étape **1**.	$f(x) = a(x - 4)^2 + 10$ ${}^{-}2 = a(7 - 4)^2 + 10$
3. Résoudre l'équation obtenue à l'étape **2** afin de déterminer la valeur du paramètre a.	${}^{-}2 = a(7 - 4)^2 + 10$ ${}^{-}2 = a \cdot 9 + 10$ ${}^{-}2 - 10 = a \cdot 9$ ${}^{-}12 = 9a$ $a = \frac{{}^{-}12}{9} = \frac{{}^{-}4}{3}$
4. Écrire la règle de la fonction sous la forme canonique avec les valeurs de a, h et k déterminées précédemment.	$f(x) = \frac{{}^{-}4}{3}(x - 4)^2 + 10$

Les zéros de la fonction et un autre point de la parabole

Les zéros de la fonction et les coordonnées d'un autre point de la parabole permettent de trouver la règle d'une fonction quadratique sous la forme factorisée. Le tableau ci-dessous présente les étapes à suivre pour obtenir cette règle.

Étape	*Exemple*
	$x_1 = 3$, $x_2 = {}^-5$ **et point** (4, 6)
1. Substituer la valeur des zéros à x_1 et à x_2 dans la forme factorisée $f(x) = a(x - x_1)(x - x_2)$.	$f(x) = a(x - x_1)(x - x_2)$ $f(x) = a(x - 3)(x + 5)$
2. Substituer les coordonnées du point à x et à $f(x)$ dans la règle obtenue à l'étape **1**.	$f(x) = a(x^2 + 2x - 15)$ $6 = a(4 - 3)(4 + 5)$
3. Résoudre l'équation obtenue à l'étape **2** afin de déterminer la valeur du paramètre a.	$6 = a(4 - 3)(4 + 5)$ $6 = a(1)(9)$ $6 = 9a$ $a = \frac{6}{9} = \frac{2}{3}$
4. Écrire la règle de la fonction sous la forme factorisée avec les valeurs de a, de x_1 et de x_2 déterminées précédemment.	$f(x) = \frac{2}{3}(x - 3)(x + 5)$

À partir de la règle exprimée sous la forme factorisée, on peut obtenir la règle sous la forme $f(x) = a(x^2 - Sx + P)$, où S est la somme des zéros de la fonction et P, le produit. Cette règle peut être obtenue par manipulation algébrique, comme suit :

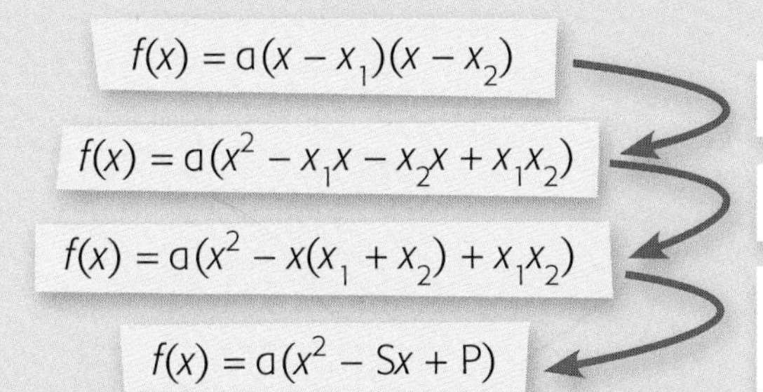

Produit des binômes

Mise en évidence de ^-x

Substitution de la somme des zéros par S et du produit des zéros par P

Les zéros de la fonction et les coordonnées d'un autre point de la parabole permettent également de trouver la règle sous la forme $f(x) = a(x^2 - Sx + P)$. Voici la règle obtenue à partir de l'exemple du tableau du haut de cette page.

$S = 3 + {}^-5 = {}^-2 \qquad P = 3 \cdot {}^-5 = {}^-15$

$f(x) = a(x^2 + 2x - 15)$

$6 = a(4^2 + 2 \cdot 4 - 15)$

$6 = a(9)$

$\frac{2}{3} = a$

$f(x) = \frac{2}{3}(x^2 + 2x - 15)$

$f(x) = \frac{2}{3}x^2 + \frac{4}{3}x - 10$

Mise en pratique

1. Détermine la règle des fonctions quadratiques à partir des informations fournies dans le tableau ci-dessous.

	Fonction	Coordonnées du sommet	Ordonnée à l'origine
a)	f_1	$(^-2, 3)$	$^-1$
b)	f_2	$(2, 4)$	$^-2$
c)	f_3	$(^-4, ^-1)$	$^-5$

2. Détermine la règle de chacune des fonctions représentées ci-dessous.

a)

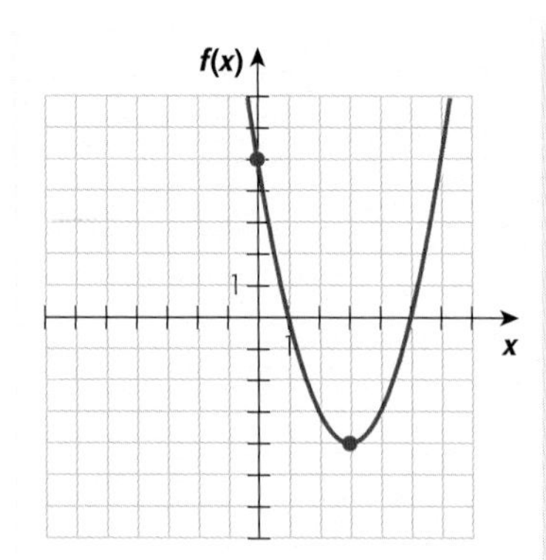

b)

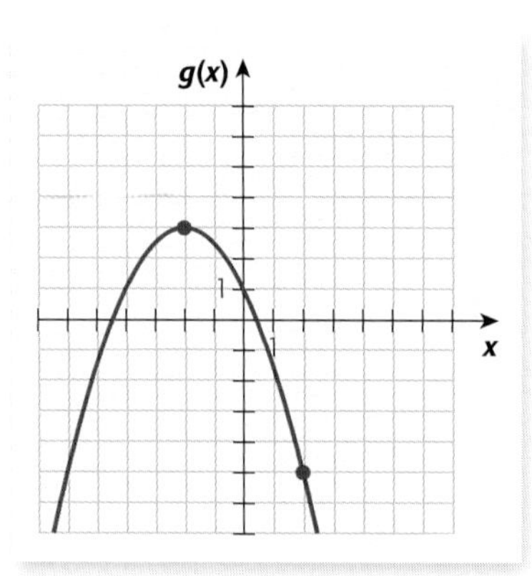

c)

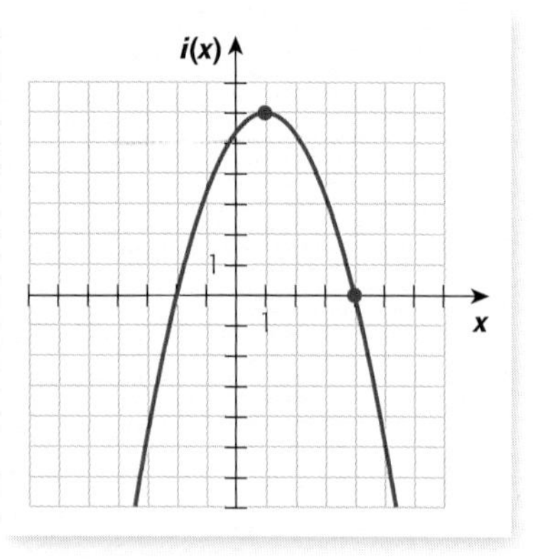

3. Détermine la règle de chacune des fonctions quadratiques décrites ci-dessous.

a)
- L'image de la fonction est $]-\infty, 3]$.
- L'équation de l'axe de symétrie est $x = 4$.
- La courbe passe par le point $(1, 2)$.

b)
- L'abscisse du sommet est $^-3$.
- Le minimum de la fonction est 0.
- La parabole passe par le point $(1, 4)$.

c)
- La fonction est croissante sur $[1, +\infty[$.
- L'image de la fonction est $[^-6, +\infty[$.
- La parabole passe par le point $(4, ^-3)$.

4. Voici quelques caractéristiques d'une parabole. Quelle est la règle de la fonction quadratique représentée par cette parabole?

- Son axe de symétrie est l'axe des ordonnées.
- Son ordonnée à l'origine est 6.
- Une de ses abscisses à l'origine est 3.

5. Quelle est la règle de la fonction représentée par la parabole qui passe par le point (2, ⁻20) et dont les abscisses à l'origine sont ⁻6 et 12?

6. La fonction quadratique *f* est positive sur [4, 8] et son ordonnée à l'origine est ⁻10.

a) Quelle est la règle de *f*?

b) Sur quel intervalle *f* est-elle croissante? décroissante?

7. Détermine la règle de chacune des fonctions quadratiques représentées ci-dessous.

a)

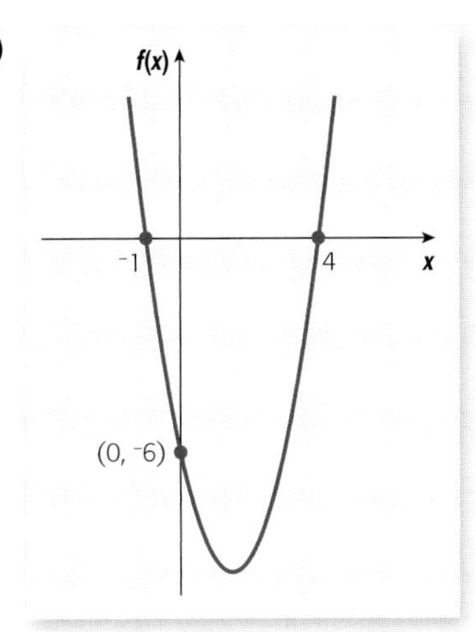

b)

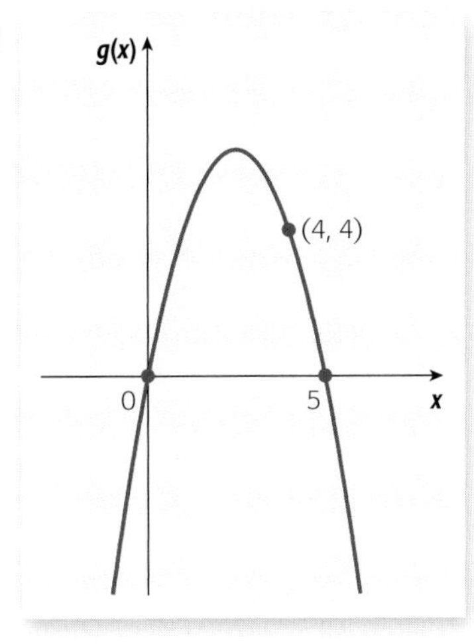

c)

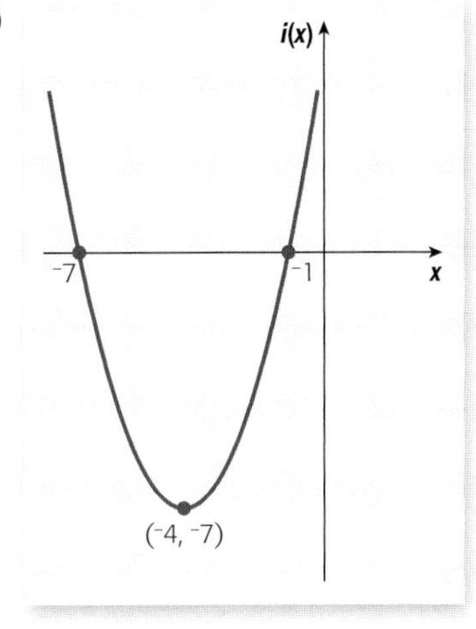

8. Explique pourquoi il n'est pas suffisant de connaître la valeur des zéros d'une fonction quadratique pour en déterminer la règle sous la forme factorisée.

Point de repère

Le théorème fondamental de l'algèbre

Déterminer les zéros d'un polynôme (ou d'une fonction polynomiale) de degré supérieur ou égal à 1 est l'un des plus vieux problèmes mathématiques. En 1743, le mathématicien et philosophe français Jean le Rond d'Alembert (1717-1783) a publié un ouvrage intitulé *Traité de dynamique*. Cet ouvrage a permis de reconnaître d'Alembert comme un des pionniers de la forme factorisée d'une équation polynomiale. Il y énonce le théorème fondamental de l'algèbre (ou théorème de d'Alembert-Gauss) qui établit, entre autres, que tout polynôme de degré $n > 0$ se factorise en un produit de n polynômes du premier degré. Ce théorème n'a été démontré qu'au XIXe siècle, par Carl Friedrich Gauss.

9. Détermine la règle de chacune des fonctions quadratiques pour lesquelles quelques couples sont indiqués dans les tables de valeurs ci-dessous.

a)

x	$f(x)$
$^-6$	0
$^-2$	12
$^-1$	10
0	6
1	0
2	$^-8$

b)

x	$g(x)$
$^-6$	45
$^-2$	9
0	0
1	$^-2,25$
2	$^-3$
3	$^-2,25$

10. Parfois, entre deux bonds, la trajectoire d'une balle de tennis décrit une parabole. La distance entre les deux points où la balle touche le sol est de 10 m et la hauteur maximale qu'elle atteint entre les deux bonds est de 2 m. Détermine la valeur de m dans la règle $h(d) = \text{m}(10d - d^2)$, où $h(d)$ est la hauteur de la balle, et d, la distance horizontale franchie par celle-ci.

11. Le graphique ci-dessous illustre la trajectoire d'un ballon de soccer lors d'un botté. L'altitude maximale du ballon est de 10 m.

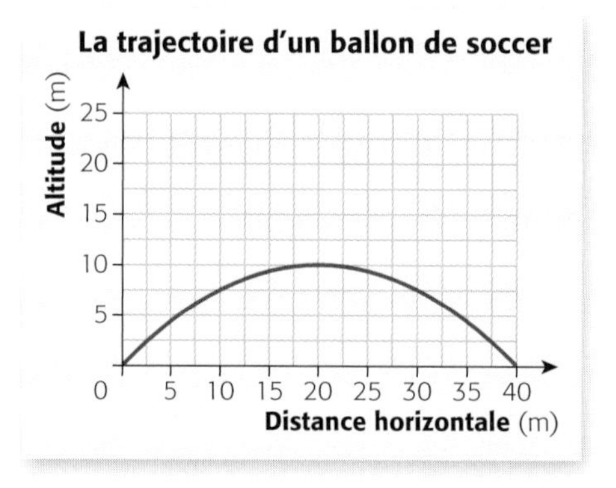

Au cours de sa montée, à quelle distance horizontale de son point de départ le ballon atteint-il une altitude de 6 m?

12. La valeur d'une action était à son minimum, soit à 2,50 \$, cinq mois après son émission en Bourse. On a remarqué que la fonction qui décrivait la baisse de sa valeur au cours des cinq premiers mois était une fonction quadratique.

a) Si cette action valait 3,75 \$ au moment de son émission, combien valait-elle trois mois plus tard?

b) À quel moment au cours des cinq premiers mois l'action valait-elle 2,95 \$?

13. Pendant le tournage d'un film, une voiture doit être propulsée du haut d'une falaise à partir d'une rampe de lancement. La distance verticale entre la rampe de lancement et le sol est de 65 m. Des spectateurs observeront la voiture au cours de sa chute. Selon les calculs, la voiture suivra une trajectoire parabolique et atteindra une hauteur maximale de 80 m par rapport au sol, et ce, à 30 m du bout de la rampe. Pour la sécurité des spectateurs, trouve à quelle distance du bas de la falaise la voiture touchera le sol.

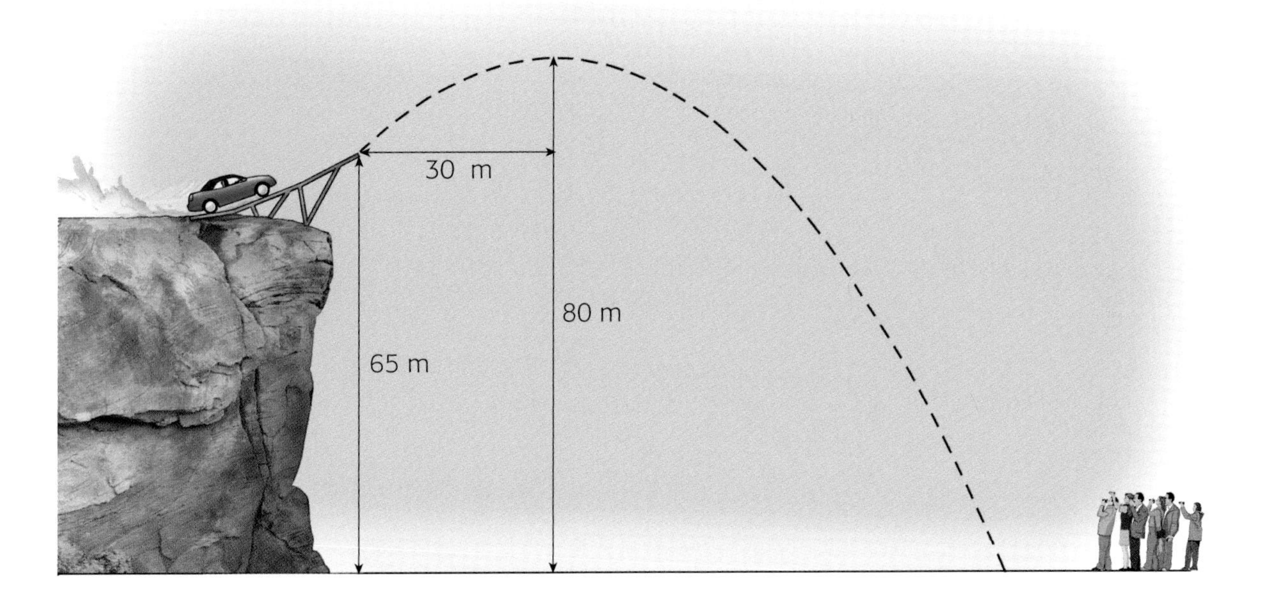

14. Une entreprise de produits pharmaceutiques fabrique des vaccins. Elle estime que son profit maximal quotidien est de 4 000 $ et qu'il est atteint pour la fabrication de 20 vaccins par jour. Cependant, afin de respecter un important contrat, cette entreprise fabrique 25 vaccins par jour, ce qui engendre un profit quotidien de 3 000 $ pour toute la durée du contrat.

a) Détermine la règle de la fonction quadratique p qui modélise le profit réalisé en fonction du nombre de vaccins fabriqués quotidiennement.

b) Quel serait le profit réalisé si l'entreprise produisait 18 vaccins par jour?

c) Calcule la valeur initiale de la fonction p. Dans ce contexte, à quoi correspond-elle?

d) Combien de vaccins cette entreprise devrait-elle fabriquer par jour pour ne pas subir de perte?

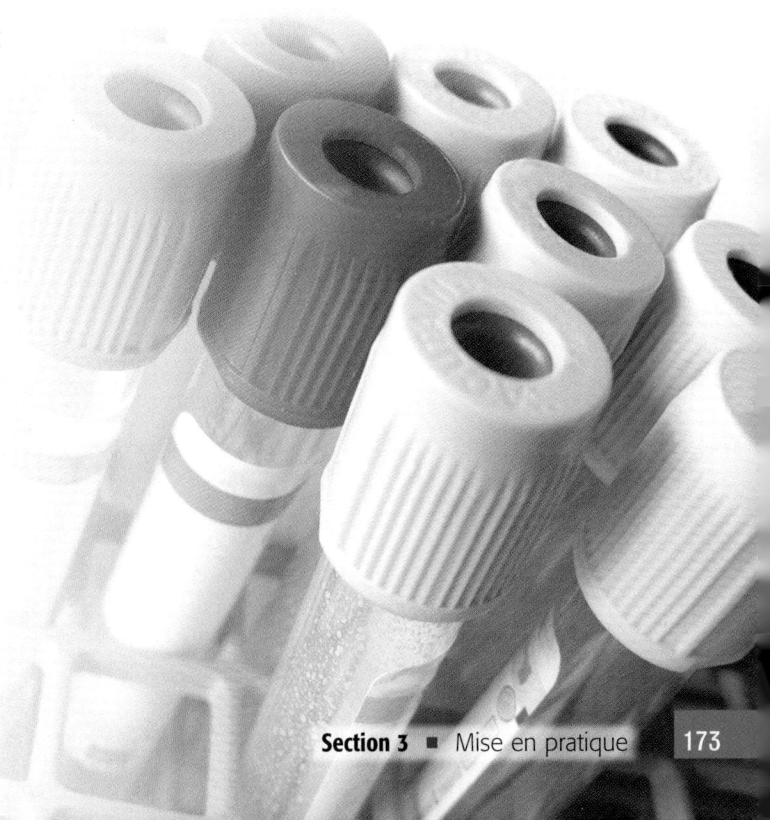

Consolidation

1. Détermine le signe des paramètres a, h et k de la forme canonique de la règle des fonctions quadratiques représentées ci-dessous.

a) 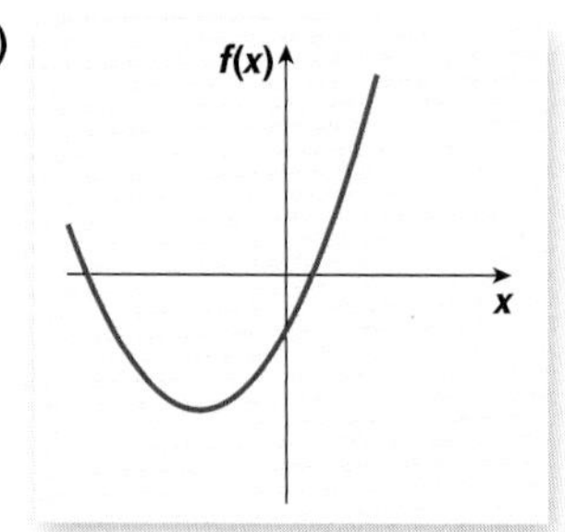

c) 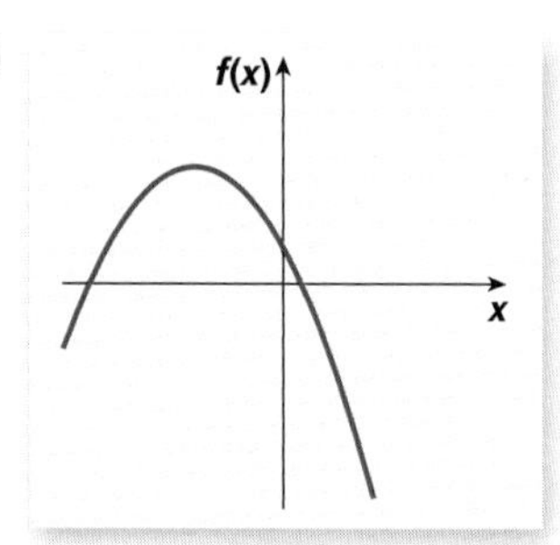

b) 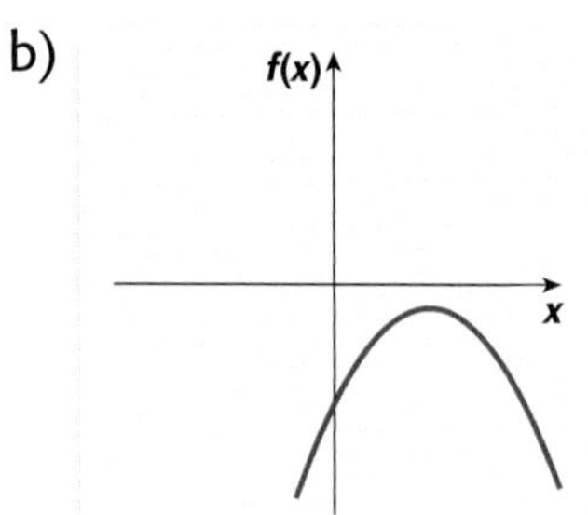

d) 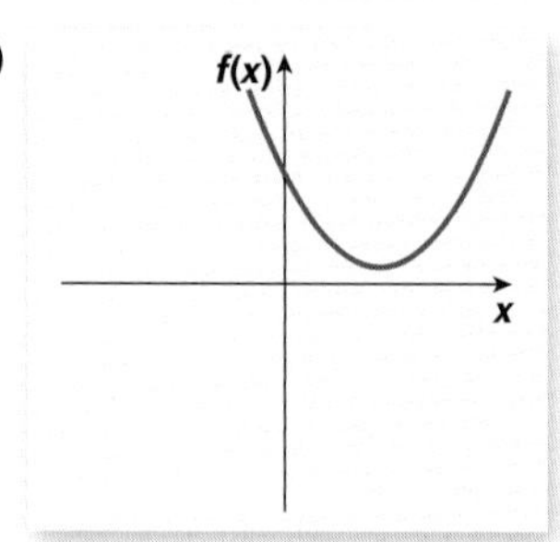

2. Fais l'analyse des fonctions quadratiques représentées ci-dessous et détermine la règle de chacune.

a) 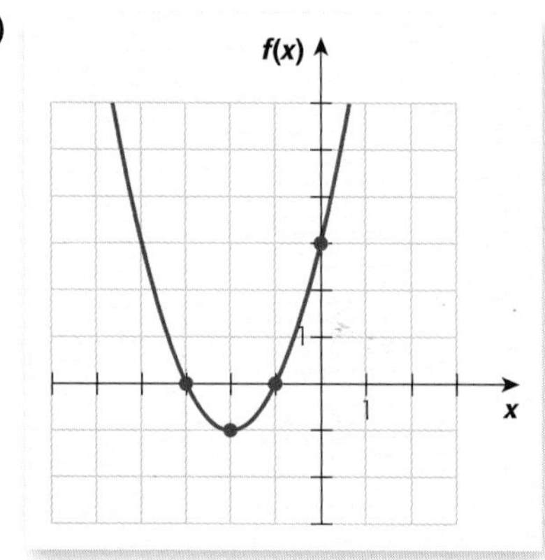

b) 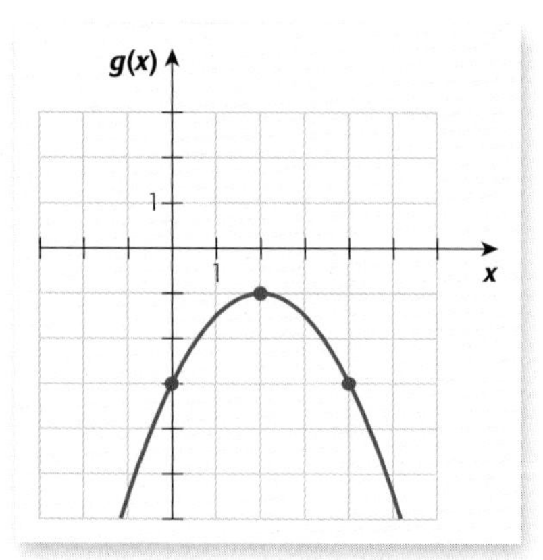

3. Calcule les coordonnées du sommet, l'ordonnée à l'origine et les abscisses à l'origine, s'il y a lieu, des paraboles associées aux fonctions dont les règles sont les suivantes.

a) $f_1(x) = {}^-2\left(x - \frac{1}{3}\right)^2$

b) $f_2(x) = {}^-5x^2 - 30x - 47$

c) $f_3(x) = \frac{x^2}{4} + 2x + 4$

d) $f_4(x) = 2(x - 1)^2 - 4$

e) $f_5(x) = {}^-0{,}5(x + 1)(x + 5)$

f) $f_6(x) = {}^-4\left(x - \frac{1}{2}\right)\left(x + \frac{3}{2}\right)$

4. Exprime chacune des règles suivantes sous la forme canonique et sous la forme factorisée. Fais ensuite l'analyse de chacune de ces fonctions.

a) $f(x) = 2x^2 - 10x$ b) $g(x) = {}^-x^2 + 40x + 1\ 200$ c) $h(x) = \frac{x^2}{2} - 6x + 16$

5. Détermine la règle de chacune des fonctions quadratiques décrites ci-dessous.

a)
- Les zéros de la fonction sont 3 et 10.
- La courbe passe par le point (8, 2).

b)
- L'unique abscisse à l'origine de la fonction est 5.
- Son ordonnée à l'origine est 3.

c)
- Le maximum de la fonction est 8.
- $f(3) = f(5) = 6$

d)
- La fonction est négative sur $[{}^-2, 2]$.
- $f(1) = {}^-1$

6. S'ils sont tracés dans le même plan cartésien, les graphiques associés aux fonctions suivantes se croisent-ils? Explique ta réponse.

a) $y = x^2 + 2$ et $y = x^2 + 3$ b) $y = x^2 + 5x + 2$ et $y = x^2 + 5x + 3$

7. Voici la table de valeurs d'une fonction quadratique.

x	$^-2$	$^-1$	0	1	2
$f(x)$	4	4,4	4	2,8	0,8

a) Détermine la règle de cette fonction.

b) Pour quelles valeurs de x a-t-on:

1) $f(x) \geq 0$? **2)** $f(x) > 6$? **3)** $f(x) < {}^-1$?

TIC

La calculatrice à affichage graphique permet, à partir d'une table de valeurs, de déterminer la règle d'une fonction. Pour en savoir plus, consulter la page 248 de ce manuel.

8. Écris la règle des fonctions suivantes sous la forme $f(x) = a(x - x_1)(x - x_2)$.

a) $f(x) = 2x^2 - 3x + 1$ b) $f(x) = 2x^2 - 10$

9. Soit la fonction quadratique dont la règle est $y = x^2 + wx + 3$. Détermine la ou les valeurs de w, de sorte que la valeur minimale de cette fonction soit égale à 2.

10. Le plus haut et le plus loin

Au cours d'un match de basket-ball, une joueuse effectue un lancer au panier. La trajectoire du ballon peut être représentée par l'équation $h = {}^-0{,}078d^2 + 0{,}92d + 2$, où h est la hauteur du ballon, en mètres, et d, la distance horizontale, en mètres, entre le ballon et la joueuse.

a) Quelle est la hauteur initiale du ballon?

b) Détermine la hauteur maximale atteinte par le ballon.

c) Si la distance horizontale de la joueuse au panier est de 8 m et que l'arceau est fixé à 3,05 m du sol, la joueuse a-t-elle réussi son panier?

11. Les paramètres déguisés

Voici les règles de deux fonctions quadratiques où m et n sont des nombres entiers positifs.

$f(x) = c(x - m)^2 + n$ $g(x) = d(x - m)^2 - n$

Que peux-tu affirmer sur les valeurs de c et de d si les fonctions f et g ont les mêmes zéros?

12. Rentabilité à venir

Le Rocher est un centre d'escalade intérieur ouvert au public depuis un an. Le graphique suivant montre les profits nets réalisés chaque mois depuis l'ouverture.

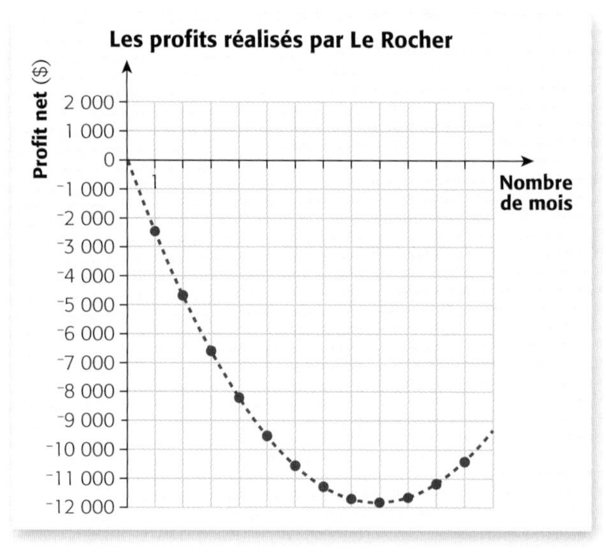

Une valeur négative indique une perte. La plus grande perte a été enregistrée neuf mois après l'ouverture.

a) Si la tendance se maintient, estime le temps qu'il faudra pour que l'exploitation du centre permette de réaliser un profit net.

b) Quel sera l'intervalle de croissance de cette fonction? Dans ce contexte, à quoi correspondra-t-il?

Annie Pelletier a remporté la médaille de bronze lors de l'épreuve individuelle de plongeon au tremplin de 3 m aux Jeux olympiques d'Atlanta de 1996. Elle a déjà été la porte-parole du Club des petits déjeuners. En 1998, elle a accepté le titre de marraine d'honneur pour les Jeux olympiques spéciaux. Ces jeux visent à enrichir la vie de Canadiens atteints d'une déficience intellectuelle par la pratique d'un sport.

13. Le temps pour une médaille

Une plongeuse effectue des sauts périlleux à partir du tremplin de 3 m. Sa hauteur au-dessus de l'eau $h(t)$, en mètres, t secondes après avoir quitté le tremplin, est représentée par la règle $h(t) = ^{-}4,9(t - 0,9)^2 + 6,969$.

a) Détermine le temps que passe la plongeuse dans les airs au cours d'un plongeon.

b) Pendant combien de secondes la plongeuse se trouve-t-elle à une hauteur supérieure à celle du tremplin?

14. Minimiser le produit

La fonction p exprime le produit de deux nombres dont la différence est 10. Après avoir déterminé la règle de la fonction p, trouve les deux nombres qui donnent un produit minimal.

15. Sous la parabole

Soit $y = \frac{^-3}{8}x^2 + \frac{15x}{4} - \frac{27}{8}$, l'équation de la parabole représentée ci-contre. Détermine l'aire, en unités carrées, du triangle formé par le sommet de la parabole et les points d'intersection de la parabole avec l'axe des abscisses.

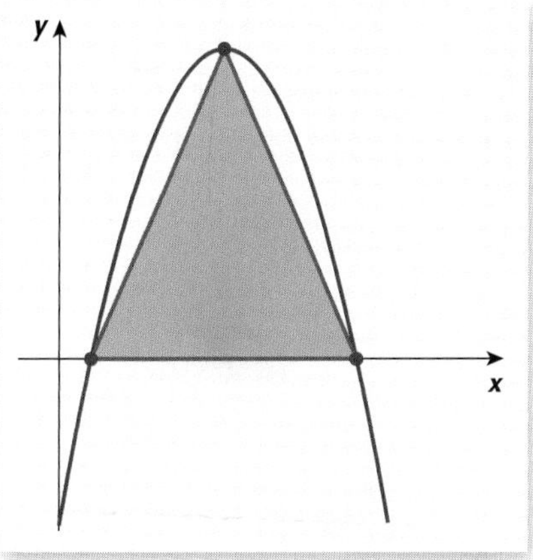

16. Décroissance emballante

Le nombre d'employés $n(a)$ d'une entreprise d'emballage qui compte 15 ans d'existence a augmenté durant ses cinq premières années d'exercice, mais ne cesse de décroître depuis. Les administrateurs ont déterminé que le nombre d'employés peut être modélisé par la fonction $n(a) = {}^-8(a - 5)^2 + 230$, où a représente le nombre d'années écoulées depuis l'ouverture de l'entreprise. Durant combien d'années le nombre d'employés a-t-il été supérieur de 72 à celui que l'entreprise comptait à son ouverture?

17. Règles équivalentes

Lorsqu'ils existent, les zéros d'une fonction quadratique dont la règle est sous la forme générale, $f(x) = ax^2 + bx + c$, sont $x_1 = \frac{^-b + \sqrt{b^2 - 4ac}}{2a}$ et $x_2 = \frac{^-b - \sqrt{b^2 - 4ac}}{2a}$.

a) Calcule la somme et le produit de x_1 et x_2.

b) En substituant S par la somme et P par le produit des zéros calculés en **a**, démontre algébriquement que la règle $f(x) = a(x^2 - Sx + P)$ est équivalente à la règle exprimée sous la forme générale.

18. Accroissements constants 

En complétant la table de valeurs ci-dessous et en utilisant les accroissements, démontre que les accroissements de deuxième niveau d'une fonction quadratique dont la règle est $f(x) = a(x - h)^2 + k$ sont constants et valent $2a$.

x	$f(x)$
h	$f(h) = a(h - h)^2 + k = k$
h + 1	$f(h + 1) = a(h + 1 - h)^2 + k = a + k$
h + 2	
h + 3	

19. Mouillée, pas mouillée 

Lucas s'amuse avec un pistolet à eau et tente d'atteindre un seau. L'illustration ci-dessous représente la trajectoire parabolique du jet d'eau provenant du pistolet que Lucas tient à 1,5 m du sol. Le jet atteint une hauteur maximale de 2,7 m à 2 m de Lucas. Au moment où le jet d'eau atteint le seau, Maryse, qui mesure 1,25 m, peut-elle passer à 1 m devant le seau sans recevoir d'eau?

20. Le maximum pour la cause 

Les membres du conseil étudiant d'une école secondaire organisent un spectacle amateur dans le but d'amasser des fonds pour une œuvre de bienfaisance. Par expérience, ils savent que s'ils établissent le prix des billets à 10 $, ils vendront les 1 000 billets et feront salle comble. Cette année, les membres du comité désirent augmenter le prix de vente des billets. Les résultats d'un sondage montrent que chaque augmentation de 1 $ du prix du billet ferait perdre 50 ventes. Formule une recommandation au conseil étudiant sur le prix du billet qui serait le plus avantageux dans cette situation.

Vivre-ensemble et citoyenneté

En 1997, Oxfam et le Cirque du Soleil ont établi un partenariat pour venir en aide aux jeunes en difficulté dans plusieurs pays en développement. Depuis 1997, 24 spectacles-bénéfice organisés par Oxfam ont été donnés à travers le monde dans le cadre des tournées du Cirque du Soleil. Ces spectacles ont permis de recueillir 2,3 millions de dollars, dont plus du tiers en provenance du Québec.

As-tu déjà assisté à un spectacle-bénéfice? Selon toi, pourquoi des personnalités publiques remettent-elles systématiquement une partie de leur cachet à une œuvre de bienfaisance?

Adapté de: Oxfam Québec, 2005.

21. Saut réussi

Un dauphin est dressé pour passer d'abord dans un cerceau placé sous l'eau à une profondeur de 3 m, puis dans un deuxième cerceau placé à 1,5 m au-dessus de l'eau. La trajectoire du dauphin est modélisée graphiquement par deux paraboles. La règle de la parabole passant par c_2 est $y = {}^-0{,}375x^2 + 6{,}75x - 28{,}875$.

Dans le plan cartésien ci-dessous, on a représenté la trajectoire du dauphin. Les cerceaux sont identifiés par les points c_1 et c_2.

Quelle est la distance horizontale entre les deux cerceaux?

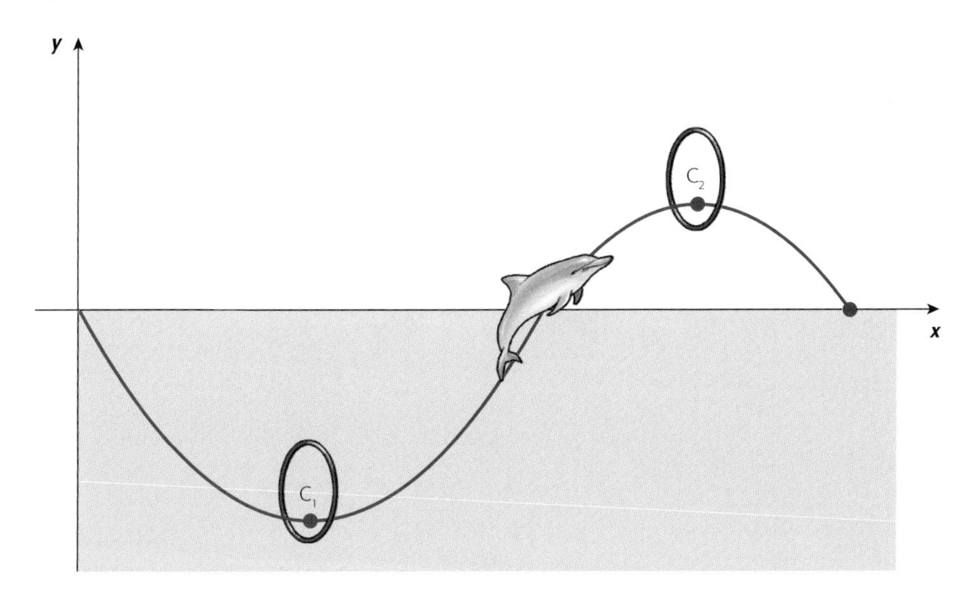

22. Trouver la règle

Je suis la règle d'une fonction quadratique représentée par une parabole qui passe par les points (0, 7), (1, 17), (2, 31) et (3, 49) et dont l'axe de symétrie est $x = {}^-2$. Qui suis-je?

23. Brouter allègrement

Un fermier veut construire pour ses moutons un enclos rectangulaire. Un des côtés sera le mur d'une grange. Il dispose de 60 m de matériel pour clôturer les trois côtés. Quelles dimensions l'enclos devrait-il avoir si l'éleveur veut que ses moutons disposent du plus d'espace possible?

24. Gros lot

Suppose qu'on te demande de choisir une des équations suivantes pour calculer le montant d'argent que tu gagnerais dans un concours. Dans chaque équation, m représente le montant en dollars, et n, un nombre de ton choix, variant entre 0 et 30.

① $m = 100 - n^2 + 50n$ ② $m = 400 + n^2 - 20n$

Afin d'obtenir le plus gros montant d'argent possible, quel nombre et quelle équation choisirais-tu ? Explique ton choix.

25. Hauteurs variables

Si on lance une balle vers le haut à partir d'une hauteur de 2 m avec une vitesse initiale de 10 m/s, sa hauteur $h(t)$, en mètres, après t secondes, est représentée par la fonction $h(t) = {}^{-}0{,}5gt^2 + 10t + 2$, où g est une constante qui décrit la force gravitationnelle. Le tableau ci-dessous indique la valeur de g, arrondie à l'unité, pour quatre planètes.

Planète	Valeur de g (m/s)
Jupiter	25
Mars	4
Neptune	11
Terre	10

Sur quelle planète la balle mettra-t-elle le plus de temps à revenir à sa hauteur initiale ? Quel est ce temps ?

26. L'une contre l'autre

Dans une ligue de volleyball, chaque équipe doit affronter deux fois chacune des équipes adverses. La table de valeurs suivante indique le nombre de parties qu'une équipe doit jouer en fonction du nombre d'équipes dans la ligue.

Nombre d'équipes	0	1	2	3	4	5	6
Nombre de parties	0	0	2	6	12	20	30

a) Représente graphiquement cette situation.

b) Détermine la règle de la fonction quadratique qui modélise cette situation.

c) S'il y avait 22 équipes dans la ligue, quel serait le nombre total de parties jouées ?

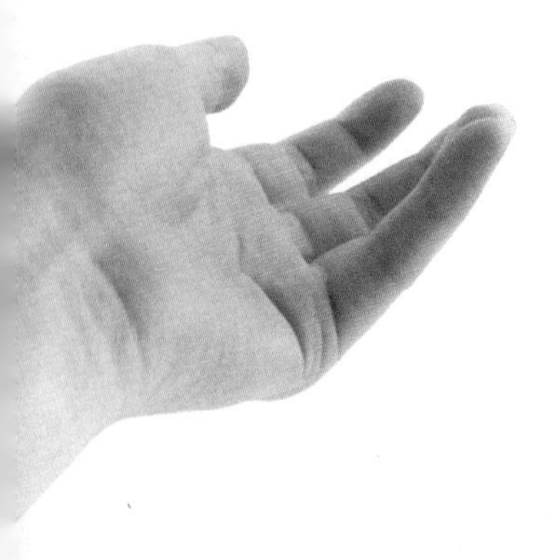

27. Changer les paramètres

La fonction f, dont la règle est $f(x) = a(x - h)^2 + k$, est représentée graphiquement par une parabole ouverte vers le haut dont le sommet est dans le deuxième quadrant. On multiplie les valeurs de a, de h et de k par ${}^{-}1$. Florence affirme que la fonction ainsi transformée est toujours négative. A-t-elle raison ? Justifie ta réponse.

28. Le taux rentable

Un regroupement de producteurs de maïs mandate Philippe, un agronome, pour évaluer la rentabilité de la production de maïs selon les quantités d'azote utilisées pour fertiliser les champs. Il mène une étude sur des parcelles de champ pour évaluer les besoins du maïs en azote. Les données présentées dans le tableau ci-dessous mettent en relation le taux d'azote et le nombre de boisseaux récoltés dans ces parcelles. Elles ont permis à Philippe d'établir que le rendement suit un modèle quadratique.

Le boisseau est une unité de mesure de capacité utilisée en agriculture pour les matières sèches. Un boisseau équivaut à environ 36,36 L.

Taux d'azote (livres/acre)	Rendement (boisseaux/acre)
50	148
90	158
180	151
0	125
200	144
150	158
210	140

L'acre est une unité de mesure d'aire anglo-saxonne. Une acre équivaut à environ 4 000 m^2.

Après avoir pris connaissance de ces données préliminaires, les agriculteurs constatent que c'est avec 90 ou 150 livres d'azote par acre qu'on obtient le plus de boisseaux. Ils décident donc d'utiliser dorénavant des taux de 90 livres par acre.

Aide Philippe à convaincre les agriculteurs qu'ils peuvent obtenir un rendement supérieur avec un autre taux d'azote. Quel est ce taux?

Vivre-ensemble et citoyenneté

Depuis quelques années, certains pays qui avaient l'habitude d'envoyer leurs surplus de maïs aux pays en développement choisissent plutôt d'utiliser ce maïs pour produire de l'éthanol et ainsi réduire leur dépendance au pétrole.

Or, le maïs est un aliment de base dans certains pays en développement. Si les habitants de ces pays n'ont plus accès aux surplus des récoltes ou à du maïs à prix raisonnable, ils seront vraisemblablement confrontés à une crise alimentaire.

Crois-tu que les pays industrialisés ont la responsabilité de s'assurer que les pays en développement ont accès à des aliments de base à des prix raisonnables? Justifie ta réponse.

29. Le baby-boom

Le taux de natalité, pour une année donnée, est calculé en divisant le nombre de naissances par l'effectif de la population totale. On l'exprime ensuite pour 1 000 habitants. On obtient donc un taux en pour mille (‰) plutôt qu'en pour cent.

On entend souvent parler des baby-boomers. Ce terme désigne la génération née entre le début des années 1950 et 1965. Durant cette période, le taux de natalité a atteint un record qui, à ce jour, n'a jamais été égalé. Le nombre de naissances durant le baby-boom peut être modélisé par une fonction quadratique dont la règle est $n(t) = {}^{-}1\ 545t^2 + 27\ 810t + 354\ 455$, où $n(t)$ représente le nombre de naissances au Canada et t, le temps écoulé, en années, depuis 1950.

Le tableau ci-dessous présente des données relatives à la population canadienne entre les années 1950 et 1965.

Année	Effectif de la population totale	Année	Effectif de la population totale
1950	13 703 500	1958	17 062 250
1951	14 005 000	1959	17 467 500
1952	14 436 750	1960	17 855 250
1953	14 833 000	1961	18 224 500
1954	15 269 500	1962	18 570 750
1955	15 681 250	1963	18 919 000
1956	16 070 250	1964	19 277 250
1957	16 579 500	1965	19 633 500

Adapté de : Statistique Canada, 2008.

En 2007, près de 40 ans après la fin du baby-boom, le taux de natalité était d'environ 10,6 ‰ au Canada.

Montre que le taux de natalité de 2007 est environ trois fois moindre que le taux record enregistré lors du baby-boom.

Vivre-ensemble et citoyenneté

La croissance démographique d'une population repose sur deux facteurs : l'accroissement naturel, c'est-à-dire la différence entre les naissances et les décès, et l'immigration. Dans notre société, le gouvernement intervient dans ces domaines par le biais de certaines mesures. Par exemple, le système de garderie qu'a mis sur pied le gouvernement du Québec en 1997 constitue une mesure de soutien aux familles québécoises. Ce programme permet aux parents de bénéficier d'un tarif unique et abordable afin d'assurer à tous l'équité dans l'accès à ce service. Nomme d'autres mesures mises en place par le gouvernement pour encourager les naissances ou favoriser l'immigration.

Le monde du travail

La démographie

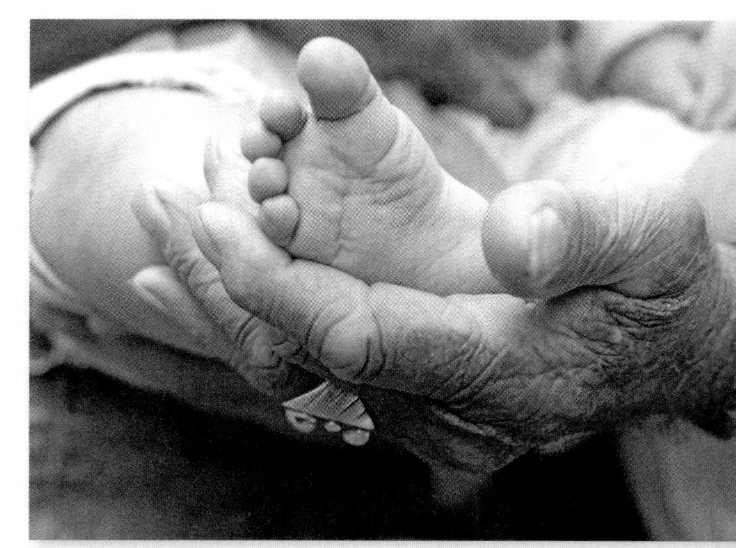

Afin d'expliquer des phénomènes relatifs à la natalité, comme le baby-boom et ses conséquences sur la société, les gouvernements ont recours à des spécialistes de la démographie.

Les démographes étudient le développement, la composition et la variation des populations afin d'expliquer les causes et les conséquences de certains phénomènes démographiques. Ils se servent de la statistique et du calcul des probabilités pour établir des prévisions sur lesquelles des spécialistes de différents domaines s'appuient pour résoudre des problèmes sociaux et pour planifier l'avenir de la société. Par exemple, le phénomène du vieillissement est une conséquence inévitable du baby-boom que le Québec a connu dans les années 1950. Les gouvernements et les entreprises comptent donc sur les résultats des études des démographes pour prendre des décisions éclairées afin de minimiser les conséquences sociales et économiques de ce phénomène, notamment dans le domaine de la santé.

Pour devenir démographe, il faut d'abord réussir les cours de mathématique du niveau collégial. Des études universitaires spécialisées en démographie permettent ensuite d'accéder à la profession. Certaines universités proposent également des programmes bidisciplinaires conjuguant la démographie et des domaines tels que l'anthropologie, la géographie ou la statistique.

Les démographes travaillent dans des centres de recherche, des établissements publics, des organismes internationaux et des entreprises privées. Ils doivent avoir une bonne capacité d'analyse afin de traiter et d'interpréter un grand nombre de données, tant quantitatives que qualitatives. Puisqu'ils sont souvent amenés à participer à des recherches au sein de groupes multidisciplinaires, ils doivent également avoir un bon esprit d'équipe.

Fait divers

Jacques Henripin est le fondateur du Département de démographie de l'Université de Montréal. Pédagogue apprécié par des générations d'étudiants en sciences sociales, il a été nommé professeur émérite en 1994. Grâce à ses travaux et à ceux des démographes qu'il a formés, les caractéristiques de la population du Québec sont désormais connues de tous les démographes occidentaux. Ce chercheur engagé au service de la communauté et père de six enfants a mis en évidence les problèmes liés à la famille et à la fécondité dans notre société.

Chapitre

4 Les distributions à deux caractères

Dans de nombreux domaines, des spécialistes tentent de déterminer les facteurs qui influent les uns sur les autres. Qu'il soit question de santé, de sécurité ou de bien-être, entre autres, l'habileté à comprendre les causes de certains comportements et à prévoir les conséquences de ceux-ci est essentielle pour faire des choix éclairés.

La statistique fournit des outils qui permettent de quantifier le lien entre différents caractères, comme les heures de sommeil et les résultats à un test, ou encore le pourcentage d'obésité et l'occurrence de diabète. Aussi, lorsque l'analyse des données révèle une tendance, le lien entre les caractères peut être modélisé dans le but d'effectuer des prédictions.

Crois-tu que les gens qui adoptent de saines habitudes de vie vivent plus vieux? Donne quelques exemples de saines habitudes de vie. Selon toi, qu'est-ce qui explique que l'espérance de vie augmente au fil des ans dans les pays occidentaux?

Survol

Santé et bien-être

Contenu de formation

- Distribution à deux caractères : corrélation linéaire (coefficient de corrélation, droite de régression)
- Organisation et analyse d'une distribution de données à deux caractères : représentation à l'aide d'un nuage de points, appréciation qualitative et quantitative d'une corrélation (représentation et détermination de l'équation de la droite de régression, approximation du coefficient de corrélation linéaire avec ou sans soutien technologique, interprétation du coefficient de corrélation linéaire)

Entrée en matière

Les pages 186 à 188 font appel à tes connaissances relatives à la statistique et aux fonctions polynomiales du premier degré.

En contexte

Le Défi Santé 5/30, une initiative conjointe de l'Institut de cardiologie de Montréal et de la Société canadienne du cancer, vise à encourager les gens à découvrir le plaisir de faire de l'activité physique et de mieux manger. Le défi des participants est de manger au moins cinq portions de fruits et de légumes par jour et de s'adonner à une activité physique d'au moins 30 minutes cinq jours par semaine.

1. Le tableau ci-contre présente les résultats d'une étude menée par Statistique Canada sur la consommation de fruits et de légumes chez les jeunes des 10 provinces canadiennes.

a) Quelle est la population de cette étude?

b) Quel est le caractère étudié?

c) Quel est le type du caractère étudié (quantitatif discret ou continu)?

d) Les données de ce tableau permettent-elles de déterminer le pourcentage de jeunes Canadiens qui mangent au moins cinq portions de fruits et de légumes par jour? Justifie ta réponse.

Les jeunes de 12 à 19 ans qui mangent au moins cinq portions de fruits et de légumes par jour

Province	Pourcentage de jeunes
Terre-Neuve-et-Labrador	31,3
Île-du-Prince-Édouard	30,7
Nouvelle-Écosse	40,1
Nouveau-Brunswick	43,1
Québec	58,1
Ontario	41,3
Manitoba	40,1
Saskatchewan	38,4
Alberta	39,6
Colombie-Britannique	40,7

Source : Statistique Canada, 2007.

Santé et bien-être

Une alimentation équilibrée, de saines habitudes de vie et une activité physique régulière sont un gage de santé et de bien-être. Si l'un ou l'autre de ces aspects est négligé, notre corps a vite fait de nous le rappeler. Est-ce que ton alimentation et l'activité physique que tu pratiques correspondent aux critères du Défi Santé 5/30? Sinon, quelles habitudes devrais-tu changer pour relever ce défi?

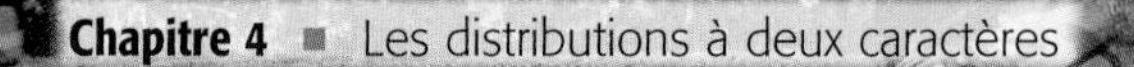

2. À l'occasion d'un sondage mené dans une école secondaire québécoise, voici ce que des élèves de la 4e année du secondaire ont répondu à la question suivante : « La semaine dernière, combien de jours avez-vous pratiqué une activité physique d'au moins 30 minutes ? »

1	5	1	0	6	5	7	5	6	1
2	1	5	1	5	5	5	6	2	5
6	7	5	2	0	3	5	0	4	2

a) Détermine la moyenne et la médiane du nombre de jours d'activité physique.

b) Peut-on dire que, dans l'ensemble, ces élèves auraient atteint l'objectif du volet activité physique s'ils avaient participé au Défi Santé 5/30 ? Justifie ta réponse.

c) Selon toi, la conclusion formulée en **b** peut-elle s'appliquer à l'ensemble des élèves qui fréquentent les écoles secondaires québécoises ? Justifie ta réponse.

3. Le taux de mortalité due au cancer chez les hommes canadiens a diminué de façon presque constante chaque année entre 2002 et 2007.

Le taux de mortalité due au cancer chez les hommes canadiens	
Année	**Taux sur 100 000**
2002	219,9
2007	210,9

Source : Agence de la santé publique du Canada.

a) Calcule le taux de variation de la mortalité due au cancer chez les hommes canadiens entre 2002 et 2007.

b) Quelle est la règle de la fonction affine qui modélise la situation entre 2002 et 2007 ?

4. Selon la Société canadienne du cancer, le nombre de nouveaux cas de cancer augmente régulièrement d'une année à l'autre. Le tableau ci-contre présente les nouveaux cas de cancer déclarés au Canada chaque année de 2001 à 2007.

Le cancer au Canada	
Année	**Nouveaux cas**
2001	141 695
2002	143 693
2003	145 228
2004	149 903
2005	152 257
2006	153 100
2007	159 900

Source : Société canadienne du cancer.

a) Construis un nuage de points pour représenter ces données.

b) Trace la droite la mieux ajustée au nuage de points.

c) Estime le nombre de nouveaux cas qui seront déclarés :

1) en 2010 ; **2)** en 2025.

d) Selon toi, laquelle des deux estimations faites en **c** est la plus fiable ? Justifie ta réponse.

5. Compare les statistiques présentées en **3** avec celles présentées en **4**. Comment peux-tu expliquer cette situation ?

En bref

1. Soit les trois situations ci-dessous.

① La directrice générale d'une commission scolaire veut connaître le nombre d'élèves qui fréquentent ses écoles.

② Le recteur d'une université s'intéresse à l'âge de ses étudiants.

③ Le propriétaire d'une boutique de chaussures veut savoir combien de paires de chaussures de chaque pointure ont été vendues dans la dernière année.

En statistique, le mot «individu» ne désigne pas nécessairement une personne. Ce mot peut également être remplacé par l'expression «unité statistique».

Pour chacune de ces situations, détermine:

a) la population; b) l'individu; c) le caractère étudié.

2. Voici la taille, en centimètres, de 26 élèves d'une classe du primaire.

155, 166, 158, 156, 165, 161, 152, 160, 150, 148, 156, 162, 154,
151, 149, 153, 149, 161, 164, 160, 161, 159, 150, 155, 154, 159

a) Représente cette distribution dans un tableau à données groupées en classes.

b) Quels critères as-tu utilisés en **a** pour le choix des classes?

3. Soit les deux distributions de données ci-dessous.

① 3, 4, 4, 5, 6, 9, 10, 11, 12, 12, 12

② 19, 30, 15, 22, 18, 11, 17, 15, 22, 16

Pour chacune d'elles, détermine:

a) la moyenne;

b) la médiane.

4. Détermine la règle associée à chacune des fonctions affines représentées dans le plan cartésien ci-contre.

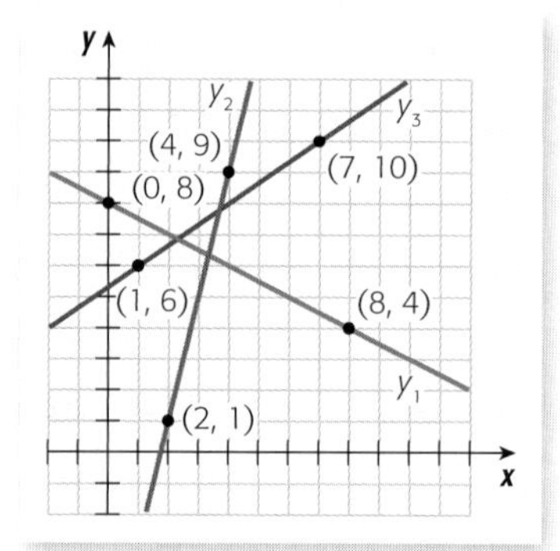

5. Pour la table de valeurs ci-dessous:

x	8	15	21	24	29	33
y	62	52	41	33	23	17

a) construis un nuage de points;

b) trace la droite la mieux ajustée au nuage de points;

c) estime:

1) la valeur de y pour $x = 20$; 2) la valeur de x pour $y = 50$.

L'appréciation qualitative d'une corrélation

Section 1

Les conséquences du manque de sommeil

Aujourd'hui, les Québécois dorment en moyenne une heure de moins par jour qu'il y a 40 ans. Aussi, de plus en plus de gens ne dorment pas un nombre suffisant d'heures. Depuis plusieurs années, des spécialistes s'intéressent aux conséquences possibles du manque de sommeil.

Un groupe de chercheurs universitaires a entrepris une étude qui vise à évaluer le lien entre le sommeil et la mémoire à court terme. Vingt-quatre individus sélectionnés au hasard se sont prêtés à une expérience. Pour chacun des individus, deux informations ont été notées au cours de l'expérience : le nombre de minutes de sommeil au cours d'une nuit et le résultat à un test de mémoire réalisé le lendemain, à 15 heures.

Individu	Sommeil (min)	Résultat (/40)	Individu	Sommeil (min)	Résultat (/40)	Individu	Sommeil (min)	Résultat (/40)
1	295	26	9	275	23	17	412	31
2	333	25	10	243	21	18	512	34
3	422	37	11	305	23	19	369	29
4	467	36	12	413	29	20	410	34
5	428	34	13	492	30	21	250	23
6	355	27	14	378	25	22	298	24
7	375	32	15	330	27	23	430	39
8	464	33	16	390	28	24	444	35

Existe-t-il un lien entre le temps de sommeil et la mémoire à court terme? Justifie ta réponse à l'aide d'une analyse basée sur une représentation graphique des résultats de cette étude.

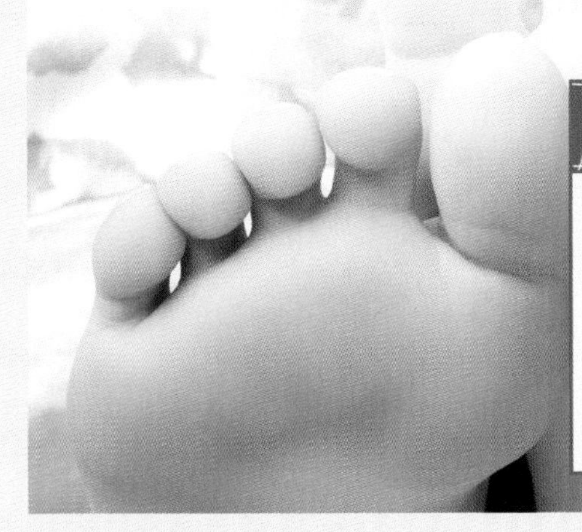

Santé et bien-être

En plus d'être essentiel à la régénération de l'organisme, le sommeil permet au cerveau d'assimiler et d'emmagasiner toute l'information acquise et traitée pendant la journée. Le manque de sommeil peut entraîner, surtout à long terme, des conséquences néfastes autant sur le plan psychique que physique. Combien d'heures dors-tu par nuit? Comment te sens-tu lorsque tu n'as pas dormi suffisamment ou que tu as mal dormi? Donne quelques conseils pour favoriser un bon sommeil.

ACTIVITÉ D'EXPLORATION 1

• **Distribution à deux caractères et modes de représentation**
• **Sens de la corrélation**

La force du huard 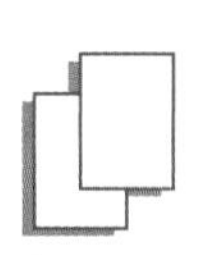

Tous les mois, Statistique Canada compile des données sur les dépenses liées au tourisme au Canada ainsi que sur les sorties et les entrées de personnes au pays. Ces statistiques constituent des indicateurs nationaux du tourisme. L'observation de l'évolution de ces indicateurs révèle qu'il existe, entre autres, une corrélation entre le taux de change et le tourisme au Canada.

A Selon toi, quelle est la signification du mot «corrélation» dans la dernière phrase du paragraphe qui précède?

Distribution à deux caractères
Étude simultanée de deux caractères, ou variables. Pour chaque individu ou unité statistique, on obtient deux valeurs qui peuvent s'exprimer sous la forme d'un couple (X, Y). L'ensemble des couples (X, Y) constitue une distribution à deux caractères. On peut aussi employer le terme «distribution à deux variables».

Le tableau suivant présente les données d'une **distribution à deux caractères**, soit le taux de change moyen et le nombre d'automobiles entrées au Canada en provenance des États-Unis au cours du dernier trimestre des années 1988 à 2007.

Année	Taux de change moyen ($ US/$ CA)	Nombre d'automobiles (× 100 000)	Année	Taux de change moyen ($ US/$ CA)	Nombre d'automobiles (× 100 000)
1988	0,829	9,30	**1998**	0,648	13,60
1989	0,856	8,93	**1999**	0,679	13,32
1990	0,861	9,34	**2000**	0,655	12,89
1991	0,881	8,78	**2001**	0,633	10,70
1992	0,792	8,91	**2002**	0,637	12,11
1993	0,755	9,28	**2003**	0,760	10,72
1994	0,731	10,73	**2004**	0,819	9,68
1995	0,737	11,39	**2005**	0,852	8,72
1996	0,741	11,42	**2006**	0,878	7,74
1997	0,710	12,15	**2007**	1,019	6,82

Source : Statistique Canada, 2008.

En statistique, les variables sont désignées par des lettres majuscules.

B Pour la distribution à deux caractères représentée ci-dessus, nomme :
1) l'unité statistique ; **2)** les caractères étudiés.

C Représente cette distribution à deux caractères à l'aide d'un nuage de points. Puis, décris le lien que tu observes entre le taux de change et le nombre d'automobiles entrées au Canada en provenance des États-Unis pour la période étudiée.

TIC
La calculatrice à affichage graphique et le tableur sont des outils qui facilitent la représentation d'une distribution à deux caractères à l'aide d'un nuage de points. Pour en savoir plus, consulte les pages 250 et 257 de ce manuel.

D À l'aide du nuage de points tracé en **C**, estime le nombre d'automobiles en provenance des États-Unis qui entreraient au Canada si le taux de change moyen au cours du dernier trimestre d'une année était de 0,95 $ US pour 1 $ CA.

Le tableau suivant met en relation le taux de change moyen et le nombre d'automobiles entrées aux États-Unis en provenance du Canada au cours du dernier trimestre des années 1988 à 2007.

Année	Taux de change moyen ($ US/$ CA)	Nombre d'automobiles (× 100 000)	Année	Taux de change moyen ($ US/$ CA)	Nombre d'automobiles (× 100 000)
1988	0,829	18,1	1998	0,648	13,6
1989	0,856	21,1	1999	0,679	14,5
1990	0,861	26,7	2000	0,655	13,8
1991	0,881	29,0	2001	0,633	11,1
1992	0,792	24,5	2002	0,637	12,0
1993	0,755	22,0	2003	0,760	12,4
1994	0,731	18,9	2004	0,819	12,5
1995	0,737	17,5	2005	0,852	12,8
1996	0,741	17,5	2006	0,878	14,2
1997	0,710	16,8	2007	1,019	30,5

Source : Statistique Canada, 2008.

Tableau à double entrée
Outil permettant d'organiser les données d'une distribution à deux caractères. L'étendue des valeurs que prend chacun des caractères est répartie en intervalles. On désigne chaque couple par un trait vertical afin d'en faire le décompte.

E Les données de 1988 à 1990 du tableau précédent ont été consignées dans le **tableau à double entrée** ci-dessous. Reproduis et complète ce tableau pour les années 1991 à 2007.

Le taux de change moyen et le nombre d'automobiles entrées aux États-Unis en provenance du Canada de 1988 à 2007 (dernier trimestre)					
Taux de change moyen ($ US/$ CA) / Nombre d'automobiles (× 100 000)	[0,6, 0,7[	[0,7, 0,8[	[0,8, 0,9[	[0,9, 1,0[	[1,0, 1,1[
[10, 14[					
[14, 18[					
[18, 22[			II		
[22, 26[					
[26, 30[			I		
[30, 34[					

F En observant le tableau à double entrée complété en **E**, décris le lien entre le taux de change et le nombre d'automobiles entrées aux États-Unis en provenance du Canada pour la période étudiée.

G Compare la corrélation observée dans le tableau à double entrée avec celle observée dans le nuage de points réalisé en **C**. Que constates-tu?

Sens de la corrélation

Corrélation positive
Association entre deux variables quantitatives qui varient dans le même sens.

Corrélation négative
Association entre deux variables quantitatives qui varient dans le sens contraire.

H En te référant au nuage de points tracé en **C** et au tableau à double entrée complété en **E**, décris la relation qui existe entre le **sens de la corrélation** et :

1) la disposition des points dans un nuage de points ;

2) la disposition des couples dans un tableau à double entrée.

Voici quelques-unes des variables pour lesquelles Statistique Canada compile des données.

① Le prix de l'essence au Canada
④ Les revenus liés à l'exportation
⑦ La température
② Le taux de chômage
⑤ Le nombre de touristes au Canada
⑧ Les revenus du tourisme
③ La valeur du dollar canadien
⑥ Les ventes de piscines
⑨ Les ventes de roulottes

I Nomme au moins deux paires de variables, parmi celles présentées ci-dessus, entre lesquelles il est susceptible d'y avoir :

1) une corrélation positive ; **2)** une corrélation négative.

J Propose une explication pour chacune des corrélations positives et négatives relevées en **I**.

K Nomme au moins une paire de variables entre lesquelles il est susceptible d'y avoir une **corrélation nulle**.

Corrélation nulle
Association entre deux variables quantitatives qui ne présentent aucun lien évident.

Ai-je bien compris ?

Voici des informations concernant les 10 enfants d'une garderie.

Enfant	Âge (mois)	Taille (cm)	Durée de la sieste (min)	Nombre d'enfants dans la famille
Christopher	58	105	30	1
Émilie	24	85	120	3
Félix	22	84	105	2
Grace	28	90	100	1
Arianne	55	105	45	5
Léa	44	99	60	2
Nathan	37	94	75	2
Sara-Maude	35	91	90	1
Tristan	52	103	45	2
William	25	89	120	3

À l'aide d'au moins un nuage de points et d'au moins un tableau à double entrée, détermine si la corrélation entre l'âge et chacune des autres variables du tableau est positive, négative ou nulle.

ACTIVITÉ
D'EXPLORATION **2**

Skier dans les nuages

- **Intensité de la corrélation**
- **Nature du lien entre deux variables**

Les propriétaires de la station de ski Hauts Sommets ont recueilli de nombreuses données relatives à chacune des 15 fins de semaine de la dernière saison de ski. Les nuages de points ci-dessous représentent quelques distributions à deux caractères qu'il est possible d'analyser à partir de ces données.

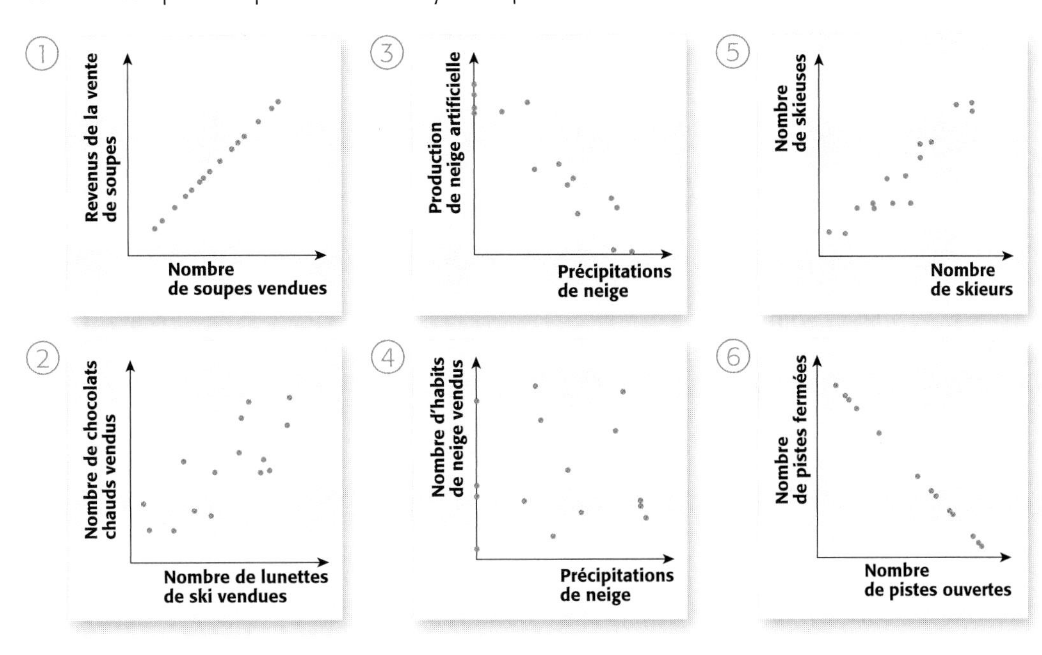

A Pour chacune des distributions représentées ci-dessus :

1) décris, dans tes mots, la forme du nuage de points ;

2) qualifie l'intensité de la **corrélation linéaire** à l'aide d'un des mots suivants : nulle, faible, moyenne, forte ou parfaite ;

3) indique, s'il y lieu, le sens de la corrélation (positif ou négatif).

B Est-ce qu'une corrélation positive est nécessairement plus forte qu'une corrélation négative ? Justifie ta réponse.

C Pour chacune des corrélations non nulles relevées en **A**, indique la **nature du lien** entre les deux caractères.

Corrélation linéaire

Association représentée par un nuage dont la disposition des points se rapproche d'une droite imaginaire. Plus le nuage de points ressemble à une droite, plus la corrélation linéaire est forte.

Nature du lien

Lien causal (ou causalité)

Lien de cause à effet. On dit que les variations d'une variable, la variable réponse, sont causées par les variations de l'autre variable, la variable explicative.

Lien attribuable à un 3e facteur d'influence

Facteur qui exerce une influence simultanée sur chacune des deux variables.

Lien fortuit

Situation où la corrélation ne s'explique par aucune raison évidente.

Les propriétaires de la station Hauts Sommets compilent également des statistiques annuelles leur permettant de comparer les saisons de ski et de mesurer l'influence de certains facteurs sur les activités de la station. Voici les nuages de points de quelques distributions à deux caractères provenant de statistiques recueillies au cours des 20 dernières saisons.

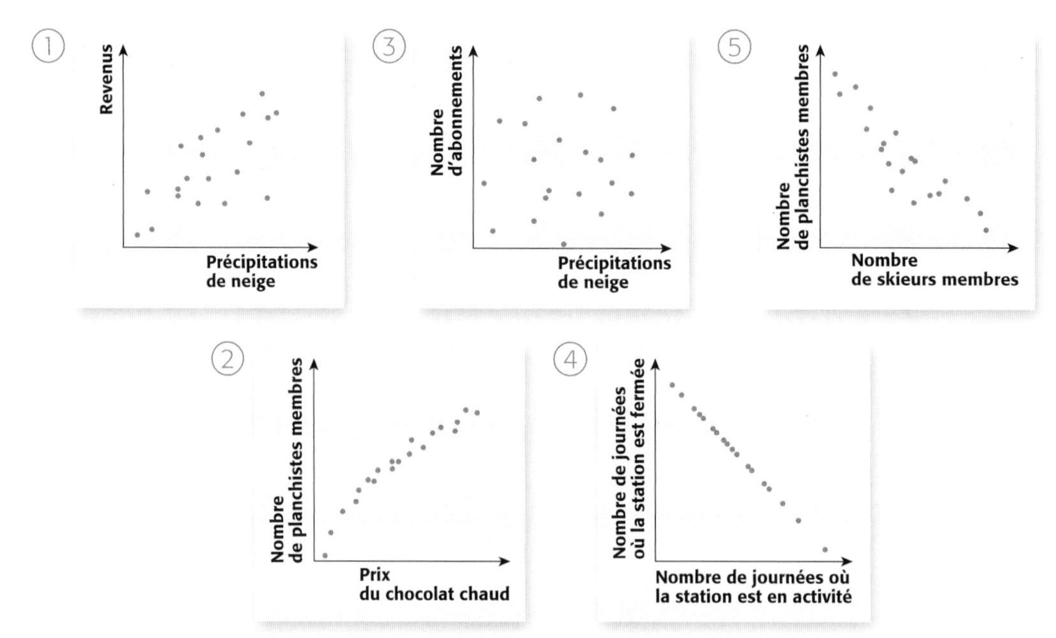

D Reproduis et complète le tableau ci-dessous de façon à qualifier les corrélations observées dans les nuages de points précédents.

Distribution	Linéaire	Sens	Intensité	Nature du lien (causal, 3e facteur ou fortuit) et justification
1	Oui	Positif	Moyenne	
2				
3				
4				
5				

E Pour le ou les liens causals identifiés en **D**, précise quelle est la **variable explicative** et la **variable réponse**.

F Si tu as observé une corrélation non linéaire en **D**, décris cette corrélation.

Variable explicative
Variable dont les variations influencent les variations d'une autre variable, appelée la «variable réponse».

Variable réponse
Variable dont les variations sont influencées par les variations de la variable explicative.

Ai-je bien compris?

1. Ordonne les distributions à deux variables représentées ci-dessous, de celle qui a la plus faible corrélation linéaire à celle qui a la plus forte corrélation linéaire.

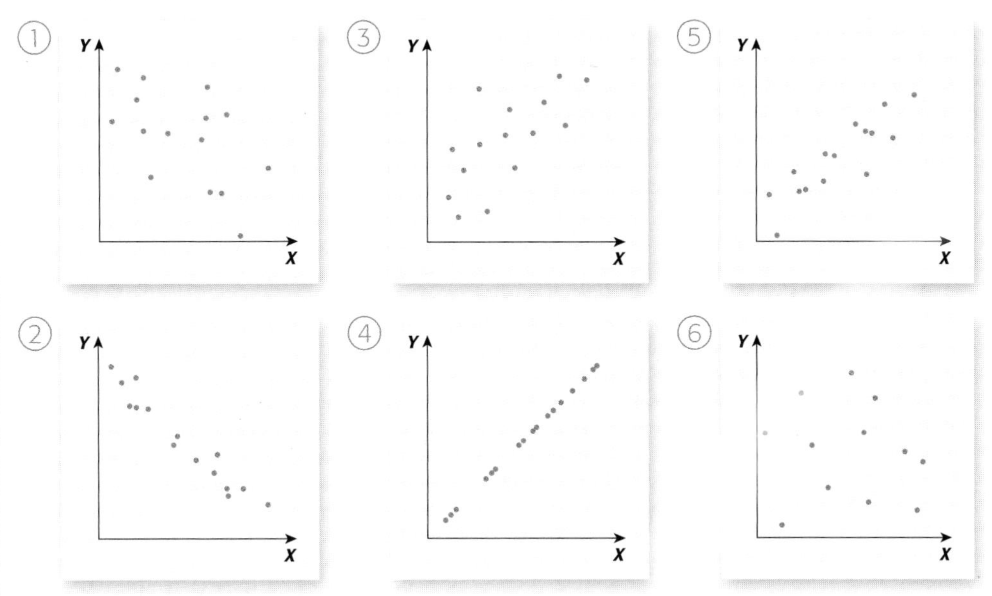

2. Les deux caractères d'une distribution sont décrits sur chacun des cartons suivants.

① Le nombre de téléspectateurs d'émissions de télévision et le prix d'une annonce publicitaire pendant ces émissions

② Le nombre d'internautes à Laval, de 1988 à 2008, et le prix moyen des maisons à Laval au cours de cette période

③ Le temps consacré aux études et les résultats scolaires des élèves d'une classe de la 4e année du secondaire

④ Les ventes de crème glacée et les noyades enregistrées chaque jour sur une plage de Virginie durant la période estivale

⑤ Le prix d'un paquet de cigarettes et le nombre de fumeurs au Québec, chaque année, de 1980 à aujourd'hui

⑥ L'âge des enfants d'une garderie et le temps qu'ils mettent pour enfiler leur habit de neige

Pour chacune de ces distributions, indique:

a) le sens de la corrélation;

b) l'intensité de la corrélation;

c) la nature du lien;

d) la variable explicative et la variable réponse, s'il y a lieu.

La distribution à deux caractères

Lorsqu'on étudie simultanément deux caractères, on obtient deux valeurs pour chaque unité statistique d'une population ou d'un échantillon. Ces valeurs peuvent s'exprimer sous la forme d'un couple (X, Y). L'ensemble des couples (X, Y) constitue une distribution à deux caractères, ou distribution à deux variables.

Exemple : On considère la mesure du pied droit et la taille de chacun des joueurs d'une équipe de basket-ball. Ces deux mesures sont inscrites dans le tableau suivant.

Joueur	Mesure du pied (cm)	Taille (cm)	Joueur	Mesure du pied (cm)	Taille (cm)	Joueur	Mesure du pied (cm)	Taille (cm)
1	27,5	178	5	28,5	181	9	27,5	179
2	26,5	179	6	28,0	180	10	26,0	172
3	25,0	172	7	29,5	185	11	24,5	170
4	31,0	186	8	28,0	183	12	29,0	181

Chacun des joueurs de l'équipe de basket-ball est une unité statistique. L'ensemble des couples (*mesure du pied droit*, *taille*) forme une distribution à deux caractères.

Les modes de représentation d'une distribution à deux caractères

Il est possible de représenter une distribution à deux caractères à l'aide d'un nuage de points ou d'un tableau à double entrée.

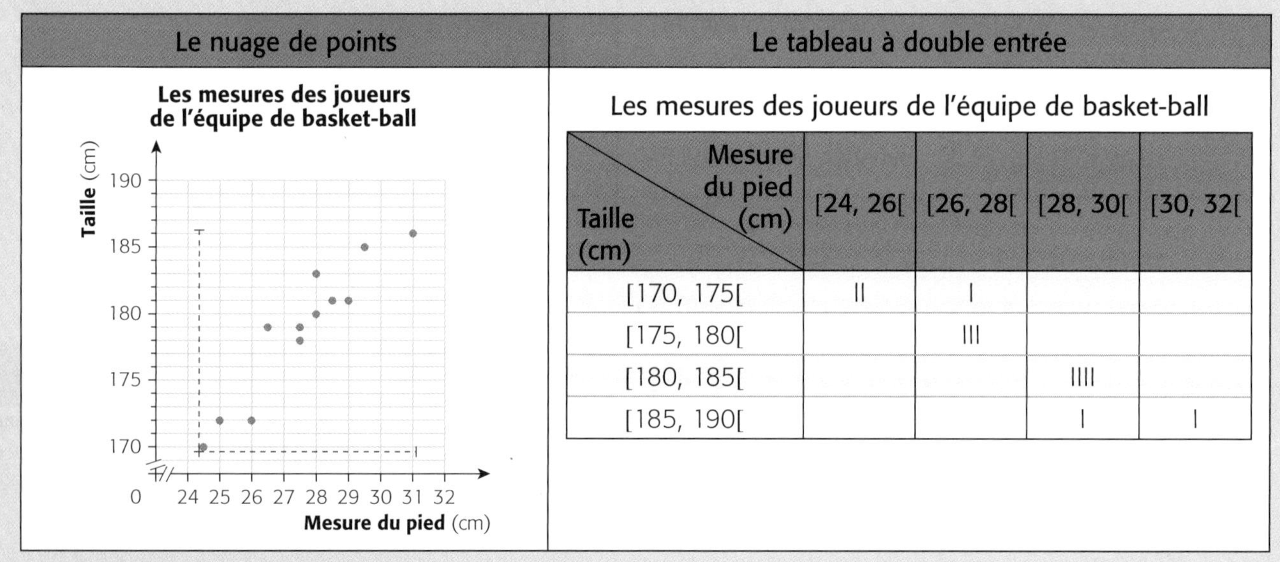

Les mesures des joueurs de l'équipe de basket-ball

Taille (cm) \ Mesure du pied (cm)	[24, 26[	[26, 28[	[28, 30[	[30, 32[
[170, 175[	II	I		
[175, 180[		III		
[180, 185[			IIII	
[185, 190[			I	I

Remarque : Pour bien représenter une distribution à deux caractères, il importe de graduer les axes de façon à ce que l'étendue des valeurs de chacun des caractères soit représentée par une même longueur horizontale et verticale dans le plan cartésien, comme l'indiquent les pointillés dans le diagramme ci-dessus.

Remarque : Pour chacun des caractères, les classes choisies doivent être mutuellement exclusives, de même amplitude et définies de façon à inclure toutes les données.

La corrélation linéaire

Lorsque le nuage de points représentant une distribution à deux caractères se rapproche d'une droite imaginaire ou que les couples, dans un tableau à double entrée, sont concentrés le long d'une diagonale, on dit qu'il existe une corrélation linéaire entre les caractères de la distribution.

L'appréciation qualitative d'une corrélation linéaire

L'observation d'un nuage de points ou d'un tableau à double entrée permet de connaître le sens et l'intensité de la corrélation linéaire entre deux variables.

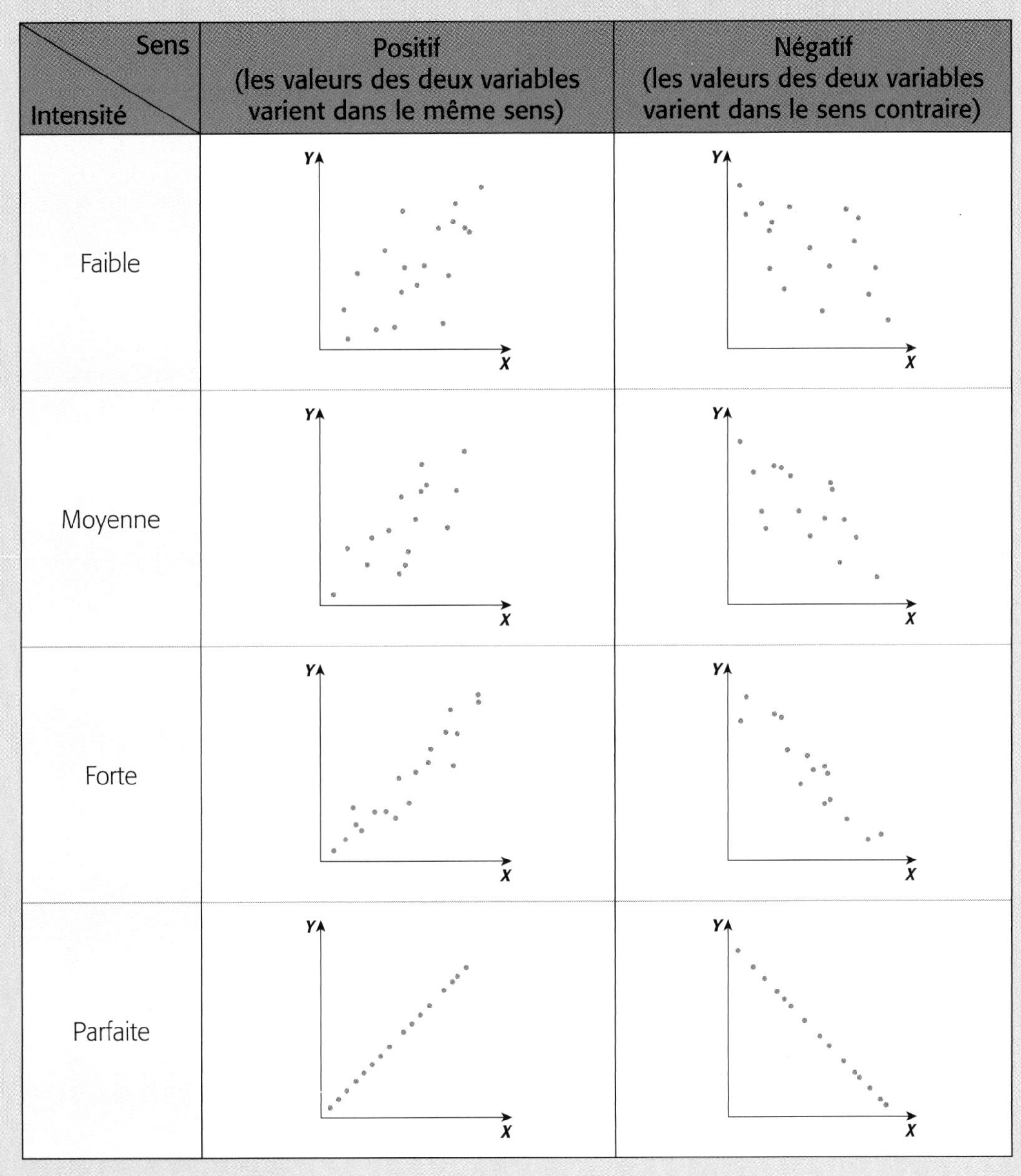

Sens / Intensité	Positif (les valeurs des deux variables varient dans le même sens)	Négatif (les valeurs des deux variables varient dans le sens contraire)
Faible		
Moyenne		
Forte		
Parfaite		

Tout comme il existe plusieurs modèles mathématiques, il existe plusieurs types de corrélation.

Les autres possibilités quant à la corrélation entre deux variables

Une corrélation non linéaire	Une corrélation nulle

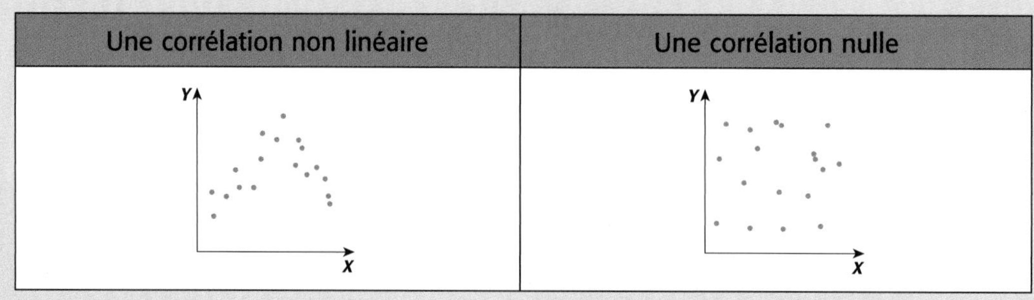

Remarque : Le nuage de points ci-dessus révèle une corrélation qui n'est pas linéaire, mais plutôt quadratique.

Remarque : On dit que la corrélation est nulle lorsque le nuage de points ne révèle aucun lien entre les deux variables.

La nature du lien entre deux variables

Le nuage de points et le tableau à double entrée peuvent révéler un lien entre deux variables. Cependant, ils ne fournissent aucune explication quant à la nature de ce lien. Pour bien interpréter une corrélation, il faut utiliser son jugement critique. Les trois types de liens possibles entre deux variables sont présentés dans le tableau suivant.

Nature du lien	Explication	Exemple
Causal (ou causalité)	Les variations d'une variable (la variable réponse) sont influencées par les variations de l'autre variable (la variable explicative).	Il existe une corrélation négative entre les ventes de véhicules utilitaires sport (VUS) et le prix moyen de l'essence au cours des 24 derniers mois. On peut affirmer : « Les ventes de VUS diminuent *parce que* le prix de l'essence augmente. » Le lien entre les variables est causal. Le prix de l'essence est la variable explicative et les ventes de VUS est la variable réponse. On parle de variable explicative et de variable réponse seulement lorsqu'il y a un lien causal.
3e facteur d'influence	Les deux variables sont influencées par un 3e facteur.	Il existe une corrélation négative entre la mesure des pieds des élèves d'une école primaire et le temps qu'ils mettent pour lire un texte. On ne peut pas affirmer : « Cet enfant prend moins de temps à lire le texte *parce qu'*il a de grands pieds. » Le lien n'est pas causal. Il s'explique plutôt par un 3e facteur, l'âge, qui influe simultanément sur la mesure des pieds et sur le temps de lecture.
Fortuit	Le lien entre les deux variables ne s'explique par aucune raison évidente.	Il existe une corrélation positive entre le prix moyen du lait et le nombre de propriétaires de téléphones cellulaires au cours des 15 dernières années. On ne peut pas affirmer : « Le nombre de propriétaires de téléphones cellulaires augmente *parce que* le prix du lait augmente », ou vice-versa. Le lien n'est pas causal et il n'y a pas de 3e facteur évident qui explique la relation entre les deux variables.

Remarque : Même si une corrélation est forte, cela ne signifie pas pour autant qu'il existe un lien de causalité entre les variables.

Pièges et astuces

Si l'on peut formuler une phrase logique comportant la description de deux caractères et les mots « parce que », il est probable qu'il existe un lien causal entre ces deux caractères.

Mise en pratique

1. Pour chacune des représentations ci-dessous, explique pourquoi les données ne correspondent pas à une distribution à deux caractères.

a)

Les familles des élèves d'une classe de 1re année	
Nombre d'enfants	Effectif
1	5
2	17
3	7
4	2
6	1

b)

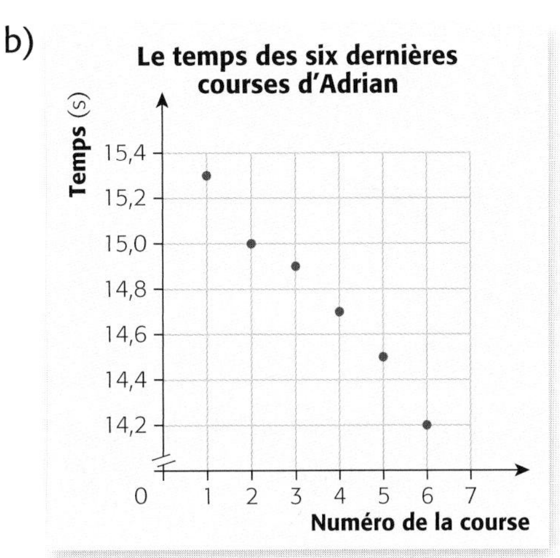

c)

La canicule	
Heure	Température (°C)
8 h	31,0
10 h	31,5
12 h	31,5
14 h	32,0
16 h	32,5
18 h	30,0
20 h	29,5

2. Voici les nuages de points de quelques distributions à deux caractères.

① 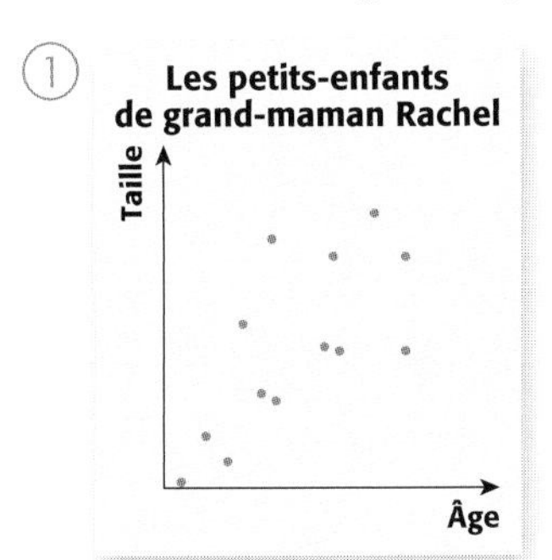

② 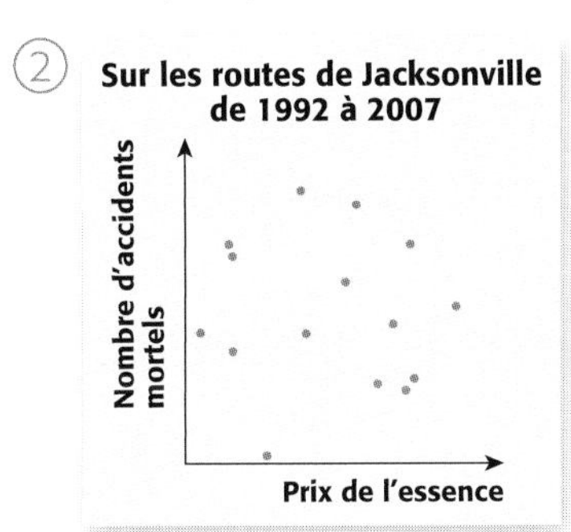

③ 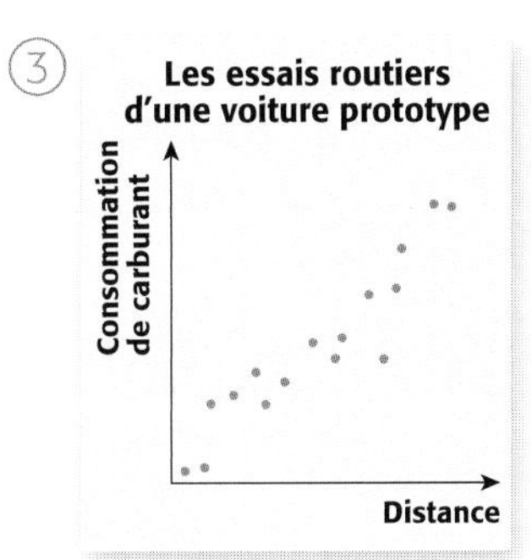

④ 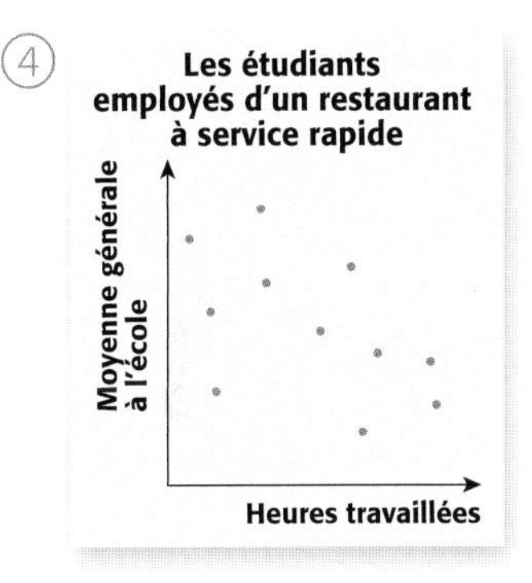

Pour chacune de ces distributions :

a) nomme les caractères étudiés et l'unité statistique ;

b) indique si la corrélation observée est positive, négative ou nulle.

3. Le tableau ci-dessous présente des informations sur les joueurs de volley-ball du club Astéris.

a) Représente les données de cette distribution :

1) à l'aide d'un nuage de points ;

2) dans un tableau à double entrée.

b) Nomme des différences et des similitudes entre les deux représentations réalisées en **a**.

c) Décris la corrélation entre la taille et l'envergure des bras des joueurs de l'équipe Astéris.

Les joueurs du club Astéris			
Taille (cm)	Envergure des bras (cm)	Taille (cm)	Envergure des bras (cm)
169	172	165	168
161	159	178	177
120	118	185	188
167	165	195	200
177	178	160	155

4. Le tableau suivant présente la relation entre l'âge des enfants d'une garderie et le temps qu'ils mettent à faire un casse-tête.

Âge (mois)	25	44	48	33	50	42	37	41	54	21	63	34
Temps (s)	215	202	193	210	134	157	198	185	121	222	107	175

a) Représente les données de cette distribution :

1) à l'aide d'un nuage de points ; **2)** dans un tableau à double entrée.

b) Décris la corrélation entre l'âge des enfants et le temps qu'ils mettent à faire le casse-tête.

c) Estime le temps que mettrait un enfant de 40 mois pour faire ce casse-tête.

5. Les variables ci-dessous portent sur des données recueillies au cours des mois de juillet, de 1990 à 2008, dans une ville du Québec.

① Les heures d'ensoleillement

② Le prix de la crème solaire

③ Les ventes de parapluies

④ Le nombre d'adeptes de patin à roues alignées

⑤ Le nombre d'accidents de la route

⑥ Les précipitations

⑦ La population de la ville

⑧ Les ventes de cornets de crème glacée

Associe les variables qui, selon toi, sont susceptibles de présenter :

a) une corrélation négative ;

b) une corrélation positive ;

c) une corrélation nulle.

6. Indique si la corrélation entre les caractères décrits ci-dessous est susceptible d'être positive, négative ou nulle.

a) La durée de vie et le prix des montres d'un magasin

b) Le temps que les élèves d'une classe passent à regarder la télévision et le temps qu'ils passent à faire du sport

c) Le nombre de chiens et le nombre de bornes-fontaines dans les villes du Québec

d) Le prix de vente moyen des maisons dans une ville et le taux d'intérêt hypothécaire de 2000 à 2008

e) La taille des enfants d'une garderie et le nombre de dents qu'ils ont dans la bouche

f) Le prix du pain et le nombre de divorces sur une période de 15 ans au Québec

g) Les revenus des familles qui habitent un appartement et le pourcentage de leur revenu qu'elles consacrent au paiement du loyer

h) Le nombre de coups de circuit et le salaire des joueurs de la LNB

i) La taille des élèves d'une école secondaire et la taille de leur meilleure amie ou de leur meilleur ami

7. Pour chacune des associations présentées en **6**, quelle est, selon toi :
   a) l'intensité de la corrélation ? Justifie ta réponse.
   b) la nature du lien entre les deux caractères ? Justifie ta réponse.

8. Donne un exemple de deux caractères entre lesquels il est susceptible d'exister :
   a) une corrélation positive ; b) une corrélation négative ; c) une corrélation nulle.

9. Ordonne les nuages de points ci-dessous de celui qui présente la plus faible corrélation à celui qui présente la plus forte corrélation.

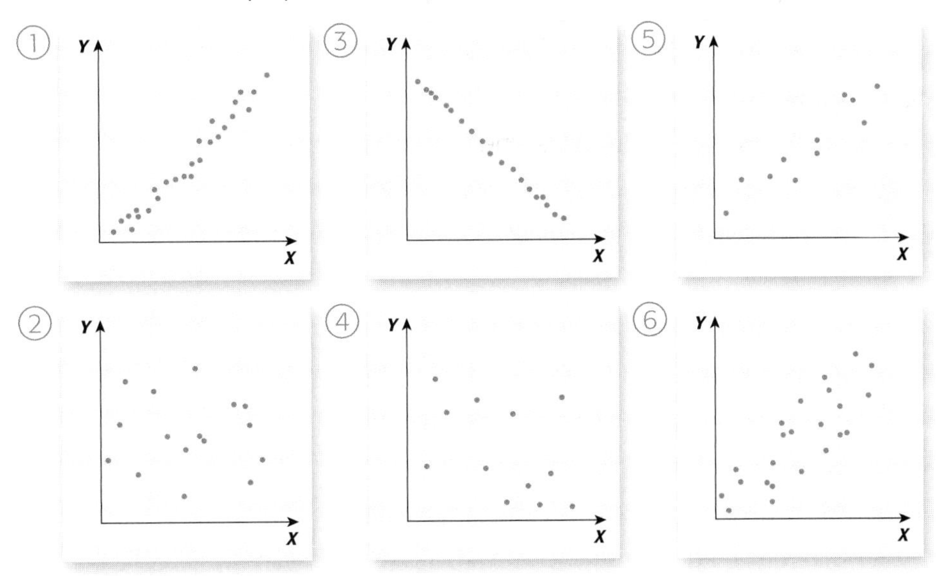

10. Qualifie la corrélation entre les caractères des distributions représentées ci-dessous.

a) 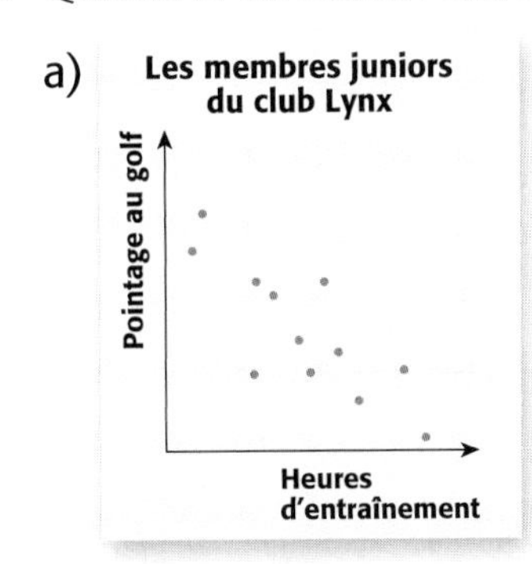

b) 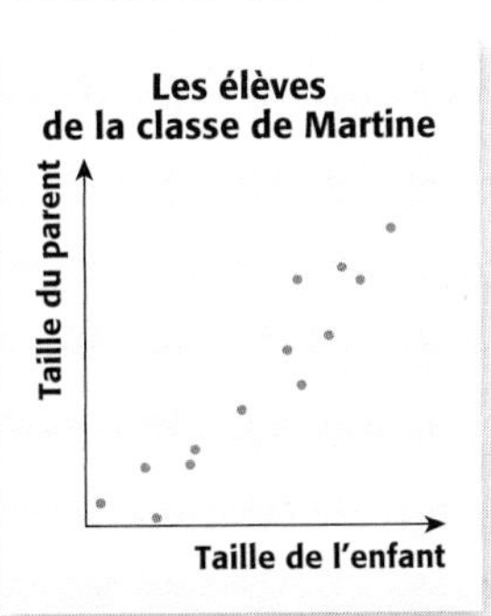

c) 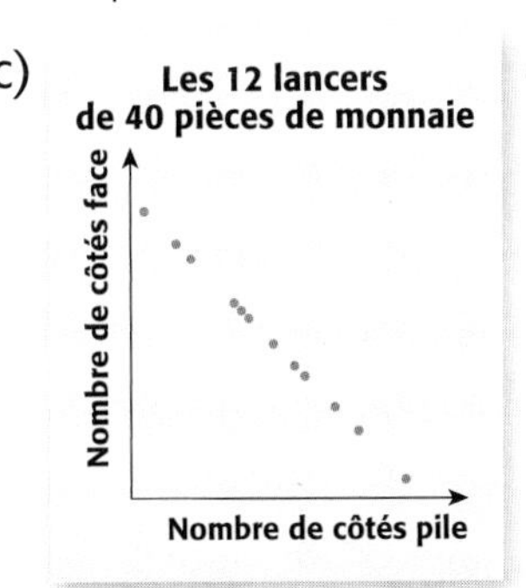

d) 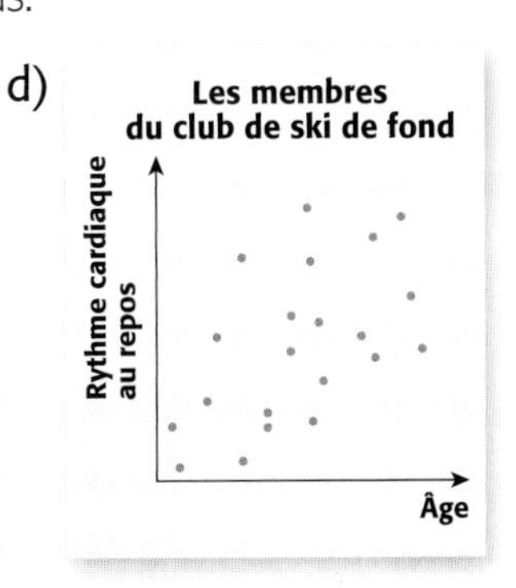

e) **Le temps consacré par des élèves à certaines occupations la fin de semaine dernière**

Clavardage (min) \ Activité physique (min)	[0, 30[	[30, 60[	[60, 90[	[90, 120[	[120, 150[
[0, 45[				I	I
[45, 90[				I	
[90, 135[		I	II	I	
[135, 180[	I		II	IIII	
[180, 225[	II	III	I		
[225, 270[		I		I	

11. Le tableau suivant présente des informations relatives aux joueurs du Canadien de Montréal qui ont participé à plus de 60 parties au cours de la saison 2007-2008.

Les joueurs du Canadien de Montréal ayant joué plus de 60 parties, saison 2007-2008					
Numéro du chandail	Joueur	Nombre de parties jouées	Points obtenus	Minutes de punition	Lancers au but
27	Alex Kovalev	82	84	70	230
14	Tomas Plekanec	81	69	42	186
2	Mark Streit	81	62	28	165
79	Andrei Markov	82	58	63	145
11	Saku Koivu	77	56	93	150
46	Andrei Kostitsyn	78	53	29	156
21	Christopher Higgins	82	52	22	241
73	Michael Ryder	70	31	30	134
84	Guillaume Latendresse	73	27	41	116
44	Roman Hamrlik	77	26	38	129
20	Bryan Smolinski	64	25	20	89
8	Mike Komisarek	75	17	101	75
25	Mathieu Dandenault	61	14	34	69
6	Tom Kostopoulos	67	13	113	98
26	Josh Gorges	62	9	32	41
51	Francis Bouillon	74	8	61	60

Source : Canadiens de Montréal, 2008.

a) Construis quatre nuages de points. Dans chaque nuage de points, met en relation le nombre de points obtenus par chacun des joueurs et une autre variable du tableau, soit le numéro du chandail, le nombre de parties jouées, les minutes de punition et les lancers au but.

b) Qualifie chacune des corrélations observées en **a**.

c) Quelle variable a :

1) la plus forte corrélation avec le nombre de points obtenus ?

2) la plus faible corrélation avec le nombre de points obtenus ?

d) Parmi les corrélations observées en **a**, précise lesquelles présentent un lien de causalité, puis nomme la variable explicative et la variable réponse.

e) À l'aide des nuages de points tracés en **a**, estime le nombre de points qu'a obtenus chacun des quatre joueurs québécois suivants, du Lightning de Tampa Bay, pour la saison 2007-2008 :

1) Vincent Lecavalier, qui porte le chandail numéro 4

2) Matthieu Darche, qui a joué 73 parties

3) Michel Ouellet, qui a lancé 132 fois au but

4) Martin St-Louis, qui a écopé de 26 minutes de punition

f) Parmi les estimations données en **e**, laquelle, selon toi, se rapproche le plus de la réalité ? Justifie ta réponse.

Le coefficient de corrélation linéaire

Section 2

Le bonheur

Mya effectue une étude sur l'influence que peuvent avoir certains facteurs sur le bonheur des gens. Pour ce faire, elle sélectionne 20 personnes au hasard. Elle leur demande d'abord d'évaluer leur niveau de bonheur sur une échelle de 1 à 20 (20 correspondant au niveau le plus élevé). Elle leur demande ensuite d'évaluer, toujours sur une échelle de 1 à 20, la façon dont elles se situent par rapport à chacun des facteurs suivants : satisfaction au travail, relations familiales, santé, niveau de stress et amitié.

Mya met en relation la cote que les personnes ont attribuée à chacun de ces cinq facteurs et la cote qu'elles ont attribuée à leur niveau de bonheur. Voici les nuages de points qu'elle obtient pour les quatre premiers facteurs. Chacun de ces nuages est accompagné du coefficient de corrélation linéaire, r, qui quantifie la corrélation entre les deux caractères.

Santé et bien-être

Selon de nombreuses recherches, la santé émotionnelle d'une personne dépend en grande partie de sa santé physique. En effet, les scientifiques sont de plus en plus nombreux à reconnaître que l'activité physique, entre autres, exerce une influence positive sur l'état d'esprit. À l'inverse, crois-tu que le bonheur peut avoir un impact sur la santé physique ? Justifie ta réponse.

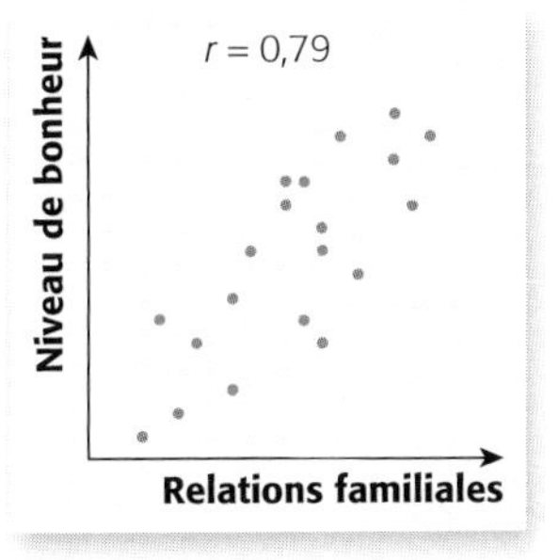

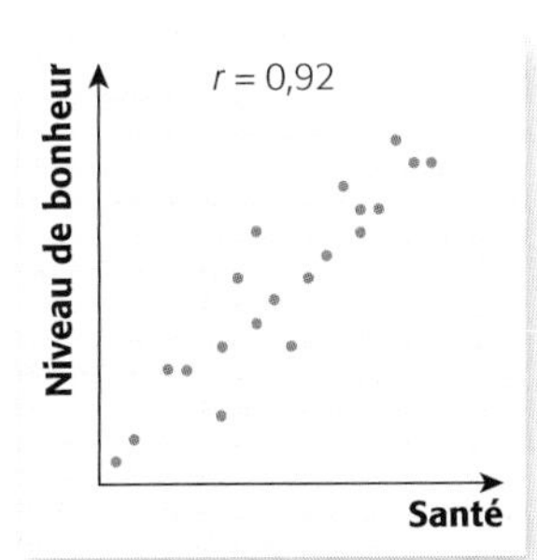

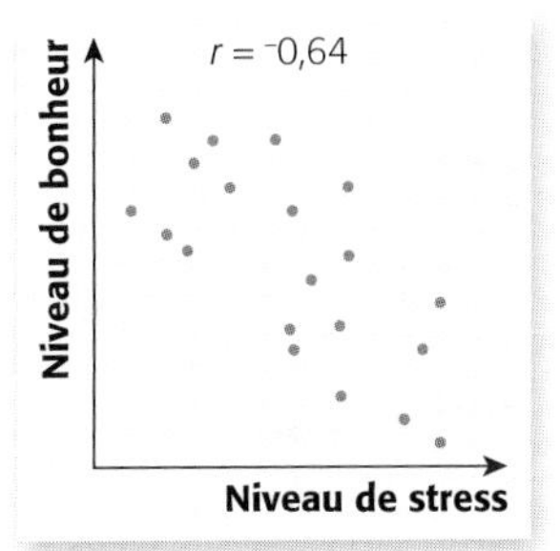

Le tableau ci-dessous présente, pour chacune des personnes interrogées par Mya, la cote attribuée au facteur « amitié » et celle attribuée au niveau de bonheur.

Amitié (/20)	19	2	7	17	13	14	12	5	15	4	17	15	12	4	8	3	13	8	18	7
Bonheur (/20)	18	6	7	15	9	17	18	9	19	5	13	14	15	10	16	10	12	11	16	13

Estime la valeur de r pour la distribution ci-dessus. Puis, décris et critique les résultats de l'étude de Mya.

ACTIVITÉ
D'EXPLORATION **1**

Encadrement judicieux

Interprétation et approximation du coefficient de corrélation linéaire

Voici quatre nuages de points.

① 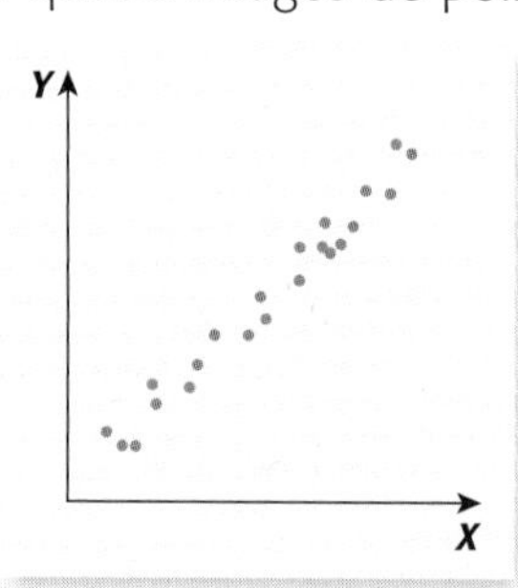

③ 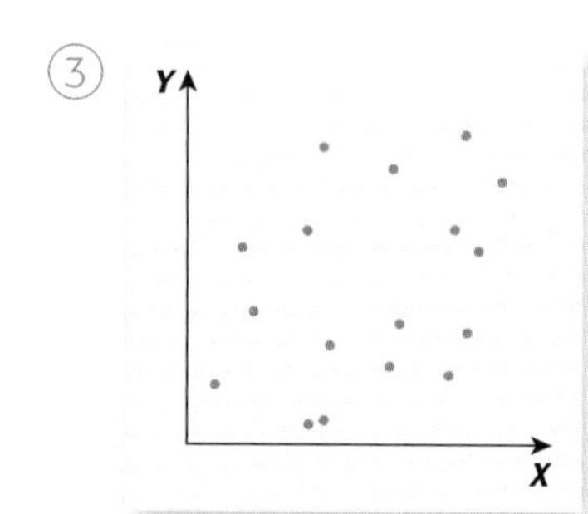

② 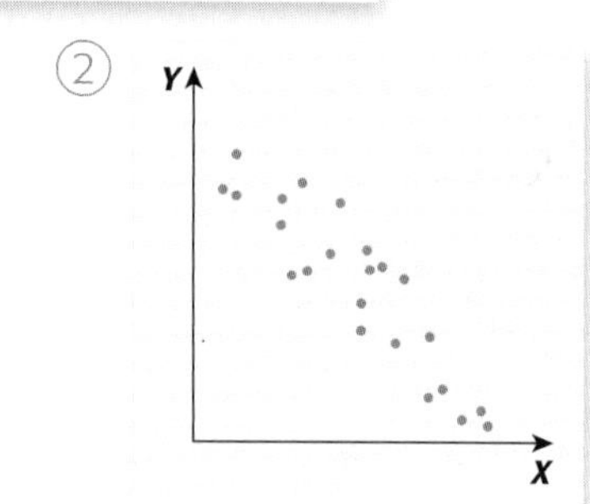

④ 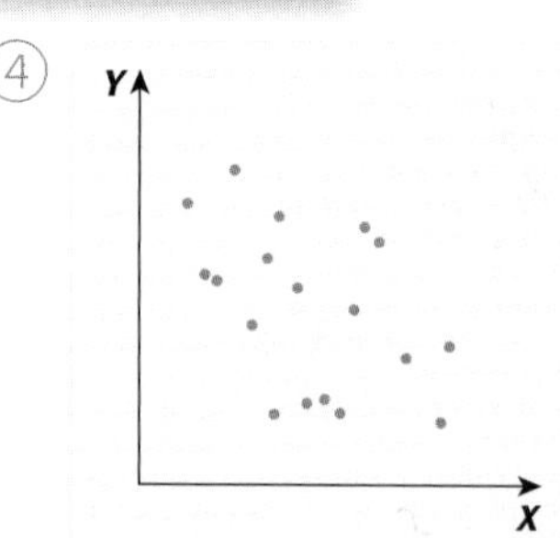

A Pour chacun de ces nuages de points, qualifie l'intensité et indique le sens de la corrélation linéaire.

B Reproduis ces nuages de points. Puis, encadre tous les points de chaque nuage en traçant le plus petit rectangle possible.

C Établis un lien entre les dimensions des rectangles tracés en **B** et l'intensité de la corrélation linéaire.

Coefficient de corrélation linéaire
Mesure statistique, notée *r*, qui permet de quantifier l'intensité et le sens de la corrélation linéaire entre deux caractères.

Le **coefficient de corrélation linéaire** peut être estimé à partir des dimensions du plus petit rectangle qui encadre l'ensemble des points du nuage de points.

D À l'aide d'une règle, mesure les dimensions de chaque rectangle tracé en **B**. Pour chacun, calcule le rapport $\frac{\text{mesure du petit côté}}{\text{mesure du grand côté}}$.

Les coefficients de corrélation linéaire pour chacun des nuages sont respectivement 0,9, ⁻0,8, 0,3 et ⁻0,4.

E Établis un lien entre le signe de *r* et le sens de la corrélation.

F À partir du rapport calculé en **D**, propose une formule qui permette d'estimer le coefficient de corrélation linéaire.

G Quel est l'intervalle des valeurs que peut prendre *r* selon la formule proposée en **F**?

H Établis un lien entre la valeur de *r* et l'intensité de la corrélation linéaire.

Voici trois nuages de points.

① 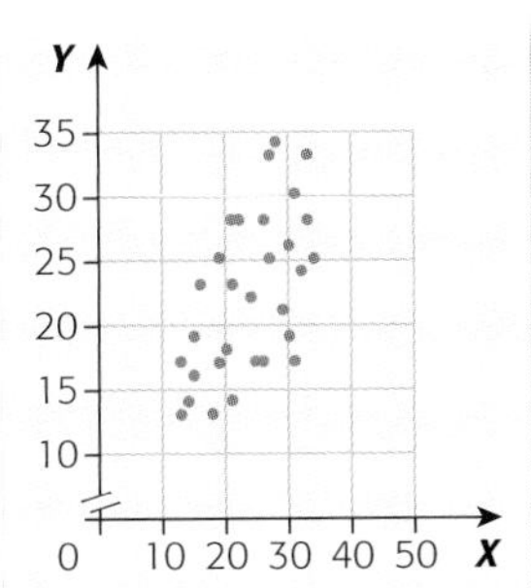

② 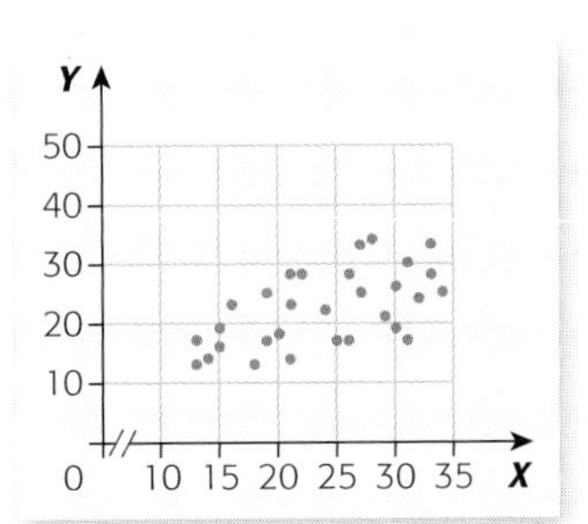

③ 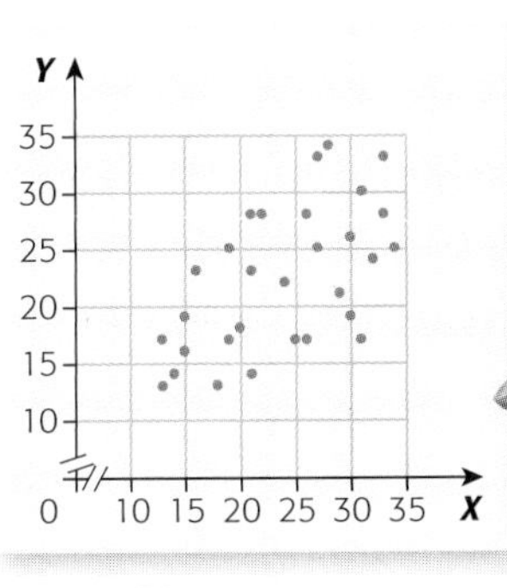

I Reproduis chaque nuage de points. À l'aide de la méthode du rectangle, estime le coefficient de corrélation linéaire de chacun.

J Selon toi, laquelle des distributions a la plus forte corrélation linéaire?

Ai-je bien compris?

1. Associe chaque nuage de points au coefficient de corrélation linéaire qui lui correspond.

a) 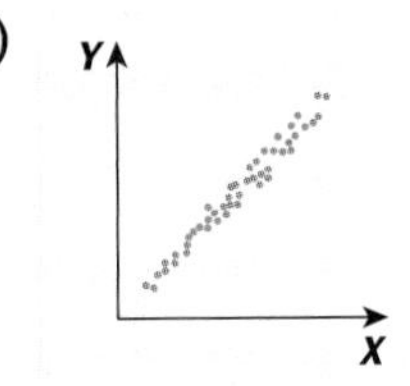

c) 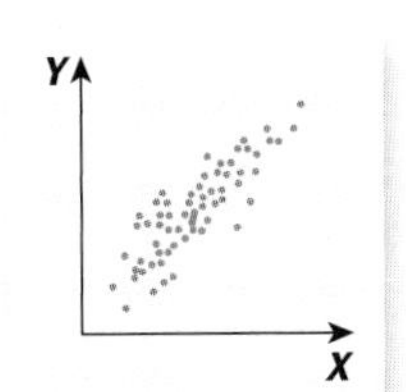

e) 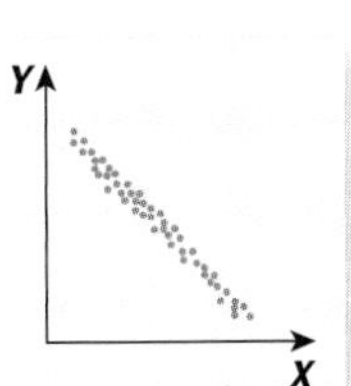

b) 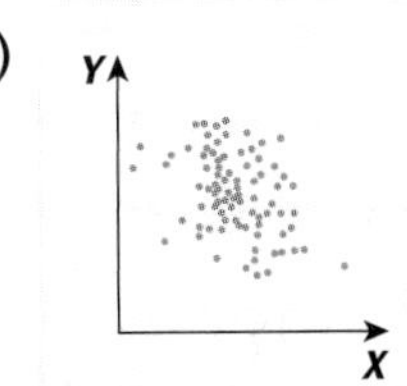

d) 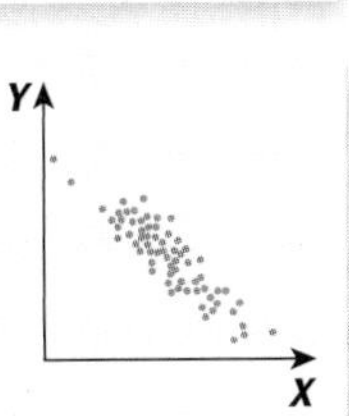

f) 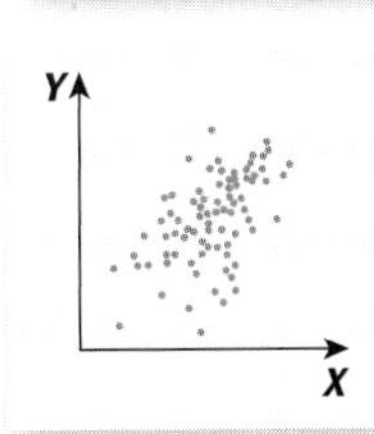

① $r = 0{,}59$

② $r = 0{,}87$

③ $r = {}^{-}0{,}99$

④ $r = {}^{-}0{,}38$

⑤ $r = 0{,}98$

⑥ $r = {}^{-}0{,}91$

2. Estime le coefficient de corrélation linéaire de chacun des nuages de points suivants à l'aide de la méthode du rectangle.

a) 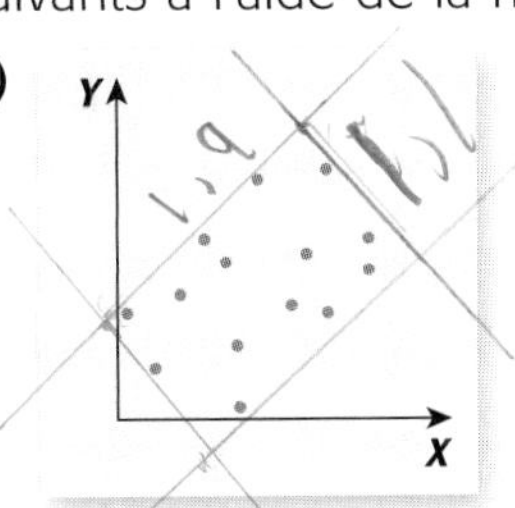

b) 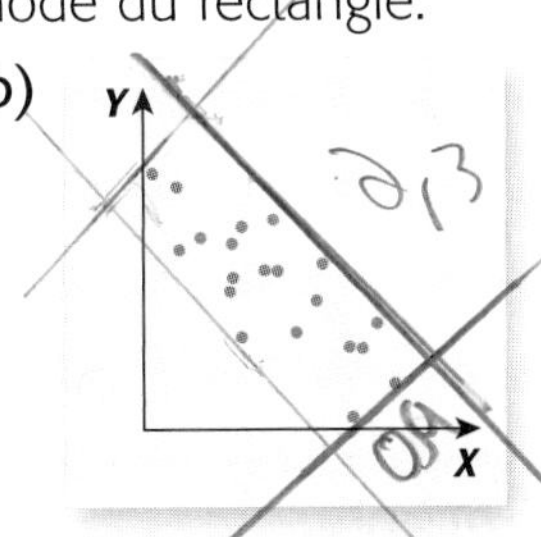

c) 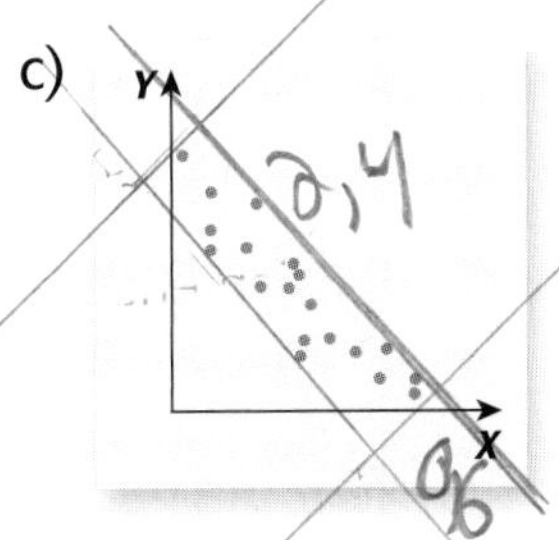

3. Ordonne les coefficients de corrélation ci-dessous de celui qui décrit la plus faible corrélation linéaire à celui qui décrit la plus forte corrélation linéaire.

① $r_1 = {}^{-}0{,}82$ ③ $r_2 = 0{,}78$ ⑤ $r_3 = {}^{-}0{,}28$

② $r_4 = 0$ ④ $r_5 = 0{,}66$ ⑥ $r_6 = {}^{-}1$

ACTIVITÉ
D'EXPLORATION **2**

Coefficient de corrélation linéaire : limites de l'interprétation

Se méfier des apparences

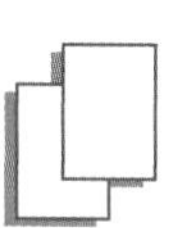

La statistique a plusieurs applications, notamment dans le domaine du sport. Elle permet entre autres de comparer les performances des joueurs et d'établir des liens entre certaines variables. Dans chacune des situations suivantes, deux variables ont été associées afin de vérifier s'il existe une corrélation linéaire entre elles.

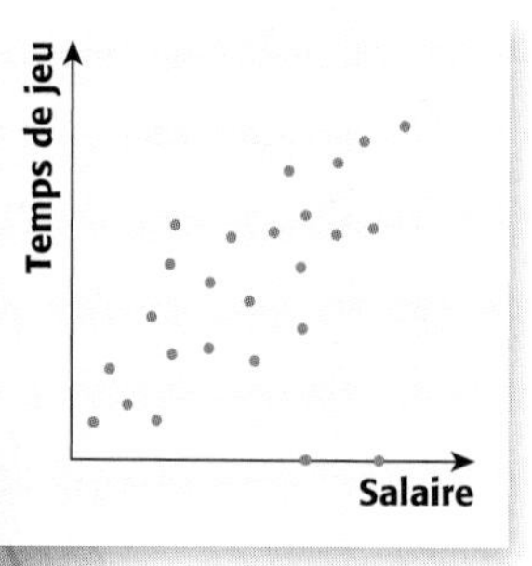

① Ce nuage de points représente la relation entre le salaire des joueurs d'une équipe de la LNH et leur temps de jeu au cours de la dernière semaine.

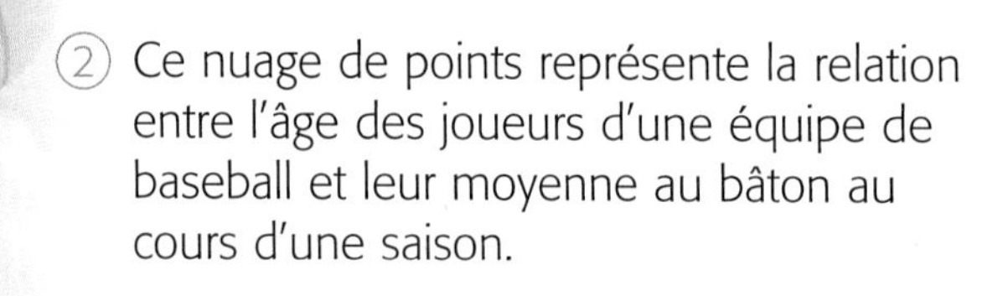

② Ce nuage de points représente la relation entre l'âge des joueurs d'une équipe de baseball et leur moyenne au bâton au cours d'une saison.

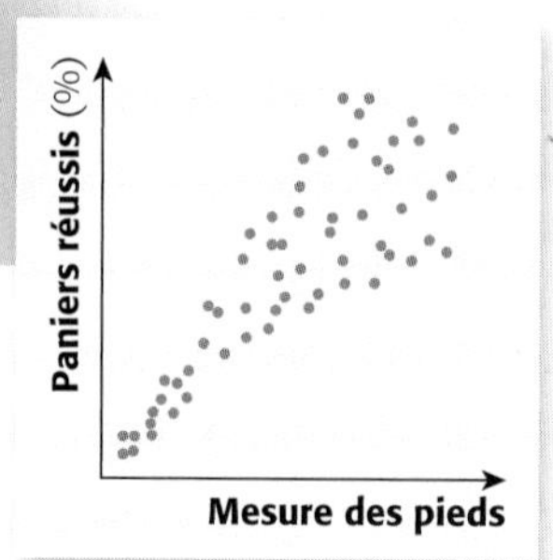

③ Ce nuage de points représente la relation entre la mesure des pieds des élèves d'une école primaire et le pourcentage de paniers réussis au basket-ball lors d'un défi sportif.

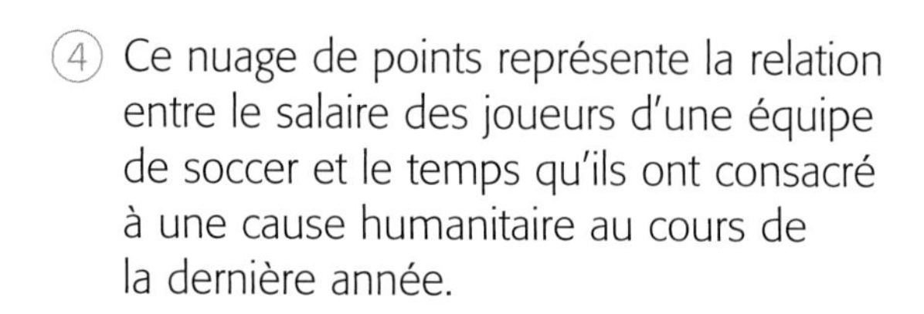

④ Ce nuage de points représente la relation entre le salaire des joueurs d'une équipe de soccer et le temps qu'ils ont consacré à une cause humanitaire au cours de la dernière année.

A Pour chacune de ces situations, qualifie la corrélation entre les deux caractères étudiés.

B À l'aide de la méthode du rectangle, estime le coefficient de corrélation linéaire de chaque distribution.

Les conclusions suivantes ont été émises en se basant sur le coefficient de corrélation linéaire de chaque nuage de points de la page précédente.

① Il n'existe pas de lien évident entre le salaire des joueurs de hockey et leur temps de jeu au cours d'une semaine.

② Plus un joueur de baseball vieillit, plus sa moyenne au bâton augmente.

③ Pour être un bon joueur de basket-ball, il faut avoir de grands pieds.

④ Plus leur salaire est petit, moins les joueurs de soccer consacrent de temps à une cause humanitaire.

C Selon toi, chacune des conclusions ci-dessus est-elle valable? Justifie ta réponse.

D Dans chacune des distributions de la page précédente, y a-t-il des **points aberrants**? Si oui, devrait-on les inclure dans l'analyse des données? Justifie tes réponses.

> **Point aberrant**
> Dans un nuage de points, point qui est très éloigné des autres.

E En tenant compte de tes réponses aux questions précédentes, émets une conclusion qui soit plus appropriée pour chacune des situations de la page précédente.

F Laquelle des affirmations suivantes est la plus juste? Explique ta réponse.

a) La connaissance de la valeur de *r* permet de bien qualifier la corrélation linéaire entre deux caractères.

b) L'observation du nuage de points permet de bien qualifier la corrélation linéaire entre deux caractères.

Ai-je bien compris?

Un chercheur en médecine se demande s'il existe un lien entre la masse d'une personne et la production de thyroxine par la glande thyroïde. Pour répondre à cette question, il réalise une étude auprès d'enfants et d'adultes. Le diagramme ci-contre présente les résultats de son étude.

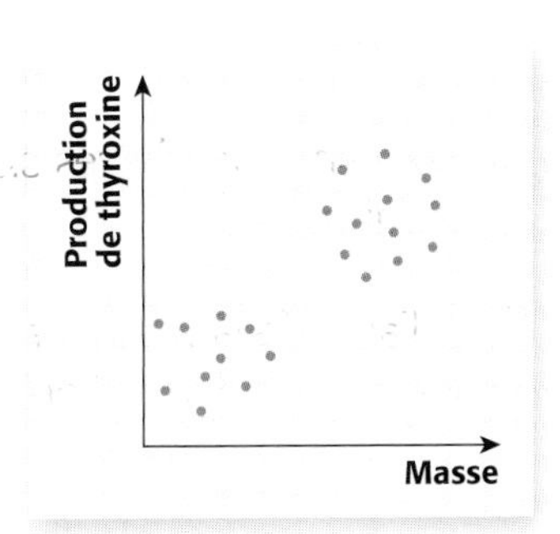

a) Estime la valeur du coefficient de corrélation linéaire de cette distribution.

b) Qualifie la corrélation entre la masse et la production de thyroxine. Quelle conclusion peux-tu en tirer?

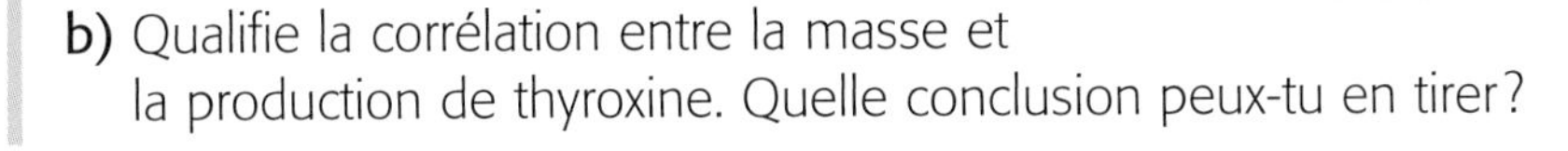

Le coefficient de corrélation linéaire

Le coefficient de corrélation linéaire, noté r, permet de quantifier la corrélation linéaire entre deux caractères. La valeur de r se situe dans l'intervalle $[^{-}1, 1]$.

L'interprétation du coefficient de corrélation linéaire

On peut connaître l'intensité et le sens de la corrélation linéaire en considérant la valeur de r.

Le schéma ci-contre présente la correspondance entre le sens et l'intensité de la corrélation linéaire, et la valeur de r. Quelques nuages de points sont donnés en exemple.

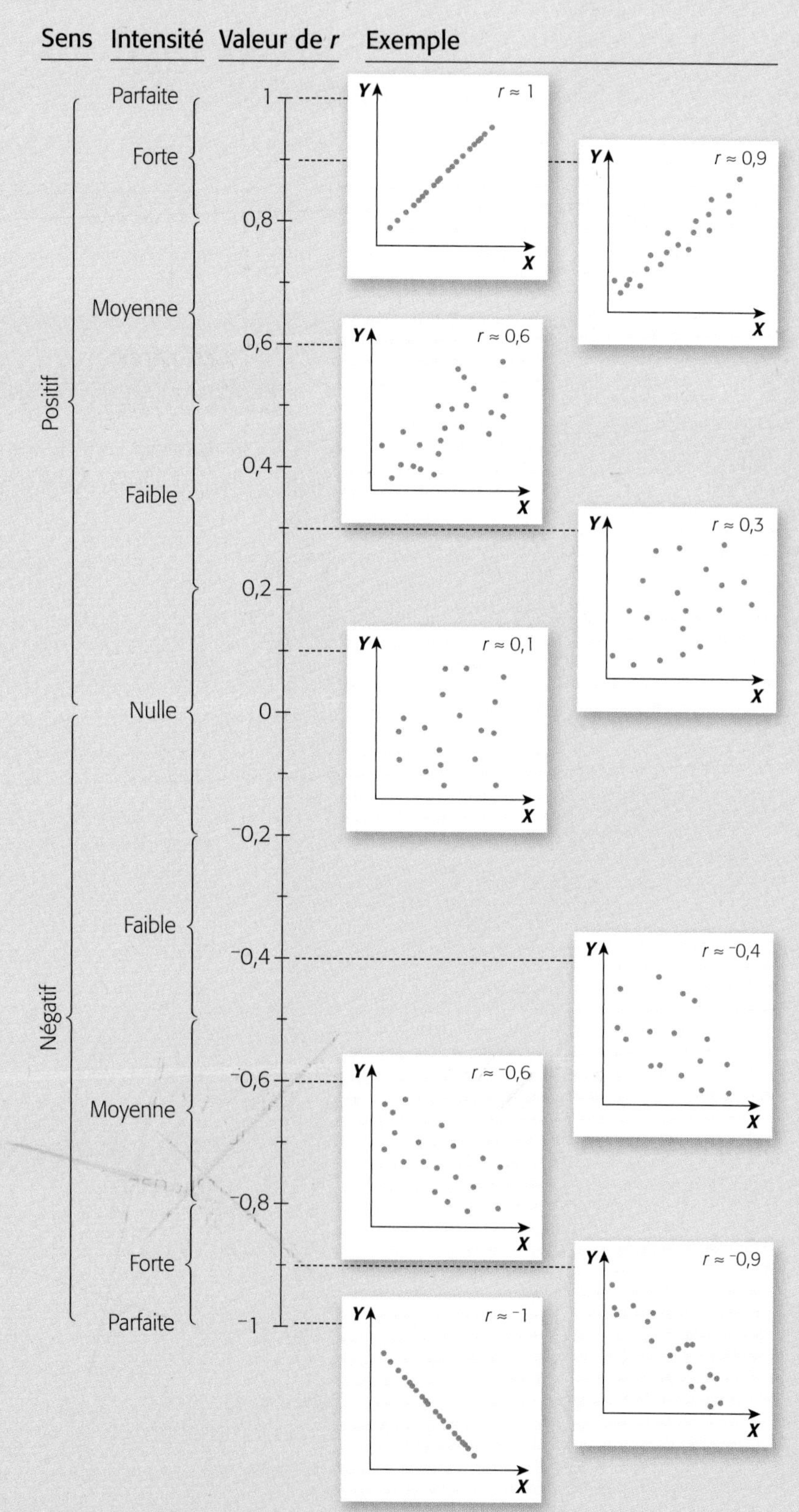

Point de repère

Karl Pearson

Le mathématicien britannique Karl Pearson (1857-1936) est un des fondateurs de la statistique moderne. C'est à lui que l'on doit la formulation actuelle du coefficient de corrélation linéaire. Dans ses écrits, Pearson attribue lui-même la paternité du concept de corrélation au physicien français Auguste Bravais. C'est la raison pour laquelle le coefficient de corrélation linéaire est également connu sous le nom de « coefficient de corrélation de Bravais-Pearson ».

L'approximation du coefficient de corrélation linéaire

Le calcul du coefficient de corrélation linéaire est fastidieux. Cependant, il est possible d'estimer la valeur de r à l'aide de la méthode du rectangle, présentée ci-dessous.

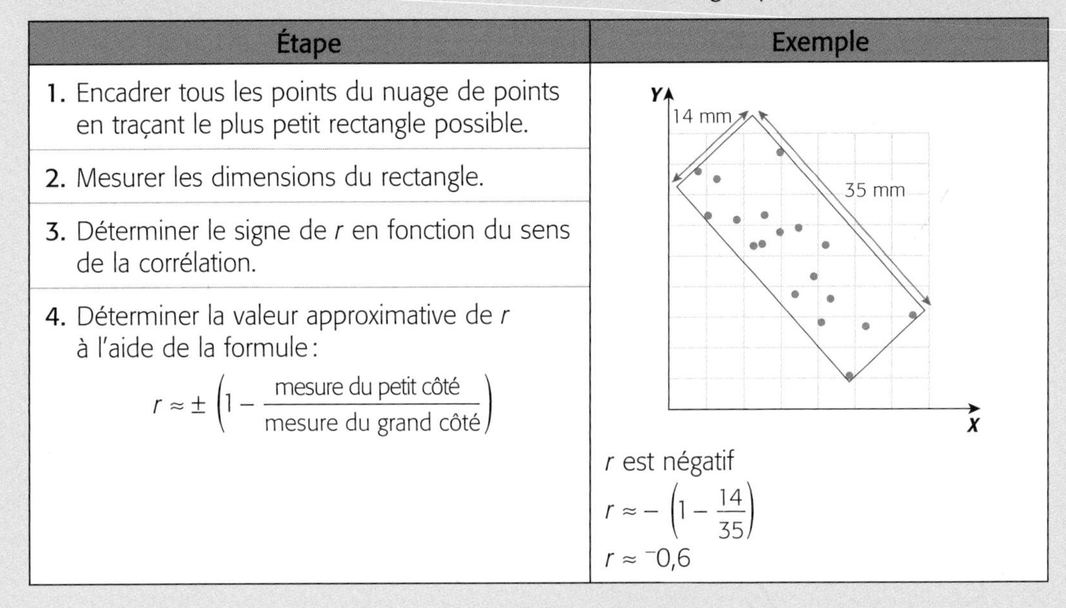

Étape	Exemple
1. Encadrer tous les points du nuage de points en traçant le plus petit rectangle possible.	
2. Mesurer les dimensions du rectangle.	
3. Déterminer le signe de r en fonction du sens de la corrélation.	
4. Déterminer la valeur approximative de r à l'aide de la formule : $r \approx \pm\left(1 - \frac{\text{mesure du petit côté}}{\text{mesure du grand côté}}\right)$	r est négatif $r \approx -\left(1 - \frac{14}{35}\right)$ $r \approx {}^{-}0,6$

Les limites de l'interprétation du coefficient de corrélation linéaire

Le coefficient de corrélation, à lui seul, n'est pas suffisant pour conclure qu'il existe ou non une corrélation linéaire entre deux variables. Afin de porter un bon jugement, on doit respecter les conditions suivantes.

1. Observer la forme du nuage de points et s'assurer que le modèle linéaire est le plus approprié.
2. Repérer les points aberrants, s'il y a lieu, c'est-à-dire les points qui sont très éloignés des autres dans le nuage. Vérifier ce que ces points représentent dans le contexte. S'il s'agit d'anomalies, les exclure de l'analyse des données.

Exemple :

Le nuage de points ci-contre représente la relation entre l'âge d'enfants du primaire et le temps qu'ils mettent à lacer leurs chaussures.

La valeur de r indique une corrélation linéaire moyenne et négative. Cependant, la forme du nuage de points (en entonnoir) montre que le lien entre les variables est fort chez les plus jeunes et presque nul chez les plus vieux.

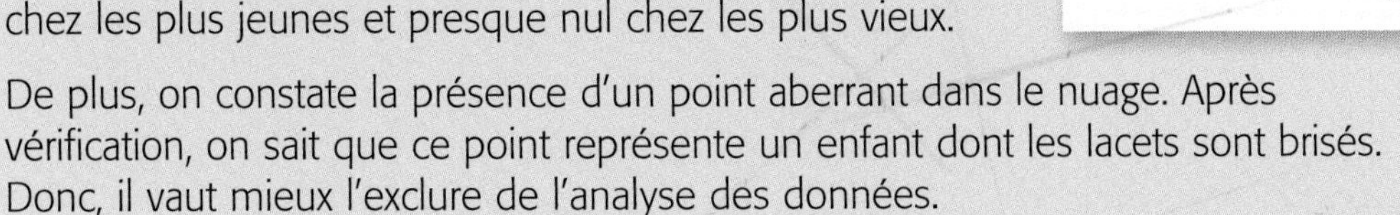

Temps | Point aberrant | $r = {}^{-}0,69$ | Âge

De plus, on constate la présence d'un point aberrant dans le nuage. Après vérification, on sait que ce point représente un enfant dont les lacets sont brisés. Donc, il vaut mieux l'exclure de l'analyse des données.

Pièges et astuces

Lorsque la distribution présente des points aberrants, la méthode du rectangle, présentée ci-dessus, ne fournit pas une bonne approximation du coefficient de corrélation linéaire.

Mise en pratique

1. Associe chacun des nuages de points ci-dessous au coefficient de corrélation linéaire qui lui correspond.

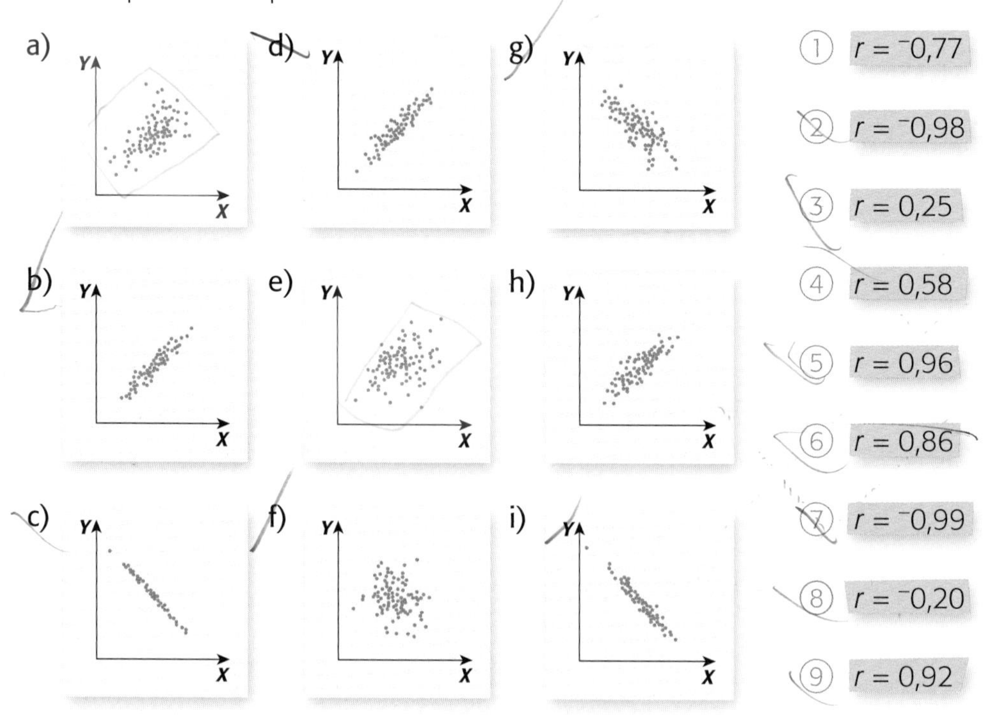

2. Ordonne les coefficients de corrélation linéaire ci-dessous de celui qui décrit la plus faible corrélation à celui qui décrit la plus forte corrélation.

① $r = 0,56$ ③ $r = {}^{-}0,28$ ⑤ $r = 0,86$

② $r = {}^{-}0,71$ ④ $r = 0,12$ ⑥ $r = {}^{-}1$

3. Pour chacun des nuages de points suivants, estime le coefficient de corrélation linéaire entre les deux caractères étudiés à l'aide de la méthode du rectangle.

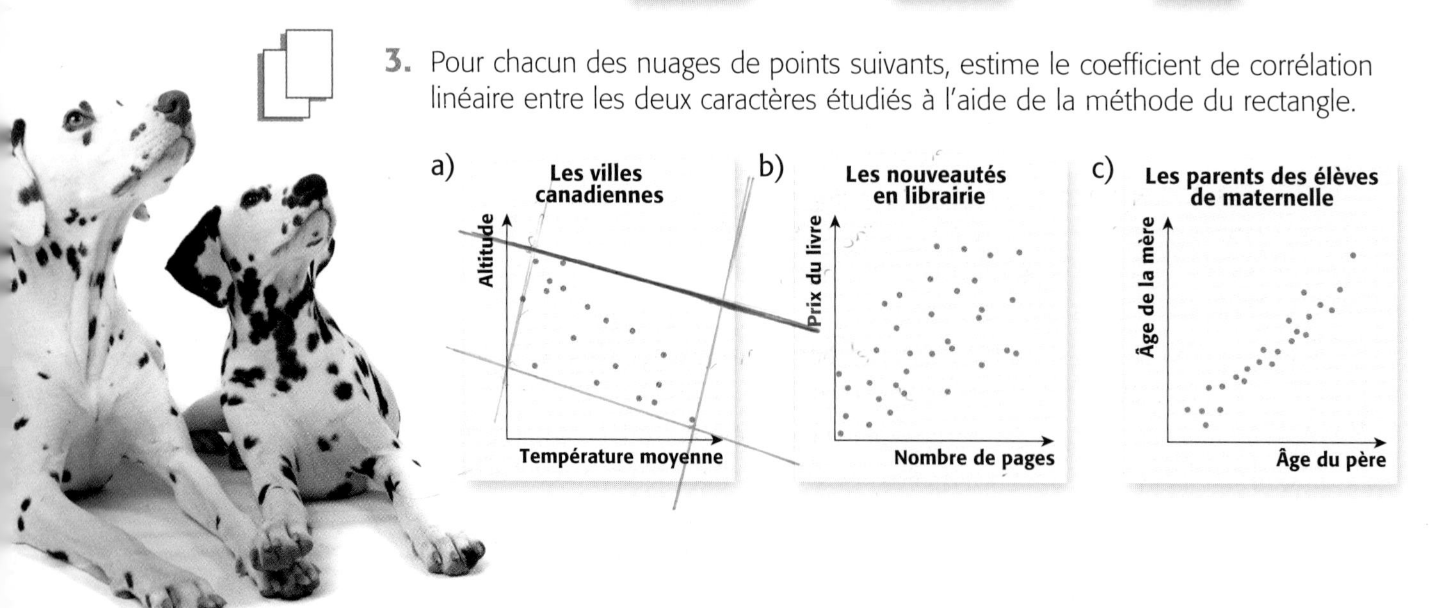

4. a) Trace un nuage de points dont le coefficient de corrélation linéaire, *r*, est approximativement :

1) $^{-}0,95$ **2)** 1 **3)** 0,25 **4)** 0,7

b) Pour chacune des valeurs de *r* données en **a**, donne un exemple de distribution à deux caractères qui pourrait lui correspondre.

5. Voici le nombre de jours d'absence de 16 élèves d'une classe de 6e année du primaire et la note moyenne qu'ils ont obtenue dans leur bulletin de fin d'année.

Nombre de jours d'absence	8	2	0	6	9	17	5	0	1	4	5	3	7	2	6	0
Note moyenne au bulletin de fin d'année (%)	65	78	67	52	43	49	58	85	92	74	62	64	57	70	61	80

a) Représente ces données à l'aide d'un nuage de points.

b) Qualifie la corrélation linéaire entre les deux caractères de cette distribution.

c) Estime le coefficient de corrélation linéaire entre les deux caractères.

d) Les données relatives à un des élèves de la classe ne figurent pas dans cette distribution. Selon toi, dans quel intervalle devrait se situer la note de cet élève s'il a été absent 10 jours durant l'année?

TIC

Le calcul de la valeur exacte du coefficient de corrélation linéaire est fastidieux. Le recours à la calculatrice à affichage graphique et au tableur permet de déterminer rapidement le coefficient de corrélation linéaire. Pour en savoir plus, consulte les pages 251 et 259 de ce manuel.

6. Le tableau ci-dessous présente les résultats d'un sondage sur les dons faits par la population canadienne en une année.

Groupe d'âge	Donateurs (%)	Don moyen par donateur ($)
De 15 à 19	58	114
De 20 à 24	70	122
De 25 à 34	77	229
De 35 à 44	85	242
De 45 à 54	83	338
De 55 à 64	81	316
De 65 à 74	80	294
75 et plus	72	330

Adapté de : *Enquête nationale sur le don, le bénévolat et la participation*, Centre canadien de philantropie.

a) Représente la relation entre le pourcentage de donateurs et le don moyen par donateur à l'aide d'un nuage de points.

b) Estime la valeur du coefficient de corrélation entre les deux caractères de cette distribution.

c) Que peux-tu affirmer au sujet de la relation entre le pourcentage de donateurs et le don moyen par donateur?

d) Si les personnes de 15 à 24 ans n'avaient pas été considérées dans ce sondage, ta réponse en **c** aurait-elle été différente? Justifie ta réponse.

e) Selon toi, est-il préférable de tenir compte des points correspondants aux groupes d'âge de 15 à 24 ans ou de ne pas en tenir compte dans l'analyse des résultats de cette étude? Justifie ta réponse.

7. Pour chacune des distributions représentées ci-dessous, explique pourquoi le coefficient de corrélation linéaire ne décrirait pas bien la relation entre les deux caractères étudiés.

a) **Les enfants de la garderie**
Nombre de mots de vocabulaire — Âge d'un enfant

b) **À l'affiche cette semaine**
Prix du billet d'entrée — Durée d'un film

c) **Le salaire de Pierre, Jean et Jacques**
Salaire — Années de scolarité

d) 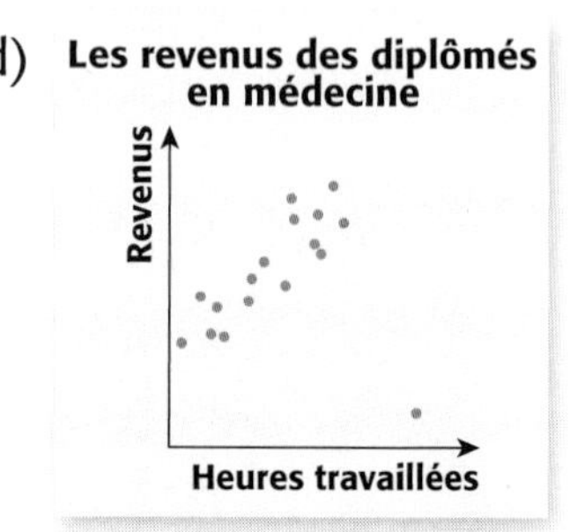

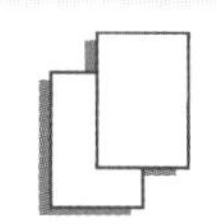

8. Le nuage de points ci-contre illustre la relation entre la température maximale et les revenus de la crèmerie Jolly pour chacune des journées du mois de juin.

Juin chez Jolly
Revenus — Température maximale
A
B

a) À l'aide de la méthode du rectangle, estime le coefficient de corrélation linéaire :
   1) en incluant tous les points ;
   2) en excluant les points A et B.

b) Décris une situation pour laquelle il serait justifié de ne pas tenir compte des points A et B dans l'étude de la corrélation.

c) Qualifie la relation entre la température maximale et les revenus de la crèmerie Jolly.

Santé et bien-être

L'obésité est un problème de plus en plus répandu, notamment chez les jeunes. Au Québec, la malbouffe et le nombre insuffisant d'heures d'activité physique dans les écoles ont souvent été pointés du doigt. En 2007, le gouvernement a mis sur pied une politique visant, entre autres, à éliminer la malbouffe des cafétérias. Selon toi, cette mesure aura-t-elle un impact sur l'obésité chez les jeunes ? Quels autres moyens, en milieu scolaire ou familial, proposerais-tu pour remédier à ce problème ?

9. Observe les deux nuages de points ci-dessous.

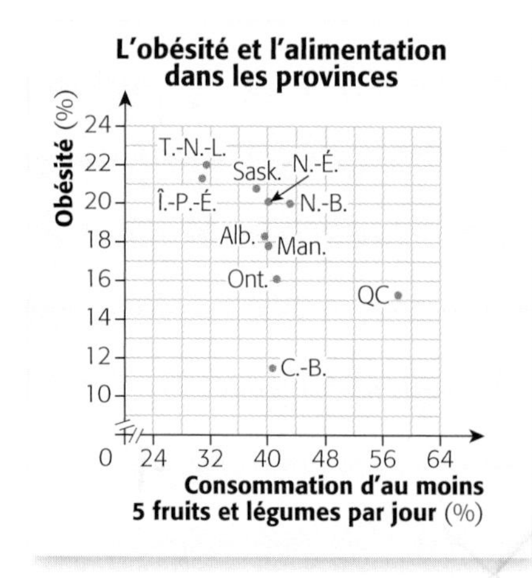

Source : Statistique Canada, 2007.

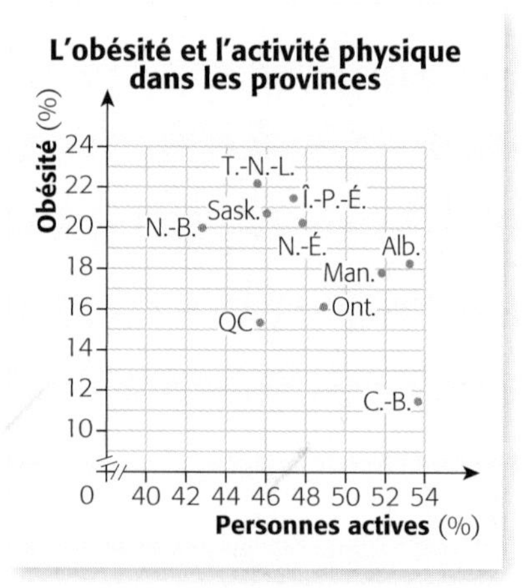

Source : Statistique Canada, 2007.

a) Compare la relation entre l'activité physique et l'obésité avec la relation entre la consommation de fruits et de légumes et l'obésité.

b) Que peux-tu dire au sujet de l'alimentation et de l'activité physique des Québécois ?

c) Décris la situation de la Colombie-Britannique.

d) Devrait-on tenir compte de la Colombie-Britannique dans l'étude des corrélations représentées ? Justifie ta réponse.

La droite de régression

Section 3

Les années s'envolent en fumée

Il est bien connu que le tabagisme a des effets néfastes sur la santé. De nombreuses études ont démontré qu'il peut être associé à plus d'une vingtaine de maladies, dont certaines formes de cancer, de maladies respiratoires et de maladies cardiovasculaires.

Le tableau ci-contre présente, pour les provinces canadiennes, le pourcentage de la population âgée de plus de 12 ans qui est constitué de fumeurs réguliers ainsi que l'espérance de vie à la naissance.

Province	Fumeurs (%)	Espérance de vie à la naissance
Terre-Neuve-et-Labrador	25,3	78,2
Île-du-Prince-Édouard	21,5	79,8
Nouvelle-Écosse	24,4	79,3
Nouveau-Brunswick	23,3	79,8
Québec	25,1	80,4
Ontario	20,6	80,7
Manitoba	22,4	79,0
Saskatchewan	25,9	79,3
Alberta	21,9	80,3
Colombie-Britannique	17,8	81,2

Source : Statistique Canada, 2008.

D'après les données de ce tableau et sans tenir compte des autres facteurs susceptibles d'influer sur l'espérance de vie, estime de combien le pourcentage de fumeurs au Québec devrait diminuer pour que l'espérance de vie soit de 85 ans.

Santé et bien-être

Une cigarette contient plus de 4 000 produits chimiques, dont 50 sont cancérigènes. Selon toi, en moyenne, de combien d'années l'espérance de vie des non-fumeurs dépasse-t-elle celle des fumeurs ? Le pourcentage de fumeurs chez les 15 à 19 ans au Québec est passé de 36 % en 1999 à 18 % en 2006. Nomme quelques facteurs qui peuvent expliquer cette diminution.

ACTIVITÉ
D'EXPLORATION **1**

Se déplacer autrement

Droite de régression : droite de Mayer et prédictions

Avec la hausse du prix de l'essence, de plus en plus de gens délaissent leur voiture et optent pour le transport en commun. D'ailleurs, au cours des quatre premiers mois de l'année 2008, la Société de transport de Montréal (STM) a enregistré une hausse de plus de quatre millions de déplacements sur ses circuits d'autobus et de métro.

Le tableau ci-dessous présente, pour les années 2001 à 2008, le prix moyen de l'essence ordinaire à Montréal et l'achalandage enregistré par la STM.

Année	Prix moyen de l'essence ordinaire à Montréal (¢/L)	Achalandage enregistré par la STM (millions de déplacements)
2001	73,8	354,9
2002	71,4	363,2
2003	76,7	363,2
2004	85,8	358,4
2005	96,4	359,3
2006	100,8	363,3
2007	104,3	367,5
2008	126,5	378,5

Sources : Statistique Canada et STM, *Rapport d'activité 2007*.

A Représente les données de cette distribution à l'aide d'un nuage de points.

B Pourrais-tu utiliser le nuage de points tracé en **A** pour estimer l'achalandage enregistré par la STM si le prix de l'essence ordinaire était de 3 $ le litre ?

C Trace la **droite de régression** qui peut, selon toi, être associée à cette distribution.

Droite de régression
Droite qui s'ajuste le mieux à un nuage de points présentant une corrélation linéaire.

D Comment la droite de régression peut-elle t'aider à prédire l'achalandage si le prix moyen de l'essence ordinaire, pour une année, est de 3 $ le litre ?

Il est aussi possible de définir une droite de régression algébriquement. Pour ceci, il existe plusieurs méthodes. Une de celles-ci est la méthode de la droite de Mayer.

Point de repère

Tobias Mayer

L'astronome et physicien allemand Tobias Mayer (1723-1762) a évalué les erreurs attribuables aux imperfections des réglages des instruments de mesure. Il a aussi inventé une méthode d'ajustement, la droite de Mayer, pour calculer les mouvements de la Lune et établir les premières tables des cycles lunaires. Cette réalisation lui a valu le grand prix décerné par le Bureau des longitudes de Londres en 1755.

La première étape qui permet de déterminer l'équation de la droite de Mayer consiste à ordonner les données de la distribution selon la première variable et à les séparer en deux **groupes équipotents**. Le tableau suivant illustre cette étape.

Groupes équipotents
Groupes comportant le même nombre de données.

	Groupe 1				Groupe 2			
Prix moyen de l'essence ordinaire à Montréal (¢/L)	71,4	73,8	76,7	85,8	96,4	100,8	104,3	126,5
Achalandage enregistré par la STM (millions de déplacements)	363,2	354,9	363,2	358,4	359,3	363,3	367,5	378,5

E Détermine les coordonnées des **points moyens** (P_1 et P_2) des deux groupes du tableau ci-dessus. Représente P_1 et P_2 dans le nuage de points que tu as tracé en **A**. Trace ensuite la droite passant par ces points.

Point moyen
Le point moyen de deux ou de plusieurs points est celui dont les coordonnées sont la moyenne des abscisses et la moyenne des ordonnées de ces points.

F Quel est le taux de variation entre les points P_1 et P_2? Que représente ce taux?

G La droite tracée en **E** correspond à la droite de Mayer. Détermine son équation.

H Utilise l'équation de la droite de Mayer pour estimer l'achalandage annuel de la STM si le prix moyen d'un litre d'essence ordinaire est de:

1) 1,15 $ **2)** 3 $

I Selon toi, qu'est-ce qui est le plus fiable: une prédiction obtenue par interpolation ou par extrapolation? Explique ta réponse.

Ai-je bien compris?

Voici les données d'une distribution à deux variables, X et Y.

X	27	21	13	12	29	16	7	11	26	13	25
Y	26	21	15	17	33	19	12	11	26	16	19

Si le nombre de données est impair, on place la donnée du centre dans chacun des deux groupes.

a) Détermine l'équation de la droite de Mayer.

b) À l'aide de l'équation de la droite de Mayer, estime:

1) la valeur de Y pour $X = 20$; **2)** la valeur de X pour $Y = 12$.

ACTIVITÉ
D'EXPLORATION **2**

Droite de régression : droite médiane-médiane et prédictions

Faire le tour du baobab 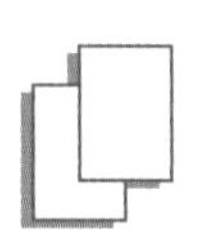

Le baobab est un arbre reconnu pour sa longévité exceptionnelle. Le plus gros baobab du monde se trouve dans la province du Limpopo, en Afrique du Sud. Sa circonférence est d'environ 40 m et son âge est estimé à 6 000 ans.

Pour estimer l'âge d'un arbre, les spécialistes comptent habituellement ses anneaux de croissance. Cette méthode ne convient toutefois pas aux baobabs, car ils ne produisent pas d'anneaux de croissance tous les ans et leur centre se résorbe avec les années. Pour estimer l'âge des plus vieux baobabs, les spécialistes procèdent donc en mesurant le carbone présent dans l'arbre. Pour les plus jeunes baobabs, ils estiment l'âge à partir de la circonférence du tronc.

Le tableau suivant présente l'âge et la circonférence du tronc de 10 «jeunes» baobabs.

Âge (années)	Circonférence (cm)	Âge (années)	Circonférence (cm)
13	127	24	231
19	183	17	166
15	156	11	118
21	201	14	141
12	114	23	228

A Représente les données de cette distribution à l'aide d'un nuage de points.

Droite médiane-médiane
Droite définie à partir de trois points médians, M_1, M_2 et M_3, représentatifs de la distribution.

La méthode de la **droite médiane-médiane** permet de définir une droite de régression.

Les premières étapes à suivre pour déterminer l'équation de la droite médiane-médiane consistent à :

- ordonner les données de la distribution selon la première variable ;
- diviser la distribution des données en trois groupes, de façon à ce que le premier et le troisième groupe soient équipotents et que les trois groupes soient le plus possible équipotents.

Le tableau suivant illustre ces premières étapes.

	Groupe 1			Groupe 2				Groupe 3		
Médiane des abscisses										
Âge (années)	11	12	13	14	15	17	19	21	23	24
Circonférence (cm)	118	114	127	141	156	166	183	201	228	231
Médiane des ordonnées										

B Reproduis et remplis ce tableau afin de déterminer les coordonnées des points médians M_1, M_2 et M_3.

C Quelles sont les coordonnées du point P, le point moyen des points M_1, M_2 et M_3 ?

La droite médiane-médiane est celle qui passe par **P**, le point moyen des points M_1, M_2 et M_3, et qui est parallèle à la droite passant par les points M_1 et M_3.

D Détermine le taux de variation entre les points M_1 et M_3.

Deux droites parallèles ont le même taux de variation.

E Détermine l'équation de la droite médiane-médiane.

F Trace la droite médiane-médiane dans le nuage de points que tu as tracé en **A**.

G À l'aide de l'équation de la droite médiane-médiane, estime :

1) l'âge d'un baobab dont la circonférence du tronc est de 175 cm ;

2) la circonférence du tronc d'un baobab de 40 ans.

H La droite médiane-médiane pourrait-elle servir à estimer l'âge du baobab du Limpopo, le plus gros baobab du monde ? Justifie ta réponse.

Fait divers

Surnommé « l'arbre de la vie », le baobab est vénéré par certaines populations du sud de l'Afrique, à qui il procure abri, eau et nourriture. Le baobab est aussi appelé « l'arbre pharmacien », car il produit des médicaments naturels, « l'arbre bouteille », parce qu'il est gorgé d'eau, et « l'arbre à l'envers », parce que ses branches ressemblent à des racines.

Ai-je bien compris ?

1. On veut déterminer l'équation de la droite médiane-médiane d'une distribution à deux variables. De quelle façon faudrait-il répartir les données en trois groupes si la distribution comportait :

a) 19 données ? b) 36 données ? c) 41 données ?

2. Voici les données d'une distribution à deux variables, *X* et *Y*.

X	76	57	82	89	75	59	60	94	88	70	86	71	83	78
Y	10	25	9	5	15	26	18	2	7	19	3	16	16	14

a) Détermine l'équation de la droite médiane-médiane.

b) À l'aide de l'équation de la droite médiane-médiane, estime :

1) la valeur de *Y* pour $X = 20$; **2)** la valeur de *X* pour $Y = 12$.

La droite de régression

Lorsque le nuage de points d'une distribution à deux caractères présente une corrélation linéaire, la relation entre ces caractères peut être modélisée par une droite. La droite qui s'ajuste le mieux à l'ensemble des points est appelée «droite de régression». Il existe plusieurs méthodes pour déterminer l'équation d'une telle droite.

La méthode de la droite de Mayer

La droite de Mayer est la droite passant par deux points moyens (P_1 et P_2) qui sont représentatifs de l'ensemble des points de la distribution. Voici les étapes à suivre pour déterminer son équation.

<table>
<tr><th>Étape</th><th>Démarche</th></tr>
<tr><td>1. Ordonner les données en ordre croissant selon la première variable.
Remarque : Pour deux valeurs égales de X, ordonner les valeurs de Y en ordre croissant.</td><td rowspan="3">
<table>
<tr><th>Moyenne des abscisses</th><th>X</th><th>Y</th><th>Moyenne des ordonnées</th></tr>
<tr><td rowspan="4">Groupe 1
$\frac{3+6+9+14}{4} = 8$</td><td>3</td><td>2</td><td rowspan="4">$\frac{2+5+7+6}{4} = 5$</td></tr>
<tr><td>6</td><td>5</td></tr>
<tr><td>9</td><td>7</td></tr>
<tr><td>14</td><td>6</td></tr>
<tr><td rowspan="4">Groupe 2
$\frac{14+19+22+27}{4} = 20,5$</td><td>14</td><td>10</td><td rowspan="4">$\frac{10+14+21+17}{4} = 15,5$</td></tr>
<tr><td>19</td><td>14</td></tr>
<tr><td>22</td><td>21</td></tr>
<tr><td>27</td><td>17</td></tr>
</table>
</td></tr>
<tr><td>2. Partager la distribution en deux groupes équipotents (contenant le même nombre de données).
Remarque : Si le nombre de données est impair, la donnée du centre est placée dans chacun des deux groupes.</td></tr>
<tr><td>3. Déterminer la moyenne des abscisses et la moyenne des ordonnées des points de chaque groupe.</td></tr>
<tr><td>4. Définir deux points moyens, P_1 et P_2, dont les coordonnées sont les moyennes trouvées en 3.</td><td>$P_1(8, 5)$ et $P_2(20,5, 15,5)$</td></tr>
<tr><td>5. Tracer la droite de Mayer qui passe par les points P_1 et P_2, et déterminer son équation.
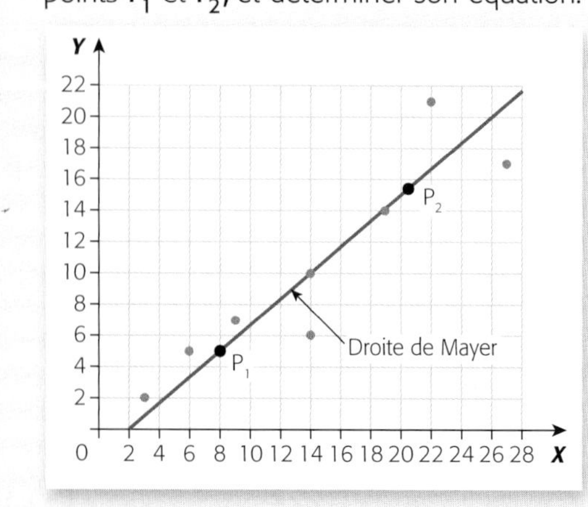
</td><td>Taux de variation entre les points P_1 et P_2 :
$\frac{15,5-5}{20,5-8} = \frac{10,5}{12,5} = 0,84$

Ordonnée à l'origine de la droite :
$Y = 0,84X + b$
$5 = 0,84 \cdot 8 + b$
$5 = 6,72 + b$
$b = 5 - 6,72 = {}^{-}1,72$

L'équation de la droite de Mayer est
$\mathbf{Y = 0,84X - 1,72}$</td></tr>
</table>

La méthode de la droite médiane-médiane

La droite médiane-médiane est la droite définie à partir de trois points médians, $\mathbf{M_1}$, $\mathbf{M_2}$ et $\mathbf{M_3}$, représentatifs de la distribution. Voici les étapes à suivre pour déterminer son équation.

Étape	Démarche
1. Ordonner les couples en ordre croissant selon la première variable. *Remarque :* Pour deux valeurs égales de X, ordonner les valeurs de Y en ordre croissant. **2.** Partager la distribution en trois groupes. Le premier et le troisième groupe doivent être équipotents. Les trois groupes doivent être le plus possible équipotents. **3.** Déterminer la médiane des abscisses et la médiane des ordonnées des points de chaque groupe.	Voir le tableau ci-dessous.
4. Définir trois points, $\mathbf{M_1}$, $\mathbf{M_2}$ et $\mathbf{M_3}$, dont les coordonnées sont les médianes trouvées en **3**.	$\mathbf{M_1}(6, 5)$, $\mathbf{M_2}(14, 8)$ et $\mathbf{M_3}(22,17)$
5. Déterminer les coordonnées du point **P**, le point moyen de $\mathbf{M_1}$, $\mathbf{M_2}$ et $\mathbf{M_3}$.	Abscisses : $\frac{6 + 14 + 22}{3} = 14$ Ordonnées : $\frac{5 + 8 + 17}{3} = 10$ **P**(14,10)
6. Trouver l'équation de la droite médiane-médiane, sachant : – qu'elle est parallèle à la droite qui passe par les points $\mathbf{M_1}$ et $\mathbf{M_3}$; – qu'elle passe par le point **P**.	Taux de variation entre les points $\mathbf{M_1}$ et $\mathbf{M_3}$: $\frac{17 - 5}{22 - 6} = \frac{12}{16} = 0{,}75$ Ordonnée à l'origine de la droite : $Y = 0{,}75X + b$ $10 = 0{,}75 \cdot 14 + b$ $10 = 10{,}5 + b$ $b = ^{-}0{,}5$ **L'équation de la droite médiane-médiane est** $\mathbf{Y = 0{,}75X - 0{,}5}$

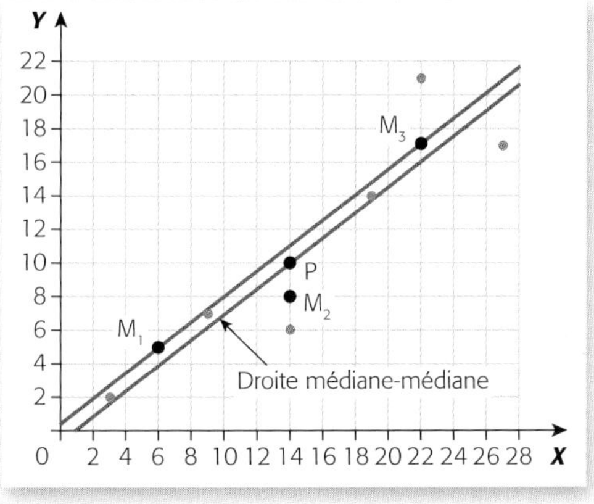

	Médiane des abscisses	X	Y	Médiane des ordonnées
Groupe 1	6	3	2	5
		6	5	
		9	7	
Groupe 2	14	14	6	8
		14	10	
Groupe 3	22	19	14	17
		22	21	
		27	17	

Lorsqu'on n'a pas accès aux technologies pour déterminer l'équation de la droite de régression, il est plus simple de déterminer celle de la droite de Mayer quand il y a peu de données et celle de la droite médiane-médiane quand il y en a beaucoup. D'autre part, il est préférable d'avoir recours à l'équation de la droite médiane-médiane si la distribution présente des points aberrants, puisque la droite de Mayer est très sensible aux données extrêmes.

TIC

La calculatrice à affichage graphique et le tableur sont deux outils qui facilitent la recherche de l'équation d'une droite de régression. Pour en savoir plus, consulte les pages 251 et 257 de ce manuel.

Point de repère

Carl Friedrich Gauss

Né à Brunswick en Allemagne, Carl Friedrich Gauss (1777–1855) apprit à lire et compter dès l'âge de trois ans. Reconnu comme l'un des plus grands mathématiciens de tous les temps, Gauss contribua également à l'avancement de la physique et de l'astronomie. En 1801, il développa la méthode d'approximation des moindres carrés, qu'il utilisa pour prédire avec succès le retour de l'astéroïde Cérès, alors disparu subitement des télescopes. La droite de régression des moindres carrés est encore employée aujourd'hui en mathématique et en sciences. C'est d'ailleurs celle qu'on trouve sur la plupart des calculatrices graphiques.

La prédiction à l'aide de la droite de régression

Lorsqu'on a recours à une droite de régression pour estimer la valeur d'une variable à partir d'une autre, il faut toujours s'interroger quant à la fiabilité de la valeur calculée. Généralement, plus la corrélation linéaire est forte, plus il est probable que l'erreur de prédiction soit faible.

Exemple :

Soit les deux distributions suivantes. On s'intéresse dans les deux cas à la valeur de Y lorsque X vaut 25.

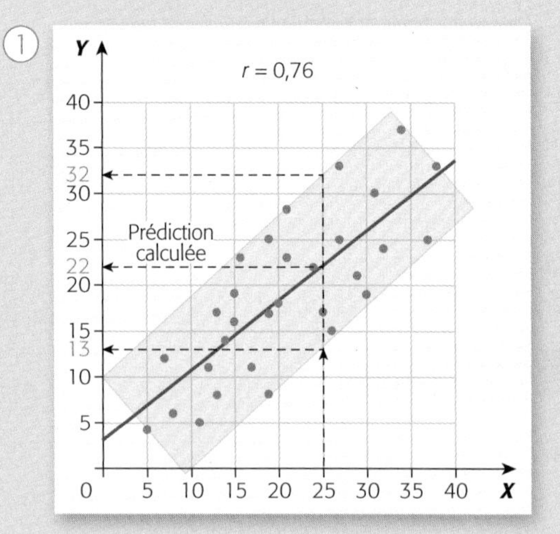

La valeur calculée est de 22. La valeur réelle devrait se situer dans l'intervalle [13, 32].

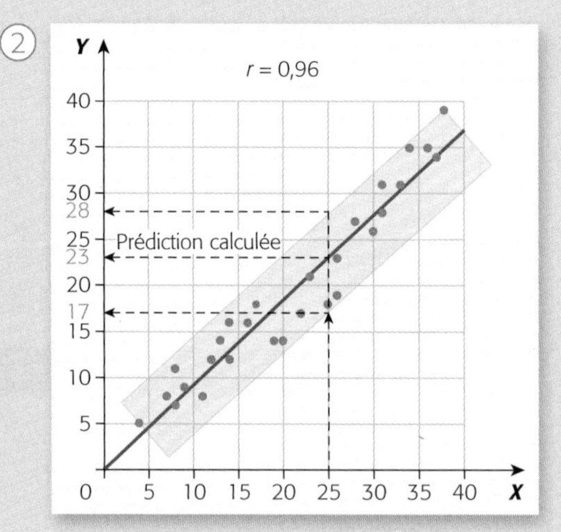

La valeur calculée est de 23. La valeur réelle devrait se situer dans l'intervalle [17, 28].

Interpolation et extrapolation

Une prédiction par interpolation est généralement plus fiable qu'une prédiction par extrapolation, puisque rien ne garantit que le modèle linéaire puisse être étendu à l'extérieur des limites de l'intervalle des données pour lesquelles il a été établi. Plus on s'éloigne de cet intervalle, plus le risque d'obtenir une prédiction aberrante est grand.

Exemple :

Dans le diagramme ci-contre, un modèle linéaire a été établi à partir des données de l'intervalle compris entre 1 mois et 6 mois.

On peut voir que ce modèle permet de prédire la masse d'un enfant de 5 mois, mais qu'il n'est pas approprié pour prédire la masse d'un enfant de 18 mois. En effet, le modèle ne s'applique pas au-delà des limites de l'intervalle pour lequel il a été établi, soit [1, 6].

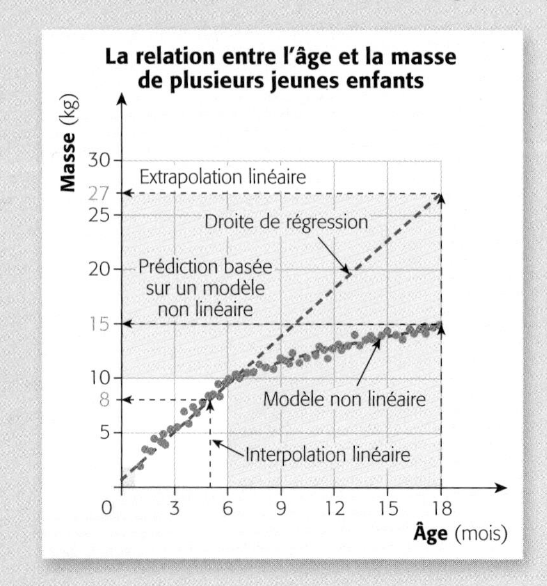

Mise en pratique

1. Chacun des nuages de points ci-dessous est accompagné de la droite de Mayer qui modélise la relation entre les deux variables.

① Y, X, $P_1(12, 13)$, $P_2(32, 28)$

② 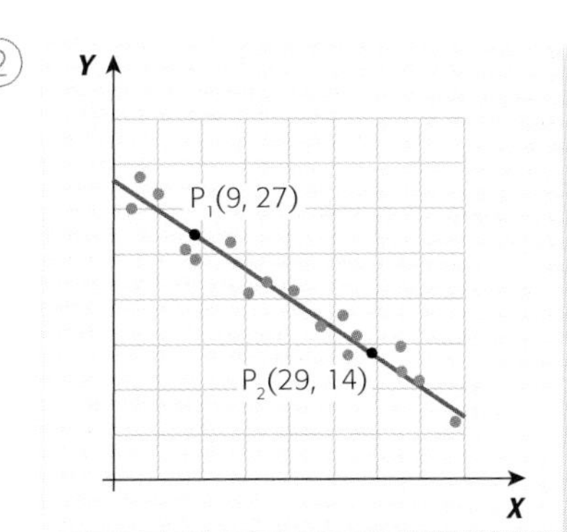

③ 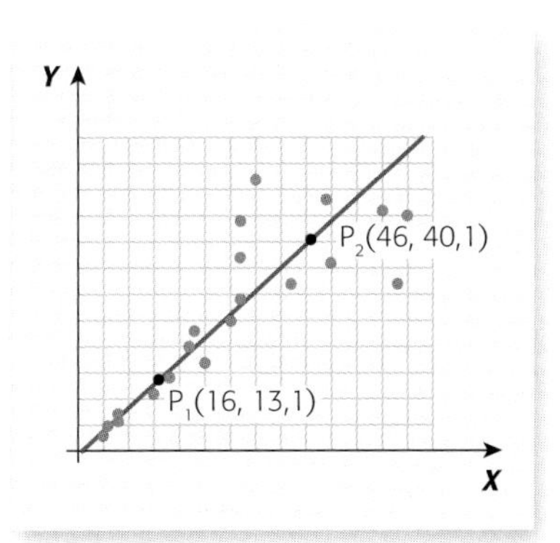

Pour chacun de ces nuages de points :

a) détermine l'équation de la droite de Mayer ;

b) utilise l'équation trouvée en **a** pour estimer la valeur de Y pour :

1) $X = 20$ **2)** $X = 45$

c) Selon toi, laquelle des estimations faites en **b** est :

1) la plus fiable ? **2)** la moins fiable ?

2. Le tableau suivant présente les résultats d'examens de la vue de 11 personnes.

Distance entre l'œil et le tableau (m)	5	6	3,5	7,5	5,5	8	8	4,5	6,5	6	5,5
Nombre de lettres lues correctement	17	10	20	9	12	5	2	20	13	15	11

a) Représente les données de cette distribution à l'aide d'un nuage de points.

b) Détermine l'équation de la droite de Mayer associée à cette distribution.

c) Trace la droite de Mayer dans le nuage de points.

d) À l'aide de l'équation de la droite de Mayer, estime le nombre de lettres lues correctement par une personne située à :

1) 4 m du tableau ; **2)** 10 m du tableau.

e) Le modèle linéaire peut-il s'appliquer pour n'importe quelle distance ? Justifie ta réponse.

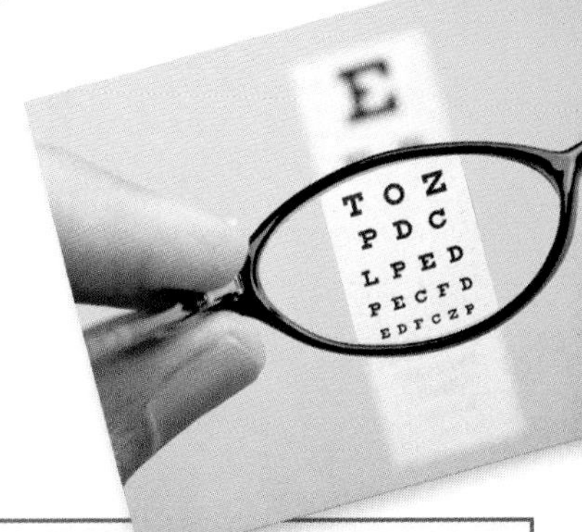

Santé et bien-être

Les yeux sont des organes complexes et fragiles. Ils peuvent être endommagés très facilement et de façon irréversible, par exemple s'ils reçoivent un choc violent, s'ils sont mis en contact avec des produits chimiques ou s'ils sont exposés trop longtemps aux rayons UVA et UVB du soleil. Ainsi, que ce soit au travail ou dans les loisirs, il importe de bien protéger ses yeux. Les lunettes de protection et les lunettes de soleil sont deux moyens efficaces qui permettent d'éviter les blessures et les maladies oculaires. Nomme quelques sports et métiers qui présentent un risque de blessure oculaire.

3. Le tableau ci-contre présente les données d'une étude portant sur la relation entre la circonférence du poignet et la circonférence du cou de 11 individus.

a) Détermine l'équation de la droite de Mayer associée à cette distribution.

b) À l'aide de la droite de Mayer, estime :

1) la circonférence du cou d'une personne dont la circonférence du poignet est de 20 cm ;

2) la circonférence du poignet d'une personne dont la circonférence du cou est de 30 cm.

Circonférence du poignet (cm)	Circonférence du cou (cm)
21,5	40,5
13	34
18	35
17	32
19	37
15	32,5
20,5	38
16,5	33
18,5	34,5
22,5	43
17	33,5

4. Des agriculteurs ont découvert qu'il existe un lien entre la densité des plants et le rendement des cultures. Le tableau ci-dessous présente les données relatives à la culture du canola.

Densité (plants/m^2)	Plants à bon rendement (%)	Densité (plants/m^2)	Plants à bon rendement (%)
32	61	75	85
40	66	84	88
41	64	88	92
45	74	100	92
48	69	106	95
57	77	109	97
60	81	113	94
66	89	115	90
68	84	120	88

a) Représente les données de cette distribution à l'aide d'un nuage de points.

b) Qualifie la corrélation entre la densité et le pourcentage de plants à bon rendement.

c) Détermine l'équation de la droite de Mayer qui modélise cette relation.

d) À l'aide de l'équation trouvée en **c**, estime le pourcentage de plants à bon rendement pour une densité de :

1) 80 plants/m^2 **2)** 130 plants/m^2

e) Laquelle de tes estimations en **d** est la plus fiable ? Justifie ta réponse.

f) Le modèle linéaire est-il le plus approprié pour décrire la relation entre ces deux caractères ?

5. Chacun des nuages de points ci-dessous est accompagné d'une droite de régression. Peux-tu te fier à une prédiction faite à partir de chacune de ces droites de régression ? Si oui, à quelle condition ? Si non, explique pourquoi.

a) 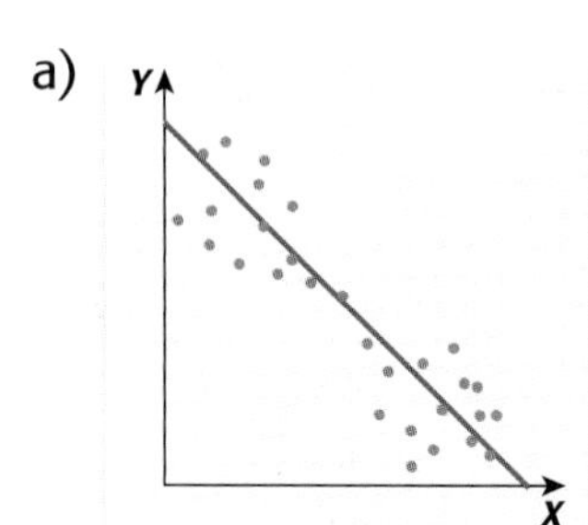

b) 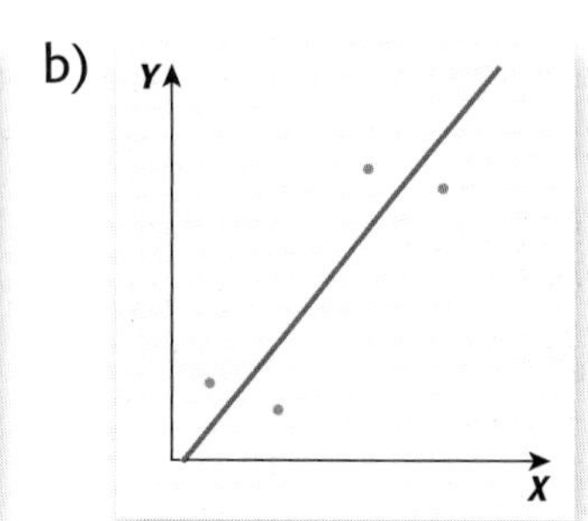

c) 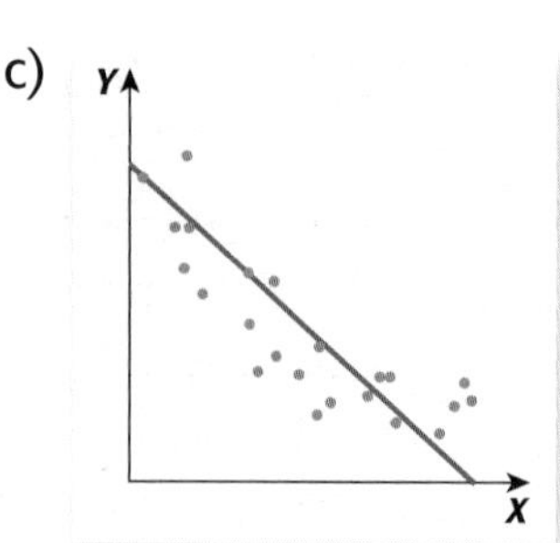

d) 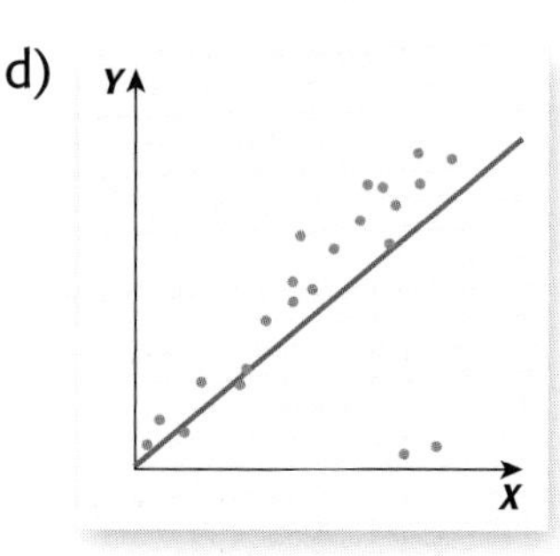

6. Le nuage de points ci-contre est accompagné de la droite médiane-médiane qui modélise la relation entre les deux variables.

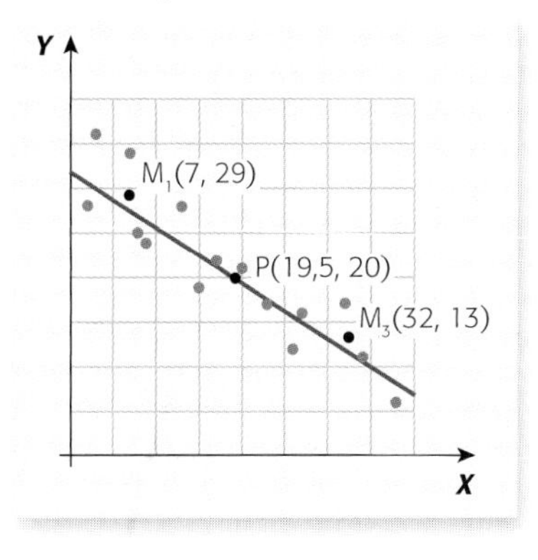

a) Détermine l'équation de la droite médiane-médiane.

b) À l'aide de l'équation trouvée en **a**, estime la valeur de Y pour :

1) $X = 15$ **2)** $X = 45$

7. On veut déterminer l'équation de la droite médiane-médiane d'une distribution à deux variables. De quelle façon faudrait-il répartir les données en trois groupes si la distribution comportait :

a) 17 données ? b) 24 données ? c) 40 données ?

8. Détermine l'équation de la droite médiane-médiane associée à la distribution suivante.

X	40	45	25	32	51	21	50	44	27	38
Y	66	80	58	61	88	52	82	75	57	69

9. Un ballon-sonde a enregistré la température de l'air à différentes altitudes. Le tableau ci-contre présente les résultats.

a) Détermine l'équation de la droite médiane-médiane qui modélise cette relation.

b) À l'aide de la droite médiane-médiane, estime la température :

1) à 500 m d'altitude ; **2)** à 3 000 m d'altitude.

c) Le modèle linéaire peut-il servir à prédire la température à 10 000 m d'altitude ? Justifie ta réponse.

Altitude (m)	Température (°C)
1 300	12,5
1 700	9,8
800	14,6
400	16,2
2 100	8,1
1 100	13,1
1 500	11,2

10. Le tableau ci-contre présente deux statistiques des joueurs de l'équipe de basket-ball des Raptors de Toronto qui ont joué plus de 50 parties au cours de la dernière saison.

a) Représente les données de cette distribution à l'aide d'un nuage de points.

b) Estime la valeur du coefficient de corrélation linéaire entre les deux caractères.

c) Trace la droite de Mayer et la droite médiane-médiane associées à cette distribution.

d) Laquelle des deux droites tracées en **c** subit le plus l'influence du point (84, 22,3) ? Explique ta réponse.

e) Laquelle des deux droites privilégierais-tu pour prédire la moyenne de points par partie d'un joueur si tu connaissais le pourcentage de lancers francs qu'il a réussis ? Justifie ta réponse.

Raptors de Toronto		
Joueur	**Lancers francs réussis (%)**	**Moyenne de points par partie**
Chris Bosh	84	22,3
Anthony Parker	82	12,5
T. J. Ford	88	12,1
Jose Calderon	91	11,2
Andrea Bargnani	84	10,2
Carlos Delfino	74	9,0
Jamario Moon	74	8,5
Rasho Nesterovic	76	7,8
Jason Kapono	86	7,2
Kris Humphries	61	5,7

Source : NBA, 2008.

Consolidation

1. Pour chacun des nuages de points suivants, qualifie la corrélation entre les deux variables.

a) 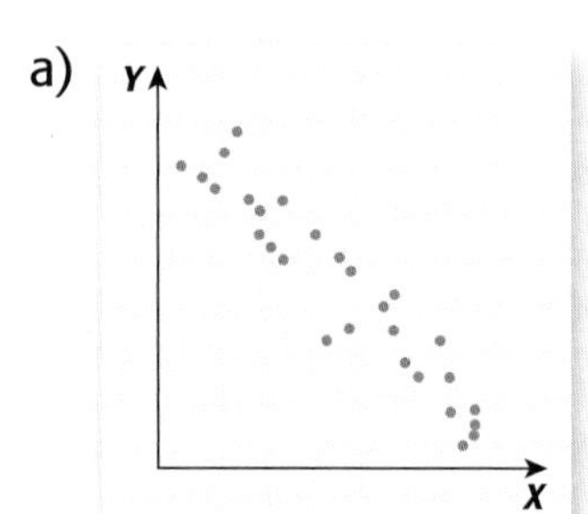

b) 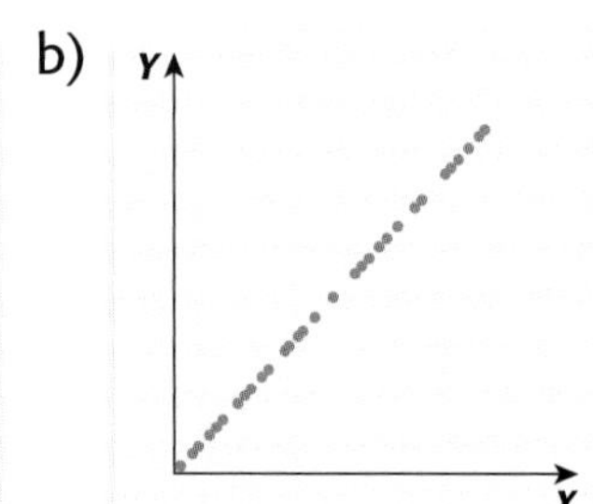

c) 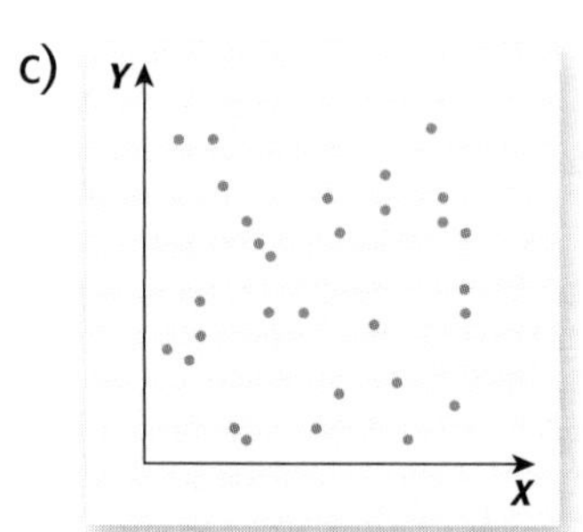

d) 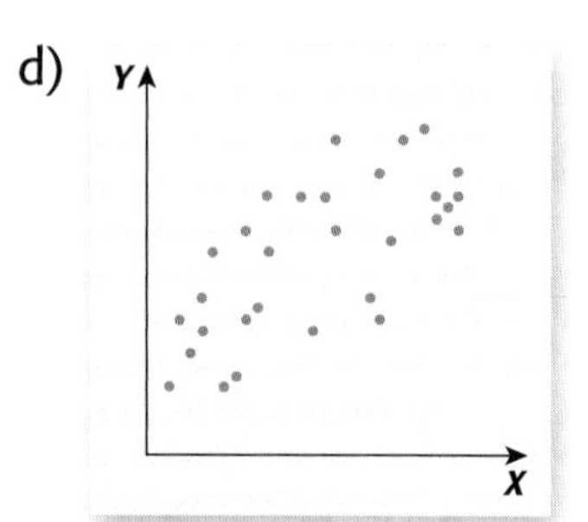

2. Les deux caractères d'une distribution sont décrits sur chacun des cartons ci-dessous.

① La valeur des maisons de la rue Beauséjour et le revenu des familles qui les habitent

⑤ Les années d'expérience des secrétaires d'un bureau de courtage et le temps qu'ils prennent pour dactylographier un texte de 200 mots

② Le nombre de parties gagnées et le nombre de parties perdues par chacune des équipes d'une ligue de volley-ball

⑥ La distance à parcourir et la durée du voyage pour participer à différents tournois de hockey durant la saison

③ Le nombre de feux de circulation et le nombre de restaurants dans les villes du Québec

⑦ L'année de fabrication et la valeur des voitures dans un commerce de voitures d'occasion

④ L'âge des directeurs et les résultats scolaires des élèves des écoles primaires de l'Estrie

⑧ La température moyenne et le nombre de policiers dans les villes canadiennes

Pour chacune de ces distributions, indique, en justifiant tes réponses :

a) le sens de la corrélation ;

b) l'intensité de la corrélation ;

c) la nature du lien, s'il y a lieu.

3. Associe chacun des nuages de points suivants au coefficient de corrélation linéaire qui lui correspond.

a) 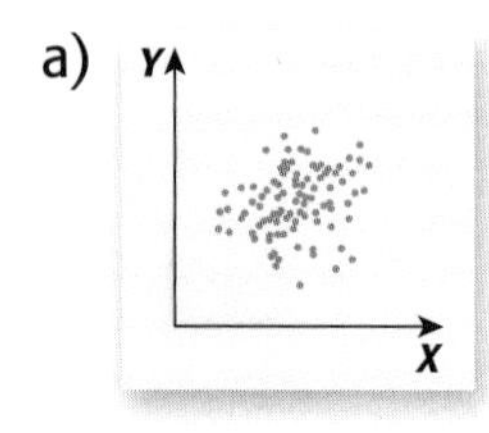

b) 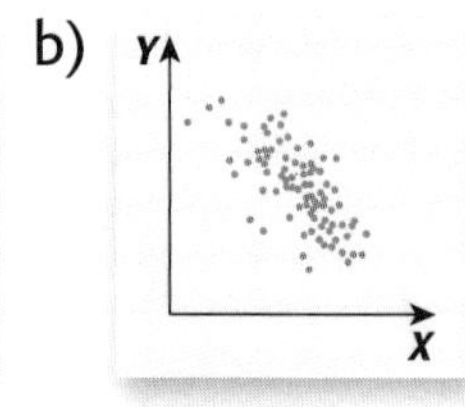

c) 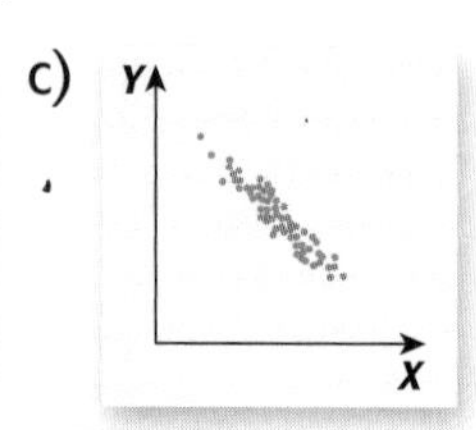

d) 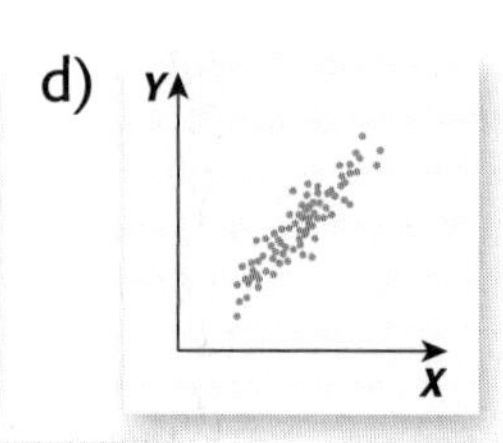

e) 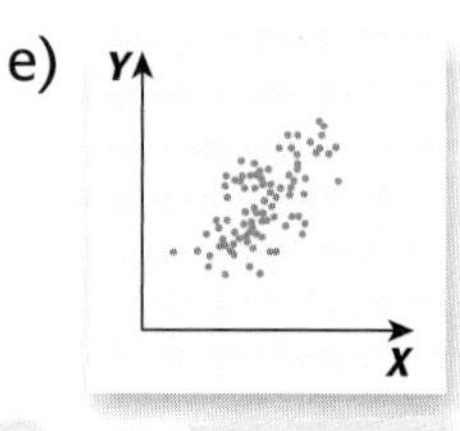

① $r = {}^{-}0{,}94$ ② $r = 0{,}24$ ③ $r = 0{,}64$ ④ $r = 0{,}91$ ⑤ $r = {}^{-}0{,}71$

4. Les deux caractères d'une distribution sont décrits sur chacun des cartons suivants.

① Le taux d'alcoolémie dans le sang et le temps de réaction à un stimulus

② L'âge et la taille d'enfants du primaire

③ Les années de scolarité et le salaire après les études

④ Les ventes de tuques et les ventes de maillots de bain dans un magasin de sport

a) Associe chacune de ces distributions au nuage de points qui lui correspond.

1)
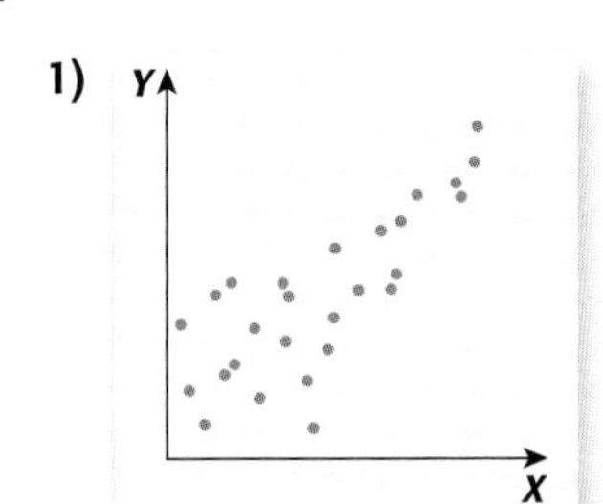

2)
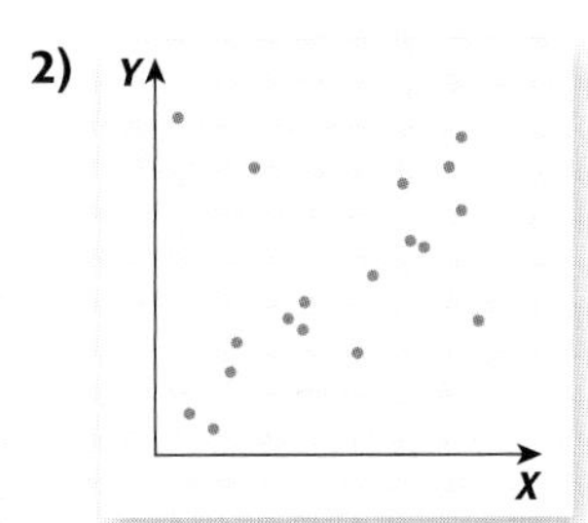

3)
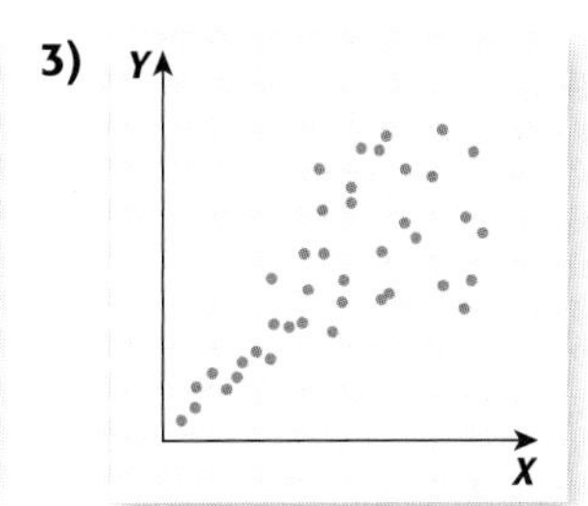

4)
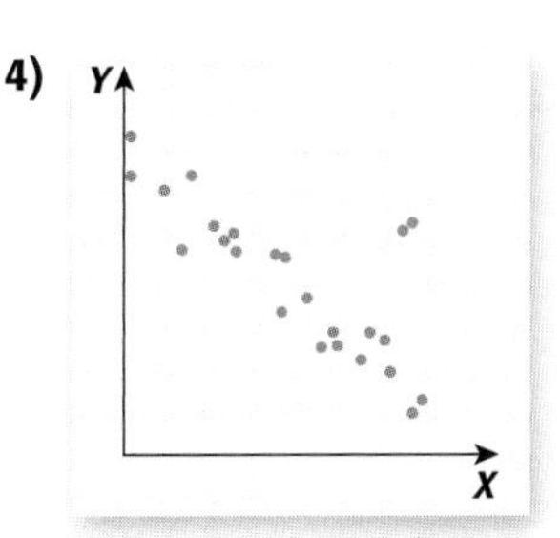

b) Décris la corrélation de chacune des distributions représentées en **a** en tenant compte du contexte.

5. Dans certains collèges, on fait passer des tests de classement aux étudiants afin de les inscrire dans un cours qui correspond à leur niveau. Les administrateurs d'un collège veulent savoir s'il existe une relation entre la note obtenue au test de classement et la note obtenue à la fin du cours.

Note au test de classement	88	91	79	68	94	73	65	77	84	80
Note à la fin du cours	92	98	78	71	100	72	69	80	20	85

a) Représente cette distribution de données :

1) à l'aide d'un nuage de points ; **2)** dans un tableau à double entrée.

b) Existe-t-il une corrélation entre la note obtenue au test et la note obtenue à la fin du cours ?

c) Estime le coefficient de corrélation linéaire de cette relation :

1) en incluant toutes les données ;

2) en excluant le point (84, 20) de l'analyse des données.

d) Donne une raison qui justifierait d'exclure le point (84, 20) de l'analyse des données.

6. Voici deux distributions à deux variables.

①

X	3	5	6	6	7	9	10	12	15	17	18	18
Y	22	24	18	17	18	15	11	13	10	8	5	7

②

X	12	14	17	18	19	22	25	25	29	29	32
Y	7	11	10	14	13	9	15	16	14	18	19

Pour chacune de ces distributions :

a) détermine l'équation de la droite de Mayer ;

b) détermine l'équation de la droite médiane-médiane ;

c) estime la valeur de Y pour $X = 30$ selon chacune des deux droites.

7. Mise en forme

Douze personnes se sont inscrites à un programme d'entraînement physique d'une durée de 10 semaines. L'entraîneur a fait une évaluation de la condition physique de chacune de ces personnes au début et à la fin des 10 semaines.

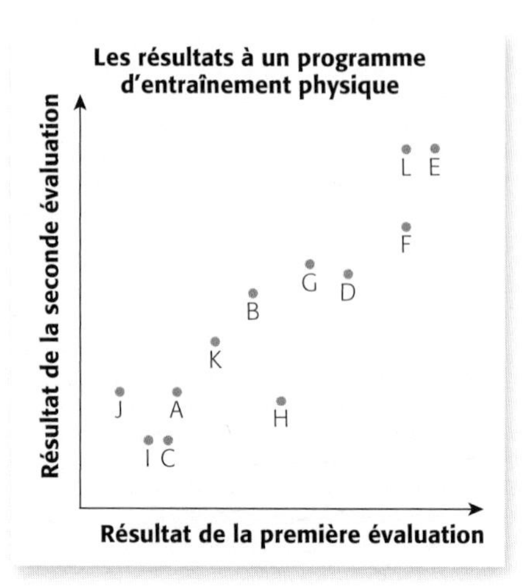

a) Qualifie la corrélation entre les résultats des deux évaluations.

b) Désigne par la lettre qui lui correspond dans le nuage de points :

1) la personne qui a le moins progressé ; **2)** la personne qui a le plus progressé.

8. Faire des liens

Voici plusieurs facteurs relatifs à l'achat et à la possession d'une voiture.

Le prix de l'assurance automobile | L'âge du conducteur | La valeur de la voiture

Le kilométrage de la voiture | Le dossier de conduite du conducteur | L'âge de la voiture

Parmi ces facteurs, nommes-en deux qui ont, selon toi :

a) une faible corrélation linéaire positive. Justifie ta réponse.

b) une forte corrélation linéaire négative. Justifie ta réponse.

c) une corrélation linéaire positive moyenne. Justifie ta réponse.

d) une corrélation qui n'est pas linéaire. Justifie ta réponse.

9. Ce n'est pas pour rien

Voici les nuages de points associés à deux distributions à deux caractères.

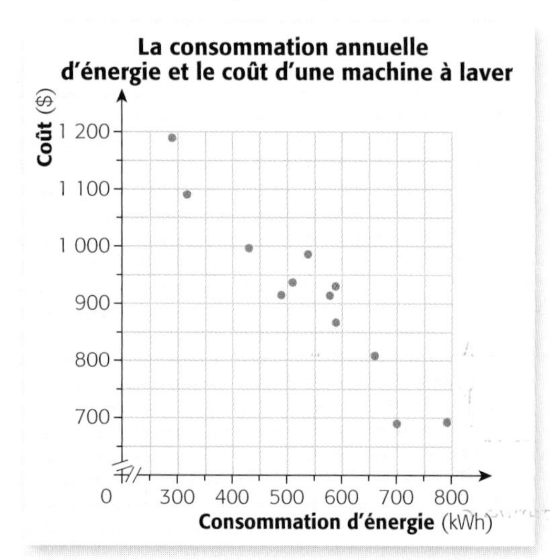

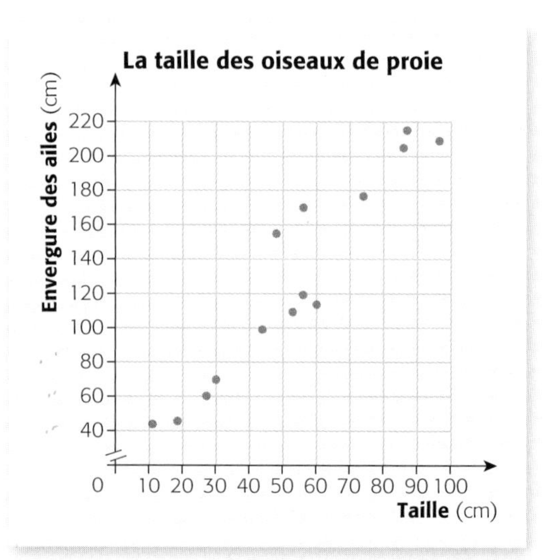

Pour chacune de ces distributions :

a) estime le coefficient de corrélation linéaire ;

b) décris la corrélation en tenant compte du contexte.

10. Les dons par région

Le tableau ci-dessous présente des données de Statistique Canada sur les revenus médians et les dons médians dans plusieurs régions du Canada.

Région	Revenu médian ($)	Don médian ($)	Région	Revenu médian ($)	Don médian ($)
St. John's, T.-N.-L.	43 300	280	London, Ont.	47 600	280
Île-du-Prince-Édouard	36 700	340	Windsor, Ont.	52 900	280
Halifax, N.-É.	47 700	270	Winnipeg, Man.	42 600	280
Saint John, N.-B.	42 700	310	Regina, Sask.	47 100	260
Saguenay, QC	43 700	120	Saskatoon, Sask.	45 100	310
Québec, QC	44 200	100	Calgary, Alb.	55 900	290
Sherbrooke, QC	40 000	130	Edmonton, Alb.	50 300	260
Trois-Rivières, QC	42 500	100	Abbotsford, C.-B.	40 000	560
Montréal, QC	46 100	150	Vancouver, C.-B.	46 800	310
Gatineau, QC	53 600	130	Victoria, C.-B.	46 700	300
Ottawa, Ont.	60 400	290	Territoire du Yukon	56 000	220
Kingston, Ont.	48 800	280	Territoires du Nord-Ouest	73 800	210
Toronto, Ont.	50 200	350	Nunavut	77 100	400

Source : Statistique Canada, 2006.

a) Explique ce que signifie «revenu médian» et «don médian».

b) Émets une conjecture sur la relation entre ces deux caractères.

c) Représente les données de cette distribution dans un tableau à double entrée.

d) La représentation que tu as faite en **c** confirme-t-elle la conjecture que tu as émise en **b**?

e) Selon les données de Statistique Canada, dans quelle région les gens semblent-ils être le plus généreux? Ces données sont-elles suffisantes pour affirmer qu'ils le sont? Justifie ta réponse.

11. Comment se fait-il que...?

Propose une explication pour chacune des corrélations décrites ci-dessous.

a) Selon les données de l'ONU, il existe une importante corrélation positive entre l'accès à l'eau potable et l'éducation des filles dans les pays en développement.

b) En France, dans les régions où les cigognes sont nombreuses, les taux de natalité chez les humains sont élevés.

c) Il existe une corrélation linéaire négative entre le nombre de cheveux sur la tête d'une personne et son salaire.

d) De façon générale, à l'échelle mondiale, les gens vivent plus vieux dans les pays où la proportion de fumeurs est plus élevée.

12. Encore pire que ce que l'on croirait?

Le nuage de points ci-dessous représente la relation entre le nombre de fumeurs et le nombre de décès dûs à un cancer du poumon dans les provinces canadiennes en 2004. Le coefficient de corrélation entre ces deux caractères est 0,99.

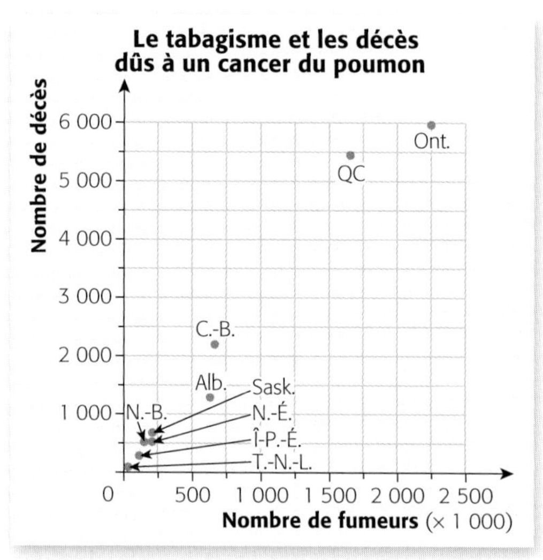

Source : Statistique Canada, 2004.

Félix-Antoine affirme que la très forte corrélation entre les deux caractères s'explique par un lien de causalité.

Laurie lui répond que le nuage de points l'induit en erreur. Selon elle, la très forte corrélation qu'il présente s'explique par un 3e facteur d'influence.

Commente ces deux points de vue.

13. Sauter aux conclusions

Le coefficient de corrélation linéaire entre la taille des joueurs d'une équipe de basket-ball et le nombre de rebonds qu'ils récupèrent est de 0,6. Détermine si chacune des affirmations suivantes est vraie ou fausse et justifie tes réponses.

a) Les grands joueurs récupèrent en moyenne 60 % des rebonds.

b) Aucun joueur de petite taille ne récupère de rebond.

c) Soixante pour cent des joueurs de grande taille récupèrent plus de rebonds que la moyenne.

d) Les plus petits joueurs récupèrent moins de rebonds.

14. Il faut être Thomas

Commente l'affirmation suivante.

> Si, pour une relation donnée, la valeur du coefficient de corrélation linéaire est près de 1 ou de $^{-}1$, alors il existe nécessairement une forte corrélation linéaire entre les deux caractères.

15. La seule, l'unique!

Dans le cas d'un nuage de points qui ne contient que deux points, explique, à l'aide d'un exemple, pourquoi la valeur de r est forcément 1 ou $^{-}1$, ou non définie.

16. Pas si différent

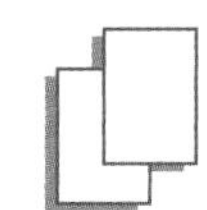

Voici les représentations graphiques de deux distributions à deux caractères.

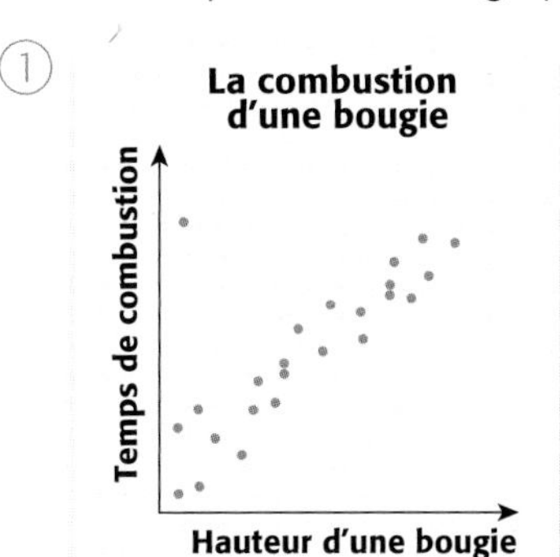

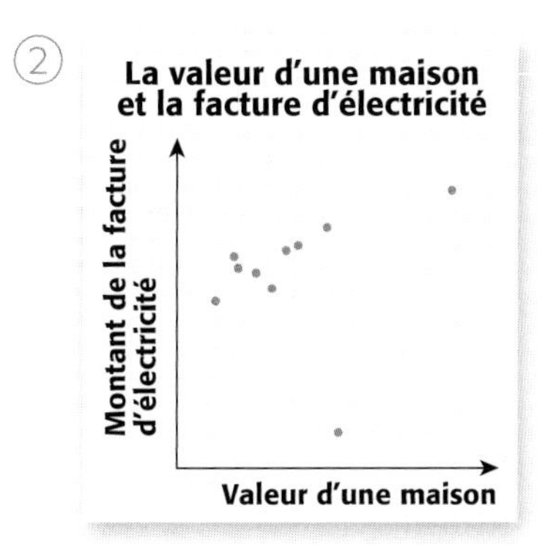

Pour chacune de ces distributions :

a) estime le coefficient de corrélation linéaire :

   1) en incluant le point aberrant dans l'analyse des données ;

   2) en excluant le point aberrant de l'analyse des données.

b) donne un exemple de situation pour laquelle il serait préférable :

   1) d'inclure le point aberrant dans l'analyse des données ;

   2) d'exclure le point aberrant de l'analyse des données.

17. Qui dit mieux ?

La même distribution de données est représentée dans les deux nuages de points ci-dessous. Dans le premier nuage de points, la distribution est modélisée par la droite de Mayer. Dans le second, elle est modélisée par la droite médiane-médiane.

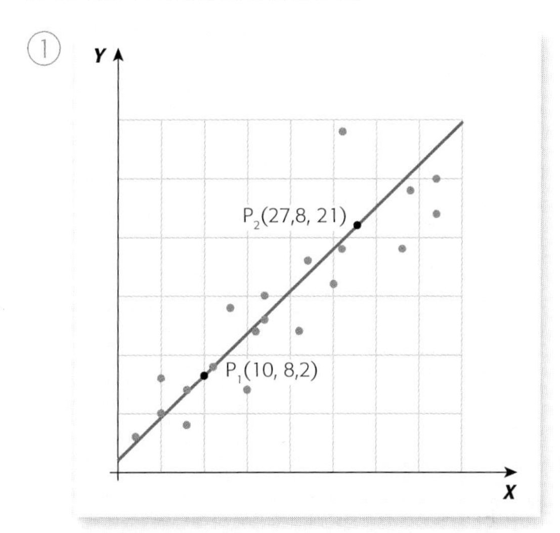

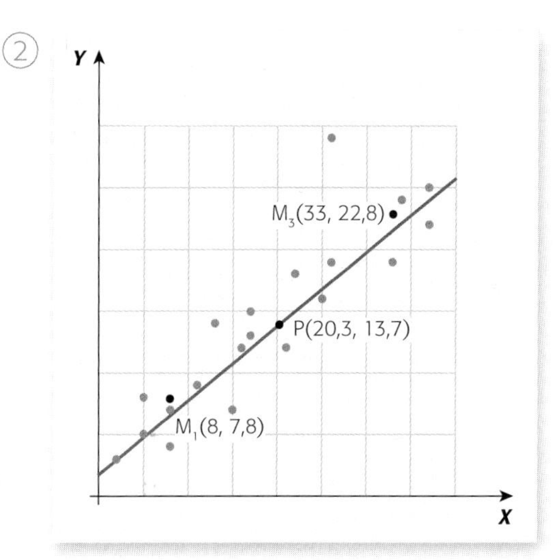

a) Détermine l'équation de chacune de ces droites.

b) À l'aide des équations déterminées en **a**, estime la valeur de Y pour $X = 40$.

c) Quelle est la différence entre les deux valeurs obtenues en **b** ?

d) Pour modéliser une distribution qui comporte des données aberrantes, quelle droite choisirais-tu ? Justifie ta réponse.

18. Les objectifs du millénaire

Deux des huit objectifs de développement énoncés dans la Déclaration du millénaire des Nations Unies sont la réduction de la mortalité des enfants de moins de 5 ans et l'amélioration de la santé maternelle dans les pays en développement.

Le nuage de points ci-contre représente la relation entre la mortalité infantile (de 0 à 1 an) et le pourcentage des accouchements faits en présence de personnel de santé qualifié dans les pays d'Afrique subsaharienne.

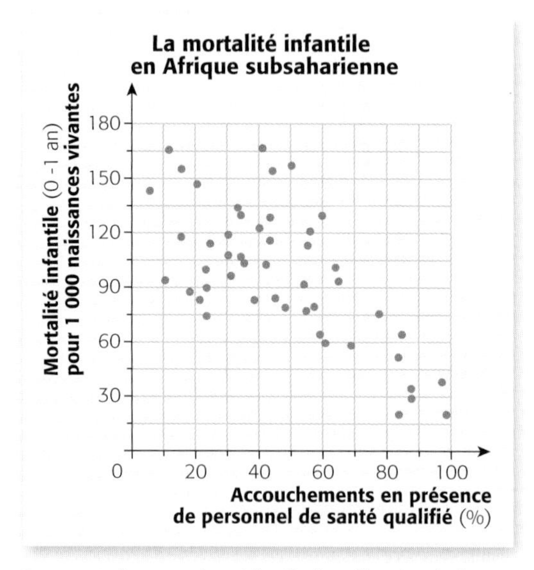

Source : Indicateurs des objectifs du millénaire de l'ONU.

a) Estime le coefficient de corrélation linéaire de cette distribution.

b) Décris la relation entre les deux caractères.

c) Selon toi, le lien entre les deux caractères est-il causal, attribuable à un 3e facteur d'influence ou fortuit ?

d) Nomme d'autres facteurs qui, selon toi, pourraient avoir un impact sur le taux de mortalité infantile en Afrique subsaharienne.

Santé et bien-être

En septembre 2000, à l'occasion du Sommet du millénaire, les Nations Unies ont adopté huit objectifs du millénaire pour le développement (OMD). Ces objectifs visaient entre autres la réduction de l'extrême pauvreté et de la faim dans le monde, l'accès à l'école primaire pour tous, la lutte contre le VIH/sida, l'égalité entre les sexes, la préservation de l'environnement et la mise en place d'un partenariat mondial pour le développement.

En 2007, on déplorait un retard dans l'atteinte de ces objectifs, mais les Nations Unies maintiennent qu'ils devront être atteints d'ici 2015. Pourquoi crois-tu qu'il est si difficile pour la communauté internationale de s'entendre afin d'assurer la santé et le bien-être de l'ensemble de la population mondiale ?

19. Les gardiens de la LNH

Le tableau ci-contre présente la moyenne de buts contre (MBC) par partie et le nombre de victoires remportées au cours de la saison 2007-2008 pour les gardiens de but de la LNH qui ont joué plus de 60 parties.

a) Détermine l'équation de la droite de Mayer associée à cette distribution.

b) Utilise l'équation trouvée en **a** pour estimer le nombre de victoires d'un gardien de but s'il termine la saison avec une moyenne de 2,5 buts par partie.

Les gardiens de but de la LNH, saison 2007-2008			
Joueur	Équipe	MBC	Victoires
Evgeni Nabokov	SJS	2,14	46
Martin Brodeur	NJD	2,17	44
Henrik Lundqvist	NYR	2,23	37
Marty Turco	DAL	2,31	32
Roberto Luongo	VAN	2,38	35
Manny Legace	STL	2,41	27
Ilja Bryzgalov	PHX	2,44	28
Martin Biron	PHI	2,59	30
Ryan Miller	BUF	2,64	36
Tomas Vokoun	FLA	2,68	30
Miikka Kiprusoff	CGY	2,69	39
Vesa Toskala	TOR	2,74	33
Cam Ward	CAR	2,75	37
Rick Dipietro	NYI	2,82	26

Source : Ligue nationale de hockey, 2008.

20. La biologie marine

Une recherche a été effectuée sur un échantillon de baleines boréales femelles près des côtes de l'Alaska. Les scientifiques ont mesuré la longueur des baleines et ils ont évalué leur âge à partir du volume d'acide aspartique présent dans leurs yeux. Le tableau ci-contre indique les données de cette distribution.

a) Représente cette distribution à l'aide d'un nuage de points.

b) Détermine l'équation de la droite médiane-médiane associée à cette distribution.

c) À l'aide de la droite médiane-médiane, estime l'âge d'une baleine boréale femelle qui mesure :

1) 12 m de longueur ; **2)** 18 m de longueur.

d) Selon toi, laquelle des estimations faites en **c** est la plus fiable ? Justifie ta réponse.

Les baleines boréales	
Longueur (m)	Âge (années)
8,5	2
9,7	7
18,3	69
15,8	34
17,5	38
8,8	8
15	19
12,7	12
10,9	18

Fait divers

La baleine boréale compte parmi les plus gros mammifères marins de la planète. Ce cétacé, qui mesure jusqu'à 20 m à l'âge adulte, aurait une espérance de vie de 100 à 200 ans. La baleine boréale se déplace très lentement dans les eaux froides de l'Arctique en émettant des sons qui peuvent se prolonger durant plus de 30 minutes. Au 19e siècle et au début du 20e siècle, la surpêche commerciale a décimé la population de baleines boréales. Malgré que l'espèce soit protégée par la Commission baleinière internationale depuis 1937, sa survie est encore en péril.

21. De graves conséquences

Le tableau ci-dessous présente les résultats d'une étude réalisée par un centre de santé public de la Californie. Cette étude met en relation le surplus de poids chez les enfants et les décès liés au diabète dans 12 districts électoraux de Los Angeles.

L'excès de poids chez les enfants et le nombre de décès liés au diabète à Los Angeles, de 1996 à 2000

Districts électoraux	Enfants ayant un excès de poids (%)	Décès liés au diabète (/100 000 décès)	Districts électoraux	Enfants ayant un excès de poids (%)	Décès liés au diabète (/100 000 décès)
1	28,4	97,7	7	28,5	92,5
2	27,4	77,4	8	26,6	94,5
3	28,6	104,8	9	26,4	73,9
4	25,8	68,8	10	23,7	72,6
5	29,4	118,8	11	28,8	120,8
6	28,1	90,6	12	25,3	101,7

Adapté de : *California Center for Public Health Advocacy.*

TIC

Le recours à la calculatrice graphique facilite et accélère la recherche de la droite de régression, particulièrement lorsqu'une situation comporte un grand nombre de données. Pour en savoir plus, consulte la page 251 de ce manuel.

a) Supposons que le district 12 met en place un programme qui vise à réduire le pourcentage d'enfants ayant un excès de poids. Estime de combien ce pourcentage devrait diminuer pour que le nombre de décès liés au diabète passe sous la barre des 100 pour 100 000 décès.

b) Selon une enquête sur la santé des collectivités canadiennes, menée par Statistique Canada, le pourcentage d'enfants qui ont un excès de poids a plus que doublé au Québec entre 1980 et 2004. En 2004, 23 % des enfants québécois avaient un excès de poids. Cette même année, le taux de décès liés au diabète était de 16,9 pour 100 000 au Québec. Compare la situation du Québec avec celle de la Californie et propose des explications.

22. Une différence prévisible

Il existe une corrélation linéaire entre la longueur du fémur et la taille d'un être humain. Les radiologistes qui font passer des échographies aux femmes enceintes de 32 semaines utilisent cette relation pour prédire la taille (en cm) du bébé à la naissance. L'équation de la droite de régression associée à cette relation est $Y = 2,51X + 45,2$.

Une radiologiste a mesuré le fémur de deux jumeaux à 32 semaines de grossesse. Le fémur d'un des jumeaux mesure 2 mm de plus que celui de l'autre jumeau.

Estime la différence de taille qu'auront ces jumeaux à la naissance.

23. Le marché immobilier 

Récemment retraités, Marlène et Gilles prévoient vendre leur maison de la rive sud de Montréal et habiter à l'année dans leur chalet au bord du lac Nicolet.

Voici les caractéristiques de leur maison.

Âge de la maison : 22 ans
Nombre de pièces : 10
Nombre de chambres : 5
Évaluation municipale (× 1 000 $) : Bâtiment : 195
Terrain : 92
Taxes ($) : Municipales : 3 243
Scolaires : 1 004
Superficie (m^2) : Bâtiment : 221
Terrain : 1 016

Afin d'établir le prix de vente de leur maison, Marlène et Gilles effectuent des recherches dans Internet pour s'informer sur les maisons présentement à vendre dans leur quartier. Le tableau ci-dessous présente le prix de vente des maisons du quartier ainsi que plusieurs facteurs susceptibles d'influer sur ce prix.

Prix de vente (× 1 000 $)	Âge de la maison	Nombre de pièces	Nombre de chambres	Évaluation municipale (× 1 000 $)		Taxes ($)		Superficie (m^2)	
				Bâtiment	Terrain	Municipales	Scolaires	Bâtiment	Terrain
259	12	8	5	138	57	2 207	684	204	626
272	15	10	4	149	41	2 137	662	171	445
289	28	10	3	113	33	1 644	509	199	348
298	9	10	4	133	68	2 266	702	216	714
319	11	10	5	175	56	2 613	809	243	602
319	9	11	5	185	61	2 787	863	228	663
349	16	11	5	159	47	2 324	720	252	512
379	14	12	6	195	63	2 919	904	204	789
389	18	6	2	107	131	2 460	762	121	1 375
390	15	12	5	203	68	3 070	951	265	784
449	13	10	4	362	123	5 476	1 696	284	1 228
485	7	8	3	264	84	3 930	1 217	234	896
629	10	12	4	477	74	6 229	1 929	307	811

Analyse l'influence des facteurs énumérés dans ce tableau sur le prix de vente des maisons. En te basant sur les résultats de ton analyse, propose un prix de vente pour la maison de Marlène et Gilles, puis justifie ce prix.

24. Mieux vaut prévenir que guérir…

Au cours des dernières années, l'Institut national du cancer des États-Unis a mené une vaste étude sur la relation entre la consommation de viande et l'occurrence du cancer du côlon dans différents pays. Le tableau ci-dessous présente les résultats de cette étude.

Pays	Consommation de viande (g/pers. par jour)	Taux de cancer du côlon (/100 000 pers.)	Pays	Consommation de viande (g/pers. par jour)	Taux de cancer du côlon (/100 000 pers.)
Allemagne	201	15,5	Jamaïque	67	11,0
Chili	86	7,2	Japon	32	5,8
Colombie	83	4,1	Nigeria	23	1,4
Danemark	178	24,1	Norvège	116	17,2
États-Unis	282	32,6	Nouvelle-Zélande	319	38,7
Finlande	114	8,3	Pays-Bas	154	17,7
Grande-Bretagne	216	21,9	Pologne	138	7,6
Hongrie	149	7,1	Roumanie	107	6,9
Islande	226	15,4	Suède	150	18,9
Israël	146	16,8	Ex-Yougoslavie	72	8,1

Adapté de : Institut national du cancer des États-Unis.

Au Canada, la consommation moyenne de viande par jour est d'environ 240 g par personne. On considère que la population canadienne s'élève à environ 33 500 000 habitants. On considère également que 90 % des cas de cancer du côlon surviennent chez des personnes de 50 ans et plus. Estime le plus précisément possible le nombre de Canadiens de moins de 50 ans atteints d'un cancer du côlon.

Santé et bien-être

De nos jours, de plus en plus d'études sont réalisées dans le but d'établir des liens entre la consommation de différents aliments et l'occurrence de certaines maladies. Des chercheurs s'intéressent également au rôle que peuvent jouer certains aliments dans la prévention du cancer. C'est le cas notamment du docteur québécois Richard Béliveau et de son équipe, qui mènent d'importantes recherches à ce sujet. Selon toi, quels aliments devrait-on éviter de consommer afin de réduire les risques de maladies ? Quels aliments devrait-on consommer davantage dans un but préventif ?

Le monde du travail

La recherche scientifique

Des chercheurs de la Fondation des maladies du cœur du Québec repèrent les gènes communs au stress, à l'alcoolisme et à la dépendance au tabac. Des chercheurs américains déterminent que les otites fréquentes durant l'enfance constituent un facteur d'obésité, car elles inhibent le nerf de la langue qui signale au cerveau la consommation de gras et de sucre. Des chercheurs espagnols découvrent que le jus de raisin rouge préviendrait les maladies du cœur parce qu'il favorise le «bon» cholestérol au détriment du «mauvais». Qu'ont en commun ces trois exemples? La découverte d'une corrélation!

Quel que soit leur domaine (santé, sciences naturelles, sciences humaines ou sociales, etc.), les chercheurs participent au même effort: trouver des corrélations dont on pourrait tirer des applications. Pour mener à bien cette mission, ils effectuent en laboratoire ou sur le terrain des activités très précises: définir un sujet de recherche, établir un protocole, formuler des hypothèses, tenter de vérifier celles-ci par des expériences, analyser, interpréter et publier les résultats. Les chercheurs travaillent souvent en équipes multidisciplinaires. Ils explorent constamment de nouvelles avenues et ils doivent être à l'affût des travaux réalisés par leurs confrères dans leur domaine.

Pour devenir chercheur, il faut faire des études universitaires avancées dans un domaine précis (médecine nucléaire, biologie marine, météorologie, démographie, etc.). Les chercheurs sont des personnes méthodiques ayant un esprit d'analyse et un sens de l'observation aiguisés. Ils doivent faire preuve de persévérance dans leurs recherches et aimer travailler en équipe. Enfin, la capacité à vulgariser des données scientifiques complexes est un atout pour les chercheurs.

Fait divers

Le Dr Béliveau est notamment titulaire de la Chaire en prévention et traitement du cancer de l'UQÀM et directeur du Laboratoire de médecine moléculaire associé à l'Hôpital Général Juif de Montréal. Depuis plusieurs années, son équipe et lui mènent des recherches sur les liens entre certains aliments et la prévention du cancer. En janvier 2002, il a publié, dans la revue scientifique *Cancer Research*, un article qui décrivait les effets bénéfiques du thé vert sur la prévention et le traitement des tumeurs cancéreuses. En 2005, il a publié *Les aliments contre le cancer*, un livre dans lequel il vulgarise les résultats de ses recherches pour le grand public. Il y fait état, entre autres, des bienfaits d'un grand nombre de fruits et de légumes, ainsi que de certaines épices telles que le curcuma.

Intersection

Chapitres 1 à 4

Viser juste

Le lancer du javelot est une discipline olympique depuis les premiers jeux de la Grèce antique. Toutefois, les athlètes d'aujourd'hui ne pratiquent pas ce sport comme ceux d'autrefois. L'évolution de ce sport et de tant d'autres est le fruit d'une analyse de pointe où la mathématique joue un rôle central.

L'illustration ci-dessous représente quelques variables liées au lancer du javelot.

Lors d'une compétition internationale, un analyste sportif a recueilli, pour les dix meilleurs lanceurs de javelot du monde, plusieurs données sur les facteurs susceptibles d'influer sur la distance parcourue par un javelot.

La trajectoire du centre de gravité d'un javelot en vol prend la forme d'une parabole.

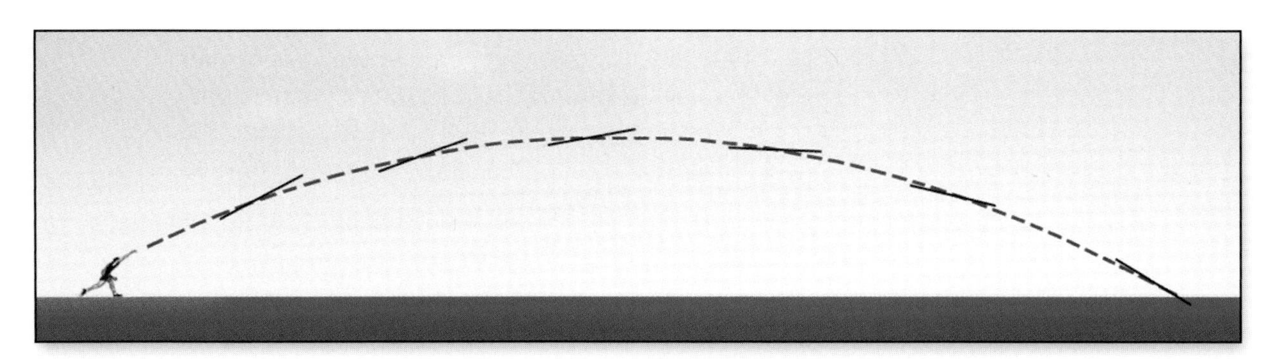

Pour le meilleur lancer de chacun des dix athlètes, on a déterminé la règle de la fonction qui modélise la relation entre la hauteur $h(x)$, en mètres, atteinte par le javelot et la distance horizontale x, en mètres, parcourue par celui-ci.

L'analyste sportif a consigné, dans le tableau ci-dessous, toutes les données et toutes les règles relatives aux dix meilleurs lanceurs de javelot.

Athlète	Taille (m)	Masse (kg)	Vitesse de la course préparatoire (m/s)	Vitesse d'envol (m/s)	Angle d'envol (°)	Règle de la fonction modélisant la trajectoire du centre de gravité du javelot
Jarrod Bannister	1,90	100	7,73	24,89	27	$h(x) = {}^{-}0{,}006\,3x^2 + 0{,}509\,5x + 1{,}88$
Peter Esenwein	1,83	91	6,03	28,56	28	$h(x) = {}^{-}0{,}006\,6(x - 40{,}28)^2 + 12{,}56$
Daniel Heackly	1,83	93	7,29	24,78	22	$h(x) = {}^{-}0{,}006\,8x^2 + 0{,}40x + 1{,}85$
Uwe Hohne	1,95	92	6,15	32,84	38	$h(x) = {}^{-}0{,}007\,7(x + 2{,}46)(x - 90{,}93)$
Tero Järvenpää	1,87	96	5,96	25,11	26	$h(x) = {}^{-}0{,}006\,3(x - 38{,}70)^2 + 11{,}20$
John Robert Oosthuizen	1,88	108	6,79	25,74	25	$h(x) = {}^{-}0{,}006\,3(x + 3{,}83)(x - 77{,}85)$
Andreas Thorkildsen	1,88	91	7,41	26,52	26	$h(x) = {}^{-}0{,}006\,2(x - 39{,}33)^2 + 11{,}30$
Vadims Vasilevskis	1,86	82	6,26	31,96	31	$h(x) = {}^{-}0{,}006\,6x^2 + 0{,}60x + 1{,}91$
Teemu Wirkkala	1,87	89	8,31	27,28	24	$h(x) = {}^{-}0{,}006\,1(x + 3{,}80)(x - 76{,}78)$
Jan Zelezný	1,86	88	7,13	30,42	35	$h(x) = {}^{-}0{,}007\,8x^2 + 0{,}70x + 1{,}80$

Tu participes à une exposition scientifique où tu désires démontrer l'importante contribution de la mathématique dans l'évolution du lancer du javelot. Pour ce faire, analyse le lien entre les facteurs présentés dans le tableau et les résultats à ce sport afin de décrire les caractéristiques optimales d'un athlète et d'un lancer.

Problèmes

1. Augmentation à prévoir

Un musée fournit des espaces de stationnement à ses visiteurs durant ses heures d'ouverture. Le tarif du stationnement est affiché comme suit :

Stationnement

Moins de 30 minutes : 1 $

Chaque demi-heure supplémentaire : 1 $

Maximum par jour : 12 $

La direction du musée veut modifier le tarif du stationnement de la façon suivante.

- La durée de chaque période est réduite de moitié ;
- le prix de la première période demeure inchangé ;
- le prix des périodes suivantes est réduit de moitié ;
- le maximum augmente de 4 $.

a) Quelle règle permet de calculer le nouveau prix en fonction de la durée de stationnement ?

b) Si les visiteurs du musée laissent leur voiture en moyenne 3 h 45 min dans le stationnement, quelle sera la différence moyenne pour un visiteur entre le tarif actuel et le nouveau tarif ?

2. L'aller-retour

Un avion effectue un vol aller-retour entre Montréal et Vancouver. La distance entre les deux aéroports est de 3 696 km. L'avion vole contre le vent à l'aller (de Montréal à Vancouver) et dans le sens du vent au retour (de Vancouver à Montréal). Par conséquent, au retour, l'avion vole à 100 km/h de plus qu'à l'aller.

Suppose que la vitesse de vol est constante sur chacune des deux parties du trajet et que le temps de vol total pour l'aller-retour est de 11 heures. Détermine la différence entre la durée du vol de Montréal à Vancouver et la durée du vol de Vancouver à Montréal.

3. Simuler l'impesanteur 

Lors de leurs séances d'entraînement, les astronautes ressentent l'impesanteur au cours de vols dits «paraboliques» qui la simulent. Ces vols servent également à mener différentes expériences scientifiques afin de mieux comprendre les effets de l'impesanteur sur l'organisme humain.

Le graphique ci-dessous représente l'altitude d'un avion, en mètres, en fonction du temps écoulé, en secondes, depuis le début d'un vol parabolique. La force gravitationnelle ressentie par les passagers de l'avion est indiquée sous la courbe pour chacune des phases du vol.

Sur la Terre, nous subissons continuellement une force de 1 g, soit une fois la force gravitationnelle terrestre. Subir une force de 2 g donne l'impression d'avoir un poids deux fois plus important. Être soumis à 0 g correspond à l'état d'impesanteur.

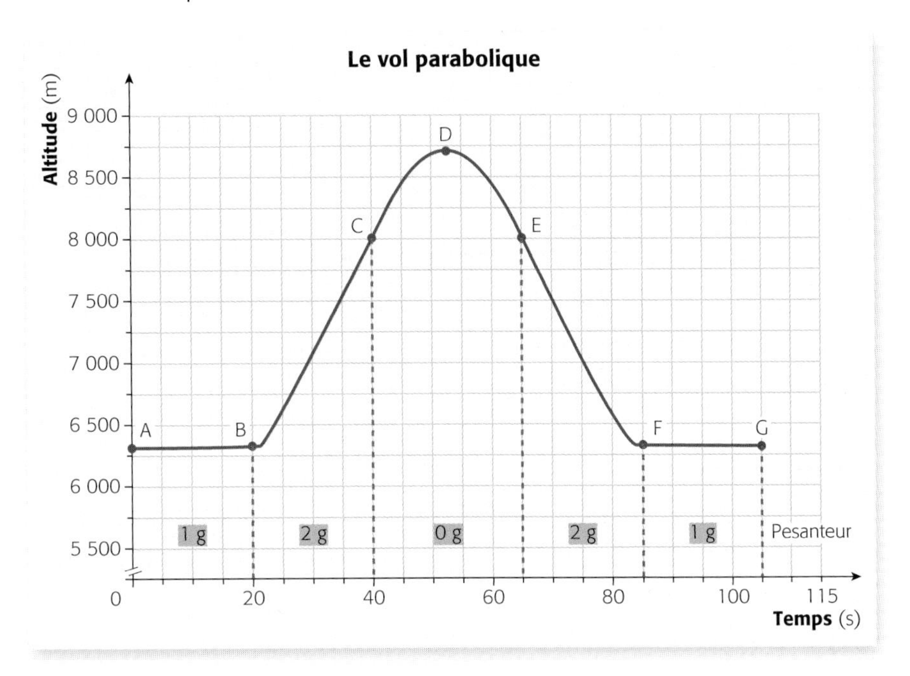

Un vol parabolique se déroule de la façon suivante. À partir d'une altitude de 6 300 m, l'avion monte jusqu'à une altitude de 8 000 m. À ce moment, le pilote arrête les moteurs. L'avion continue à monter et atteint, 5 secondes plus tard, une altitude de 8 448 m. Il monte ainsi jusqu'à 8 700 m, après quoi l'appareil pique du nez. L'avion est alors en chute libre. Lorsque l'avion atteint de nouveau une altitude de 8 000 m, le pilote remet les moteurs en marche afin de ralentir sa chute, et il termine en vol horizontal à une altitude de 6 300 m, comme au départ. Le pilote peut alors recommencer la manœuvre.

A-t-on raison de qualifier ce vol de parabolique? Justifie ta réponse.

Fait divers

On a longtemps utilisé le terme «apesanteur» pour désigner l'état d'absence de pesanteur. Cependant, on l'a remplacé par le terme «impesanteur» afin d'éviter la confusion à l'oral entre «l'apesanteur» et «la pesanteur».

4. Signal de détresse

L'équipement de sauvetage du navire *Calipso* comprend, entre autres, des appareils conçus pour émettre des signaux de détresse. La fusée à parachute figure parmi les appareils réglementés. Elle produit une étoile rouge qui brille en retombant.

Une fois la fusée projetée, elle parvient au sommet de la trajectoire, puis le parachute se déploie et l'étoile brille pendant 40 secondes en retombant. Comme le parachute ralentit la descente de l'étoile, la fonction qui modélise la hauteur atteinte par l'étoile est définie par les deux règles suivantes.

$$h(t) = {}^{-}5t^2 + 80t + 5 \qquad \text{pour } t \leq 8$$
$$h(t) = {}^{-}0{,}175t^2 + 2{,}8t + 313{,}8 \qquad \text{pour } t \geq 8$$

Dans ces règles, $h(t)$ représente la hauteur, en mètres, atteinte par l'étoile et t, le temps écoulé, en secondes, depuis le lancement de la fusée.

Selon la réglementation en vigueur, les signaux de détresse doivent atteindre une hauteur minimale de 320 m et, pour des raisons de sécurité, l'étoile doit s'éteindre 10 m au-dessus du niveau de la mer.

Démontre que la fusée à parachute du *Calipso* respecte ces deux contraintes.

5. Aire et volume

Soit le prisme à base carrée ci-contre. La hauteur du prisme a deux unités de plus que la mesure du côté de la base.

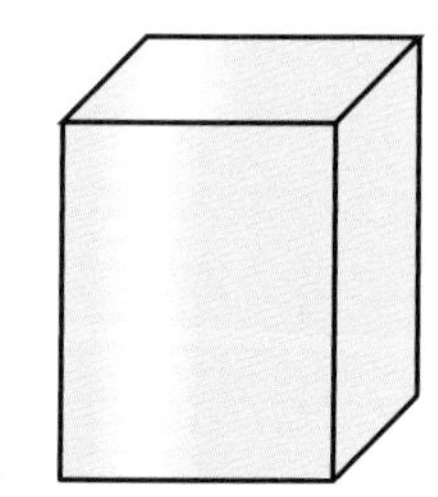

Reproduis et complète les tables de valeurs ci-dessous. Calcule ensuite les accroissements afin de montrer que la fonction polynomiale représentant l'aire totale du prisme est de degré 2 et que celle représentant le volume est de degré 3.

Mesure du côté de la base	x	$x + 1$	$x + 2$	$x + 3$	$x + 4$
Aire totale $a(x)$					

Mesure du côté de la base	x	$x + 1$	$x + 2$	$x + 3$	$x + 4$
Volume $v(x)$					

6. De plus en plus haut

Lors d'une compétition de trampoline, les athlètes disposent d'une minute avant de commencer leur enchaînement de figures. Durant cette minute, ils doivent prendre leur élan et atteindre une hauteur d'au moins 8 m avant de s'exécuter. Le graphique ci-contre présente la hauteur, en mètres, atteinte par l'athlète en fonction du temps écoulé, en secondes, depuis le début de sa période préparatoire.

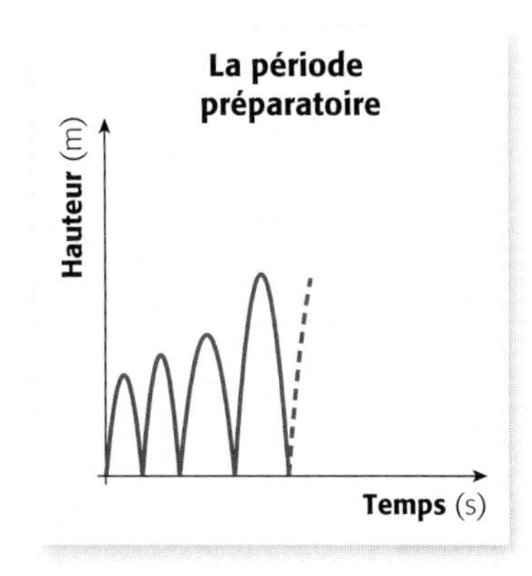

À partir du cinquième saut, la hauteur atteinte par l'athlète augmente de 1 m à chaque saut. L'équation modélisant le cinquième saut est $y = {}^{-}4{,}9x^2 + 117{,}6x - 700$, où y est la hauteur, en mètres, atteinte par l'athlète et x, le temps écoulé, en secondes, depuis le début de la période préparatoire.

Après combien de sauts l'athlète pourra-t-il commencer son enchaînement de figures?

Fait divers

Les premières compétitions de trampoline aux Jeux olympiques ont eu lieu à Sydney, en 2000. La Canadienne Karen Cockburn a remporté une médaille de bronze dans cette discipline lors de ces jeux, une médaille d'argent aux Jeux d'Athènes en 2004 et une médaille d'argent aux Jeux de Pékin en 2008. Elle devient ainsi la quatrième athlète canadienne à gagner une médaille à trois Jeux olympiques d'été consécutifs.

7. L'économie au profit de l'environnement

La société RECYC-QUÉBEC s'intéresse à la gestion des matières résiduelles au Québec ainsi qu'aux différents facteurs susceptibles d'avoir une incidence sur elle.

Le tableau ci-dessous dresse un bilan de l'évolution de certains de ces facteurs et de la gestion des matières résiduelles au Québec entre 1996 et 2006.

Année	PIB (milliards de dollars)	Population (millions de personnes)	Génération de déchets (millions de tonnes)	Nombre de tonnes par personne par année		
				Génération	Élimination	Récupération
1996	181	7,21	8,3	1,15	0,74	0,41
1998	196	7,33	8,9	1,21	0,75	0,46
2000	225	7,37	10,7	1,46	0,94	0,51
2002	241	7,46	11,2	1,50	0,87	0,63
2004	263	7,55	11,4	1,51	0,86	0,65
2006	283	7,65	13,0	1,69	0,88	0,81

Sources : RECYC-QUÉBEC, bilan 2006, et Statistique Canada.

Le produit intérieur brut (PIB) est un indicateur économique qui mesure le niveau de production d'un pays.

Tu rédiges une chronique environnementale pour le journal *La Planète*. On te confie le mandat de relever les relations pertinentes dans le tableau ci-dessus et de représenter graphiquement les tendances qu'elles révèlent. Tu dois aussi décrire l'influence de divers facteurs sur la génération de déchets et émettre des prédictions pour 2020 quant à la gestion des matières résiduelles au Québec.

8. Le débit expiratoire de pointe

Le débit expiratoire de pointe (DEP) est le débit d'air maximal qu'une personne peut expulser de ses poumons au cours d'une expiration forcée. Les pneumologues mesurent le DEP à l'aide d'un spiromètre. Le résultat de ce test aide à diagnostiquer certaines maladies pulmonaires, dont l'asthme et l'emphysème. Afin de poser le bon diagnostic, la ou le pneumologue doit comparer le DEP de la patiente ou du patient au DEP théorique (normal) pour son âge, sa taille et son sexe.

Le tableau suivant présente le DEP, en litres par minute, de plusieurs hommes en bonne santé ayant une taille de 175 cm.

Âge	DEP (L/min)	Âge	DEP (L/min)	Âge	DEP (L/min)	Âge	DEP (L/min)
47	621	26	612	44	640	58	582
56	591	29	623	22	595	31	621
45	632	18	580	29	625	35	635
23	590	33	638	49	623	19	585
49	620	52	611	55	605	25	595
38	642	45	628	25	605	39	635
32	632	55	588	28	620	42	637
36	640	27	601	22	587	53	617

a) Représente ces données à l'aide d'un nuage de points.

b) Trace la courbe la mieux ajustée au nuage de points de façon à approximer la courbe du DEP théorique d'un homme d'une taille de 175 cm.

c) Détermine l'équation de la courbe tracée en **b**.

Un résultat inférieur à 95 % du DEP théorique est considéré comme anormal et signale qu'il y a lieu de soupçonner la présence d'une maladie pulmonaire.

d) Indique s'il y a lieu de soupçonner la présence d'une maladie pulmonaire chez chacun des hommes suivants.

1) Sébastien : 30 ans, taille de 175 cm, DEP de 612 L/min ;

2) Steve : 65 ans, taille de 175 cm, DEP de 494 L/min.

9. Le parent le plus influent...

Les données du tableau ci-dessous portent sur 10 filles de 20 ans et leurs parents.

Taille de la fille (cm)	180	170	177	170	171	172	170	174	163	155
Taille du père (cm)	201	190	185	180	178	177	180	184	172	180
Taille de la mère (cm)	185	166	160	176	167	181	174	190	166	152

a) Quel parent semble avoir la plus grande influence sur la taille d'une fille ? Justifie ta réponse.

b) Certaines personnes considèrent que c'est la moyenne de la taille des deux parents qui a la plus grande influence sur la taille de leurs filles. Vérifie cette hypothèse.

c) Utilise l'équation d'une droite de régression pour estimer la taille qu'aura une fille à 20 ans si sa mère mesure 172 cm et son père, 184 cm.

Énigmes

1 Des amis prennent un repas au restaurant. Ils décident de partager l'addition, qui s'élève à 140 $, en parts égales. Or, ils s'aperçoivent que deux d'entre eux sont partis sans payer leur part. Les personnes qui restent doivent donc payer 8 $ supplémentaires. À l'origine, combien de personnes y avait-il dans ce groupe?

2 On dispose 9 cartes à jouer en 3 rangées et en 3 colonnes. Il y a au moins 2 as, 2 rois, 2 dames et 2 valets. Chaque valet est voisin d'un roi et d'une dame. Chaque dame est voisine d'un roi et d'un as. Chaque roi est voisin d'un as. On considère comme voisines les cartes dont les bords verticaux ou horizontaux sont côte à côte. Les cartes en diagonale ne sont pas considérées comme voisines. Détermine où se trouve chacune des cartes.

3 Un vol a été commis. Trois suspects sont interrogés. Voici leur déposition:

Suspect A: «Je n'ai pas commis ce vol!»

Suspect B: «Ce n'est certainement pas C!»

Suspect C: «Oui, c'est moi!»

Par la suite, deux d'entre eux avouent avoir menti.

Qui a commis le vol?

4 Trois hommes louent un emplacement de camping ensemble et paient 10 $ chacun. Plus tard, le propriétaire du terrain de camping se rend compte que le total de la facture n'aurait dû être que de 25 $. Il appelle un employé et lui donne 5 $ en lui demandant de remettre ce montant aux trois hommes.

En route, l'employé se demande comment il fera pour partager cette somme en trois. Il décide de garder 2 $ et remet 1 $ à chacun des hommes. Chaque homme a ainsi payé 9 $, ce qui fait un total de 27 $. Si on ajoute les 2 $ gardés par l'employé, cela fait 29 $.

Où est passé l'autre dollar?

5 Evelyne a 6 allumettes de même taille. Comment peut-elle construire 4 triangles équilatéraux avec ces allumettes sans les briser?

6 Marie-Ève a deux cordes d'égale longueur et un briquet. Sachant que chaque corde brûle en exactement une heure, comment peut-elle chronométrer précisément 45 minutes sans couper les cordes?

Outils technologiques

La calculatrice à affichage graphique

La calculatrice à affichage graphique permet, entre autres, de représenter graphiquement des fonctions et d'obtenir de nombreux renseignements sur ces fonctions. Les touches du menu graphique se trouvent directement sous l'écran de la calculatrice. En voici une description.

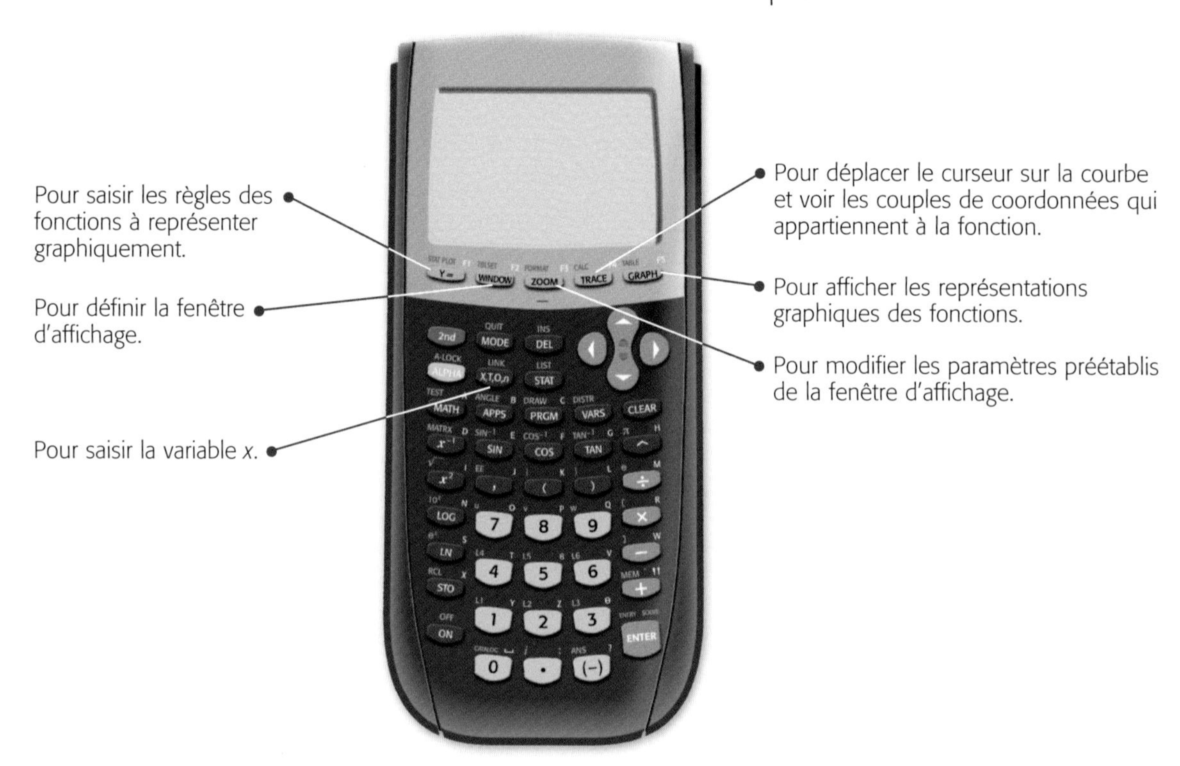

Afficher la représentation graphique d'une fonction

1. Appuyer sur [Y=] et saisir la règle de la fonction.
   Remarque : Il est possible de représenter jusqu'à dix fonctions simultanément.

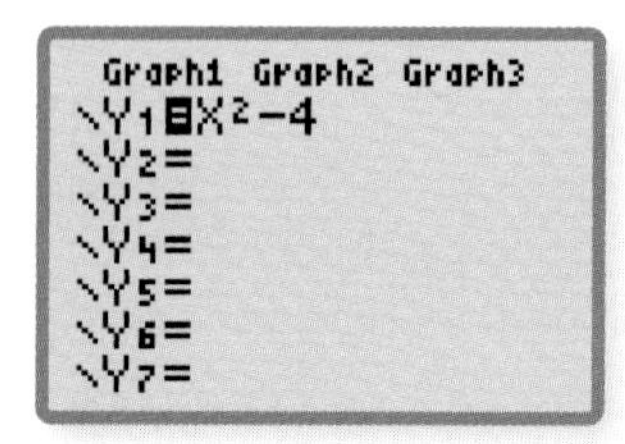

2. Appuyer sur [WINDOW] et définir la fenêtre d'affichage.

Ne pas changer la valeur du *X*res.

3. Appuyer sur [GRAPH] pour afficher la courbe.

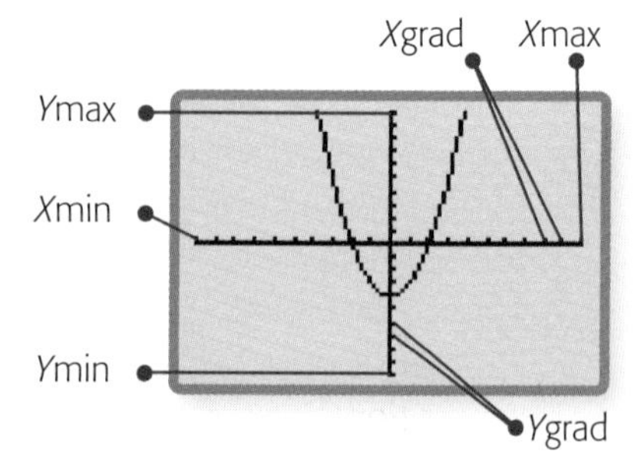

Dégager les propriétés d'une fonction

La calculatrice permet également, à partir du menu «Calculs», de dégager plusieurs propriétés d'une fonction telles que ses extremums et ses coordonnées à l'origine.

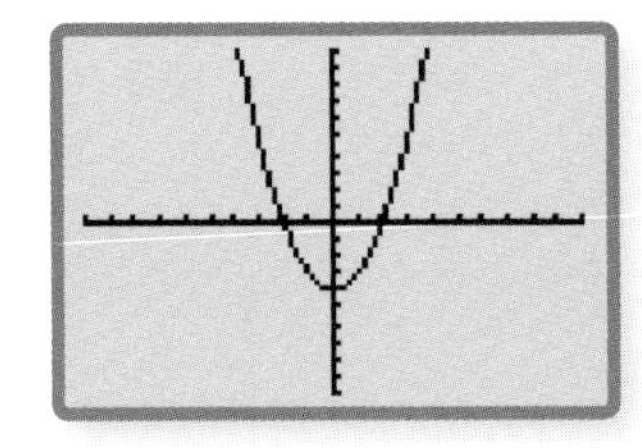

Les extremums

Voici les étapes pour trouver le minimum de la fonction $f(x) = x^2 - 4$.

1 Appuyer sur 2nd, puis TRACE pour accéder au menu «Calculs». Sélectionner ensuite «3 : minimum» et appuyer sur ENTER.

2 Préciser ensuite l'intervalle dans lequel le minimum se trouve.

1) Avec la touche ▶, déplacer le curseur sur la courbe à gauche du minimum et appuyer sur ENTER. Cela permet de fixer la borne inférieure.

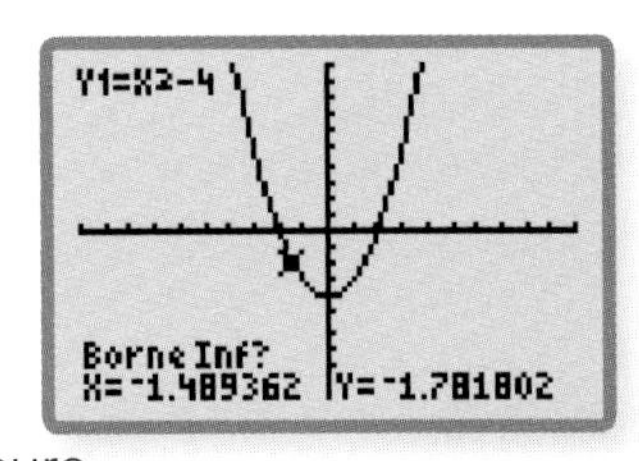

2) De la même façon, fixer la borne supérieure en déplaçant le curseur sur la courbe à droite du minimum.

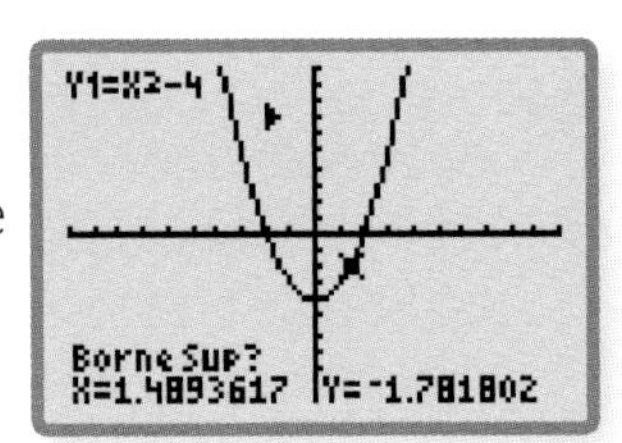

3) Appuyer de nouveau sur ENTER. La valeur initiale (c'est-à-dire une approximation de la valeur recherchée) est alors fixée et le minimum de la fonction s'affiche à l'écran.

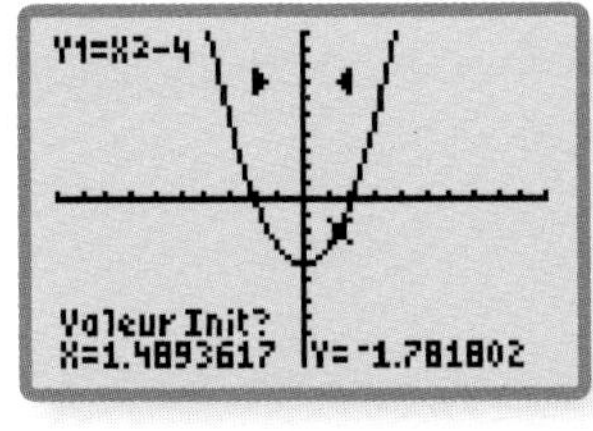

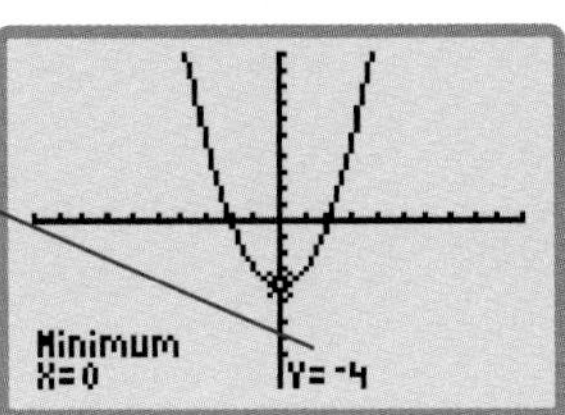

L'ordonnée à l'origine et les abscisses à l'origine

1 Pour trouver l'ordonnée à l'origine de la fonction $f(x) = x^2 - 4$, accéder au menu «Calculs». Sélectionner ensuite «1 : valeur», saisir 0 et appuyer sur ENTER.
On obtient $y = {}^{-}4$.

2 Pour trouver les abscisses à l'origine de la fonction $f(x) = x^2 - 4$, accéder au menu «Calculs». Sélectionner ensuite «2 : zéro», fixer les bornes inférieure et supérieure (en haut et en bas de l'abscisse) d'une abscisse à la fois, et appuyer sur ENTER. On obtient $x = {}^{-}2$ et $x = 2$.

Afficher la table de valeurs

1. Appuyer sur Y= et saisir la ou les règles de la fonction.

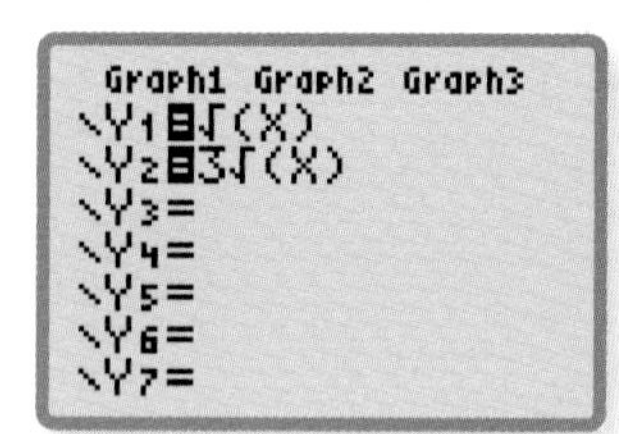

2. Appuyer sur 2nd, puis WINDOW pour accéder au menu «Définir table». Saisir ensuite la valeur du début de la table et le pas.

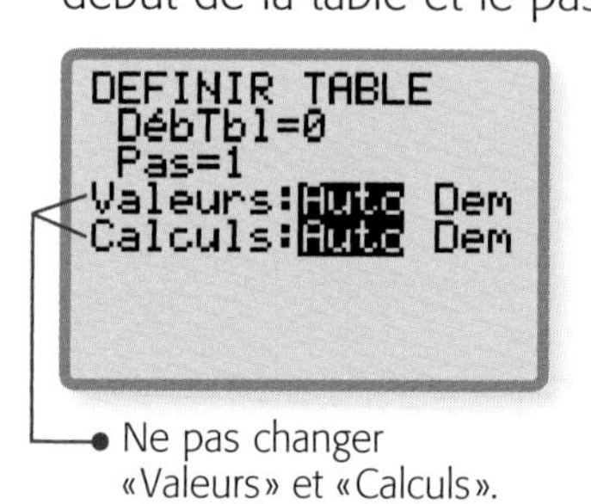

Ne pas changer «Valeurs» et «Calculs».

3. Accéder au menu «Table» en appuyant sur 2nd, puis GRAPH. S'il y a plus d'une règle saisie dans Y=, les valeurs associées à toutes les fonctions s'afficheront. S'il y a plus de deux règles, on accède aux autres tables de valeurs en déplaçant le curseur avec les flèches.

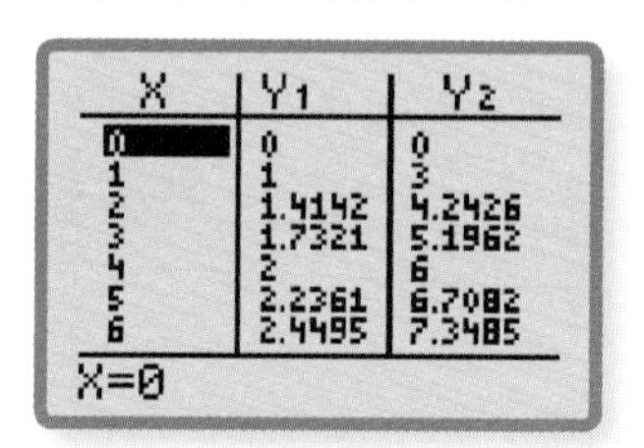

X	Y1	Y2
0	0	0
1	1	3
2	1.4142	4.2426
3	1.7321	5.1962
4	2	6
5	2.2361	6.7082
6	2.4495	7.3485

X=0

Observer l'effet d'un paramètre sur la représentation graphique d'une fonction

1. Appuyer sur Y= et saisir la règle d'une fonction de base (exemple : $f(x) = \sqrt{x}$), et d'autres règles dans lesquelles la valeur d'un paramètre varie (exemple : k).

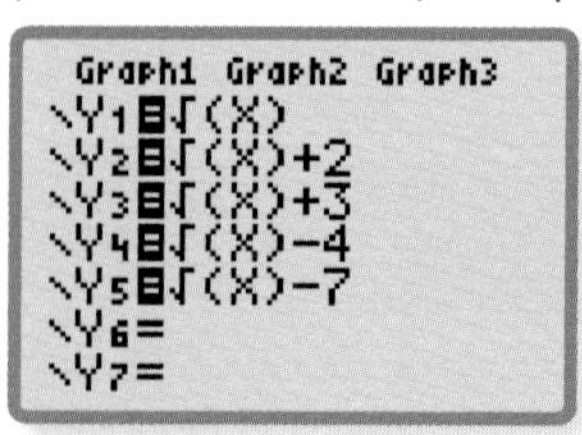

De la même façon, on peut faire varier la valeur des paramètres a, b et h.

2. Appuyer sur GRAPH pour afficher les graphiques.

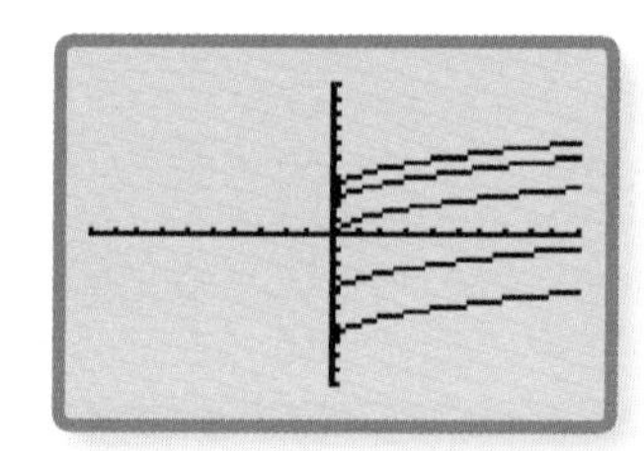

3. Accéder au menu «Table» en appuyant sur 2nd, puis GRAPH pour afficher la table de valeurs.

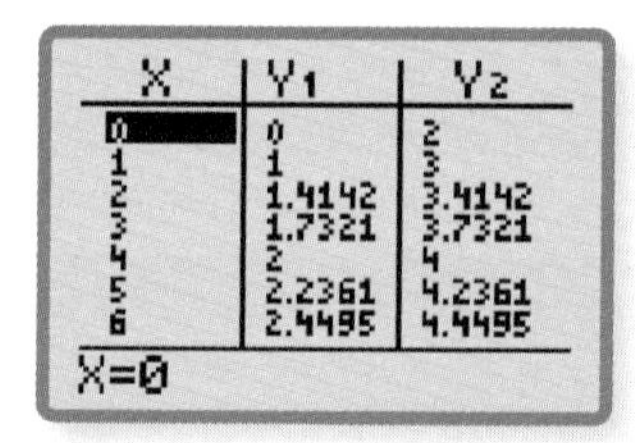

X	Y1	Y2
0	0	2
1	1	3
2	1.4142	3.4142
3	1.7321	3.7321
4	2	4
5	2.2361	4.2361
6	2.4495	4.4495

X=0

Afficher la représentation graphique d'une fonction partie entière

1. Puisque la représentation graphique d'une fonction partie entière n'est pas continue, il faut sélectionner le mode «NonRelié» dans le menu MODE.

2. Pour remplacer le mode «relié» par le mode «non relié», déplacer le curseur à l'aide des flèches et sélectionner «non relié» en appuyant sur ENTER.

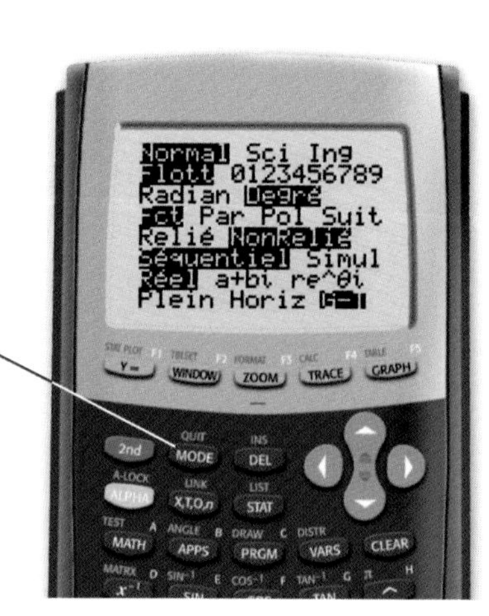

❸ Pour afficher la table de valeurs et la représentation graphique dans le même écran, sélectionner « G-T » en procédant de la même façon qu'en ❷.

❹ Accéder au menu [Y=]. Pour saisir une fonction partie entière, il faut d'abord :

1) appuyer sur [MATH] ;

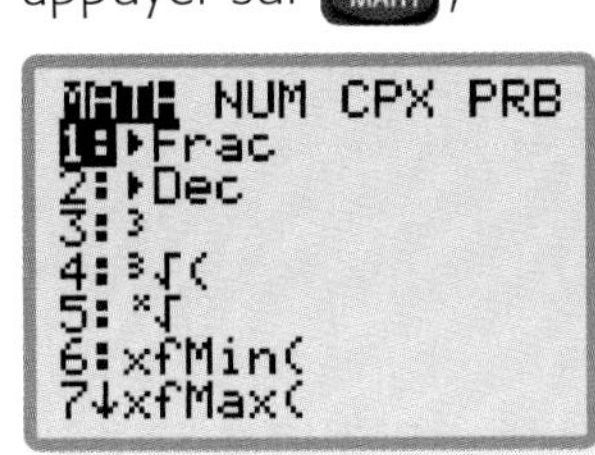

2) déplacer le curseur sur « NUM » à l'aide de la flèche de droite et sélectionner « 5 : partEnt(».

3) On peut ensuite compléter la règle. Ici, ajouter « *X* » et fermer la parenthèse.

❺ Appuyer sur [GRAPH].

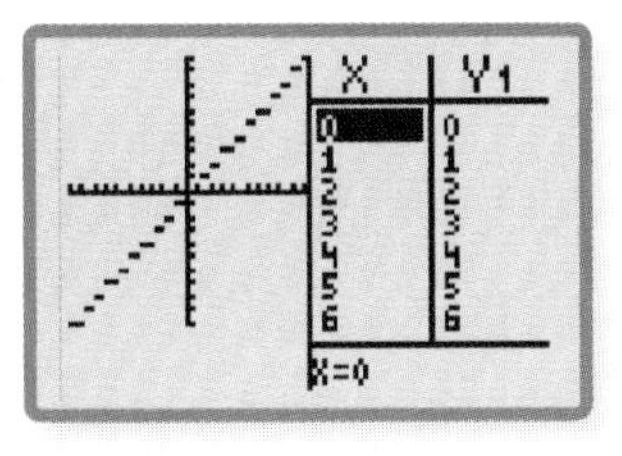

Remarque : La calculatrice n'affiche pas les extrémités des segments de la fonction partie entière. On peut changer le pas de la table de valeurs dans « Définir table » pour déduire les extrémités fermées et les extrémités ouvertes.

Vérifier que des expressions algébriques sont équivalentes

❶ Appuyer sur [Y=] et associer chacune des expressions algébriques à une fonction.

Remarque : Lors de la saisie d'une expression rationnelle, il faut mettre des parenthèses au numérateur et au dénominateur.

❷ Afficher la table de valeurs en appuyant sur [2nd], puis [GRAPH].

X	Y1	Y2
0	-1	-1
1	ERROR	-.4
2	0	0
3	.28571	.28571
4	.5	.5
5	.66667	.66667
6	.8	.8

X=6

❸ Si les valeurs prises par Y_1 et Y_2 sont les mêmes pour les valeurs affichées, à l'exception des restrictions, les expressions algébriques devraient être équivalentes.

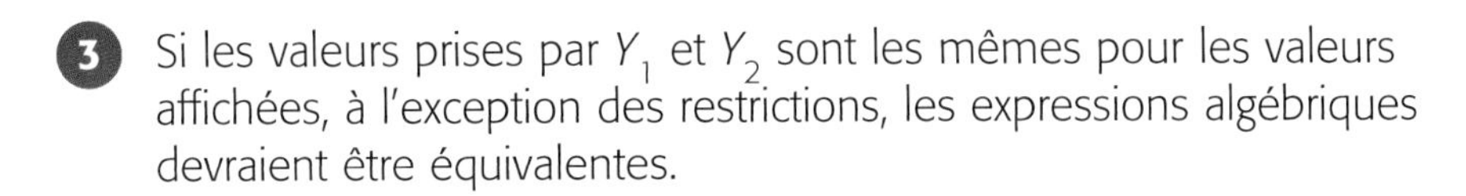

❹ Au besoin, déplacer le curseur sur les valeurs de X à l'aide des flèches pour vérifier l'équivalence.

X	Y1	Y2
-5	14	14
-4	ERROR	ERROR
-3	-10	-10
-2	-4	-4
-1	-2	-2
0	-1	-1
1	ERROR	-.4

X= -5

Trouver la règle d'une fonction quadratique à partir de sa table de valeurs

Avec une calculatrice à affichage graphique, il est possible de trouver la règle d'une fonction quadratique à partir de sa table de valeurs. Voici la table de valeurs d'une fonction quadratique.

x	⁻2	⁻1	0	1	2
$f(x)$	4	4,4	4	2,8	0,8

Voici les étapes à suivre pour obtenir la règle de la fonction f.

1 Appuyer sur [LIST STAT] et sélectionner « 1 : Edite… ».

2 Dans les colonnes L1 et L2, saisir les valeurs de x et de $f(x)$ de la table de valeurs.

3 Pour tracer les points dans un plan cartésien, appuyer sur [2nd] et [STAT PLOT Y=]. Sélectionner ensuite « 1 : Graph1…Aff ».

4 Avec les touches [flèches], déplacer le curseur pour avoir accès à différentes options : sélectionner « Aff » pour afficher les points, sélectionner « Type » pour afficher les différents types de graphique, dont le nuage de points, sélectionner « Listes X : L_1 » et « Liste Y : L_2 » pour afficher les valeurs saisies dans les listes L1 et L2, puis sélectionner « Marque » pour choisir le type de point. Appuyer ensuite sur [ENTER] pour sélectionner les options désirées.

5 Appuyer sur la touche [TABLE GRAPH] pour afficher les points de la table de valeurs.

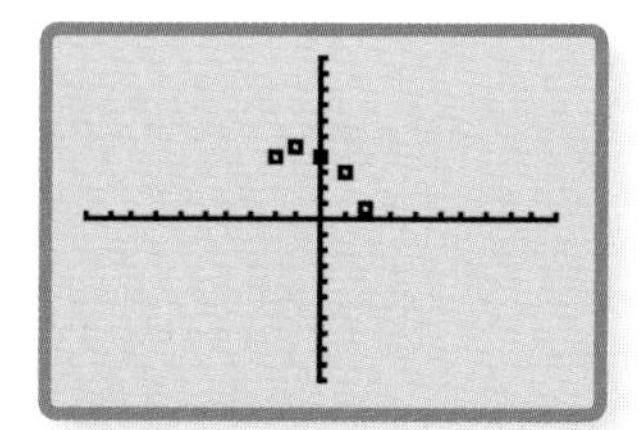

6 Pour obtenir la règle de la fonction associée à la parabole passant par ces points, appuyer sur [LIST STAT] puis, avec la touche [▶], déplacer le curseur sur le menu « CALC ».

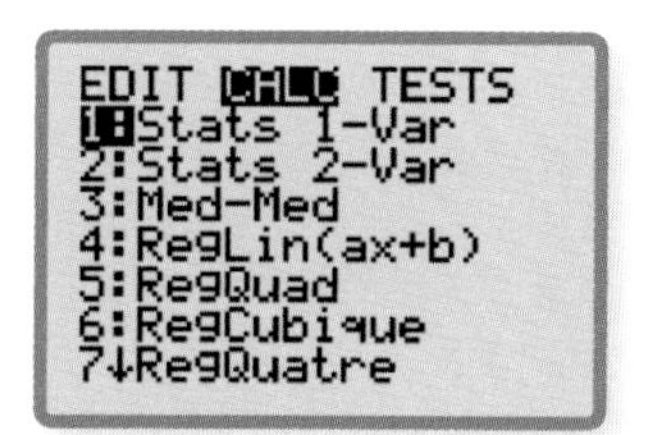

7 Dans le menu «CALC», sélectionner «5 : RegQuad» puis appuyer sur ENTER.
Appuyer successivement sur 2nd, 1 et ,, puis sur 2nd et 2 afin de saisir L_1 et L_2.
Appuyer ensuite sur ENTER pour obtenir les paramètres de la règle de la fonction quadratique exprimée sous la forme générale.

8 Appuyer sur Y= et saisir la règle de la fonction en utilisant les paramètres trouvés précédemment.

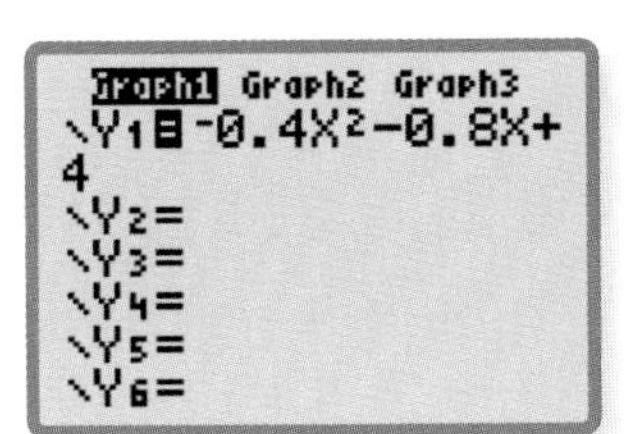

9 Appuyer sur GRAPH et vérifier que la parabole obtenue passe bien par tous les points du nuage de points.

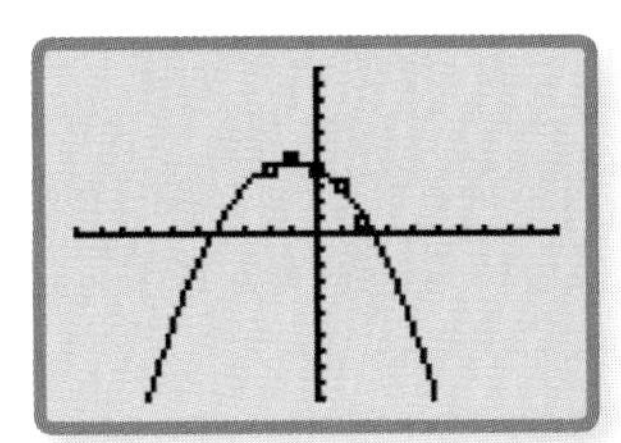

10 Appuyer sur 2nd et GRAPH pour vérifier que la table de valeurs de la parabole obtenue est la même que la table de valeurs initiale.

X	Y1
-2	4
-1	4.4
0	4
1	2.8
2	.8
3	-2
4	-5.6

X=-2

Afficher un nuage de points

1. Appuyer sur STAT et sélectionner « 1 : Edite… ». Saisir les valeurs dans les colonnes L1 et L2.

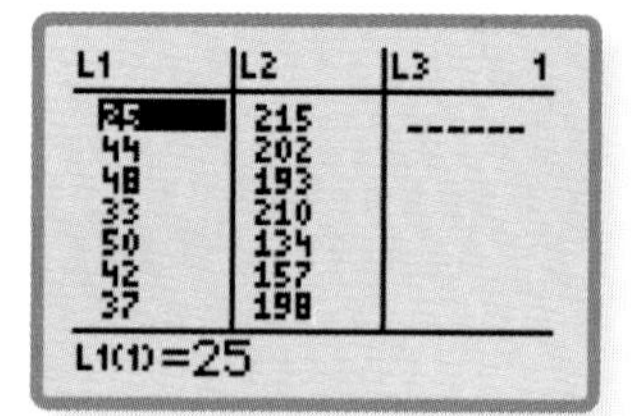

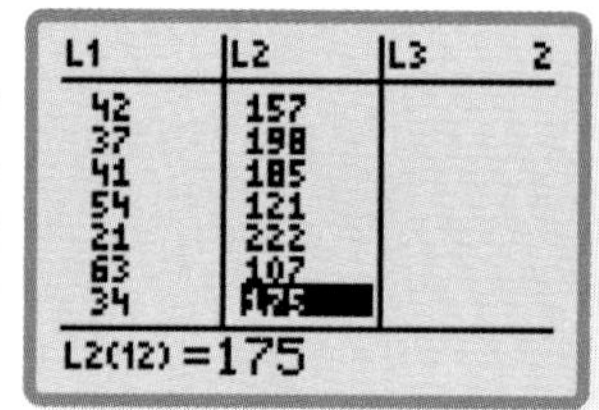

2. Pour tracer ces points dans un plan cartésien, appuyer sur 2nd et Y=. Sélectionner ensuite « 1 : Graph1…Aff ».

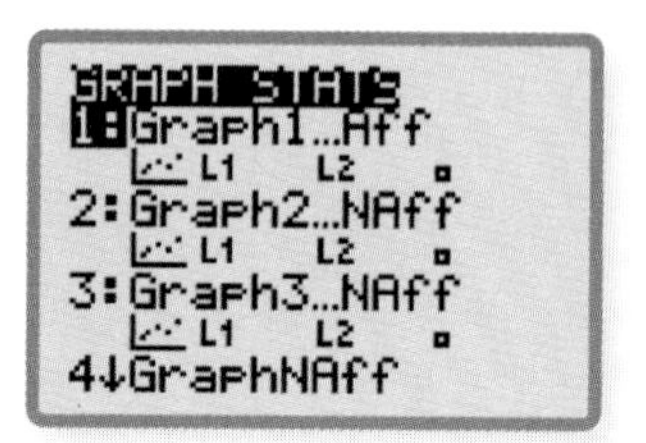

3. Avec les touches , déplacer le curseur pour avoir accès à différentes options : sélectionner «Aff» pour afficher les points, sélectionner le nuage de points dans l'option «Type», les options «Listes X: L_1» et «Listes Y: L_2» permettent d'afficher les valeurs saisies dans les listes L1 et L2, l'option «Marque» permet de choisir le type de point. Appuyer ensuite sur ENTER pour confirmer les options choisies.

4. Appuyer sur WINDOW pour régler la graduation des axes.

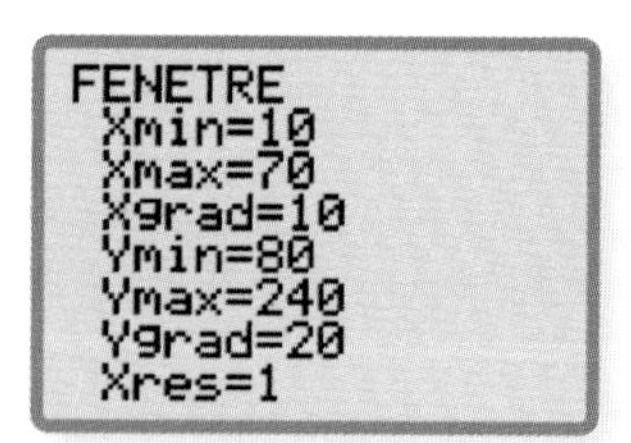

5. Appuyer sur GRAPH pour afficher le nuage de points.

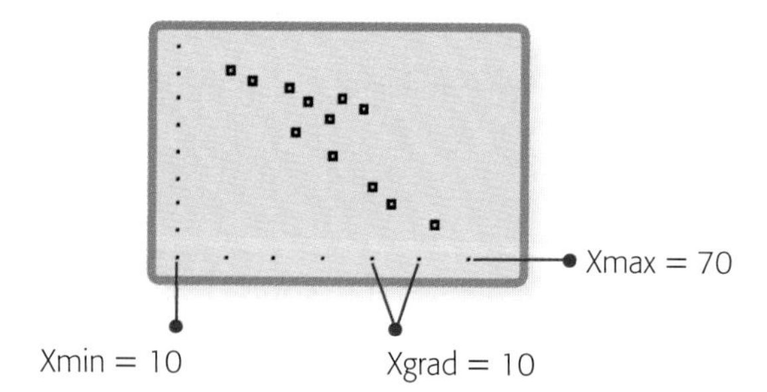

Tracer la droite de régression associée à un nuage de points et déterminer le coefficient de corrélation

1 Pour afficher le coefficient de corrélation, il faut appuyer sur 2nd et 0. Puis, avec la touche ◄►, déplacer le curseur sur «CorrelAff» et appuyer sur ENTER.

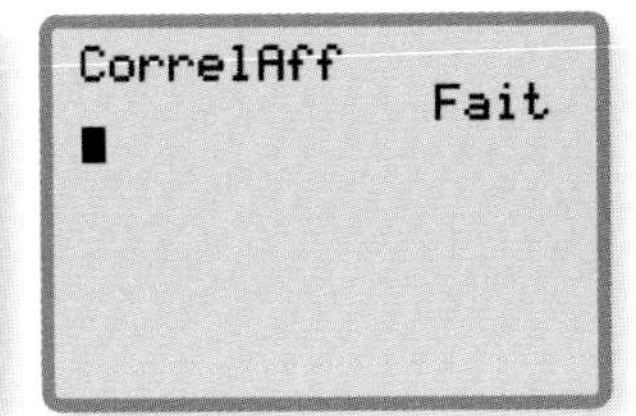

Remarque : Sur une calculatrice en anglais, sélectionner «DiagnosticOn» plutôt que «CorrelAff».

2 Pour obtenir la droite de régression et le coefficient de corrélation linéaire, appuyer d'abord sur STAT. Avec la touche ►, déplacer le curseur sur le menu «CALC». Sélectionner «4 : RegLin(ax+B)» et appuyer sur ENTER.

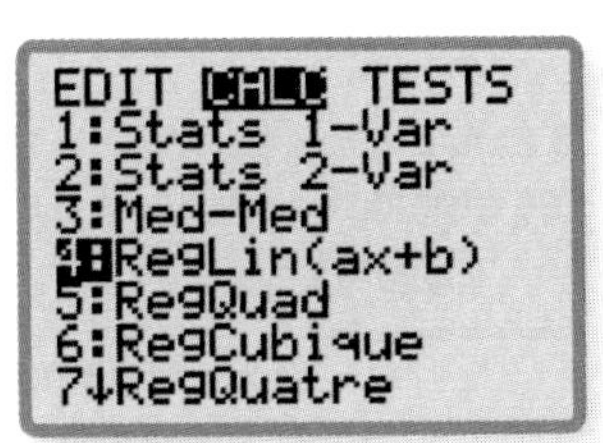

3 Appuyer successivement sur les touches 2nd, 1, et ,, pour saisir L_1, puis sur 2nd, 2 et , pour saisir L_2. Appuyer ensuite sur VARS et, en déplaçant le curseur avec la touche ►, sélectionner le menu «Y-Vars». Sélectionner « 1 : Fonction», puis « 1 : Y_1» pour saisir Y_1. Appuyer sur ENTER.

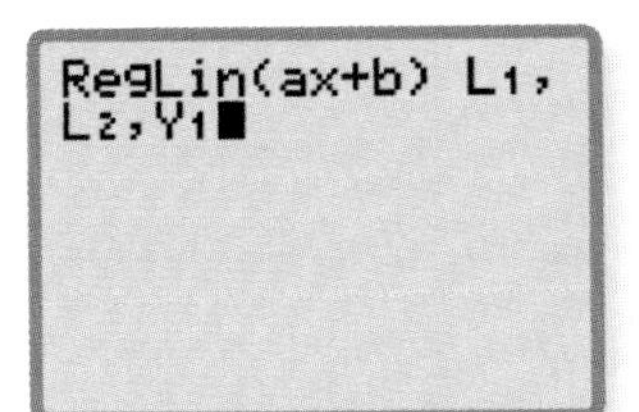

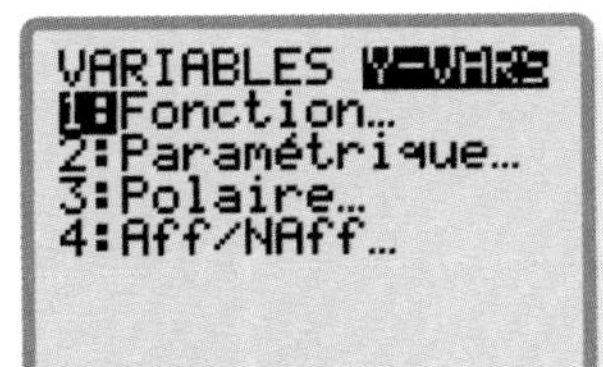

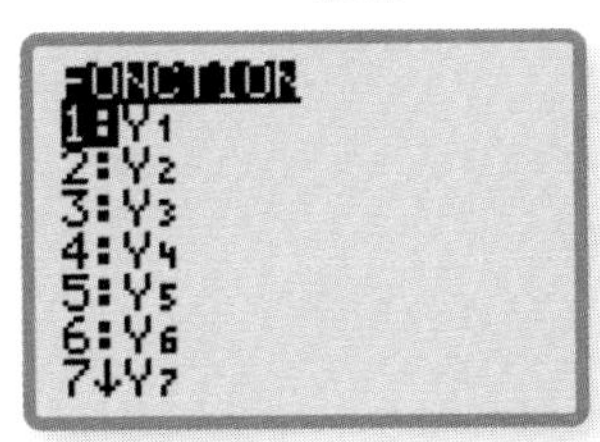

4 Appuyer sur ENTER pour obtenir la droite de régression et le coefficient de corrélation linéaire.

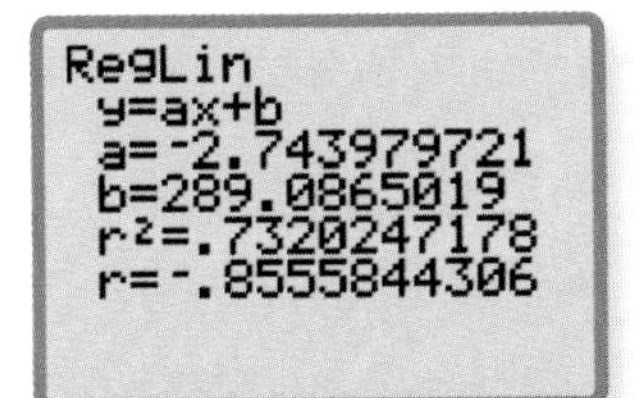

Remarque : «a» et «b» sont les paramètres de la droite de régression, «r» est le coefficient de corrélation.

Le traceur de courbes

L'interface

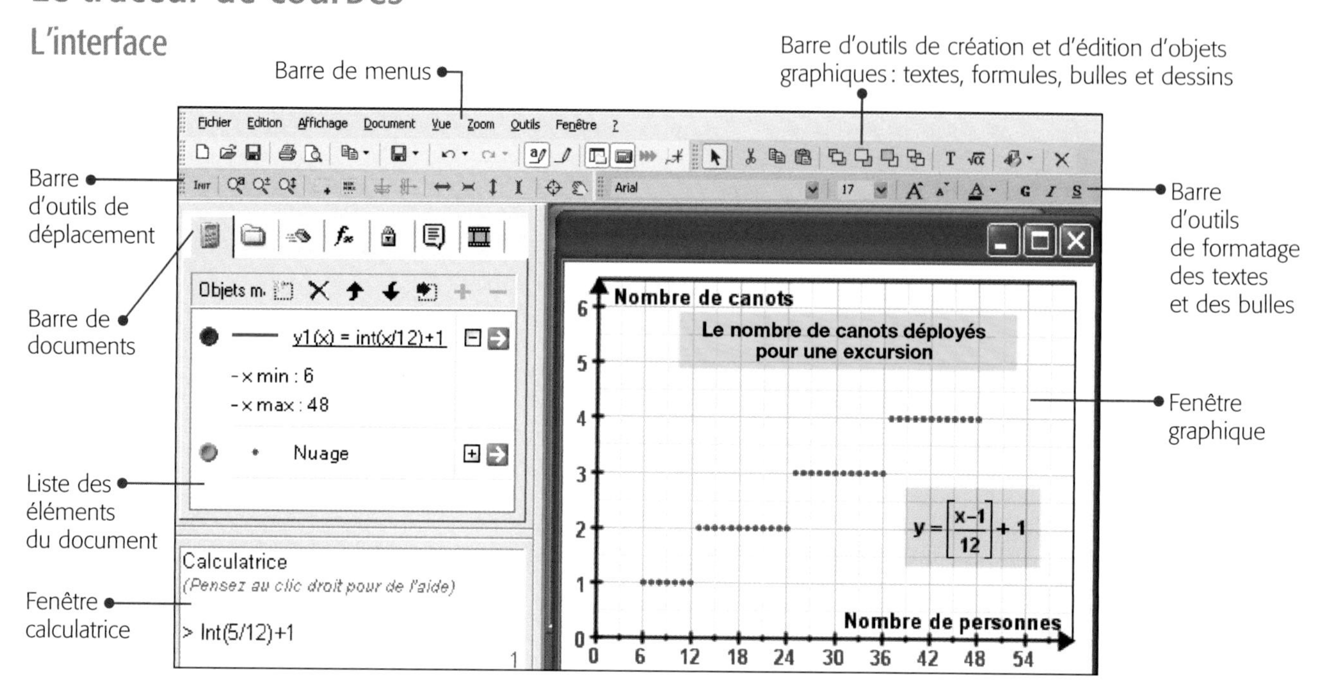

La barre de documents et la liste

La barre de documents permet de créer de nouveaux objets mathématiques qui seront ajoutés au graphique. On peut aussi voir et modifier les objets mathématiques créés, tout en ayant accès à de l'information complémentaire sur tous les objets du graphique.

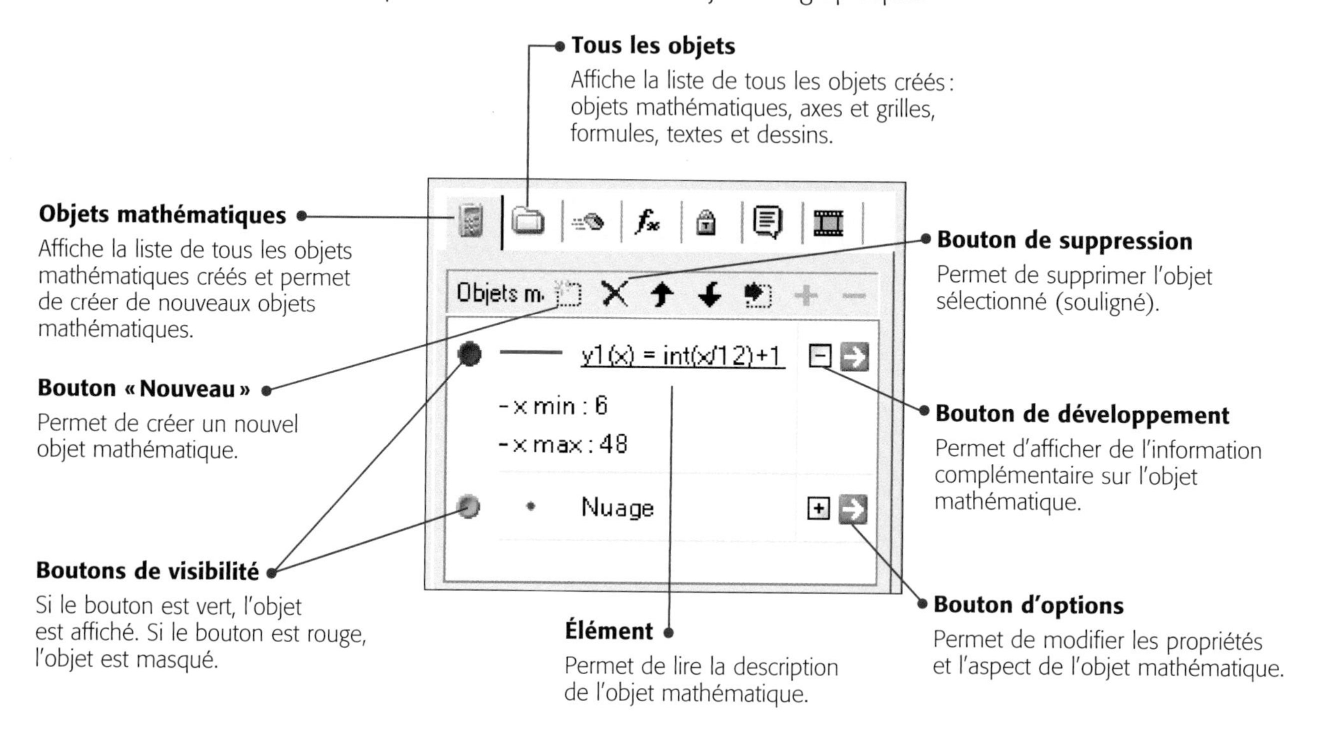

Créer une fonction et le graphique correspondant

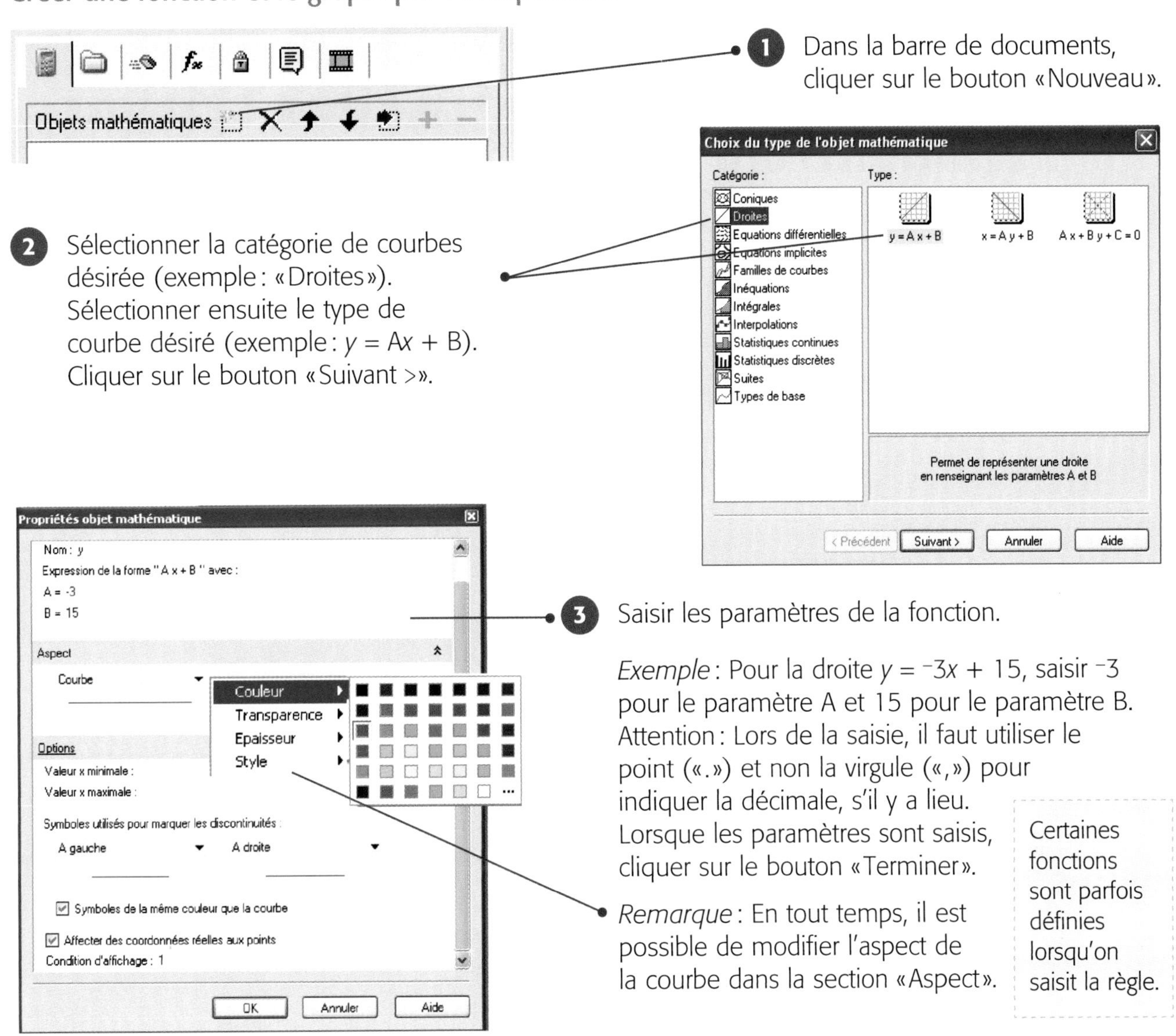

1 Dans la barre de documents, cliquer sur le bouton « Nouveau ».

2 Sélectionner la catégorie de courbes désirée (exemple : « Droites »). Sélectionner ensuite le type de courbe désiré (exemple : $y = Ax + B$). Cliquer sur le bouton « Suivant > ».

3 Saisir les paramètres de la fonction.

Exemple : Pour la droite $y = {}^{-}3x + 15$, saisir $^{-}3$ pour le paramètre A et 15 pour le paramètre B. Attention : Lors de la saisie, il faut utiliser le point (« . ») et non la virgule (« , ») pour indiquer la décimale, s'il y a lieu. Lorsque les paramètres sont saisis, cliquer sur le bouton « Terminer ».

Remarque : En tout temps, il est possible de modifier l'aspect de la courbe dans la section « Aspect ».

Certaines fonctions sont parfois définies lorsqu'on saisit la règle.

On obtient la courbe associée à la règle (exemple : $y = 3x + 15$). Pour tracer de nouvelles courbes sur le même plan cartésien, répéter les étapes 1 à 3.

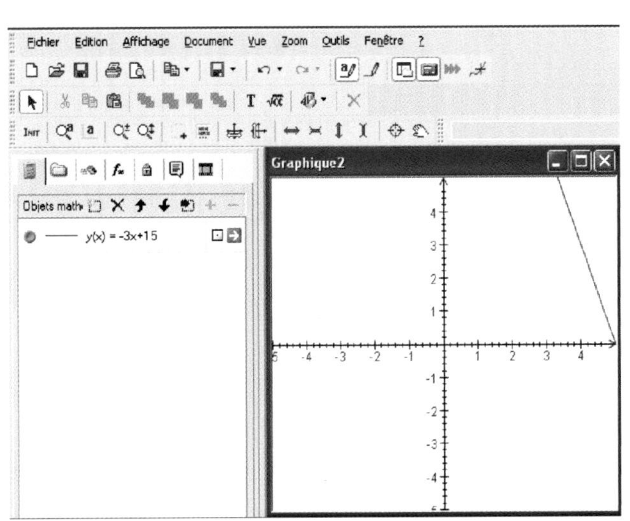

Modifier l'aspect d'un graphique

2 Cliquer sur l'onglet correspondant à l'élément dont on veut modifier l'aspect et indiquer les modifications souhaitées.

1 Sélectionner « Propriétés... » dans le menu « Vue » (ou cliquer sur le bouton de droite de la souris dans la zone du graphique et sélectionner « Propriétés vue... »).

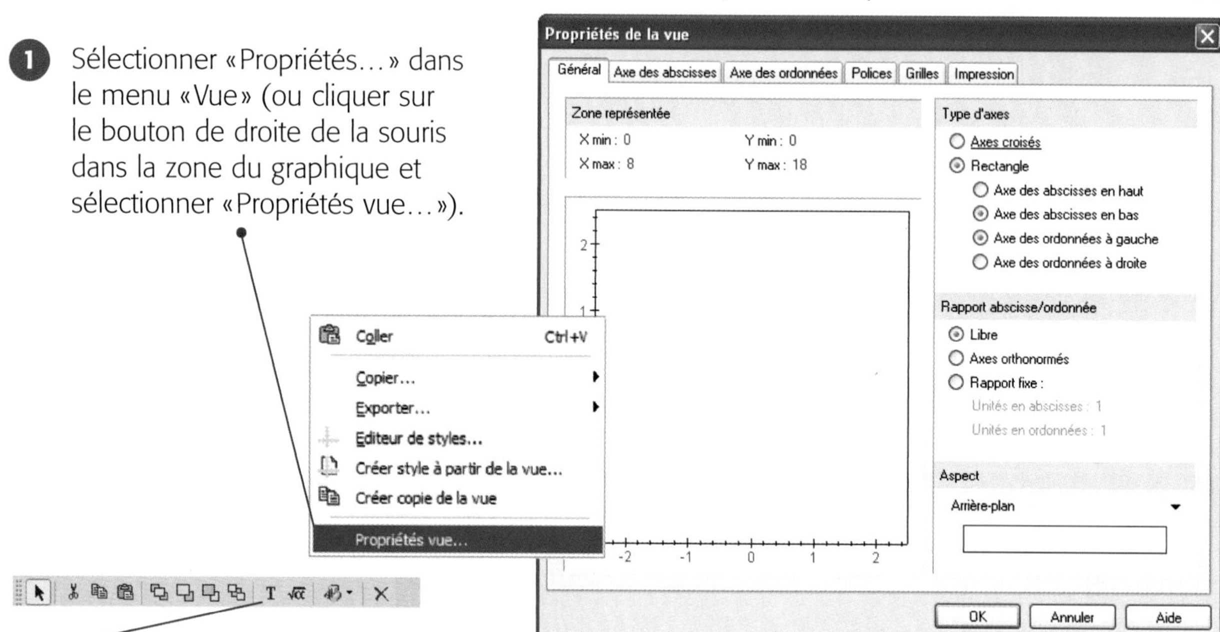

3 Utiliser, s'il y a lieu, l'outil « T » de la barre d'outils de création et d'édition d'objets graphiques pour ajouter un titre au graphique.

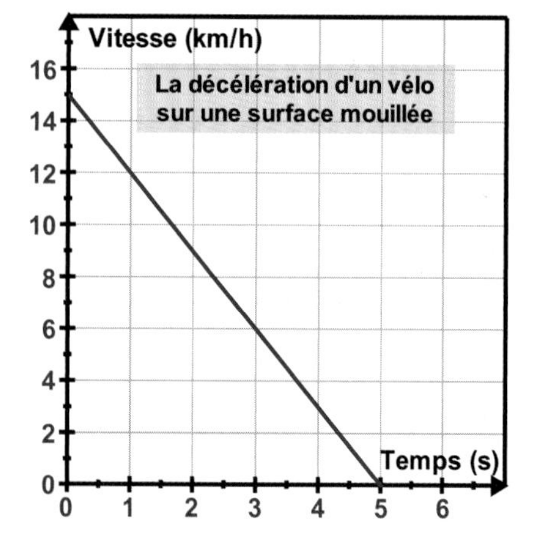

Voici le plan cartésien et la droite obtenue à la page précédente et dont on a modifié l'aspect.

Remarque : Pour modifier l'aspect d'un objet mathématique, double-cliquer sur l'élément correspondant dans la liste.

Observer l'effet d'un paramètre sur la représentation graphique d'une fonction

Tracer plusieurs courbes d'une famille de fonctions dans un même plan cartésien permet d'observer l'effet d'un paramètre sur la représentation graphique d'une fonction.

Voici plusieurs fonctions de la forme $y = ax^2$ pour lesquelles on a fait varier la valeur de a.

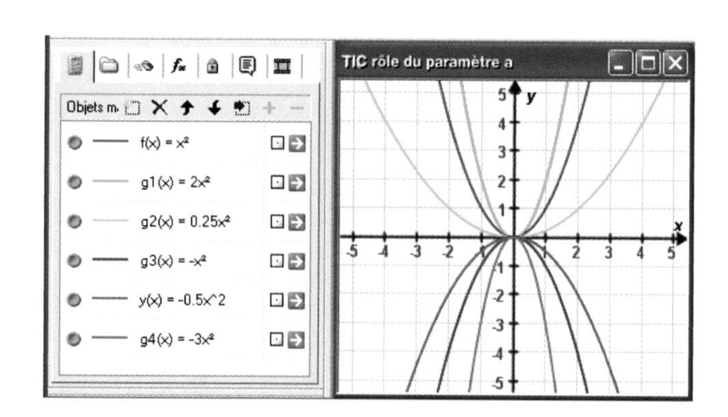

Représenter une famille de courbes

Il est possible de créer une famille de courbes à l'aide de la catégorie prévue à cet effet. Cela permet de créer des animations dynamiques en faisant varier un paramètre entre des bornes spécifiées.

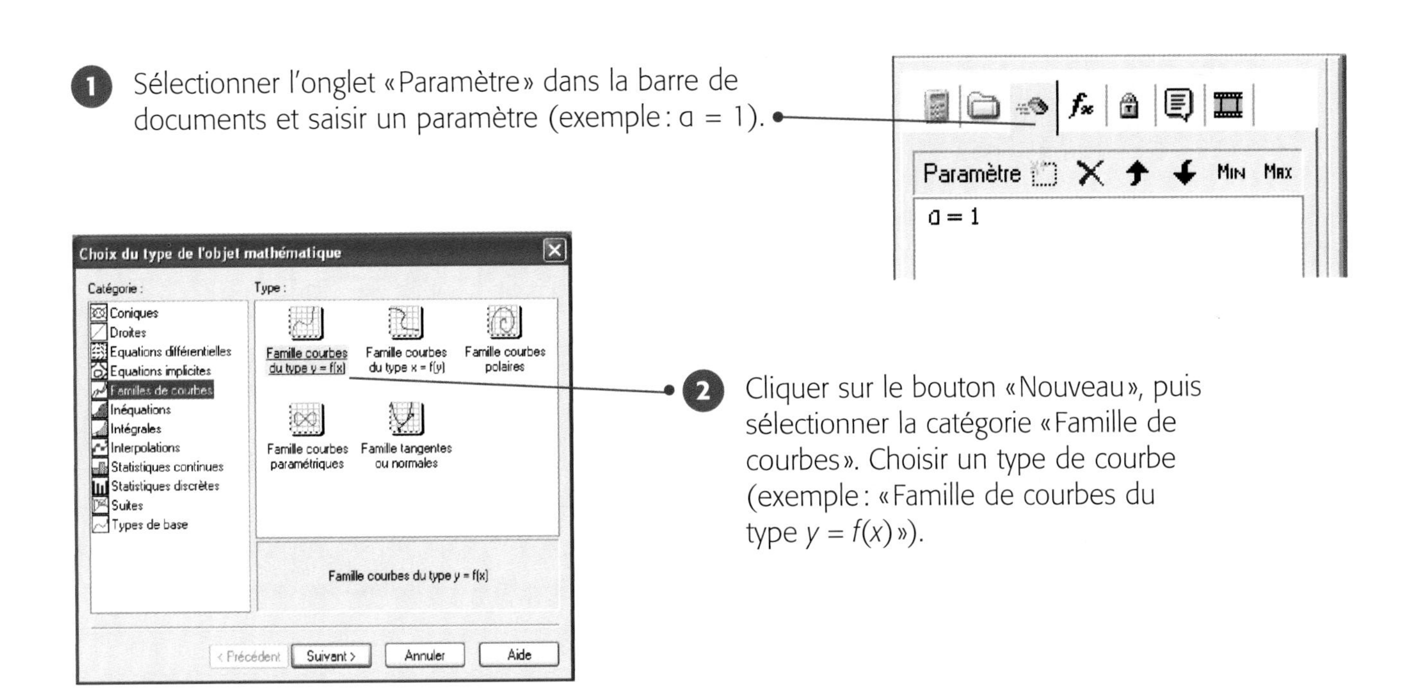

1 Sélectionner l'onglet «Paramètre» dans la barre de documents et saisir un paramètre (exemple : $a = 1$).

2 Cliquer sur le bouton «Nouveau», puis sélectionner la catégorie «Famille de courbes». Choisir un type de courbe (exemple : «Famille de courbes du type $y = f(x)$»).

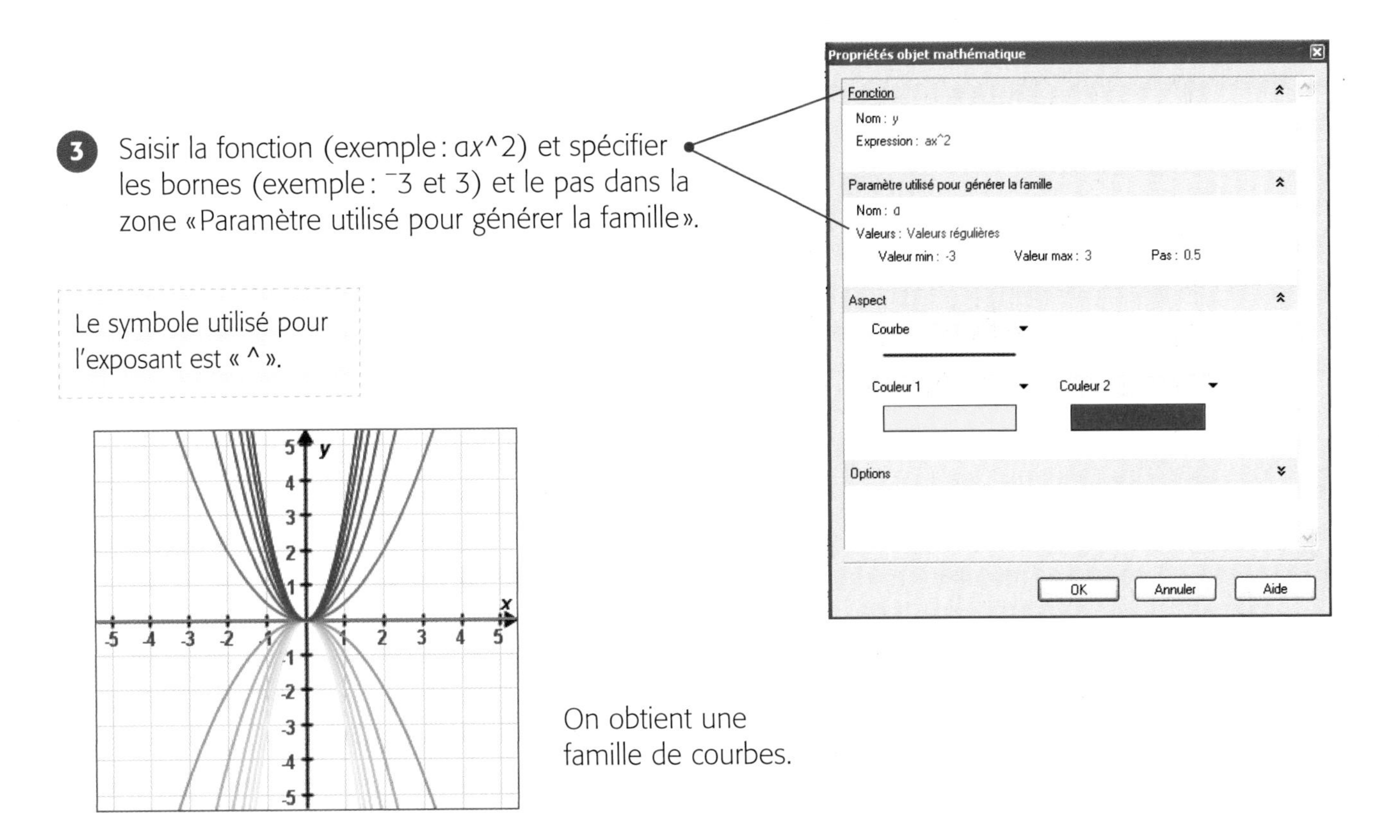

3 Saisir la fonction (exemple : ax^2) et spécifier les bornes (exemple : $^-3$ et 3) et le pas dans la zone «Paramètre utilisé pour générer la famille».

Le symbole utilisé pour l'exposant est « ^ ».

On obtient une famille de courbes.

Représenter graphiquement une fonction partie entière

Voici la façon de procéder pour représenter une fonction partie entière à l'aide du traceur de courbes.

1 Sous l'onglet « Objets mathématiques », cliquer sur le bouton « Nouveau ». Dans la catégorie « Types de bases », sélectionner le type de courbe désiré. Pour une fonction partie entière, sélectionner « Courbe du type $y = f(x)$ ». Cliquer sur le bouton « Suivant > ».

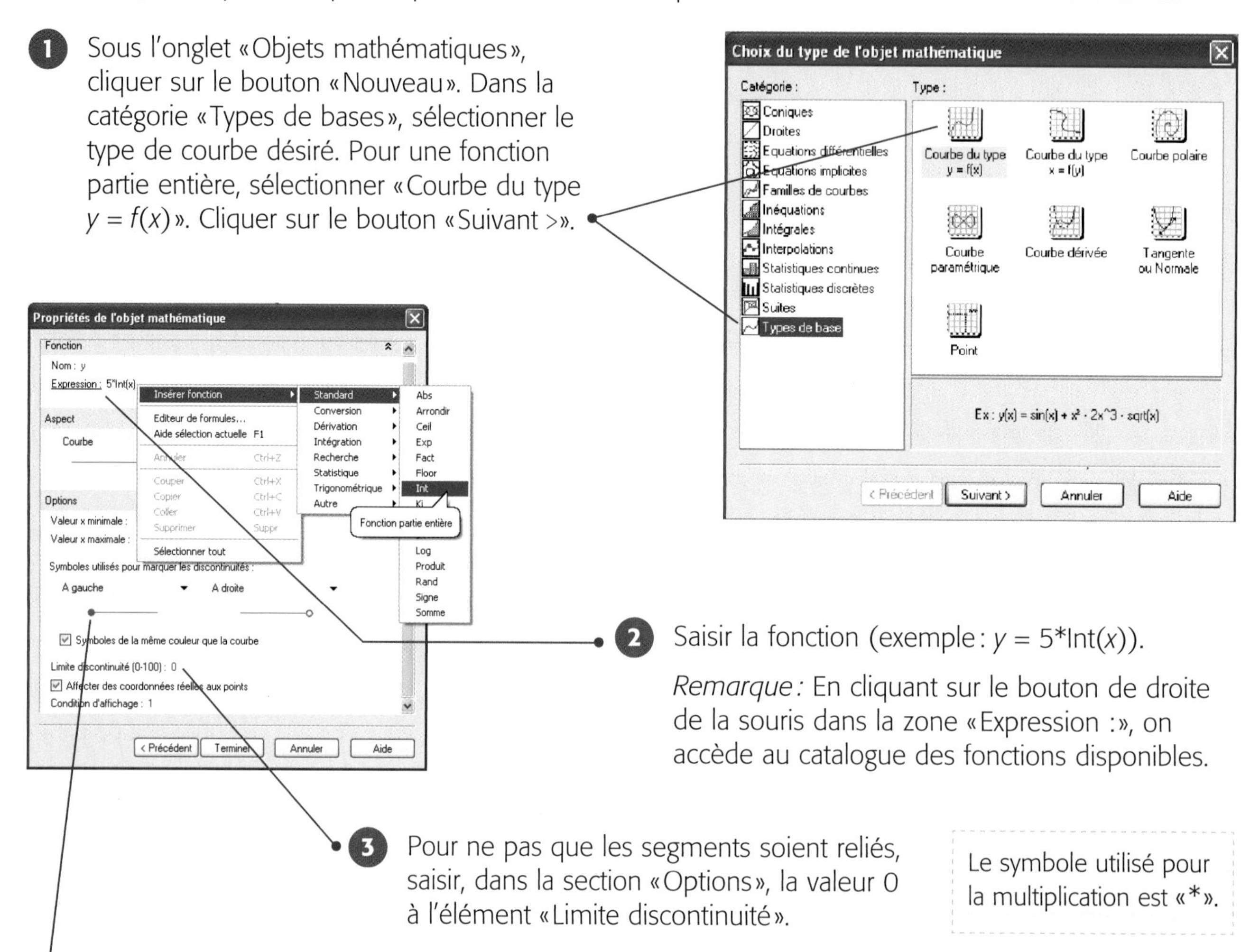

2 Saisir la fonction (exemple : $y = 5*\text{Int}(x)$).

Remarque : En cliquant sur le bouton de droite de la souris dans la zone « Expression : », on accède au catalogue des fonctions disponibles.

3 Pour ne pas que les segments soient reliés, saisir, dans la section « Options », la valeur 0 à l'élément « Limite discontinuité ».

Le symbole utilisé pour la multiplication est « * ».

4 Dans la section « Options », à l'élément « Symboles utilisés pour marquer les discontinuités », sélectionner le point ouvert et le point fermé, à gauche ou à droite, selon le cas.

5 Cliquer sur le bouton « Terminer ».

6 Au besoin, modifier les paramètres de l'affichage en cliquant sur le bouton de droite de la souris dans la zone du graphique en sélectionnant « Propriétés vue... » afin d'améliorer la lisibilité du graphique.

Voici la représentation graphique de la fonction partie entière saisie.

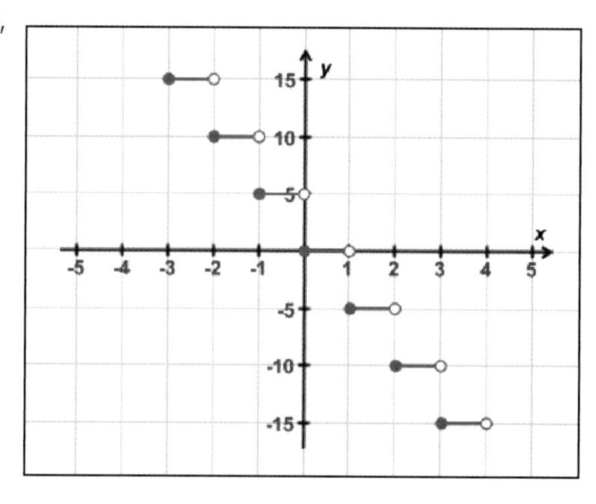

Le tableur

L'interface

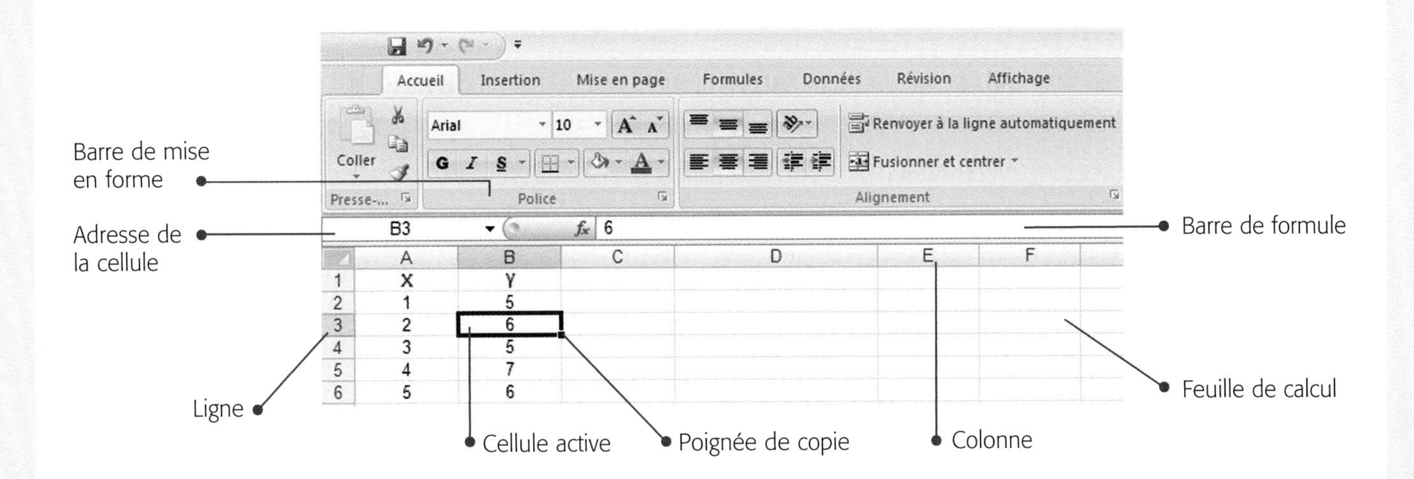

Représenter un nuage de points

Voici la façon de procéder pour représenter un nuage de points à l'aide du tableur.

1 Saisir les données de la distribution à deux variables dans les cellules du tableur.

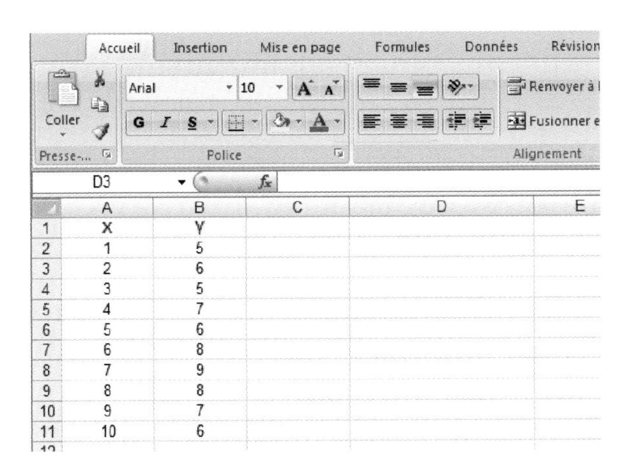

2 Sélectionner les cellules qui correspondent aux valeurs de X et de Y. Dans le menu «Insertion», sélectionner l'option «Graphiques» puis cliquer sur l'option «Nuage de points».

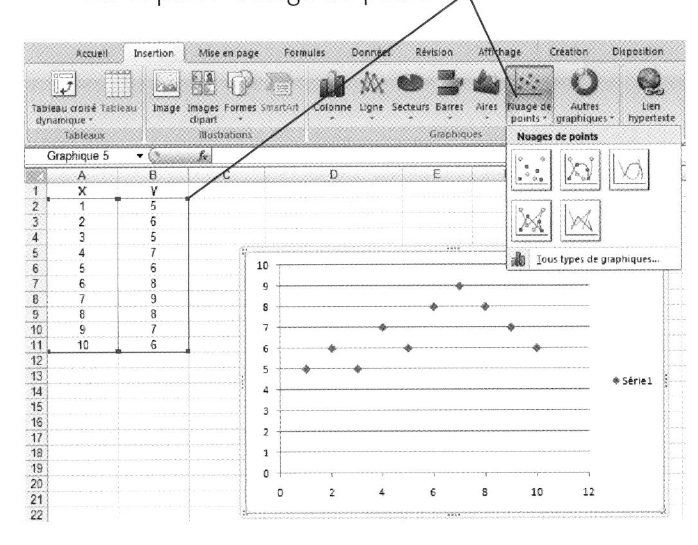

3 Pour modifier la graduation des axes, cliquer sur l'axe vertical. Cliquer ensuite sur le bouton droit de la souris et sélectionner « Mise en forme de l'axe… ».

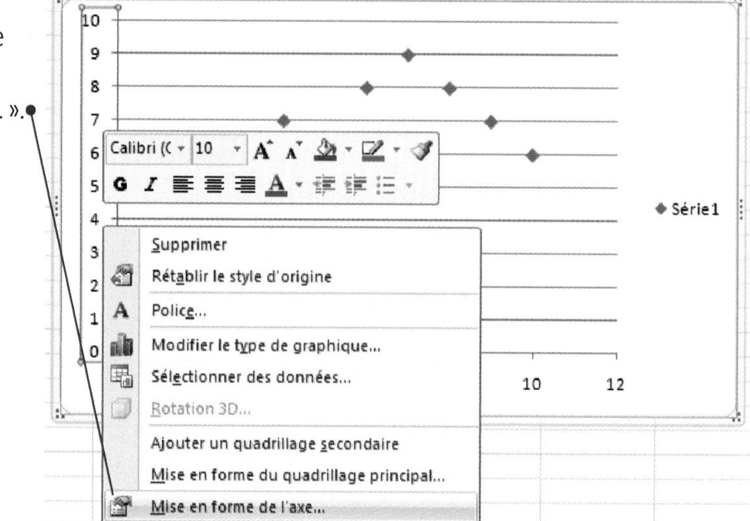

4 Sous l'onglet « Options d'axe », dans la catégorie « Minimum », inscrire 4 comme minimum pour la valeur des ordonnées.

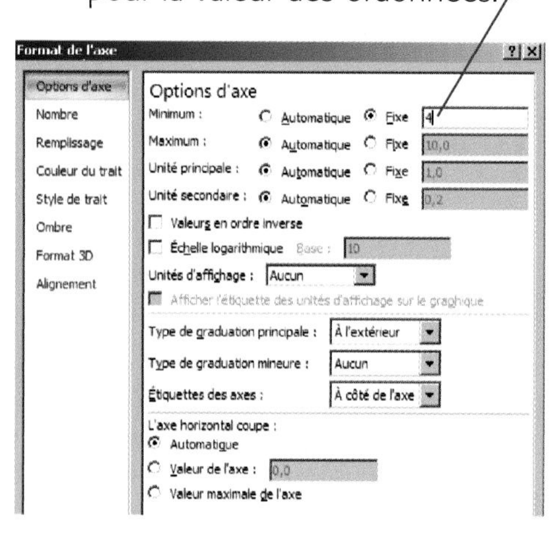

5 On obtient alors le graphique suivant.

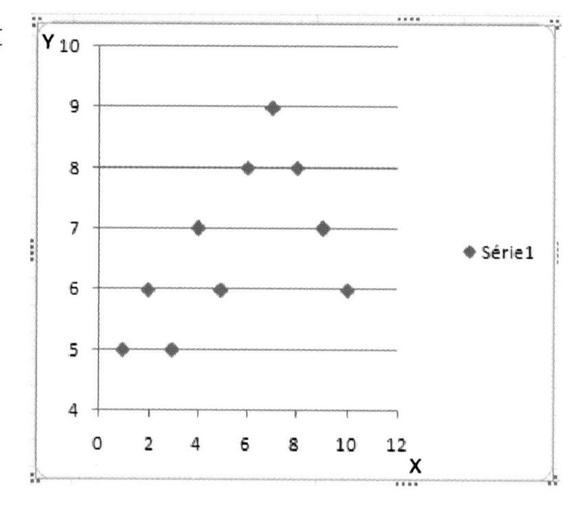

6 On peut obtenir la droite de régression en sélectionnant « Dispositions du graphique » dans le menu « Création » et en sélectionnant la mise en forme qui permet de tracer la droite.

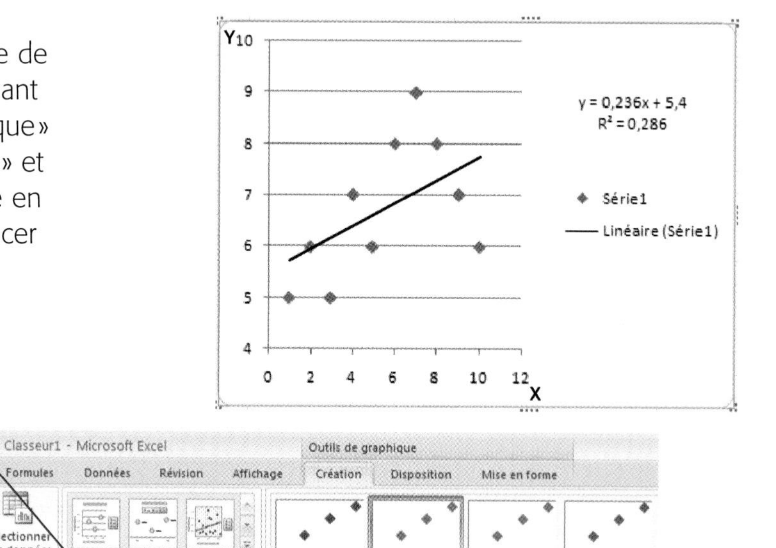

Déterminer le coefficient de corrélation d'une distribution à deux caractères

1 Pour obtenir le coefficient de corrélation, placer le curseur sur une cellule vide. Dans le menu «Formules», sélectionner l'option «Plus de fonctions» puis placer le curseur sur «Statistiques». Sélectionner ensuite «Coefficient de corrélation».

2 Sélectionner la plage de cellules correspondant aux valeurs de X pour la catégorie «Matrice 1» et la plage de cellules correspondant aux valeurs de Y pour la catégorie «Matrice 2». Cliquer sur le bouton «OK».

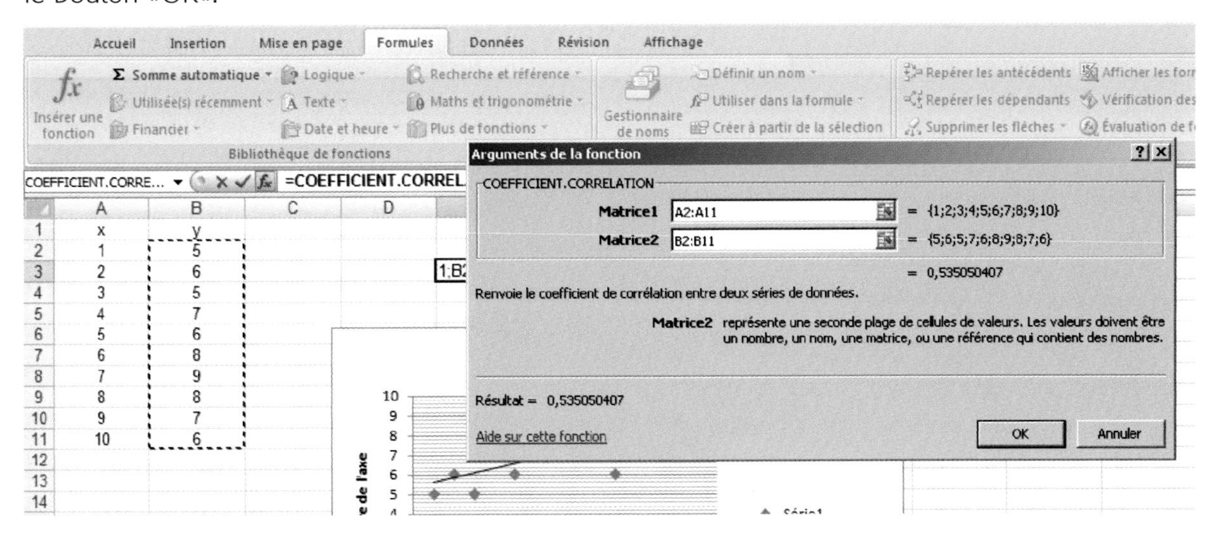

3 Inscrire «Coefficient de corrélation =» dans la cellule à gauche de celle qui correspond au calcul du coefficient. Élargir la colonne au besoin.

Graphisme, notation et symboles

Symbole	Signification
$\mathbb{N}$	L'ensemble des nombres naturels
$\mathbb{Z}$	L'ensemble des nombres entiers
$\mathbb{Q}$	L'ensemble des nombres rationnels
$\mathbb{Q}'$	L'ensemble des nombres irrationnels
$\mathbb{R}$	L'ensemble des nombres réels
$\blacksquare^*$	La notation qui indique l'absence du zéro dans les ensembles de nombres $\mathbb{N}$, $\mathbb{Z}$, $\mathbb{Q}$ et $\mathbb{R}$
$\blacksquare_+$	La notation qui indique les nombres positifs des ensembles de nombres $\mathbb{Z}$, $\mathbb{Q}$, $\mathbb{Q}'$ et $\mathbb{R}$
$\blacksquare_-$	La notation qui indique les nombres négatifs des ensembles de nombres $\mathbb{Z}$, $\mathbb{Q}$, $\mathbb{Q}'$ et $\mathbb{R}$
a^2	Le carré de a
a^3	Le cube de a
$\sqrt{a}$	La racine carrée de a
$\sqrt[3]{a}$	La racine cubique de a
π	La constante « pi » $\pi \approx 3{,}1416$
$=$	… est égal à…
$\approx$	… est approximativement égal à…
$\cong$	… est isométrique à…
$\sim$	… est semblable à…
$/\!/$	… est parallèle à…
$\perp$	… est perpendiculaire à…
$\neq$	… n'est pas égal à…
$<$	… est inférieur à…
$\leq$	… est inférieur ou égal à…
$>$	… est supérieur à…
$\geq$	… est supérieur ou égal à…
k	Le rapport de similitude
$A \cap B$	L'ensemble des éléments qui appartiennent à la fois à A et à B
$A \cup B$	L'ensemble des éléments qui appartiennent à A ou à B
∞	L'infini
$\in$	… est élément de…
$f(x)$	L'image de x par la fonction f
$\lvert x \rvert$	La valeur absolue de x
Dom f	Le domaine de la fonction f
Ima f	L'image de la fonction f
Max f	Le maximum de la fonction f
Min f	Le minimum de la fonction f
$\angle$ **A**	L'angle **A**
m $\angle$ **A**	La mesure de l'angle **A**
$\overline{\mathbf{AB}}$	Le segment **AB**
m $\overline{\mathbf{AB}}$	La mesure du segment **AB**
Δ**ABC**	Le triangle **ABC**
$[a, b]$	L'intervalle fermé a, b
$]a, b[$	L'intervalle ouvert a, b
r	Le coefficient de corrélation linéaire

Index

So-rces

Photographies

p. **2** : Sylvain Grandadam / MaXx images • p. **3** : hd. Glenn Jenkinson
Morning News / Corbis ; b. Jason Verschoor / iStockphoto • p. **5** : hd. [erstock ; b. Kevin Cruff / Corbis • p. **4** : hg. Lara Solt / Dallas
Rebuttini / Corbis • p. **8** : Lemire. Jean / Publiphoto • p. **10** : André Fautoiselle / iStockphoto ; bd. iStockphoto. • p. **7** : Marc
Chapman / MaXx images • p. **13** : Aleksander Bochenek / Shutterstock •]gazine • p. **11** : J. Joyce / zefa / Corbis • p. **12** : David
photogl / Shutterstock ; b. Gouvernement du Québec, ministère des TranBNF • p. **18** : Russ Bishop / MaXx images • p. **19** : h.
Bochkarev / Shutterstock • p. **22** : (remise maillot) AP Photo / Bas Czerwins2008 • p. **20** : Javarman / Shutterstock • p. **21** : Eugene
p. **23** : Clusiau. Eric / Publiphoto • p. **24** : icyimage / Shutterstock • p. **25** : Bra de France) Stefano Rellandini / Reuters / Corbis •
iStockphoto • p. **27** : Tischenko Irina / Shutterstock • p. **30** : Shutterstock • p. 3ufenberg / iStockphoto • p. **26** : Adeline Lim /
Levine / zefa / Corbis • p. **35** : Christopher S. Howeth / Shutterstock • p. **36** : Padarco_Sc / Shutterstock ; h. Ted
Richards / Shutterstock • p. **38** : Timashov Sergiy / Shutterstock • p. **40** : Igor Glaogaitis / Shutterstock • p. **37** : Christina
Jason Vandehey / Shutterstock • p. **44** : Rob Broek / iStockphoto • p. **45** : popo / Shterstock • p. **41** : Andresr / Shutterstock • p. **42** :
(chevalet) Kmitu / Shutterstock • p. **49** : (bobine) Darko Novakovic / Shutterstock ; (ck • p. **48** : (musée) Megapress.ca ;
Santa Maria / iStockphoto • p. **50** : Sean Locke / iStockphoto • p. **51** : iStockphoto • pHal Bergman / iStockphoto ; (rideaux) Gino
b. iStockphoto • p. **55** : AP Photo / David Duprey / Presse canadienne • p. **56** : hg : MicLarry Lee Photography / Corbis ;
Bettmann / Corbis • p. **57** : Egor Mopanko / iStockphoto • p. **58** : h. www.StajerStudio.cogaresi / iStockphoto ; b. Keith Lawson /
iStockphoto • p. **59** : Hugo Silveirinha Felix / Shutterstock • p. **60** : José Carlos Pires Pereiterstock ; b. Kenneth C. Zirkel /
Shutterstock ; b. Dwight Smith / iStockphoto • p. **62** : Jayson Punwani / iStockphoto • p. **63**kphoto • p. **61** : h. Martin Tiller /
(Jean Lemire) François Prévost • p. **65** : hd. maigi / Shutterstock ; bg. Chris Livingston / epa / motif) Dennis Sabo / Shutterstock ;
p. **66** : cg. U.P.images_photo / Shutterstock ; bd. funkypoodle / Shutterstock • p. **67** : Visuals Ubd. Gregor Schuster / zefa / Corbis •
Shutterstock• p. **69** : Southern Stock Corp / Corbis • p. **70** : Luchschen / Shutterstock • p. **71** : N / Corbis • p. **68** : Serg64 /
Koksharov Dmitry / Shutterstock • p. **73** : Lars Christensen / Shutterstock • p. **76** : Yuri Arcurs / Sharbone / Shutterstock • p. **72** :
Shutterstock • p. **79** : Jose Luis Pelaez, Inc. / Corbis • p. **80** : Jean-Claude Gamache • p. **82** : V. J. :k • p. **78** : Andrea Leone /
Melissa King / Shutterstock • p. **91** : Paul Kosnik Nature Photography • p. **92** : Kati Molin / Shutterst / Shutterstock • p. **90** :
p. **94** : h. Alexan66 / Shutterstock ; Yokosuka boy / Shutterstock • p. **95** : Andy Piatt / Shutterstock • p. **93** : Andresr / Shutterstock •
p. **100** : Lawrence Manning / Corbis • p. **101** : olly / Shutterstock • p. **102** : hg. Rob Bouwman / Shutteey Coolidge / Getty Images •
iStockphoto • p. **103** : (ordinateur) Yegor Korzh / Shutterstock ; (encrier) Thomas Brain / Shutterstock • ɔg. Herbert Kratky /
Publiphoto • p. **105** : Andreas Altwein / dpa / Corbis • p. **106** : Shutterstock • p. **110** : Jeffrey Coolidge / CGagnon. Louis /
h. Charles O'Rear / Corbis ; b. Hallgerd / Shutterstock • p. **112** : bg. AFP / Getty Images ; c. John Clines / Shiges • p. **111** :
Eugene Preston / Shutterstock • p. **114** : Larry Larimer / Brand X / Corbis • p. **115** : Emilia Stasiak / Shutterstk • p. **113** : Arthur
digitalife / Shutterstock • p. **117** : (lapin) Ariusz Nawrocki / Shutterstock • p. **118** : (casse-tête) Keith Yanuzzel **16** :
Dic Liew / Shutterstock • p. **120** : Johanna Goodyear / Shutterstock • p. **121** : Sergio Pitamitz / Corbis • p. **122** ərstock • p. **119** :
Shutterstock ; bc. Bettmann / Corbis • p. **123** : Karl Stas / Wikipedia Commons • p. **124** : Momatiuk — Eastcott / ʼadeas Ioannhs /
Hougaard Malan / Shutterstock ; bg. Mike Flippo / Shutterstock • p. **127** : Franck Boston / Shutterstock • p. **128** : Ap. **126** : cd.
Istockphoto • p. **129** : hg. Sascha Burkard / Shutterstock ; hd. Studio Araminta / Shutterstock ; bg. Ana de Sousa / Sr Niavolin /
131 : g. stormcab / Shutterstock ; c. Sean Locke / iStockphoto ; d. AP Photo / Marco Ugarte / Presse canadienne • p. :k • p. **130-**
Lavoie • p. **135** Yuri Arcurs / Shutterstock • p. **136** : © Randy Faris / Corbis • p. **138** : © Tibor Bognar / Corbis • p. **14** ne et Pierre
Boisberranger / Hemis / Corbis • p. **149** : gb. Gaetane Harvey / iStockphoto; d. Christophe Testi / Shutterstock • p. **150** n du
canadienne • p. **151** : © Chris Hellier / Corbis • p. **152-153** : suravid / Shutterstock • p. **155** : Francisco Javier Ballester (
Shutterstock • p. **159** : Flashon Studio / Shutterstock • p. **160** : Carolina Navarrete • p. **161** : c. Julián Rovagnati / Shutterst
Tus / Shutterstock • p. **162** : h. PetrP / Shutterstock ; c. iDesign / Shutterstock ; b. FloridaStock / Shutterstock • p. **163** : Jacquerio
Presse canadienne • p. **164** : Marcin-linfernum / Shutterstock • p. **165** : Damir Cudic / iStockphoto • p. **166** : Sports Illustrateiot /
Images • p. **167** : Gualberto Becerra / Shutterstock • p. **171** : © Gianni Dagli Orti / CORBIS • p. **172** : John Evans / Shutterstoc
Rob Bouwman / Shutterstock • p. **175** : Colin Anderson / Blend Images / Corbis • p. **176** : gh. © Solus-Veer / Corbis ; bd. © Dim :
lundt / TempSport / Corbis • p. **178** : © Stephane Cardinale / People Avenue / Corbis • p. **179** : © José Fuste Raga / zefa / Corbis
p. **180** : Katrina Leigh / Shutterstock • p. **181** : Andrew Johnson / iStockphoto • p. **182** : Andrejs Pidjass / Shutterstock • p. **183** : h.
Raechel Running / Solus-Veer / Corbis ; b. Université de Montréal • p. **184** : Christof Sonderegger / MaXx images • p. **185** : b. Dvore
Igor Vladimirovich / Shutterstock ; h. Christof Sonderegger / MaXx images • p. **186** : Phase4Photography / Shutterstock • p. **187** :
motorolka / Shutterstock • p. **189** : Serghei Starus / Shutterstock • p. **190** : © Michael S. Yamashita / Corbis • p. **193** : © Clusiau.
Eric / Publiphoto • p. **194** : Carmen Martínez Banús / iStockphoto • p. **195** : © Fancy / Veer / Corbis • p. **199** : Judi Ashlock / iStockphoto

---

Légende : p : page h : haut b : bas c : centre g : gauche d : droite

p. **202** : Phillip MacCallum / Stringer / Getty Images • p. **203** :
• p. **200** : Perkus / Shutterstock • p. **201** : Alex Kalmbach / Shutteck / Shutterstock • p. **206** : Orla / Shutterstock • p. **207** :
Lynn Marotte • p. **204** : Tatiana Popova / Shutterstock • p. **205** ervices, Special Collections • p. **210** : Erik Lam / Shutterstock •
Peafactory / Shutterstock • p. **208** : Pearson Collection, UCL Libock • p. **214** : Offerte par la STM ; b. Wikipédia Commons - Article
p. **211** : Feng Yu / Shutterstock • p. **213** : salamanderman / SWang / Istockphoto • p. **221** : Gene Chutka / Istockphoto • p. **222** :
Tobias Mayer • p. **216** : AFP / 264Getty Images • p. **217** : Vrbis • p. **225** : Volodymyr Kyrylyuk / Shutterstock • p. **226** : Kirsty
Carrie Bottomley / iStockphoto • p. **223** : Larry W. Smith / Trista Weibell / iStockphoto • p. **229** : © Fancy / Veer / Corbis • p. **230** :
Pargeter / Shutterstock • p. **227** : oorka / Shutterstock • p/ Images • p. **232** : Monkey Business Images / Shutterstock • p. **233** : Ken
© Paul Almasy / CORBIS • p. **231** : National Geographik ; b. Denis Miraniuk / Shutterstock • p. **235** : © Sean Justice / Corbis ; b.
Hurst / Shutterstock • p. **234** : g. Mikael Damkier / Shubis • p. **238** : Stephen Strathdee / Shutterstock • p. **242** : h. Mark Thomas /
Richard Béliveau • p. **236** : © Kai Pfaffenbach / Reu**43** : h. Matthew Scherf / iStockphoto ; bg. Alexey Averiyanov / Shutterstock.
SPL / Publiphoto ; b. Galushko Sergey / Shutterstock